La salud en casa: Guía práctica de Healthwise®

Mejor atención, a menor costo

Primeros auxilios y emergencias

Problemas comunes de salud

Cómo vivir mejor con una enfermedad crónica

Cómo mantenerse saludable

Guía de cuidados personales
para usted y su familia
Una traducción en español del *Healthwise® Handbook*, 17th edition

Donald W. Kemper, MPH

Katy E. Magee, Editora

Steven L. Schneider, MD, Editor médico

A. Patrice Burgess, MD, Editora médica

Healthwise
P.O. Box 1989
Boise, Idaho 83701

La salud en casa: Guía práctica de Healthwise®

17hwhb/2nd Span/9-07
ISBN 978-1-932921-29-8

Impreso en los Estados Unidos de América

Impreso en papel reciclado

Información sobre Healthwise

Healthwise es una organización sin fines de lucro. Nuestra misión es ayudar a la gente a tomar mejores decisiones de salud. Las personas usan los recursos de nuestros manuales, la información en Internet, y los centros de llamadas de enfermería 70 millones de veces al año a fin de recibir ayuda con sus decisiones de salud. Para más información sobre Healthwise, por favor visite www.healthwise.org.

Sobre este libro

Ningún libro puede reemplazar la necesidad que tenemos de los médicos, y ningún médico puede reemplazar la necesidad de que las personas se cuiden a sí mismas. Esta nueva edición de *La salud en casa: Guía práctica de Healthwise®* le ayudará a la gente a enfrentar problemas comunes de salud, colaborar con sus médicos, vivir mejor con enfermedades crónicas, mantenerse saludables y evitar gastos innecesarios. El libro es ahora más fácil de usar y de entender que nunca porque cuenta con un lenguaje más claro, un formato a todo color, ilustraciones completamente nuevas y una organización más sencilla.

El nuevo libro también facilita encontrar información (en inglés) práctica y enfocada a tomar decisiones que se encuentra en la Healthwise® Knowledgebase. Cada vez que vea el símbolo "Vaya a la Web", obtendrá instrucciones sobre cómo encontrar información que le puede ayudar a tomar una decisión, adquirir una destreza o aprender más sobre su salud mediante un cuestionario u otra herramienta.

Si el médico le da instrucciones que difieren de las de este libro, por favor siga el consejo de su médico. Su médico conoce el historial específico y las necesidades de su caso, por lo tanto sus recomendaciones deben ser las mejores para usted. Igualmente, si sigue los consejos para cuidarse a sí mismo del libro y no obtiene resultados positivos, no olvide consultar a su médico.

Este libro es solamente una guía. No podemos garantizar que le funcionará en cada situación. Adémas, Healthwise no acepta ninguna responsabilidad por ningún problema que pueda ocurrir por seguir sus indicaciones. Recuerde usar el sentido común y el buen juicio en todo momento.

¡Le deseamos lo mejor para su salud!
Donald W. Kemper

Contenido

Cómo vivir mejor con una enfermedad crónica

Cómo mantenerse saludable

Agradecimientos

Para Healthwise, la 17ma edición de *La salud en casa: Guía práctica de Healthwise®* llega después de tres décadas de ayudar a las personas a tomar mejores decisiones de salud. Aunque esta edición es diferente a las anteriores en muchas maneras, es también renovar el mismo compromiso con esa sencilla misión.

Muchas, muchas personas del personal de Healthwise han contribuido a esta edición del libro; muchos de ellos de maneras que ni siquiera sospechan. Con otras, es un poco más obvio. Agradecemos especialmente a Katy Magee, por editar el libro y dirigir el formato, alcance y estilo de su contenido; a Andrea Blum, por dirigir el proyecto del libro desde las primeras etapas de diseño hasta la producción final; a Steve Schneider, MD, y Patrice Burgess, MD, por la acertada asesoría médica desde el comienzo hasta el final; a Terrie Britton y John Kubisiak, por su pericia en el definir el formato, el diseño y la composición; a Jo-Ann Kachigian, Carrie Henley y Anna Alton, por la minuciosa edición de texto y corrección de pruebas; a Kourtney Funke, por su trabajo en el diseño de la portada y el icono "Vaya a la Web"; a Steve Graepel, por dirigir el desarrollo de las nuevas ilustraciones; y a Don Kemper, por su visión en constante evolución pero siempre firme sobre lo que el libro debe ser.

Queremos reconocer especialmente a Michael Linkinhoker, MA, CMI, de Link Studio, por crear las hermosas ilustraciones del libro.

También le agradecemos a los siguientes profesionales de la salud por la sabiduría y experiencia clínica que compartieron con nosotros al revisar el libro:

Randall D. Burr, MD
Colin H. Chalk, MD
Heather O. Chambliss, PhD
Arden G. Christen, DDS
Lisa Cooper-Patrick, MD
Alan C. Dalkin, MD
Seymour Diamond, MD
William M. Green, MD
Carol L. Karp, MD
Robert B. Keller, MD
Robert A. Kloner, MD

Joy Melnikow, MD
Charles M. Myer III, MD
Theresa O'Young, PharmD
Caroline S. Rhoads, MD
Ruth Schneider, RD
Avery L. Seifert, MD
Michael J. Sexton, MD
Peter Shalit, MD
Brent T. Shoji, MD
R. Steven Tharratt, MD
Arvydas D. Vanagunas, MD

Esta edición de *La salud en casa: Guía práctica de Healthwise* descansa sobre la base orgullosa de las dieciséis que la precedieron, y de los cientos de profesionales de la salud, educadores, escritores, editores y otros que han asegurado que el contenido de Healthwise mejore cada vez más durante los últimos 30 años. Su labor le ha brindado a millones de personas una mayor oportunidad de tener mejor salud. Este libro está dedicado a ustedes.

Mejor atención, a menor costo

Mejor atención, a menor costo

La buena salud no ocurre por arte de magia. Usted tiene que hacer su parte. Participar activamente en su atención médica es la mejor manera de asegurar que recibe la mejor atención al mismo tiempo que reduce los costos.

Este capítulo es una guía práctica para obtener la atención que necesita, no más y ciertamente no menos, y al mejor precio posible. Cubre las cinco áreas en las cuales usted puede tener el mayor impacto sobre tanto el costo como la calidad de su atención médica:

◆ Colaborar con su médico.

◆ Ser inteligente cuando se trate de medicamentos.

◆ Reservar la sala de emergencias para emergencias.

◆ Utilizar los exámenes médicos con prudencia.

◆ Considerar todas las opciones antes de decidir sobre un tratamiento.

Con un poco de esfuerzo en estas cinco áreas, usted puede:

◆ Reducir sus costos de atención médica actuales y los futuros.

◆ Asegurarse de obtener la mejor atención médica para usted.

◆ Evitar los errores médicos participando en su propio cuidado y evitando la atención que no necesita.

Colabore con su médico

Una colaboración sólida con su médico es clave para recibir atención excelente y reducir los gastos. Un médico que no sólo conoce su historial de salud, sino que también entiende lo que es importante para usted podría ser el recurso que más necesite cuando enfrente una decisión importante sobre su atención de salud.

Bienestar: La mejor manera de ahorrar

La mejor manera de reducir los gastos de atención médica es mantenerse saludable. Los estilos de vida sanos y la atención preventiva (citas "sin estar enfermo", pruebas de detección, vacunas) le pueden ayudar a evitar problemas costosos. Mantenerse sano también le ayuda a evitar los errores médicos que pueden resultar cuando se recibe tratamiento para problemas de salud.

Para aprender cómo comenzar a vivir sanamente hoy, vea la página 32525.

1. Use a su médico como maestro y entrenador. Algunos pacientes solamente quieren que sus médicos les digan qué hacer. No quieren saber los porqué ni los cómo. En algunos casos, eso está bien. Pero si en verdad quiere recibir la atención que mejor satisfaga sus necesidades, sea un paciente *y* un estudiante.

◆ No le pregunte al médico solo lo que debe hacer. Pregunte por qué. Su médico tiene una oportunidad única para ayudarle a entender la atención que está recibiendo.

◆ Siempre pregunte si tiene opciones. ¿Cuáles le parecen las mejores? ¿Cuáles son los puntos a favor y en contra? ¿Qué efectos podría tener su elección a corto y a largo plazo?

◆ Aproveche la experiencia de su médico con otros pacientes. Aunque la situación de cada paciente es única, su médico probablemente ha ayudado a otros pacientes a resolver las mismas preguntas y decisiones que usted tiene que encarar.

2

2. Dígale al médico que a usted le importa el costo. El objetivo principal de un médico es ayudarle a sanar, no ahorrarle dinero. Pero es posible que le pueda ayudar con ambas cosas si usted se lo dice.

No espere que el médico sepa el costo exacto de un medicamento, un examen o un tratamiento. Hay muchas cosas que determinan el costo de la atención médica: los arreglos que su plan de salud haya hecho con el médico, cómo factura los servicios, dónde recibe la atención, y otros detalles. No obstante, el médico le puede dar una idea de cómo se compara el costo de una opción con otra.

3. Prepárese para cada visita al médico.
Esto le ayudará a él o ella a brindarle mejor atención y les ayuda a ambos a aprovechar la visita al máximo.

- Esté listo para decirle cuáles son sus síntomas principales, cuándo comenzaron, y lo que ha hecho hasta la fecha para aliviarlos. Podría ser útil escribir estos datos de antemano.

- Escriba las tres preguntas cuya respuesta más le interesa. Si el médico no habla del asunto, no tema en preguntarlo.

- Traiga una lista de cualquier medicamento, vitamina y suplementos herbales que esté tomando.

- Traiga copias de los resultados de exámenes recientes si fueron pedidos por otro médico.

4. Participe de manera activa en cada visita o llamada. Preste atención. Haga preguntas si no entiende algo. Escriba el diagnóstico, el plan de tratamiento, y las instrucciones sobre cómo debe cuidarse y las visitas o llamadas de seguimiento. Sea honesto y directo en cuanto a lo que hace y lo que no piensa hacer.

Consejos inteligentes para la compra de medicamentos

Si usted y su médico han decidido que necesita medicamentos recetados, estos tres consejos le pueden ayudar a conseguirlos a menor costo:

- Seleccione medicamentos genéricos en lugar de los de marca cuando sea posible. (Los genéricos son el mismo medicamento, pero sin la marca comercial.)

- Si no hay una alternativa genérica, pregunte si su plan médico le hace pagar más por una marca que por otra. Muchos planes lo hacen, mediante una lista llamada formulario de medicamentos.

- Compare precios y sea astuto al comprar.

Medicamentos genéricos y de marca

Todos los medicamentos tienen un nombre genérico, que también se conoce como nombre científico. Muchos también tienen una o más marcas. Por ejemplo, Viagra es la marca del medicamento genérico llamado sildenafil. El nombre genérico de Prozac es fluoxetina.

Por varios años después de la creación de un medicamento, las leyes de patente evitan que otras compañías también lo fabriquen. Pero una vez que la patente caduca, otras compañías farmacéuticas pueden producir y vender el mismo medicamento. Simplemente no pueden venderlo con la misma marca. Por lo tanto, usan el nombre genérico.

Un medicamento genérico tiene los mismos ingredientes activos que la versión de marca y casi siempre cuesta menos. En muchos casos, los genéricos cuestan menos de la mitad que los de marca.

¿Son los genéricos en verdad tan buenos como los de marca comercial?

◆ Sí. Los medicamentos genéricos son sometidos con mucho cuidado a pruebas para asegurar que tengan los mismos ingredientes, surtan los mismos efectos, y tengan el mismo perfil de seguridad que los de marca. Es posible que el aspecto o sabor de los medicamentos sea un poco diferente.

◆ En el caso de unos pocos medicamentos, el organismo no reacciona al medicamento genérico de la misma manera que al medicamento de marca. Estos genéricos se clasifican como "B". La clasificación "B" no significa que el genérico no es tan bueno como el de marca o que usted no lo puede usar. Significa que usted debe hablar con su médico o farmacéutico antes de cambiar del medicamento de marca al genérico (o viceversa). Un farmacéutico le puede decir si un medicamento es de clasificación "B".

Eso es todo. La seguridad y la calidad de los genéricos aprobados por la FDA son iguales a las de los medicamentos de marca. Los genéricos tan solo cuestan menos. Si quiere ahorrar dinero, pregúntele siempre al médico o farmacéutico: "¿Hay un genérico disponible que pueda tomar?"

Los medicamentos y su plan de salud

La mayoría de los planes de salud usan un **formulario de medicamentos** para controlar los costos. Un formulario es simplemente una lista de los medicamentos recetados prefereridos. El plan pagará una mayor parte del precio de los medicamentos en la lista que lo que pagará por otros medicamentos para tratar el mismo problema de salud.

El formulario puede poner los medicamentos en tres grupos, o "niveles", de acuerdo a cuánto paragá su plan de salud y cuánto tendrá que pagar usted.

◆ **Grupo 1: Medicamentos genéricos.** Estos medicamentos en general han estado usándose por mucho tiempo, tiene beneficios comprobados, y cuestan menos para producir y vender. Los medicamentos en este grupo son los que menos le costarán.

◆ **Grupo 2: Medicamentos de marca que están en el formulario.** Para el mismo problema de salud, a menudo hay medicamentos en competencia de distintas compañías. Su plan de salud puede colocar un medicamento en el formulario en lugar de los demás si esa compañía está de acuerdo en reducir el precio. Usted pagará más por el medicamento de marca del "formulario" que por el genérico, pero le costará menos que los de marca de la competencia que no están en el formulario.

◆ **Grupo 3: Medicamentos de marca que no están en el formulario.** Estos medicamentos cuestan más porque su plan de salud no tiene un acuerdo con la compañía farmacéutica para reducir el precio. Cuando el plan de salud paga más, usted también lo hace. Su otra opción es cambiar a un medicamento genérico o a uno de marca que esté en el formulario.

La diferencia en el precio que pagará entre estos tres grupos puede ser considerable. Si el médico le receta un medicamento, cerciórese de que sabe cuánto tendrá que pagar y si otra alternativa le ahorraría dinero sin sacrificar la calidad.

A veces hay buenas razones para usar un medicamento de marca que no está en el formulario en lugar de uno que sí lo está. Quizás el medicamento viene con un horario o periodicidad de dosis que le funciona mejor para usted. O quizás tiene menos o diferentes efectos secundarios. Usted puede comprar el medicamento, pero le costará más que el que está en el formulario.

Sin embargo, en la mayoría de los casos probablemente haya un medicamento en la lista que funciona tan bien como el otro. En parte, controlar el costo de las medicinas depende de usted.

◆ Conozca cómo paga por los medicamentos su plan de salud.

◆ Si el médico le receta un medicamento que no está en la lista preferencial de su plan de salud, pregunte si hay un medicamento en la lista que le costaría menos y funcionaría igual de bien.

◆ Si un medicamento que necesita no está en la lista, llame a su plan de salud y pregunte por él. Este es su derecho como consumidor y como miembro de ese plan.

Cómo comprar medicamentos con inteligencia

Si usted paga por medicamentos de su propio bolsillo o con una cuenta de ahorros para gastos médicos (HSA), le conviene mucho más ser cuidadoso con sus compras.

1. Compare precios. La rapidez y conveniencia de una farmacia local puede ayudar en casos de emergencia o si tiene prisa. Pero cuando se trata de medicamentos que toma con regularidad, las farmacias de envíos por correo o por Internet pueden ser más económicas. También pueden ser más convenientes, porque le envían los medicamentos a su propio buzón.

Si hace los pedidos por Internet, busque sitios Web que tengan el sello VIPPS (Verified Internet Pharmacy Practice Sites) de la National Association of Boards of Pharmacy. Esto significa que el sitio ha cumplido con los requisitos estatales y federales.

2. Pídale muestras gratuitas al médico si está probando un medicamento nuevo. Esto le permitirá probar el medicamento por un par de semanas sin tener que comprar la receta completa.

Pero tenga cuidado: a menudo las muestras que tienen los médicos son para los medicamentos nuevos y más caros. Si no cambia a un medicamento más económico después, podría terminar pagando más de lo necesario.

3. Compre grandes cantidades. Una vez que sepa que estará usando un medicamento por mucho tiempo, a menudo puede ahorrar dinero y tiempo si pide un suministro grande (para 90 días, por ejemplo). Pídale al médico que le dé una receta para varios meses.

4. Pregúntele al médico sobre la posibilidad de partir las pastillas. Algunas pastillas se pueden comprar a una dosis doble de la necesaria (100 mg en lugar de 50 mg, por ejemplo) por el mismo o casi el mismo precio que la dosis más pequeña. Al dividir la dosis mayor, puede obtener dos dosis por el precio de una. Para dividir la dosis, se parte la pastilla por la mitad. Es mejor usar un partidor de pastillas, que es un pequeño instrumento que ayuda a hacer cortes limpios. (Puede comprarlo en la mayoría de las farmacias.)

No todas las pastillas se pueden partir de este modo. Las cápsulas y las pastillas de liberación prolongada nunca se deben partir. Con muchos medicamentos, la dosis necesita ser de suma precisón. Por lo tanto, cerciórese de verificar con el médico si sus pastillas se pueden partir.

5. Averigüe sobre programas de descuento y de asistencia para pacientes. Algunas compañías farmacéuticas ofrecen medicamentos gratuitos o a descuento para personas que necesitan ayuda para pagar por los medicamentos. Es posible que su médico tenga que comunicarse con ellos a nombre suyo. Para saber más sobre estos programas, busque por internet en RxAssist (www.rxassist.org) o en Partnership for Prescription Assistance (www.pparx.org).

También puede haber ayuda disponible por medio del gobierno de su estado, su comunidad, o la Administración de Veteranos (para los veteranos y sus familias). Algunas farmacias y organizaciones, como la AARP, pueden ofrecer descuentos para los adultos mayores.

Reserve la sala de emergencias para emergencias

Las salas de emergencia de los hospitales (ER, por sus siglas en inglés) están concebidas para enfocarse en emergencias médicas. No están concebidas para prestar atención médica de rutina. Si usted va a la ER por un problema que no es una emergencia:

◆ Le costará mucho más que si fuese al consultorio de su médico o a una clínica que atiende "sin cita previa" (vea la página 7). Visitar la sala de emergencias por un dolor de oídos, por ejemplo, podría costar entre tres y cuatro veces más caro que lo que costaría visitar el consultorio de su médico.

◆ Probablemente se demorará mucho más allí que en una clínica o en el consultorio del médico.

◆ Le atenderá un médico que probablemente nunca le haya visto antes. Es siempre mejor recibir la mayor parte de su atención de un médico que le conozca y le entienda.

Vaya a la ER si cree que tiene una emergencia médica. Para eso existe la ER. De lo contrario, llame primero al consultorio de su médico, o vaya a la clínica que atiende sin cita previa. Le ahorrará dinero y tiempo.

¿Cómo se sabe cuándo es una emergencia?

Hay unas pocas reglas claras sobre lo que es una emergencia y lo que no lo es. La mayoría de los médicos estarán de acuerdo sobre una pequeña lista de problemas que siempre se deben tratar como emergencias: dolor de pecho que pudiera ser un ataque al corazón, no poder respirar, sangrado grave e incontrolable, síntomas de un accidente cerebrovascular, y unos pocos más.

La mayoría de los problemas de salud *no* son emergencias. Es posible que usted quiera resolver el problema de inmediato porque se siente enfermo o incómodo, pero no le va a pasar nada si espera un poco. Por otro lado, usted no siempre puede saber esto con certeza. Algunos problemas que aparentan ser menores pueden convertirse en graves si los ignora. Y puede ser aún más difícil saber qué hacer cuando un niño está enfermo.

Una buena pregunta que puede hacerse es, "¿Estoy considerando ir a la ER porque es *conveniente* o porque es *necesario*?". Si está pensando en ir a la ER porque le pueden atender sin una cita, tenga en mente el alto precio que pagará por esa conveniencia. Además, es posible que tenga otras opciones.

Usted siempre puede llamar al consultorio de su médico o a una línea de enfermería para que le ayuden. También puede buscar información sobre su problema en este libro.

¿Qué es una "Clínica que atiende sin cita previa"?

Las clínicas que atienden sin cita previa a menudo se conocen como centros de "emergencias menores", "atención de urgencia", o "atención inmediata". Ellos atienden todo tipo de problemas de salud y a menudo están abiertos en las noches y los fines de semana. No es necesario tener una cita.

Este tipo de clínicas puede ser una gran opción cuando:

◆ No puede o no quiere esperar por una cita en el consultorio de su médico.

◆ No necesita el nivel de servicios que proporciona una ER.

Los servicios en una clínica sin cita cuestan mucho menos que los servicios para atender el mismo problema en una ER. Si resulta que sí está teniendo una verdadera emergencia médica, la clínica le enviará a la ER.

A menos que tenga una clínica en su vecindario o ya sabe dónde hay una, podría ser difícil ubicar una cuando la necesite. Por lo tanto, durante su próxima cita con el médico pídale que le recomiende una. Comuníquese con su plan de salud para ver si ofrece mejor cobertura en unas clínicas que en otras.

¿Qué pasa si el problema ocurre durante el fin de semana o por la noche?

Vaya a la ER si cree que tiene una emergencia médica.

Si no cree que el problema es una emergencia:

◆ Busque la información de su problema en este libro, y lea lo que dice sobre cuándo llamar a un médico. Vea si hay algún tratamiento en el hogar que pueda intentar.

◆ Llame al consultorio de su médico y vea si tienen un número al que se pueda llamar cuando el consultorio esté cerrado.

◆ Llame a una línea de enfermería para obtener asesoría. La enfermera le puede ayudar a decidir si necesita ayuda inmediatamente o si puede esperar sin peligro.

◆ Vaya a una clínica que atiende sin cita previa (si hay una abierta).

◆ Vaya a la ER si siente que el problema no puede esperar hasta que abra el consultorio del médico o la clínica que atiende sin cita.

Consejos inteligentes sobre dinero para exámenes médicos

Los exámenes médicos son caros. Si necesita un examen o prueba, haga lo necesario para cerciorarse de que no lo tenga que repetir. Los consejos a continuación pueden ser de mucha utilidad:

1. Siga las instrucciones sobre cómo prepararse. ¿Se requiere que deje de comer la noche anterior? ¿Que no consuma alcohol? ¿Que deje de tomar alguna medicina, o tome alguna medicina especial? Obtenga instrucciones escritas de su médico o enfermera, y sígalas. Esto reduce la probabilidad de un error y la necesidad de repetir el examen, lo que a su vez le ahorra dinero.

2. Guarde una copia de los resultados. Pida una copia de los resultados completos del examen, aunque sean normales. No suponga que si no le dicen nada es porque no pasa nada. Si el médico no se comunica con usted, llame para pedir los resultados escritos del examen. Esto le ayudará de tres maneras:

◆ Asegurará que tiene los resultados si más tarde los necesita para compararlos con exámenes pasados o futuros.

◆ Tendrá un expediente de respaldo en caso de que consulte a un médico diferente que no recibió los resultados del examen de su médico anterior. Si usted puede proporcionarle una copia, entonces no tendrá que repetir el examen.

◆ Tener los resultados le ayuda a entender mejor lo que está ocurriendo con su salud.

3. No se hospitalice simplemente para hacerse un examen, a menos que tenga que hacerlo. A veces una estadía en el hospital es necesaria, pero con frecuencia el propósito es tan solo controlar lo que usted comerá, beberá y hará antes del examen.

Hable con su médico. Él o ella quizás no tenga problema con que usted se haga el examen como paciente ambulatorio (es decir, sin quedarse en el hospital la noche anterior) siempre y cuando esté de acuerdo en seguir las instrucciones sobre qué hacer antes y después del examen. Si no hay peligro en que usted haga esas cosas en su casa en lugar de hacerlo en el hospital, podría reducir bastante el costo del examen.

4. No se haga exámenes con mayor frecuencia de la necesaria. Si tiene un problema de salud que requiere exámenes frecuentes y le preocupa el costo, dígaselo al médico. Quizás pueda esperar un poco más entre un examen y el próximo. Quizás pueda hacerse un examen menos costoso algunas veces, y el más caro con menos frecuencia.

5. Pregunte cuáles son sus opciones, y compare precios. El costo de algunos exámenes puede variar bastante sin que haya diferencia en la confiabilidad de los resultados. En el caso de exámenes caros, podría ser beneficioso comparar los precios de sus mejores opciones.

Decisiones inteligentes: Sepa cuáles son sus opciones

Las buenas decisiones de salud le pueden ayudar a reducir costos y obtener mejor atención. Una buena decisión toma en cuenta:

◆ Los beneficios de cada opción.

◆ Los riesgos de cada opción.

◆ Los costos de cada opción.

◆ Sus propias necesidades y deseos.

1. Pregunte siempre por qué. Recibir demasiados servicios puede ser tan malo como recibir demasiado pocos, o hasta peor. La mayoría de los medicamentos pueden tener efectos secundarios. Los exámenes médicos pueden producir resultados falsos que llevan al tratamiento incorrecto. Una cirugía casi siempre conlleva riesgos. Y cada vez que recibe atención, hay probabilidad de que ocurra un error.

Cuando su médico sugiera o pida un medicamento, cirugía, examen o cualquier otro tipo de atención, pregúntele por qué lo necesita y qué pasaría si esperara. Si no lo necesita ahora, quizás prefiera esperar.

Pero también recuerde que no hacer nada también cuesta. La opción de "esperar a ver qué pasa" no siempre es la mejor. Si no obtiene atención cuando la necesita y un problema de salud empeora, podría enfrentar más gastos de los que tendría si hubiese resuelto el problema antes.

Preguntar puede ayudar a que usted y el médico tomen la decisión apropiada para su caso.

2. Sepa cuáles son los puntos a favor y en contra. Toda opción de tratamiento tiene puntos a favor y en contra. A usted le toca averiguar cuáles son.

Su médico puede ser de gran ayuda para eso. Colabore con el médico para aprender que podría significar una decisión para usted ahora y a largo plazo.

Recuerde, la meta es obtener la atención que necesita, ni más ni menos, y obtenerla al menor costo posible.

3. Considere sus necesidades y deseos. Cada persona valora las cosas de manera diferente. Cuando tenga que tomar una decisión de atención médica, tendrá que sopesar asuntos como:

◆ El deseo de tener mejor salud en comparación con los riesgos del tratamiento.

◆ La certeza de hacer algo en comparación con la incertidumbre de esperar (lo conocido contra lo desconocido).

◆ Conveniencia en comparación con el costo.

Usted es la única persona que sabe cuál es la combinación correcta en su caso. Quizás esté dispuesto a pagar más si eso resolviera el problema con rapidez. Quizás esté dispuesto a someterse a una cirugía muy arriesgada si pudiera curar un grave problema de salud. O quizás esté dispuesto a soportar un poco de dolor si con ello puede evitar un tratamiento que tiene efectos secundarios indeseados o cuesta mucho.

Para muchas decisiones, estos asuntos son tan importantes como los hechos médicos. Son parte de lo que hace que una decisión sea la correcta para *usted*. Estos influyen en si usted recibirá la atención que desea a un costo que le parezca razonable.

Decisiones sobre cirugías

Una cirugía generalmente conlleva un alto costo y riesgos. Cuando la opción de tener una cirugía no es clara, es particularmente importante tomar una buena decisión.

Antes de someterse a una cirugía para algo que no sea un problema urgente que arriesga la vida, asegúrese de obtener respuesta a estas preguntas clave:

◆ ¿Cómo le puede ayudar la cirugía?

◆ ¿Qué resultados tendría que obtener de la cirugía para considerarla como un éxito? ¿Qué tan probables son esos resultados?

◆ ¿Qué podría resultar mal si lo operan?

◆ ¿Cuánto tiempo le tomará recuperarse de la cirugía? ¿Cuánto tiempo deberá faltar al trabajo? ¿Qué tipo de rehabilitación necesitaría?

◆ ¿Qué ocurrirá a corto plazo si no se hace la cirugía? ¿Qué podría pasar a largo plazo si no se la hace?

◆ ¿Hay otros tratamientos que puede intentar primero?

◆ ¿El problema puede regresar después de la cirugía?

◆ Si necesita la cirugía, ¿dónde se la debe hacer? ¿Cómo puede reducir la probabilidad de que ocurra un error?

Probablemente tenga otras preguntas específicas de acuerdo con su problema de salud y situación. Busque la ayuda que necesita para tomar estas decisiones.

Primeros auxilios y emergencias

Abdominal, lesión

Cuándo llamar al médico

Llame al 911 si:

◆ La persona tiene dolor intenso en el vientre después de una lesión.

◆ El vientre está completamente hinchado y endurecido, o si el presionar cualquier área del vientre causa dolor intenso.

◆ La persona se desmaya.

◆ La persona vomita sangre o una sustancia parecida a granos de café molido.

◆ La persona excreta heces de color rojizo o con sangre, o se ven coágulos de sangre en el inodoro.

Llame al médico si:

◆ Ocurre cualquier sangrado del recto o se ve sangre en el excremento, sangre en la orina, o si ocurre sangrado vaginal inesperado.

◆ La lesión causa náuseas, vómitos, acidez estomacal, o pérdida de apetito.

◆ Siente dolor constante de leve a moderado que empeora o que no mejora después de 12 horas.

En el caso de una cortadura o herida punzante en el vientre, vea también Cortaduras y heridas punzantes en la página 21.

Un golpe en el vientre (abdomen) puede causar moretones graves y sangrado dentro del cuerpo. Ese tipo de lesiones a menudo son causadas por accidentes de automóvil o bicicleta, de trineo, o de esquís, cuando la persona es arrojada hacia un objeto o hacia el suelo.

Si hay sangrado interno o daño a algún órgano, la persona puede quedar en estado de shock (vea la página 61). Esto puede poner en peligro su vida.

Tratamiento en casa

◆ Acueste a la persona con los pies más elevados que el corazón. Afloje la vestimenta de la persona, y cúbrala con una manta para que no le dé frío.

◆ No le dé nada de comer ni beber hasta que le hayan hecho una evaluación médica y usted esté seguro de que la persona está bien.

◆ Observe a la persona durante el próximo par de días. Los síntomas de sangrado interno grave pueden no manifestarse de inmediato.

Asfixia

La asfixia en general ocurre cuando un pedazo de comida o un objeto obstruye la tráquea. Una persona que se está asfixiando no puede hablar, toser ni respirar, y se puede poner de color gris o morado. La maniobra de Heimlich puede ayudar a sacar la comida o el objeto de la tráquea.

ADVERTENCIA: No intente la maniobra de Heimlich a menos que esté seguro de que la persona se está asfixiando.

Si alguien mayor de 1 año se está asfixiando

◆ Párese detrás de la persona y póngale sus brazos alrededor de la cintura. Si la persona está de pie, coloque uno de sus pies entre los suyos o entre sus piernas para que pueda sostenerla si se desmaya.

◆ Haga un puño con una de las manos. Coloque el lado del pulgar contra el vientre de la persona, un poco más arriba del ombligo pero más abajo del esternón.

Déle golpes rápidos y hacia arriba.

◆ Agarre el puño con la otra mano. Déle un tirón rápido hacia arriba y contra el vientre. Esto puede hacer que el objeto salga. Es posible que tenga que usar más fuerza para un adulto y menos para un niño o una persona pequeña.

◆ Repita los tirones hasta que el objeto salga o la persona se desmaye.

Llame al 911 si la persona se desmaya. Entonces:

◆ Comience a dar reanimación cardiopulmonar (RCP) si sabe hacerlo. Vea página 53.

◆ Cada vez que abra la vía respiratoria mientras hace RCP, vea si hay un objeto en la boca de la persona. Si lo ve, sáquelo.

◆ No vuelva a hacer la maniobra de Heimlich.

◆ Siga haciendo RCP hasta que la persona respire por sí misma o hasta que llegue ayuda.

Si usted se está asfixiando

Si se ahoga y está solo, use sus propios puños para empujarse el vientre. O recuéstese sobre el respaldo de una silla y empuje fuerte para expulsar el objeto.

Si un bebé de menos de 1 año se está asfixiando

◆ Coloque al bebé boca abajo sobre su antebrazo de manera que el bebé tenga la cabeza a un nivel más bajo que su pecho. Sostenga la cabeza del bebé en su mano, sobre su muslo. No le cubra la boca ni le tuerza el cuello.

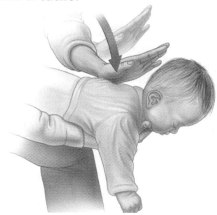

Déle al bebé hasta 4 golpes firmes entre los omóplatos.

◆ Use la base de la mano para darle hasta 4 golpes firmes (palmadas) entre los omóplatos.

◆ Si el objeto no sale, sosténgale la cabeza y vírelo boca arriba sobre su muslo. La parte de atrás de la cabeza del bebé debe estar apuntando hacia el suelo.

◆ Coloque dos o tres dedos en la parte inferior del esternón del bebé y empuje hacia arriba hasta 5 veces.

◆ Examine la boca del bebé para ver si hay un objeto. Si puede verlo, sáquelo. Luego dé 2 respiraciones boca a boca. Para dar respiración boca a boca:

❖ Coloque una mano sobre la frente del bebé, y levántele la barbilla para mantener la vía respiratoria abierta. Luego coloque su boca sobre la boca y nariz del bebé y sople aire suavemente hasta que el pecho del bebé suba. Entre cada soplo, sepárese de la boca del bebé, respire y esté pendiente de cuando el pecho del bebé baje.

◆ Si el objeto no sale después de hacer estos pasos, **llame al 911**.

◆ Continúe dándole golpes en la espalda, presionándole el pecho, buscando el objeto y dándole respiración boca a boca hasta que el bebé tosa el objeto y comience a respirar por su cuenta o hasta que llegue ayuda.

Astillas

Tratamiento en casa

Para retirar una astilla:

◆ Primero intente usando cinta adhesiva. Ponga un pedazo de cinta adhesiva sobre la astilla, y despéguelo.

◆ Si no funciona, agarre la punta de la astilla con pinzas y trate de sacarla suavemente.

◆ Si la astilla no sobresale de la piel de manera que la pueda agarrar, limpie una aguja con alcohol y haga un pequeño agujero en la piel sobre la punta de la astilla. Luego levante la astilla con la punta de la aguja hasta que la pueda agarrar con las pinzas.

◆ Después de retirar la astilla, lave el área con agua y jabón. Use un vendaje si la herida está en un lugar que se pudiera ensuciar. De lo contrario, deje la herida abierta al aire.

Cuándo llamar al médico

◆ Una astilla es demasiado grande o está demasiado enterrada en la piel y no la puede sacar fácilmente.

◆ La astilla está en el ojo.

◆ Está presentando senales de infección. Éstas pueden incluir aumento del dolor, hinchazón, el área se siente caliente o se enrojece; aparecen rayas rojas que salen de la herida, pus y fiebre.

Ataque al corazón

Señales de un ataque al corazón

◆ Dolor o presión en el pecho. Este es el síntoma más común. Pero algunas personas—especialmente las mujeres, los adultos mayores y las personas con diabetes—no sienten dolor en el pecho durante un ataque al corazón.

◆ Sudores

◆ Falta de aire

◆ Náuseas o vómitos

◆ Dolor o molestia en la parte superior de la espalda, la parte superior del vientre, el cuello, la mandíbula o los brazos

◆ Mareos

◆ Latidos rápidos o irregulares

Los síntomas de un ataque al corazón usualmente duran más de 5 minutos y no desaparecen al descansar.

Cuándo llamar al médico

Llame al 911 si piensa que pudiera estar teniendo un ataque al corazón. No espere para ver si se siente mejor.

Después de llamar al 911, mastique una aspirina para adulto (a menos que sea alérgico a la aspirina).

Si llamar a una ambulancia no es una opción, pídale a alguien que le lleve al hospital. No maneje usted mismo.

Llame a un médico si tiene dolor leve en el pecho que no desaparece o que regresa de manera constante y no hay una razón obvia. Vea Dolor de pecho en la página 226.

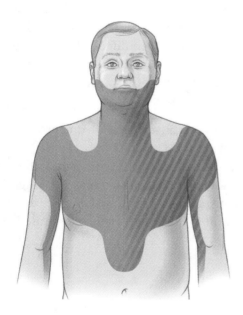

Un ataque al corazón puede causar molestias en cualquiera de las áreas sombreadas así como en la parte superior de la espalda.

Un ataque al corazón ocurre cuando una o más de las arterias coronarias están obstruidas y la sangre no puede fluir. Las arterias coronarias transportan sangre al corazón (vea la ilustración en página 302). Se pueden obstruir cuando la placa del interior de una arteria se desprende y se forma un coágulo.

Muchas personas confunden un ataque al corazón con otros problemas, como acidez estomacal o un músculo desgarrado. Es importante reconocer las señales que el cuerpo envía durante las primeras etapas de un ataque al corazón y conseguir ayuda. El tratamiento rápido puede reducir el daño causado por un ataque al corazón y puede salvarle la vida.

Ataque cerebral

Señales de un ataque cerebral

◆ Debilidad, adormecimiento, o pérdida de movimiento súbitos en la cara, un brazo o pierna, en especial en un solo lado del cuerpo.

◆ Vista borrosa o deficiente de manera repentina, que no se arregla al parpadear.

◆ Dificultad súbita para hablar o entender oraciones sencillas.

◆ Dolor de cabeza repentino e intenso que es diferente a cualquier dolor de cabeza que haya tenido en el pasado.

◆ Mareos intensos, pérdida de equilibrio, o falta de coordinación súbitos, en especial si están acompañados de otra señal de advertencia al mismo tiempo.

Cuándo llamar al médico

Llame al 911 si piensa que pudiera estar teniendo un ataque cerebral. Si llamar a una ambulancia no es una opción, pídale a alguien que le lleve al hospital. No maneje usted mismo.

Llame a un médico si los síntomas definitivamente ocurrieron y desaparecieron después de unos cuantos minutos. Esto pudiera ser aviso de que pronto pudiera ocurrir un ataque cerebral.

Un ataque cerebral ocurre cuando uno de los vasos sanguíneos que van al cerebro se rompe o está obstruido por un coágulo. En pocos minutos, las células nerviosas de esa parte del cerebro se mueren. Por lo tanto, la parte del cuerpo controlada por esas células no puede funcionar correctamente.

Los efectos de un ataque cerebral pueden variar de leves a graves. Se pueden aliviar, o pueden durar por el resto de la vida. Un ataque cerebral puede afectar la vista, el habla, el comportamiento, los procesos de pensamiento y su habilidad para moverse. A veces puede causar un coma o la muerte.

Busque ayuda tan pronto note síntomas de un ataque cerebral. Obtener tratamiento rápido puede reducir el daño a su cerebro para que tenga menos problemas después del ataque cerebral.

¿Qué es un AIT?

Los AIT, o ataques isquémicos transitorios, a menudo se llaman "mini ataques cerebrales" porque sus síntomas son iguales a los de un ataque cerebral. La diferencia es que los síntomas de los AIT usualmente desaparecen en 10 a 20 minutos. (En raras ocasiones pueden durar hasta 24 horas.)

Un AIT es una advertencia de que pronto pudiera tener un ataque cerebral. Puede ocurrir meses antes de que ocurra un ataque cerebral. Es posible que tenga uno o más AIT antes de que tenga un ataque cerebral. Si piensa que ha tenido un AIT, vea a su médico de inmediato.

Cabeza, lesiones en la

Cuándo llamar al médico

Llame al 911 si:

◆ La persona perdió el conocimiento durante más de varios segundos.

◆ Hay sangrado grave que no disminuye ni se detiene después de 15 minutos de presión directa. Vea la página 57.

◆ La persona tiene convulsiones.

◆ La persona se siente débil o tiene adormecimiento en un lado del cuerpo.

◆ Tiene vista doble o dificultad para hablar por más de un minuto o dos.

◆ La persona parece estar confundida, no recuerda haberse lesionado, o sigue haciendo las mismas preguntas.

◆ Tiene problemas para despertar a la persona en cualquier momento durante las próximas 24 horas.

Llame al médico si:

◆ La persona se desmayó por un segundo o dos y ahora está despierta.

◆ La persona vomita después de las primeras 2 horas, o vomita violentamente después de los primeros 15 minutos. (Vomitar una o dos veces inmediatamente después de la lesión es algo común y usualmente no es para alarmarse.)

◆ La persona tiene un dolor de cabeza intenso.

◆ Sale sangre o un líquido claro de los oídos o nariz y es obvio que no fue causado por una cortadura ni un golpe directo a las orejas o la nariz.

◆ Hay moretones alrededor de los ojos o detrás de una oreja.

◆ Hay una "hendidura" o deformidad en el cráneo.

◆ La herida necesita puntos de sutura. Vea la página 22.

La mayoría de los golpes a la cabeza son leves y se curan tan fácilmente como los golpes en cualquier otra parte del cuerpo.

Las cortaduras leves en la cabeza a menudo sangran mucho porque los vasos sanguíneos del cuero cabelludo están cerca de la piel. En estos casos, la lesión puede verse peor de lo que es. (En los niños, sin embargo, la pérdida de sangre de una lesión en la cabeza puede ser suficiente como para causar shock.)

No obstante, una lesión a la cabeza también puede ser peor de lo que se ve. Una lesión que no sangra en el exterior puede de todos modos haber causado sangrado interno peligroso e inflamación dentro del cráneo. Mientras más fuerza haya habido implicada en la herida, mayor es la probabilidad de que sea una lesión grave.

Toda persona que haya sufrido una lesión a la cabeza debe ser observada por 24 horas para detectar cualquier síntoma de un problema serio.

Más

Tratamiento en casa

◆ Si la persona pierde el conocimiento, dé por sentado que tiene una lesión en la espina dorsal. No mueva a la persona sin antes proteger el cuello para que no se mueva. Vea la página 31.

◆ Si está sangrando, aplique presión firme directamente sobre la herida con un paño limpio por 15 minutos. Si la sangre empapa el paño, coloque otro paño sobre el primero. Vea la página 57.

◆ Examine a la persona para ver si tiene lesiones en otras partes del cuerpo. El pánico de ver una lesión en la cabeza podría causar que no se dé cuenta de otras lesiones que también necesitan atención.

◆ Use hielo o compresas frías para reducir la inflamación. Es posible que de todos modos aparezca un "chichón", pero el hielo ayudará a aliviar el dolor.

◆ Durante las primeras 24 horas después de una lesión en la cabeza, observe a la persona para detectar cualquier síntoma de una lesión grave a la cabeza. Cada 2 horas, verifique si hay alguno de los síntomas que se muestran en Cuándo llamar al médico.

◆ La persona debe evitar los deportes de contacto hasta que se lo autorice un médico.

Proteja a los niños de las lesiones en la cabeza

◆ Cerciórese de que todos los miembros de la familia usan cinturón de seguridad cada vez que estén en el automóvil. Use asientos de automóvil para niños. Vea la página 364.

◆ Asegúrese de que su niño use un casco protector del tamaño adecuado cuando ande en bicicleta, en patines, practique esquí en nieve, corra en scooters, y otras actividades similares. Los padres pueden ser un buen ejemplo usando cascos también.

◆ Enséñele a sus hijos que nunca debe hacer clavados en agua poco profunda o lugares que no conozca bien.

◆ Si tiene armas de fuego en la casa, guárdelas sin municiones y bajo llave. Guarde las municiones bajo llave en otro lugar.

Convulsiones

Cuándo llamar al médico

Si sospecha que su hijo ha tenido una convulsión por fiebre, vea la página 127.

Llame al 911 si:

◆ Una persona tiene una convulsión por primera vez.

◆ Una persona que está teniendo convulsiones deja de respirar por más de 30 segundos.

◆ Las convulsiones duran más de 3 minutos.

◆ Una persona tiene más de un ataque de convulsiones en 24 horas.

◆ Las convulsiones vienen acompañadas de cualquiera de las señales de un ataque cerebral. Éstas pueden incluir adormecimiento súbito, parálisis o debilidad; problemas súbitos para caminar o para lograr equilibrio; cambios súbitos en la vista; problemas súbitos para hablar o entender a los demás; y dolor de cabeza intenso y repentino.

◆ Las convulsiones vienen acompañadas de señales de una enfermedad grave, como por ejemplo fiebre, dolor de cabeza intenso, cuello rígido, problemas para respirar o un salpullido que ocurre sin razón.

◆ Las convulsiones ocurren después de una lesión en la cabeza.

◆ Las convulsiones ocurren después del uso de drogas ilegales o de ingerir mucho alcohol.

◆ Una mujer embarazada tiene convulsiones.

◆ Una persona con diabetes tiene convulsiones.

Llame al médico si le han diagnosticado epilepsia y nota un cambio en las convulsiones (por ejemplo, las convulsiones suceden con más frecuencia o son peores que antes).

El cerebro controla cómo se mueve el cuerpo enviando señales eléctricas a través de los nervios hacia los músculos. Usted puede tener convulsiones si las señales normales del cerebro cambian.

◆ Todo su cuerpo se puede poner rígido o sacudirse violentamente, o simplemente puede tener un temblor leve en una mano o en otra parte del cuerpo.

◆ Es posible que momentáneamente pierda la noción de su entorno y parezca desorientado.

◆ Puede o no desmayarse.

◆ Es posible que no recuerde el ataque más tarde.

Una sola convulsión dura normalmente menos de 3 minutos y no ocurre una segunda.

Cualquier persona saludable normal podría tener una sola convulsión bajo ciertas condiciones. Por ejemplo, recibir un golpe en la cabeza puede causar convulsiones. Pero las convulsiones también pueden ser señal de un problema más grave, y por lo tanto debe ver al médico para determinar la causa.

Más

Convulsiones

Una fiebre que sube demasiado rápido también es una causa común de convulsiones en los niños hasta los 5 años. Las convulsiones de fiebre son atemorizantes pero usualmente inofensivas. Para saber más, vea Convulsiones por fiebre en la página 127.

Tratamiento en casa

No importa cuál sea la causa del ataque, hay cosas que usted puede hacer para ayudar a una persona durante y después de que ocurra.

Durante las convulsiones:

◆ Proteja a la persona para que no se haga daño. Si puede, trate de evitar que se caiga. Trate de mover los muebles u otros objetos para que no estorben.

◆ No meta los dedos ni ninguna otra cosa en la boca de la persona.

◆ No trate de sujetar ni mover a la persona.

◆ Trate de mantenerse calmado.

◆ Observe con atención lo que la persona está haciendo para que pueda describirle el ataque a los médicos.

◆ Tómele el tiempo a las convulsiones si puede.

Después de las convulsiones:

◆ Examine a la persona para ver si se lesionó.

◆ Ponga a la persona de lado cuando esté más relajada.

◆ Si la persona tiene dificultad para respirar, use un dedo para limpiarle cualquier vómito o saliva de la boca.

◆ Afloje la vestimenta en torno al cuello o la cintura.

◆ Proporcione un área segura en la que la persona pueda descansar.

◆ No le ofrezca nada de comer o beber a la persona hasta que esté completamente despierta y alerta.

◆ Permanezca con la persona hasta que esté despierta y consciente de su entorno. La mayoría de las personas estarán somnolientas o confundidas después de un ataque.

Cortaduras y heridas punzantes profundas

Cuándo llamar al médico

Llame al 911 si:

◆ La persona se desmaya o exhibe otras señales de shock (vea la página 61), aunque el sangrado se haya detenido.

◆ Una cortadura grande o profunda continúa sangrando a través de los vendajes después de 15 minutos de aplicar presión directa.

Llame al médico si:

◆ La piel cerca de la herida está morada, blanca o fría.

◆ Siente entumecimiento u hormigueo, o ha perdido la sensación o el movimiento, en las partes inferiores a la herida.

◆ Ha tenido una herida punzante en la cabeza, cuello, pecho o vientre, a menos de que sepa con seguridad que no es grave.

◆ No puede retirar un objeto de la herida, o sospecha que parte del objeto podría estar todavía dentro de la herida.

◆ Una cortadura le ha removido todas las capas de la piel.

◆ El sangrado está bajo control pero no se ha detenido después de 45 minutos de aplicar presión directa.

◆ La cortadura necesita puntos de sutura. Vea la página 22. Los puntos de sutura usualmente se necesitan dentro de las primeras 6 a 8 horas.

◆ Tiene una cortadura profunda en el pie que ocurrió perforando un zapato.

◆ Una mordedura de gato o de una persona perforó la piel.

◆ No se ha puesto una vacuna contra el tétano en los últimos 5 años o no sabe cuándo recibió la última. Si necesita una vacuna, se la debe poner dentro de un plazo de 2 días.

◆ Está presentando señales de infección. Éstas pueden incluir aumento del dolor, hinchazón, el área se siente caliente o se enrojece; aparecen rayas rojas que salen de la herida, pus y fiebre.

Cortaduras

Cuando tenga una cortadura, lo primero que debe hacer es detener el sangrado y determinar si debe ver a un médico. El sangrado de cortaduras leves usualmente se detendrá por sí solo o después de que le aplique un poco de presión.

Si la cortadura está sangrando bastante o la sangre sale a chorros, necesita detener el sangrado antes de hacer cualquier otra cosa. Eleve el área y aplíquele presión firme con un paño limpio por al menos 15 minutos. Vea Cómo detener el sangrado grave en la página 57.

Más

Tratamiento en casa

◆ Lave bien la cortadura con agua y jabón. No use ningún otro tipo de producto limpiador.

◆ Si piensa que la cortadura posiblemente necesite puntos de sutura, vea a un médico inmediatamente. Si la cortadura no necesita puntos, siga con el tratamiento en casa. (Vea ¿Necesita puntos de sutura? en esta página.)

◆ Aplique un vendaje a la cortadura si es grande o en un área en que se pueda ensuciar o irritar.

❖ Use un ungüento de antibiótico, como Bacitracin o Polysporin, de manera que la herida no se pegue al vendaje.

❖ Use una tira adhesiva (como por ejemplo Band-Aid) para poner presión sobre la cortadura y protegerla. Siempre ponga el vendaje de manera atravesada sobre la cortadura y no a lo largo de ella. Los vendajes de mariposa pueden ayudar a mantener las orillas de la cortadura juntas.

❖ Cambie el vendaje una vez al día y siempre que se moje o se ensucie.

Heridas punzantes

Una cortadura o herida punzante ocurre cuando un objeto filoso y puntiagudo (clavos, tachuelas, cuchillos, agujas, dientes) perfora la piel. Las heridas punzantes se infectan con facilidad porque son difíciles de limpiar y son un lugar tibio y húmedo en el que las bacterias pueden crecer.

¿Necesita puntos de sutura?

Para el mejor resultado, las cortaduras que necesitan puntos los deben recibir durante las primeras 6 a 8 horas. Los puntos pueden ayudar a que algunas cortaduras se curen con menos cicatrices. También podría usar pegamento para la piel y grapas.

Después de lavar la cortadura y detener el sangrado, junte las orillas de la cortadura. Si así se ve mejor, quizás quiera los puntos de sutura. Si piensa que necesita puntos, no le ponga ungüento de antibiótico hasta que un médico haya examinado la cortadura.

Si la cortadura no necesita puntos, puede limpiar y vendar la cortadura en la casa.

Necesitará puntos de sutura para:

◆ Cortaduras profundas (más de ¼ pulgada [6 mm] de profundidad) cuyas orillas son irregulares o que permanecen abiertas.

◆ Cortaduras profundas en una articulación, como por ejemplo un codo, un nudillo o una rodilla.

◆ Cortaduras profundas en las manos o los dedos.

◆ Cortaduras en la cara, los párpados o los labios.

◆ Cortaduras en cualquier área en la que le preocupa tener una cicatriz.

◆ Cortaduras que llegan hasta el músculo o el hueso.

◆ Cortaduras que siguen sangrando después de haberles aplicado presión directa por 15 minutos.

Tratamiento en casa

◆ Si el objeto que causó la herida es pequeño, como una tachuela o una aguja de coser, retírelo. Tenga cuidado de no romperlo dentro de la herida. Si el objeto es grande o causó una herida profunda, déjelo en su lugar y llame al médico inmediatamente.

◆ Permita que la herida sangre libremente por hasta 5 minutos para que se limpie, a menos de que esté perdiendo mucha sangre o la sangre esté saliendo a chorros. Si el sangrado es grave, eleve el área y aplique presión firme por al menos 15 minutos. Si hay un objeto en la herida, ponga presión alrededor del objeto, no directamente sobre él. Vea Cómo detener el sangrado grave en la página 57.

◆ Limpie la herida con agua y jabón dos veces al día. No use ningún otro tipo de producto limpiador.

◆ Aplique ungüento de antibiótico en la herida, y cúbrala con un vendaje sin pegamento. Cambie el vendaje cuando limpie la herida y siempre que el vendaje se moje o se ensucie.

◆ Esté pendiente de las señales de infección. Si la herida se cierra, una infección que esté bajo la piel podría permanecer desapercibida por varios días.

Dentales, lesiones

Cuándo llamar al dentista

◆ Se le cae un diente permanente por un golpe. Es posible que el dentista lo pueda reimplantar. Esto funciona mejor durante los primeros 30 minutos después de la lesión. (Después de 2 horas, probablemente no funcionará.) Levante el diente por la parte superior, nunca por la raíz. Coloque el diente en un envase pequeño con leche para llevarlo al dentista. Use agua del grifo si no tiene leche.

◆ Se le cae un pedazo de un diente permanente. Si el golpe fue suficientemente fuerte como para quebrarle un diente, es posible que haya movido varios dientes de su sitio o que haya fracturado el hueso que mantiene el diente en su lugar. Además, un diente roto se puede reparar.

◆ Se cae un diente de leche por un golpe. Haga una cita dentro de las próximas 2 semanas. Los dientes de leche se van a caer de todos modos, pero es posible que el niño necesite un espaciador hasta que el diente permanente salga.

Descargas y quemaduras eléctricas

Cuándo llamar al médico

Llame al 911 si una persona se ha electrocutado, especialmente si no está respirando, no tiene pulso, o se ha desmayado.

Llame a un médico para cualquier quemadura eléctrica que pueda ver, aunque parezca leve.

A veces, cuando se toca un interruptor de luz o enchufe se siente una pequeña descarga de corriente. Es posible que se sienta una sensación de hormigueo por unos cuantos minutos. Si la descarga de corriente no causa daños a la piel u otros problemas, no hay por qué alarmarse.

Una descarga eléctrica que le queme la piel es algo más serio. Las quemaduras eléctricas pueden parecer inofensivas al principio, y los daños no aparecen sino hasta varios días después. Es posible que tenga quemaduras en los puntos en que la corriente entró y salió de su cuerpo.

La electricidad puede causar daños graves dentro del cuerpo, que incluyen quemaduras internas y problemas del ritmo cardiaco. Puede causar que la garganta y los pulmones se hinchen rápidamente, lo que le dificultará respirar.

En el caso de una quemadura leve

Enjuague la quemadura con agua, y aplique un vendaje sin pegamento.

Si alguien se ha electrocutado o ha sido golpeado por un rayo

- **Llame al 911.**
- No se acerque a la persona hasta que esté seguro de que el área no es peligrosa. Si siente hormigueo en la parte inferior del cuerpo, dése vuelta y salte hacia un lugar seguro.
- Desenchufe o apague la electricidad si puede.
- Si no puede apagar la electricidad, trate de separar a la persona de la fuente de electricidad si no es peligroso hacerlo.
  - No toque a la persona con las manos hasta que la haya separado de la fuente de electricidad.
  - Párese en una superficie seca que no sea de metal, como una alfombra de hule o una pila de papeles o libros. Asegúrese de no estar parado en agua o cerca de ella.
  - Use un pedazo de madera seca, como por ejemplo el palo de una escoba, para separar a la persona de la fuente de electricidad. No use nada mojado ni hecho de metal.
- Después de apagar la electricidad o separar a la persona de la fuente, examínela para ver si está respirando y tiene pulso. Si es necesario (y sabe cómo hacerlo), comience a dar reanimación respiratoria y RCP (reanimación cardiopulmonar) mientras espera por ayuda. Vea la página 53.

Deshidratación

Cuándo llamar al médico

Llame al 911 si hay señales de deshidratación grave. Éstas incluyen:

◆ Ojos hundidos faltade lágrimas, y resequedad en la boca y lengua.

◆ La parte blanda de la cabeza de un bebé está hundida.

◆ Orinar poco o nada por 8 horas.

◆ La piel permanece fruncida después de pellizcarla.

◆ Sensación de mareo intenso al ir de una posición acostada a sentada.

◆ Respiración y latidos rápidos.

◆ No actuar de manera alerta, o no poder despertar.

Llame al médico si:

◆ Siente náuseas y no puede mantener nada en el estómago, ni siquiera pequeños sorbos de líquido.

◆ Tiene síntomas de deshidratación leve (boca reseca, orina oscura, o no orinar mucho) que empeoran con el tratamiento en casa.

Uno de los siguientes temas podría también ser de utilidad:

❖ Diarrea en niños de 11 años o menores, página 134

❖ Diarrea en niños de 12 años o mayores, página 136

❖ Vómitos en niños de 3 años de edad o menores, página 287

❖ Vómito y náuseas en niños de 4 años de edad y mayores, página 285

Deshidratarse significa que su cuerpo ha perdido demasiado líquido. Cuando usted deja de tomar agua o pierde demasiado líquido a causa de diarrea, vómitos, sudor, o ejercicios, las células de su cuerpo absorben líquido de la sangre y de otros tejidos. La deshidratación severa puede poner en riesgo su vida.

La deshidratación le hace daño a todos, pero es más peligrosa para los bebés, niños pequeños y adultos mayores. Esté pendiente de detectar los primeros síntomas siempre que tenga fiebre alta, vómitos o diarrea. Los primeros síntomas son:

◆ Boca reseca y pegajosa.

◆ Orina de color amarillo oscuro, y en poca cantidad.

◆ No tener energía o actuar de manera inquieta o tensa.

Tratamiento en casa

12 años o más

◆ Para detener los vómitos o diarrea, no coma alimentos sólidos por varias horas o hasta que se sienta mejor. Durante las primeras 24 horas, tome sorbos pequeños y frecuentes de agua o de una bebida rehidratante.

Más

Deshidratación

- Después de controlar los vómitos o diarrea, tome sorbos de agua, caldo diluido o bebidas para deporte hasta que el estómago pueda recibir mayor cantidad. Tomar mucho líquido demasiado rápido pude hacerle vomitar otra vez.

- Si los vómitos o la diarrea duran más de 24 horas, tome sorbos de una bebida rehidratante para reemplazar los líquidos y minerales perdidos. Vea esta página .

De 1 a 11 años

- Trate la diarrea o los vómitos inmediatamente. Vea Diarrea en la página 135 y Vómitos en las páginas 286 y 288.

- Cerciórese de que su hijo esté tomando líquidos a menudo. Lo que mejor funciona son cantidades frecuentes y pequeñas.

- Déle al niño una bebida rehidratante. Vea esta página .

- Permítale al niño tomar toda la cantidad que quiera. Deje que tome líquido más de lo normal o que coma paletas heladas (Popsicles).

- También pueden ayudar los cereales mezclados con agua.

Bebés menores de 1 año

- Trate la diarrea o los vómitos inmediatamente. Vea Diarrea en la página 135 y Vómitos en la página 288.

- Déle al bebé una bebida rehidratante. Vea esta página .

- Alimente al bebé con más frecuencia de lo usual, ya sea lactando o con botella.

- Si el bebé ya comenzó a comer cereal, puede reemplazar los líquidos perdidos con cereal.

Bebidas rehidratantes

La diarrea, los vómitos, y el sudor pueden hacerle perder grandes cantidades de líquido y unos minerales importantes que se llaman electrolitos. Si las náuseas no le permiten comer por varios días, también puede perder nutrientes.

Las bebidas rehidratantes (Pedialyte, Rehydralyte) y las bebidas para deportes (Gatorade, Powerade) reemplazan los fluidos y electrolitos con cantidades que el cuerpo puede usar. Estas bebidas no curarán la diarrea ni los vómitos, pero ayudarán a evitar la deshidratación grave.

El agua reemplaza el líquido y no contiene nutrientes. Si tiene diarrea, es posible que el cuerpo no absorba el agua de todos modos.

Para niños de 12 años o menos, use las bebidas rehidratantes que puede comprar en una farmacia o supermercado. La cantidad que le dé dependerá del peso del niño. Pídale asesoría al médico. No le dé bebidas para deportes a bebés ni a niños pequeños que estén deshidratados.

Para las personas de más de 12 años, usted puede preparar una bebida económica en la casa. Mida cada ingrediente con precisión. Cualquier cambio pequeño puede hacer que la bebida sea menos eficaz o hasta perjudicial. Mezcle:

- 1 cuartillo (*quart*) (1 litro) de agua
- ½ cucharadita de bicarbonato de sodio
- ½ cucharadita de sal de mesa *o* ¼ de cucharadita de sustituto de sal
- 3 a 4 cucharadas de azúcar

Si usted hace ejercicios o trabaja en un ambiente caluroso

◆ Beba agua antes, durante y después de hacer ejercicios o trabajar.

◆ Use una bebida para deportes si va a estar trabajando o haciendo ejercicio por más de una hora y sudará mucho.

◆ No tome tabletas de sal. La mayoría de las personas ya ingieren suficiente sal en la dieta. En su lugar, use bebidas para deportes.

◆ Evite la cafeína. Le hace orinar más, y esto a su vez lo deshidrata más rápido.

◆ No consuma alcohol.

◆ Póngase una capa de ropa ligera y de colores claros. Cámbiese a ropa seca si la que tiene puesta se empapa de sudor.

◆ Si empieza a sentirse deshidratado, detenga lo que está haciendo. Trate de encontrar un lugar fresco para descansar, y beba mucho líquido.

Distensiones, esguinces y fracturas

Cuándo llamar al médico

◆ Un hueso está perforando la piel.

◆ La extremidad o articulación afectada se ve rara, tiene una forma extraña, o está fuera de su posición normal.

◆ La piel sobre el lugar de una lesión está abierta.

◆ Muestra señales de daños a los nervios o a los vasos sanguíneos, como:

❖ Emtumecimiento, hormigueo, o sensación de agujas sobre la piel.

❖ La piel está pálida, blancuzca, o morada, o se siente más fría que la piel de la extremidad que no está lesionada.

❖ No poder mover la extremidad normalmente a causa de debilidad, no simplemente por dolor.

◆ No puede aguantar peso sobre la extremidad lesionada ni estirarla, o una articulación se tambalea o se siente inestable.

◆ Tiene dolor intenso.

◆ Tiene mucha inflamación 30 minutos después de la lesión.

◆ La hinchazón y el dolor no mejoran después de 2 días de tratamiento en casa.

◆ Está presentando señales de infección después de una lesión. Éstas pueden incluir aumento del dolor, hinchazón, el área se siente caliente o se enrojece; aparecen rayas rojas que salen del área y tiene fiebre.

Más

27

Distensiones, esguinces y fracturas

Una **distensión** ocurre cuando un músculo o tendón se estira demasiado o se desgarra. Los tendones conectan los músculos y los huesos.

Un **esguince** es una lesión de los ligamentos o tejidos blandos que rodean una articulación. Los ligamentos conectan los huesos entre sí.

Un hueso quebrado se conoce como una **fractura**.

Una **luxación** ocurre cuando se tira del extremo de un hueso o se empuja a éste fuera de su posición normal.

Todas estas lesiones causan dolor e inflamación. A menos que una fractura sea obvia, podría ser difícil determinar si tiene una distensión, un esguince, una fractura o una luxación. Si el área se hincha rápidamente, a menudo significa que tiene una lesión más grave.

Usted puede tratar la mayoría de las distensiones y esguinces menores en la casa. Los esguinces fuertes, fracturas y luxaciones necesitan atención médica. Hágase el tratamiento en casa mientras espera para ver al médico.

Fracturas por estrés

Una fractura por estrés es un punto débil o pequeña fisura en un hueso que ha sido causada por el uso excesivo. Por ejemplo, pueden ocurrir fracturas por estrés en los huesos pequeños del pie durante el entrenamiento fuerte para baloncesto, atletismo y otros deportes.

El síntoma usual de una fractura por estrés es un dolor, en un lugar, que va y viene o que no desaparece. El dolor puede atenuarse mientras hace ejercicios pero será peor antes y después de la actividad. Puede ser que no haya inflamación que usted pueda notar.

Las fracturas por estrés toman de 2 a 4 meses de descanso para sanar.

Tratamiento en casa

Los primeros pasos en el tratamiento en casa usualmente son los mismos no importa cuál sea la lesión. Se conocen por sus siglas en inglés "RICE" (rest, ice, compression, and elevation) descanso, hielo, compresión y elevación. Comience el proceso RICE de inmediato.

RICE: Descansar, hielo, comprimir (vendar) y elevar

1. Descanso (**R**ICE - *Rest*)

◆ No ponga peso sobre la lesión por al menos entre 24 y 48 horas.

◆ Use muletas en caso de un esguince grave en una rodilla o un tobillo.

◆ Use un cabestrillo cuando se esguince una muñeca, un codo o un hombro. Vea esta página .

◆ Descanse un dedo torcido pegándolo con cinta adhesiva al dedo sano que tiene al lado. Esto funciona en los dedos de los pies también. Siempre ponga gasas entre los dos dedos que pegue. Vea página 30.

2. Hielo (RI**C**E - *Ice*)

◆ Ponga hielo o compresas frías sobre la lesión inmediatamente para reducir el dolor y la hinchazón y ayudarla a sanar. Durante las primeras 48 a 72 horas, use hielo entre 10 a 15 minutos cada hora (o tan a menudo como pueda). Para lesiones en lugares difíciles para poner hielo, una compresa fría o una bolsa de verduras congeladas funciona mejor que el hielo. Vea Hielo y compresas frías en la página 200.

◆ El calor se siente bien, pero hace más daño si lo usa antes de tiempo. Puede usar calor (una toalla tibia, una almohadilla térmica) después de 48 a 72 horas de tratamientos en frío si la inflamación ya desapareció. Algunos expertos dicen que se debe alternar el frío y el calor.

3. Compresión (RICE - *Compression*)

◆ Envuelva el área lesionada con un vendaje elástico (Ace) o manga de compresión para reducir la inflamación. No la envuelva demasiado apretado. Si el área inferior se siente adormecida, con hormigueo o fría, suelte el vendaje.

◆ Un esguince bien envuelto puede engañarle y hacerle creer que puede seguir usando la articulación. Con o sin el vendaje, la articulación necesita descanso total por 1 a 2 días.

4. Elevación (RICE - *Elevation*)

◆ Levante el área lesionada sobre almohadas siempre que esté usando hielo y cuando esté sentado o acostado.

◆ Trate de mantener la lesión al mismo nivel o más arriba del corazón para ayudar a reducir la inflamación y los moretones.

Otros consejos

Usted puede evitar más daños y sentirse mejor más rápido si sigue estos consejos después de lastimarse:

◆ Entablille el brazo, pierna o dedo que usted sospecha que está fracturado hasta que pueda ir al médico. Vea Cómo entablillar en página 30. También puede usar un cabestrillo para proteger un hombro o brazo lesionado hasta que vea al médico. No le ponga un cabestrillo para el brazo a un bebé.

Un cabestrillo casero puede proteger un brazo lastimado hasta que vea al médico.

Más

Distensiones, esguinces y fracturas

◆ Quítese todos los anillos, relojes y brazaletes de un dedo o mano lastimada inmediatamente. La hinchazón dificultará poder quitar estas cosas más tarde.

◆ Tome aspirina, ibuprofeno (Advil, Motrin), o naproxeno (Aleve) para ayudar a aliviar la inflamación y el dolor. No le dé aspirina a nadie menor de 20 años.

◆ Comience a hacer ejercicios suaves tan pronto el dolor e inflamación iniciales hayan desaparecido. Si tiene una fractura o una torcedura grave, es posible que el médico le ponga un yeso a la extremidad.

Cómo entablillar

Estos métodos de entablillar son para primeros auxilios a corto plazo solamente. El médico le entablillará o le pondrá el yeso que sea apropiado para su lesión.

Si sospecha que tiene una fractura, puede entablillarla para que no se mueva. Esto evita cualquier daño adicional hasta que pueda ver a un médico. Entablillar también podría ayudar después de una mordedura de serpiente mientras espera la ayuda.

Hay dos maneras de entablillar una extremidad:

Método 1: Amarre la extremidad lesionada a un objeto rígido, como por ejemplo un rollo de periódicos o revistas, un palo o un bastón. Puede usar una cuerda, correa o cualquier cosa que funcione para amarrar. No amarre demasiado apretado. Coloque la tablilla de manera que la extremidad lesionada no se pueda doblar. Trate de entablillar desde la articulación más arriba de la fractura hasta la articulación más abajo. Por ejemplo, entablille un antebrazo fracturado desde más arriba del codo hasta más abajo de la muñeca.

Método 2: Pegue un dedo fracturado al dedo contiguo con cinta adhesiva, y ponga almohadillas de gasa entre ellos. Amarre un brazo lesionado al pecho para evitar que se mueva.

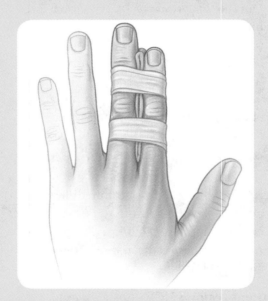

Envenenamiento

Llame al 911 o a Control de Envenenamientos en caso de un envenenamiento. Tenga el envase o etiqueta del veneno a la mano para que lo pueda describir. El personal médico le dirá qué hacer.

No use jarabe de ipecacuana ni carbón activado a menos que Control de Envenenamientos le diga que lo haga.

Los niños se tragan prácticamente cualquier cosa. Cuando tenga dudas dé por sentado lo peor. Siempre créale a un niño cuando le diga que ha tragado veneno, no importa cuál sustancia sea.

Venenos comunes en el hogar

Cerciórese de mantener estas cosas fuera del alcance de niños y mascotas:

◆ Medicamentos y vitaminas

◆ Cosméticos, esmalte de uñas y perfumes

◆ Blanqueador, limpiadores de tuberías, y limpiadores para la taza del inodoro

◆ Detergente para trastes

◆ Productos para labores manuales como pegamentos y pinturas

◆ Alimento para plantas e insecticidas

◆ Algunas plantas del hogar

◆ Líquido para el parabrisas y anticongelante

◆ Pilas

◆ Bolas de naftalina

Para más consejos sobre cómo proteger a su hijo de envenenamientos, vea la página 362.

Espina dorsal, lesiones en la

Cuándo llamar al médico

Llame al 911 si sospecha que una persona ha tenido una lesión en la espina dorsal. Los síntomas incluyen:

◆ Dolor intenso en el cuello o la espalda.

◆ Moretones en la cabeza, cuello, hombros o espalda.

◆ Debilidad, hormigueo o adormecimiento en los brazos o piernas.

◆ Pérdida del control para orinar o defecar.

◆ Desmayos.

Cualquier accidente, lesión o caída que afecte la espalda o el cuello puede hacerle daño a la espina dorsal. Es importante no mover la espina dorsal y transportar a la persona de la manera correcta para evitar la pérdida permanente de movimiento y sensación (parálisis).

Más

Si sospecha que ocurrió una lesión a la espina dorsal:

◆ No mueva a la persona a menos de que exista algo que ponga en peligro inmediato la vida, como por ejemplo fuego. No arrastre a las víctimas de un accidente de tráfico a menos que no tenga otra alternativa.

◆ Si tiene que mover a la persona a un lugar seguro, trate de mover la cabeza, el cuello y los hombros como si todo fuera una unidad.

◆ Si la persona se lastimó durante un clavado, no la saque del agua. Haga flotar a la persona boca arriba hasta que llegue la ayuda. El agua actuará como entablillado y mantendrá la espina dorsal sin moverse.

Hipotermia

Cuándo llamar al médico

Llame al 911 si una persona está sumamente confundida, tropieza mucho, o se desmaya, y usted sospecha que tiene hipotermia.

Llame al médico si:

◆ La temperatura de la persona todavía está por debajo de 96°F (35.5°C) después de 2 horas de intentar calentarla.

◆ La víctima es un niño o un adulto de mayor edad. Se recomienda llamar aunque los síntomas parezcan leves.

Hay hipotermia cuando la temperatura del cuerpo baja más de lo normal y ocurre si el cuerpo pierde más calor del que puede producir. Es una emergencia que puede causar la muerte rápidamente.

El clima no tiene que estar demasiado frío para que una persona tenga hipotermia.

◆ Se puede dar a temperaturas de 50°F (10°C) o más si hay mucho viento o está lloviendo.

◆ Puede ocurrir en agua cuya temperatura sea entre 60°F a 70°F (15.5°C a 21°C).

◆ Las personas frágiles e inactivas pueden adquirir hipotermia dentro de la casa si no se abrigan bien.

Señales tempranas de advertencia

◆ Temblores

◆ Piel fría y pálida

◆ Falta de interés o preocupación

◆ Poco sentido común

◆ Movimientos torpes o dificultad para hablar

Señales avanzadas de advertencia

◆ Vientre frío

◆ Músculos rígidos o endurecidos. Los temblores también pueden desaparecer cuando la temperatura baja a menos de 90°F (32.2°C).

◆ Pulso y respiración lentos

◆ Debilidad o somnolencia

◆ Confusión

No pase por alto los primeros síntomas. Las personas que están en caminatas o esquiando a menudo pierden mucho calor antes de darse cuenta de que algo anda mal. Si alguien comienza a tiritar violentamente, tropieza, o contesta preguntas de manera extraña, sospeche que es hipotermia y caliente a la persona de inmediato.

Tratamiento en casa

La meta del tratamiento en la casa o "a la intemperie" es detener la pérdida de calor y recalentar con cuidado a la persona.

◆ Saque a la persona del frío y del viento.

◆ Quítele la ropa fría y mojada primero, y luego déle ropa seca o de lana. Otra opción es calentar a la persona con su propio calor corporal arropando una manta o bolsa para dormir alrededor de ambos.

◆ Déle a la persona líquidos calientes y alimentos de mucho contenido energético, como por ejemplo caramelos. No le ofrezca de comer o beber si la persona está confundida o se ha desmayado. No le dé alcohol ni cafeína.

◆ Si el tratamiento en casa no está funcionando y no puede obtener ayuda, ponga a la persona en una tina de agua tibia (100°F a 105°F) (37.7°C a 40.5°C). Esto puede causar shock o un ataque al corazón, y por lo tanto hágalo solamente como último recurso.

Manténgase abrigado

Protéjase cuando sepa que va a estar a la intemperie en clima frío.

◆ Abríguese, y use ropa resistente al viento e impermeable. Póngase telas que se mantienen calientes aún cuando están mojadas, como lana o polipropileno.

◆ Use un sombrero que abrigue.

◆ Mantenga las manos y pies secos.

◆ Busque albergue si se moja o siente frío.

◆ Coma bien antes de salir, y lleve comida adicional.

◆ No consuma alcohol mientras está a la intemperie. Esto hace que el cuerpo pierda calor más rápidamente.

Las personas mayores o menos activas deben mantener la temperatura dentro del hogar sobre 65°F (18°C) y vestir ropa abrigada.

Insolación

Cuándo llamar al médico

Llame al 911 si:

◆ La temperatura del cuerpo llega a 102.3°F (39°C) y sigue subiendo.

◆ Una persona muestra señales de insolación, tales como:

❖ Confusión, desmayos o convulsiones.

❖ Piel enrojecida, caliente y reseca, aun en las axilas. La persona puede haber dejado de sudar o puede estar sudando mucho.

Llame a un médico si todavía tiene síntomas de insolación (dolor de cabeza, fatiga, mareos o náuseas) después de haberse refrescado.

La insolación ocurre cuando su cuerpo no puede mantenerse suficientemente refrescado en temperaturas calientes.

El agotamiento por calor en general ocurre cuando está sudando mucho y no está tomando suficiente líquido como para reemplazar el que está perdiendo. A menudo ocurre cuando está trabajando o haciendo ejercicio en condiciones climáticas calurosas.

Golpe de calor puede ocurrir rápidamente si no corrige el problema. Ocurre cuando su cuerpo no puede controlar su propia temperatura y la temperatura sigue subiendo, a menudo hasta 105°F (40.5°C) o más. Esto puede causar la muerte.

Tratamiento en casa

◆ Pídale a la persona que pare y descanse.

◆ Ayude a la persona a salir del sol e ir a un lugar fresco y tomar mucha agua fresca, en pocas cantidades a la vez. Si la persona tiene náuseas o mareos, acuéstela.

◆ Tómele la temperatura a la persona. Si es más de 102.3°F (39°C) (o si no tiene un termómetro pero piensa que la persona tiene fiebre alta), pida ayuda y trate de bajar la temperatura rápidamente:

❖ Quítele la ropa a la persona.

❖ Aplíquele agua fresca (no fría) a la persona en todo el cuerpo. Luego abanique a la persona.

❖ Póngale hielo en la ingle, cuello, y las axilas.

❖ No sumerja a la persona en una tina de agua con hielo.

Síntomas de agotamiento por calor excesivo

◆ Mucho sudor

◆ La piel está fría, húmeda, pálida o enrojecida

◆ Fatiga, debilidad, dolor de cabeza, mareos, o náuseas

Síntomas de golpe de calor

◆ El sudor puede ser abundante o puede haber cesado

◆ Piel enrojecida, caliente y reseca, aún en las axilas

◆ Confusión, desmayos o ataques de convulsiones

❖ Cuando la temperatura haya bajado a 102°F (38.8°C), tenga cuidado de no enfriar demasiado. Deje de enfriar cuando la temperatura de la persona haya regresado a normal o cuando la piel se sienta de la misma temperatura que la suya.

❖ No use aspirina ni acetaminofén (Tylenol) para reducir la temperatura.

◆ Esté pendiente de las señales de insolación (confusión o pérdida de conocimiento; piel enrojecida, caliente y reseca).

◆ Si la persona no está respirando, comience a dar reanimación respiratoria. Vea la página 53.

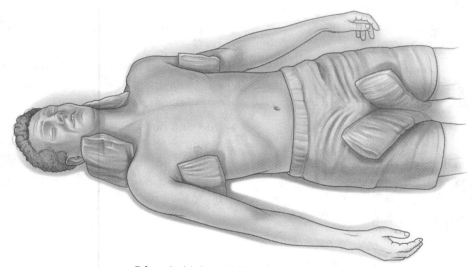

Póngale hielo en la ingle, cuello y las axilas.

Mordeduras de animales y humanos

Cuándo llamar al médico

◆ La herida es grave y podría necesitar puntos, o es en la cara, manos o pies, o sobre una articulación. Si la herida necesita puntos, los debe recibir dentro de las primeras 6 a 8 horas. Vea la página 22.

◆ La mordedura o rasguño es de un murciélago u otro animal salvaje.

◆ La mordedura es de un humano o de un gato. Estas mordeduras se infectan de manera rápida y fácil.

◆ La mordedura es de un perro, gato o hurón que está echando espuma por la boca, actúa de manera extraña, o le atacó sin ninguna razón aparente. También debe llamar a la oficina local de control de animales o salud pública.

◆ No puede encontrar al dueño de la mascota que le mordió, o el dueño no puede confirmar que la vacuna contra la rabia de la mascota está al día.

◆ Usted pierde la sensación o el movimiento debajo de la herida.

◆ Está presentando señales de infección. Éstas pueden incluir aumento del dolor, hinchazón, el área se siente caliente o se enrojece; aparecen rayas rojas que salen de la herida; pus; y fiebre.

◆ No se ha puesto una vacuna contra el tétano en los últimos 5 años o no sabe cuándo recibió la última. Si necesita una vacuna, se la debe poner dentro de un plazo de 2 días.

Las infecciones y las cicatrices son lo que más preocupa cuando se trata de mordeduras o rasguños que rompen la piel. También puede darle tétano si no tiene las vacunas al día. Vea la página 355.

Después de que un animal le muerda, posiblemente quiera saber si necesita una vacuna contra la rabia. La rabia es sumamente rara, pero puede causar la muerte si no se vacuna poco después de que un animal infectado le muerda.

◆ Los animales que principalmente portan la rabia en Norteamérica son los murciélagos, los mapaches, los zorrillos, los zorros y los coyotes.

◆ Las mascotas vacunadas tales como perros, gatos y hurones (ferret, en inglés) raramente tienen rabia.

◆ Muchos animales callejeros no han sido vacunados.

Tratamiento en casa

◆ Deje que la herida sangre libremente por hasta 5 minutos, a menos que el sangrado sea abundante. Si está sangrando mucho, vea Cómo detener el sangrado grave en la página 57.

◆ Limpie bien la herida con agua y jabón. No use alcohol, yodo, ni otros limpiadores.

◆ Llame a la oficina local de control de animales o de salud pública para que le asesoren sobre qué hacer.

En general:

❖ Si un perro, gato o hurón le muerde, averigüe si el animal tiene una vacuna de rabia vigente. Si la mascota está saludable pero no tiene la vacuna vigente, un veterinario debe confinarla y observarla por hasta 10 días.

❖ Si un animal salvaje le muerde o rasguña, la oficina de control de animales o salud pública le puede decir si necesita preocuparse sobre la rabia.

Mordeduras y picaduras: Insectos, arañas y garrapatas

Cuándo llamar al médico

Llame al 911 si:

◆ Usted tiene señales de una reacción alérgica grave poco después de una picadura. Éstas pueden incluir:

❖ Respiración ruidosa o dificultad para respirar.

❖ Hinchazón alrededor de los labios, la lengua, o la cara.

❖ Hinchazón exagerada alrededor de la picadura (por ejemplo, se le hincha todo el brazo o la pierna).

❖ Se desmaya o presenta otras señales de estado de shock. Vea la página 61.

◆ Le acaba de picar algo que le causó una mala reacción en el pasado.

Llame al médico si:

◆ Tiene un salpullido que se está agrandando, comezón, siente calor, o tiene urticarias.

◆ Aparece una ampolla en el lugar en que le picó la araña, o la piel alrededor cambia de color.

◆ Le pica una araña viuda negra, reclusa parda o vagabunda.

◆ Los síntomas no mejoran en 2 a 3 días.

◆ Está presentando señales de infección. Éstas pueden incluir aumento del dolor, hinchazón, el área se siente caliente o se enrojece; aparecen rayas rojas que salen de la picadura, pus y fiebre.

◆ Se le pegó una garrapata y no pudo quitarla por completo.

◆ Recientemente estuvo expuesto a garrapatas y ahora tiene un salpullido que se está agrandando. El salpullido puede, o no, estar en el área de la picadura y puede, o no, ocurrir con síntomas parecidos a los de la gripe tales como fiebre, dolor de cabeza, dolores en el cuerpo y fatiga.

◆ Desea averiguar sobre los botiquines especiales para la alergia porque ya tuvo un ataque de alergia grave.

Más

Insectos y arañas

Las picaduras de insectos (abejas, avispas, véspulas) y arañas usualmente causan dolor, hinchazón, enrojecimiento y comezón en el lugar de la picadura. En algunas personas, especialmente los niños, el enrojecimiento y la hinchazón pueden ser peores y durar unos días.

Unas pocas personas tienen reacciones alérgicas graves que les afectan todo el cuerpo. Este tipo de reacción puede causar la muerte. Si usted ha tenido una reacción alérgica grave a una picadura en el pasado, debería tener un botiquín especial para alergias con una jeringa de epinefrina (como por ejemplo EpiPen) en su poder en todo momento. Pregúntele a su médico o farmacéutico cómo y cuándo usarla.

Las picaduras de araña rara vez son peligrosas. Pero cualquier picadura puede ser peligrosa si la persona tiene una reacción alérgica.

Una sola picadura de una araña venenosa, como por ejemplo la viuda negra, reclusa parda o vagabunda, puede causar una reacción grave y necesita atención médica de inmediato.

◆ La picadura de una araña viuda negra puede causar escalofríos, fiebre, náuseas y dolor intenso en el vientre.

La araña viuda negra puede tener hasta 2 pulgadas (5 cm) de diámetro y es de color negro brillante con una marca roja o amarilla en forma de un reloj de arena en el vientre.

◆ La picadura de una araña reclusa parda (*brown recluse spider*) o vagabunda (*hobo spider*) causa dolor intenso, o puede causarle una ampolla que se convertirá en una llaga abierta y grande.

La araña reclusas parda (violinistas) es más pequeña que la viuda negra y tiene patas largas. Es de color pardo y tiene una marca en la forma de un violín en la cabeza.

Garrapatas

Las garrapatas son pequeños insectos que pican la piel y se alimentan de la sangre. Viven en las plumas de los pájaros y en el pelaje de los animales. Las picaduras de garrapata ocurren más a menudo desde principios de primavera hasta fines del verano.

◆ La mayoría de las garrapatas no portan enfermedades, y la mayoría de las picaduras de garrapata no causan problemas graves de salud. De todos modos, lo mejor es quitar la garrapata tan pronto la encuentre.

◆ Muchas de las enfermedades que las garrapatas le transmiten a los humanos (como la enfermedad de Lyme, fiebre de las Montañas Rocosas, fiebre recurrente, y fiebre de la garrapata de Colorado) tienen síntomas parecidos a la gripe: fiebre, dolor de cabeza, dolores en el cuerpo y fatiga.

◆ A veces puede ocurrir un salpullido o llaga al mismo tiempo que los síntomas de gripe. Un salpullido rojizo que crece es una señal clásica de las primeras etapas de la enfermedad de Lyme. Puede aparecer desde 1 día hasta 1 mes después de la picadura de garrapata.

Tratamiento en casa

Para picaduras de insectos y arañas:

◆ Retire el aguijón de la abeja raspándolo o, si puede, agarrándolo. No lo apriete; podría liberar más veneno en la piel. Si no lo puede ver, dé por sentado que no está ahí.

◆ Si le pica una araña viuda negra, reclusa parda, o vagabunda, aplique hielo sobre la picadura y llame a un médico. No use un torniquete.

◆ Ponga una compresa fría o de hielo sobre la picadura. Para algunas personas, una pasta de polvo de hornear o polvo para ablandar carnes (sin sal) mezclado con un poco de agua ayuda a aliviar el dolor y reducir la reacción.

◆ Tome un antihistamínico (como Benadryl o Chlor-Trimeton) para aliviar el dolor, la hinchazón y la comezón. La loción de calamina o hidrocortisona también puede ayudar.

◆ Lave el área con agua y jabón.

◆ Recórtese las uñas para que no se rasque demasiado.

◆ No rompa ninguna ampolla que aparezca. Se puede infectar.

Para las garrapatas:

◆ Inspeccione su cuerpo a menudo para detectar cualquier garrapata cuando esté en un bosque. Fíjese bien en la ropa, la piel, y el cuero cabelludo cuando llegue a la casa. Examine también a sus mascotas para ver si tienen garrapatas. Mientras más rápido quite las garrapatas, menos probable será que ocurra una infección.

◆ Si encuentra una garrapata, trate de quitarla. Use pinzas para tirar de ella suavemente lo más cerca de la piel (donde tiene la boca) como le sea posible. Las pinzas de punta fina pueden funcionar mejor. Tire directamente hacia afuera, y trate de no romper el cuerpo de la garrapata. No trate de "desenroscar" la garrapata.

◆ No trate de quemar la garrapata ni de ahogarla con vaselina, esmalte de uñas, gasolina ni alcohol para frotar.

◆ Guarde la garrapata en un frasco para que se pueda analizar si usted presenta síntomas parecidos a la gripe después de la picadura.

◆ Lave el área con agua y jabón.

Use pinzas para sacar la garrapata tirando directamente hacia arriba.

Más

Mosquitos y el virus del Nilo Occidental

Virus del Nilo Occidental es una infección que los mosquitos le transmiten a los humanos. La mayoría de las personas que adquieren el virus no se enferman.

Cuando los síntomas sí ocurren, aparecen de 3 a 14 días después de la picadura e incluyen fiebre, dolor de cabeza, dolores en el cuerpo, y a veces salpullido. Esto se conoce como fiebre del Nilo Occidental. Usualmente es una enfermedad leve.

En raras ocasiones, el virus del Nilo Occidental puede afectar el cerebro, causando una enfermedad grave que puede resultar en problemas a largo plazo y hasta la muerte. Los adultos mayores son más susceptibles a enfermarse gravemente por el virus del Nilo Occidental.

Cuándo llamar al médico

Llame al médico si estuvo expuesto a mosquitos durante las últimas 2 semanas y tiene cualquiera de estos síntomas:

◆ Fiebre, dolor de cabeza, siente el cuello rígido, o siente confusión.

◆ Debilidad muscular o pérdida de movimiento.

◆ Fiebre leve, salpullido, dolores en el cuerpo, ganglios inflamados en el cuello, las axilas o la ingle que duran más de 2 ó 3 días.

Cómo evitar el virus del Nilo Occidental

◆ Permanezca dentro de la casa durante la salida y puesta del sol y en las últimas horas de sol en el día. Esas son las horas de mayor actividad para los mosquitos.

◆ Use camisas de manga larga y pantalones de tela gruesa.

◆ Use un repelente de insectos que contenga DEET, picaridin, o aceite de eucalipto limonado (*lemon eucalyptus*). Para lograr la mejor protección, aplíqueselo y vuelva a aplicárselo como lo indique la etiqueta.

◆ No tenga recipientes abiertos llenos de agua cerca de su hogar. Los mosquitos pueden multiplicarse hasta en una pequeña cantidad de agua estancada.

Moretones

Los moretones ocurren cuando pequeños vasos sanguíneos debajo de la piel se rompen o desgarran por un golpe o caída. Los adultos de mayor edad y las personas que toman aspirina o anticoagulantes pueden tener moretones fácilmente.

Un **ojo morado** es un tipo de moretón. Si tiene un ojo morado, use el tratamiento en casa para los moretones y vea si el ojo tiene sangre.

Tratamiento en casa

◆ Aplíquele hielo o compresas frías al moretón por 10 minutos varias veces al día durante los primeros 2 días. Mientras más rápido use hielo, menos sangrado e hinchazón ocurrirá.

◆ Tome ibuprofén (Advil, Motrin) o naproxeno (Aleve) para aliviar el dolor y la hinchazón.

◆ Mantenga el área del moretón sobre el nivel de su corazón cuando pueda. (Por ejemplo, si el moretón es en el pie, póngalo sobre una almohada cuando esté sentado o acostado.) Esto ayuda a controlar la hinchazón.

◆ No mueva esa área para no lastimarla más.

◆ Si todavía le duele después de 2 días, aplíquele una toalla tibia o una almohadilla térmica.

Nariz, objetos en la

Cuándo llamar al médico

◆ Hay una pila de disco atrapada en la nariz. El tejido húmedo de la nariz puede causar que la pila emita sustancias químicas peligrosas y, a menudo, en menos de una hora.

◆ No puede sacar el objeto después de varios intentos.

◆ Quitar el objeto causa una hemorragia nasal grave. Vea la página 58.

Los niños a veces se meten en la nariz pequeños objetos, como cuentas, palomitas de maíz o pequeñas pilas. Si el niño no le dice lo que pasó, la primera señal podría ser una secreción maloliente de color verde o amarillo que sale solo de una fosa nasal. La nariz podría también estar dolorida e inflamada.

Tratamiento en casa

◆ Pídale al niño que se tape la otra fosa nasal y que trate de soplar el objeto hacia afuera.

◆ Si puede ver el objeto, trate de tirar de él suavemente con pinzas de punta redondeada. Sostenga sin mover la cabeza del niño, y tenga cuidado de no empujar más el objeto. Si el niño resiste, no use las pinzas. Un poco de sangrado por la fosa nasal no es algo grave.

◆ **A menos que usted sospeche que el objeto es una pila de disco**, rocíe un descongestionante como Neo-Synephrine en la fosa nasal para reducir la inflamación.

Oído, objetos en el

Cuándo llamar al médico

◆ No puede sacar el insecto el objeto, o no sale por sí solo dentro de 24 horas.

◆ Aparece dolor, fiebre, hinchazón, sangrado o drenaje.

◆ Se siente mareado o tiene algún problema auditivo nuevo.

A veces los niños se colocan comida u otros objetos pequeños en los oídos. Un pedazo de algodón de un hisopo o bolita de algodón podría quedar atascado en el canal auditivo. Un insecto puede entrar al oído.

Estos objetos usualmente causan solamente síntomas leves, como por ejemplo un poco de dolor o ruidos extraños dentro del oído. Sin embargo, si un objeto permanece demasiado tiempo en el oído puede causar una infección.

Tratamiento en casa

◆ No trate de matar un insecto que esté dentro del oído. Tire de la oreja hacia arriba y hacia atrás, y permita que el sol o una luz brillante alumbre dentro del oído. Es posible que el insecto salga hacia la luz.

◆ Si el insecto no sale por sí mismo, llene el canal auditivo con aceite tibio mineral, de oliva o de bebé. Es posible que el insecto flote hacia afuera.

◆ Para sacar del oído un objeto que no sea un insecto, incline la cabeza hacia el lado y sacúdala suavemente. (Nunca sacuda a un bebé.) Tirar suavemente la oreja hacia arriba y hacia atrás puede ayudar a que el objeto salga.

◆ Si puede ver el objeto, trate de tirar de él suavemente con pinzas. No intente esto si la persona no se mantendrá bien quieta o si el objeto está tan adentro del oído que usted no puede ver la punta de las pinzas. Tenga cuidado de no empujar más el objeto.

Ojo, objetos en el

Cuándo llamar al médico

Llame al 911 si parece que el globo ocular tiene una cortadura.

Llame al médico si:

◆ El objeto está sobre el iris o está penetrando el ojo. No trate de sacar el objeto.

◆ Tiene sangre sobre el iris o frente a ella.

◆ No puede retirar un objeto del ojo.

◆ Usted retiró el objeto pero:

❖ El dolor es intenso o no desaparece.

❖ Siente como si todavía tuviera algo en el ojo.

❖ La luz hace que el ojo le duela.

❖ Tiene la vista borrosa.

La córnea podría estar rasguñada. Mantenga el ojo cerrado lo más que pueda hasta que vea al médico.

Una partícula de polvo u objeto pequeño a menudo saldrá con las lágrimas. Si el objeto no sale, puede rasguñar la superficie del ojo (la córnea). La mayoría de los rasguños en la córnea sanan por sí mismos en 1 a 2 días.

Si un objeto es lanzado con fuerza hacia el ojo (desde una máquina, por ejemplo), puede perforar el globo ocular. Eso necesita atención de emergencia.

Siempre use gafas de protección cuando trabaje en maquinaria o con herramientas, cuando corte el césped o cuando monte en bicicleta o motocicleta.

Tratamiento en casa

◆ Lávese las manos antes de tocar el ojo.

◆ No frote el ojo. Podría rasguñar la córnea.

◆ No trate de sacar un objeto que esté sobre el iris o enterrado en la parte blanca del ojo. Trate de que se escurra lavando con agua o solución salina.

Más

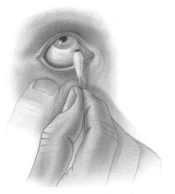

Use un hisopo húmedo.

◆ Si el objeto está en el lado del ojo o en el párpado inferior, humedezca un hisopo o la punta de un pañuelo desechable y úselo para tocar el objeto. El objeto debe pegarse al hisopo o pañuelo. Es posible que el ojo quede un poco irritado.

◆ Lave suavemente el ojo con agua fresca. Un gotero puede ayudar.

◆ Nunca use pinzas, palillos de dientes u otras cosas duras para sacar un objeto del ojo.

Pérdida de conocimiento

Cuándo llamar al médico

Llame al 911 si una persona ha perdido el conocimiento por más de unos cuantos segundos.

Llame al médico si:

◆ Ocurre cualquier sangrado del recto o se ve sangre en el excremento, sangre en la orina, o si ocurre sangrado vaginal inesperado.

◆ La persona se desmayó por un segundo o dos y ahora está despierta.

◆ La persona se desmayó por un segundo o dos después de una lesión en la cabeza y ahora está despierta. También vea Lesiones en la cabeza en la página 17.

◆ Una persona con diabetes se desmayó, aunque ahora esté despierta. Esto pudiera ser una emergencia por un nivel bajo o alto de azúcar en la sangre.

◆ La persona se ha desmayado más de una vez.

Una persona que ha perdido el conocimiento está completamente ajena a lo que está pasando y no puede moverse por su propia voluntad.

Cuando usted se desmaya, pierde el conocimiento momentáneamente, en general unos pocos segundos. Con mucha frecuencia esto es causado por una disminución en el flujo sanguíneo al cerebro. Cuando se cae o se acuesta, la circulación de sangre mejora y entonces usted 'se despierta'. El estrés o una lesión también pueden causar que usted se desmaye.

Desmayarse en general no es motivo para alarmarse. Pero si ocurre a menudo, es posible que haya un problema.

Perder el conocimiento por más de unos cuantos segundos usualmente es indicio de un problema grave. Hay muchas razones por las que esto puede ocurrir. Estas incluyen ataque cerebral, epilepsia, presión arterial baja o muy alta, lesión en la cabeza, no poder respirar, sobredosis de alcohol o drogas, shock, sangrado, problemas cardiacos o un ataque al corazón.

Tratamiento en casa

◆ Asegúrese de que la persona puede respirar. Si la persona no está respirando, comience a dar respiraciones de boca a boca. Vea la página 53. Si la persona no reacciona a la respiración boca a boca, llame ayuda y comience a hacer RCP.

◆ Acueste a la persona de costado.

◆ Busque para ver si tiene un brazalete, collar o tarjeta de alerta médica que diga si la persona tiene un problema médico como epilepsia, diabetes o alergia a medicamentos.

◆ Trate cualquier lesión.

◆ No le ofrezca a la persona nada de comer ni beber.

Quemaduras

Cuándo llamar al médico

◆ La quemadura es más que una quemadura de ampolla. (Una quemadura de ampolla es una quemadura de segundo grado.)

◆ Tiene dolor intenso.

◆ No está seguro de cuán grave es la quemadura.

◆ Tiene una quemadura más grave que una simple quemadura de sol en la cara, las orejas, los ojos, las manos, los pies, los órganos genitales o una articulación.

◆ La quemadura rodea todo un brazo o pierna, o cubre más de 25 por ciento de cualquier parte del cuerpo.

◆ El dolor de la quemadura dura más de 48 horas.

◆ Está presentando señales de infección. Éstas pueden incluir aumento del dolor, hinchazón, el área se siente caliente o se enrojece; aparecen rayas rojas que salen de la quemadura, pus y fiebre.

◆ Un niño menor de 5 años, un adulto de mayor edad, o una persona que tiene el sistema inmunológico debilitado o un problema crónico de salud (como cáncer, enfermedades del corazón o diabetes) sufre una quemadura.

◆ Existe la posibilidad de que la quemadura haya sido causada a propósito.

El grado de una quemadura se basa en cuán profunda es, no en cuánto duele.

◆ Una **quemadura de primer grado** afecta solamente la capa exterior de la piel. La piel está reseca y dolorida y duele al tocarla. Una quemadura de sol leve es una quemadura de primer grado.

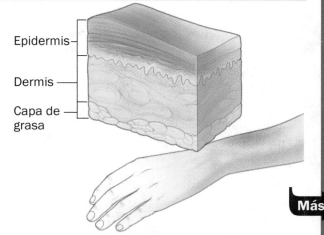

Epidermis

Dermis

Capa de grasa

Quemadura de primer grado

Más

Quemaduras

◆ Una **quemadura de segundo grado** afecta varias capas de la piel. La piel puede hincharse, supurar y producir ampollas.

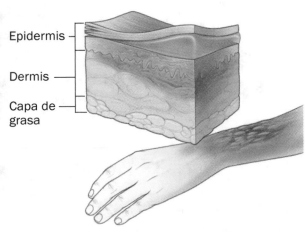

Epidermis

Dermis

Capa de grasa

Quemadura de segundo grado

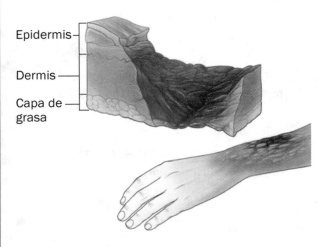

Epidermis

Dermis

Capa de grasa

Quemadura de tercer grado

◆ Una **quemadura de tercer grado** afecta todas las capas de la piel y puede incluir los tejidos debajo de la piel. La piel está reseca, de color blanco pálido o negro calcinado, e hinchada. A veces la piel se abre. Este tipo de quemadura destruye los nervios, por lo que puede no doler excepto en las orillas.

◆ Una **quemadura de cuarto grado** se extiende desde la piel hasta el músculo y el hueso.

Tratamiento en casa

Para quemaduras de tercer y cuarto grado:

Estas quemaduras necesitan atención médica inmediatamente. Llame a un médico, y luego:

◆ Cerciórese de que el fuego que causó la quemadura ha sido extinguido.

◆ Acueste a la persona para evitar que entre en shock (vea la página 61).

◆ Cubra el área quemada con una sábana limpia.

◆ No le ponga hielo, ungüentos ni medicinas a la quemadura.

Para las quemaduras de primer y segundo grado:

La mayoría de estas quemaduras se pueden tratar en el hogar.

◆ Ponga la quemadura bajo un chorro de agua fresca hasta que el dolor desaparezca (de 15 a 30 minutos). No use hielo ni agua helada, porque puede causar daños adicionales a la piel.

◆ Quite cualquier anillo, joya o ropa de la extremidad quemada. La hinchazón dificultará poder quitar estas cosas más tarde. Además, si las deja puestas pueden causar daños a los nervios o vasos sanguíneos.

◆ Limpie bien la quemadura con agua y un jabón suave.

◆ Use un ungüento de antibiótico como Bacitracin, Polysporin, o Silvadene. No use mantequilla, grasa ni aceite. Estas cosas aumentan el riesgo de infección y no ayudan a que la quemadura sane.

◆ Si la piel se abre, aplique un vendaje. Si no se abre la piel, no cubra la quemadura a menos que la ropa la esté rozando. Si necesita cubrir la quemadura:

  ❖ Use un pedazo de gasa antiadherente. Asegure que la cinta adhesiva no toque la quemadura.

- No ponga cinta adhesiva alrededor de toda una mano, brazo o pierna.
- Mantenga el vendaje limpio y seco. Si se moja, cámbielo.
- Quite el vendaje una vez al día, limpie la quemadura y ponga un vendaje nuevo.
- Si se forman ampollas, no las rompa. Si se rompen por sí mismas, use agua y un jabón suave para limpiar el área. No corte la piel sobre una ampolla, que es un vendaje natural. Aplique un ungüento de antibiótico, y cubra la quemadura con una gasa antiadherente.

- No toque el área quemada con las manos ni con objetos sucios. Las quemaduras se infectan fácilmente.
- Tome ibuprofén (Advil, Motrin) o acetaminofén (Tylenol) para ayudar a aliviar el dolor. No tome aspirina, podría hincharse y sangrar más.
- Después de 2 a 3 días, use áloe para aliviar la quemadura.

Quemaduras causadas por sustancias químicas

Cuándo llamar al médico

Llame al 911 si:

- Una sustancia química fuerte, como por ejemplo ácido o lejía, le salpica en un ojo.
- Ha tragado una sustancia química que pudiera causar quemaduras o ser venenosa.

Llame a un médico o a Control de Envenenamientos si:

- Un área grande de piel (más de 25 por ciento de cualquier parte del cuerpo) o cualquier área de la cara se ha expuesto a un ácido fuerte, como por ejemplo el ácido de baterías, o a una sustancia cáustica, como lejía o Drano.

- Un ojo quemado todavía duele después de 30 minutos de lavarlo con agua.
- Tiene el ojo muy enrojecido; está supurando una sustancia amarilla, verde, sangrienta o aguada; o tiene un área gris o blancuzca.
- Tiene problemas de la vista que no se resuelven al parpadear.
- Tiene la piel enrojecida, ampollada o ennegrecida.

Pueden ocurrir quemaduras cuando una sustancia química peligrosa salpica los ojos o la piel, como por ejemplo un producto de limpieza, gasolina o aguarrás. Los vapores también pueden quemar los ojos, la piel, y la vía respiratoria o los pulmones.

Un ojo quemado se puede enrojecer y lagrimear y tener sensitividad a la luz. Si el daño es grave, el ojo se puede ver blanco.

La piel con una quemadura química puede enrojecerse, ampollarse o ponerse negra. Todo depende de cuán fuerte era el producto químico.

Tratamiento en casa

◆ Llame a Control de Envenenamientos para que le den asesoría específica. Tenga a la mano el envase o la etiqueta de la sustancia química.

◆ Inmediatamente, lave el ojo o la piel con mucha agua. Abra la llave de la regadera con agua fría para quemaduras en la piel. Para quemaduras en los ojos, llene un fregadero, lavamanos o recipiente con agua, ponga la cara en el agua, y use los dedos para abrir y cerrarse los ojos y así empujar el agua a todas las partes del ojo. Otra alternativa es lavarse el ojo bajo una llave de agua o la regadera. Los fregaderos o lavamanos que tienen una manguera de rociado funcionan bien.

◆ Siga enjuagando con agua por 30 minutos o hasta que el dolor desaparezca, lo que tarde más.

Tenga cuidado con las sustancias químicas

◆ Use lentes de seguridad, gafas o una máscara cuando esté trabajando con productos químicos.

◆ Siga los consejos en la etiqueta del producto en cuanto al uso de guantes.

◆ Sepa dónde está el fregadero, lavamanos o regadera más cercanos.

◆ Guarde las sustancias químicas fuera del alcance de niños y mascotas.

Quemaduras de sol

Cuándo llamar al médico

Llame al 911 si tiene señales insolación, tales como confusión, desmayos, o piel enrojecida, caliente y reseca.

Llame al médico si:

◆ Tiene síntomas de agotamiento por calor excesivo (mareos, náuseas, dolor de cabeza) aunque ya se haya refrescado.

◆ Tiene síntomas de deshidratación leve (boca reseca, orina oscura, o no orinar mucho) que se empeoran con el tratamiento en casa.

◆ Tiene muchas ampollas (más de la mitad de la parte del cuerpo afectada).

◆ Tiene dolor intenso con fiebre, o se siente muy mal.

◆ Tiene fiebre de 102°F (39°C) o más.

Una quemadura de sol es usualmente una quemadura leve (primer grado) en la superficie exterior de la piel. A menos que la quemadura sea grave, usualmente es algo que puede tratar en la casa. Las quemaduras de sol graves pueden ser peligrosas en bebés, niños pequeños y adultos mayores.

Tratamiento en casa

◆ Beba mucha agua y esté pendiente de señales de deshidratación (especialmente en bebés y niños). Vea la página 25.

También esté pendiente de las señales de insolación. Vea la página 34.

◆ Báñese con agua fresca o use un paño mojado con agua fresca para refrescar la piel. Tome acetaminofén (Tylenol) o aspirina para aliviar el dolor o la fiebre leve. No le dé aspirina a nadie menor de 20 años.

◆ Use una loción humectante para aliviar la comezón. No hay nada que se pueda hacer para evitar que la piel se pele. Es parte del proceso de curación.

No se queme con el sol

Siempre que vaya a estar al aire libre por más de 15 minutos:

◆ Póngase ropa de colores claros y suelta, con mangas largas, y un sombrero de ala ancha para protegerse la cara. Póngase gafas de sol con filtro para rayos ultravioleta. Busque ropa que tenga protección contra los rayos ultravioleta.

◆ Use un filtro solar con un factor SPF de 15 o más. (Los adultos mayores deben usar un filtro solar de SPF 30 o más.) Use uno que tenga la etiqueta de "espectro amplio".

❖ Aplíquese el filtro solar al menos 30 minutos antes de estar en el sol.

❖ Póngase el filtro solar en toda la piel que estará expuesta, incluyendo la nariz, las orejas, el cuello, el cuero cabelludo y los labios.

❖ Vuelva a aplicar el filtro solar al menos cada 2 a 3 horas, y con mayor frecuencia si estará nadando o sudando mucho.

◆ Evite tomar sol entre las 10 a.m. y las 4 p.m., cuando los rayos del sol queman más. Busque estar en sombra siempre que pueda.

Para sus niños

El sol puede causar mucho daño en la piel sensible de un niño. Además, las quemaduras de sol repetidas aumentan el riesgo de tener cáncer en la piel más tarde en la vida (vea la página 113).

◆ Enséñele temprano a los niños a tener buenos hábitos para protegerse del sol. Póngales sombreros y filtro solar.

◆ Use un filtro solar con SPF 30 o más en los bebés y niños.

◆ Mantenga a los bebés de menos de 6 meses alejados del sol.

Quemaduras por frío

Cuándo llamar al médico

◆ La piel está blanca o morada, y se siente dura, tiene aspecto de hule y está fría. Estos son indicios de que la quemadura por frío es grave. Necesita recalentarse cuidadosamente y antibióticos para evitar daños permanentes a los tejidos e infecciones.

◆ Se forman ampollas. No las rompa. El riesgo de infección es sumamente alto.

◆ Está presentando señales de infección. Éstas pueden incluir aumento del dolor, hinchazón, el área se siente caliente o se enrojece; aparecen rayas rojas que salen del área, pus y fiebre.

Una quemadura por frío resulta cuando la piel se congela, y cuando es grave, incluye los tejidos que están debajo de la piel. Las quemaduras por frío tienen mayor probabilidad de ocurrir en los pies, manos, orejas, nariz y cara.

La gravedad de una quemadura por frío dependerá de cuánto tiempo estuvo expuesto al frío y cuán fría estaba la temperatura. El viento y la humedad pueden empeorar la situación.

En los casos de quemaduras por frío leves:

◆ La piel puede estar pálida y puede tener cosquilleo o ardor.

◆ Si entibia el área rápidamente, es probable que no haga ampollas ni se empeore.

A medida que la quemadura por frío empeora:

◆ La piel puede sentirse dura, congelada y adormecida. Luego es posible que sienta ardor, dolor latente o dolor punzante.

◆ Se pueden formar ampollas a medida que la piel se calienta. En los casos graves, las ampollas pueden aparecer como puntos de sangre bajo la piel.

◆ El tejido debajo de la piel se puede congelar y endurecerse.

◆ En el peor de los casos, la piel se puede poner reseca, calcinada y con aspecto de hule. Es posible que también sienta un dolor profundo en las articulaciones.

Tratamiento en casa

◆ Deje de estar a la intemperie, o al menos protéjase del viento.

◆ Verifique si hay señales de hipotermia (vea la página 32), tales como temblores violentos, movimientos torpes, dificultad para hablar, y confusión. Trate esos síntomas antes de tratar la quemadura por frío.

◆ Proteja la parte del cuerpo que se congeló para que no le dé más frío.

◆ Para calentar pequeñas áreas (orejas, cara, nariz, dedos) respire sobre ellas o métalas dentro de vestimentas calientes que tienen contacto directo con la piel.

◆ No frote el área congelada ni dé masajes sobre ella. Esto puede causar daños adicionales a la piel y a los tejidos debajo de la misma. No camine si tiene los pies quemados por frío a menos que no tenga otra alternativa.

◆ Mantenga el área caliente, y elévela sobre el nivel del corazón. Envuélvala con mantas o vestimenta suave para evitar que se golpee. Si es posible, sumérjala en agua tibia (104°F a 108°F) (40 a 42°C) entre 15 y 30 minutos.

◆ Si se forman ampollas, no las rompa.

◆ Tome ibuprofén (Advil, Motrin) o acetaminofén (Tylenol) para calmar el dolor.

Rasguños

Cuándo llamar al médico

◆ El rasguño sigue sangrando después de 30 minutos de aplicar presión.

◆ No puede limpiar el rasguño bien porque es muy grande, profundo o doloroso, o porque hay tierra u otras materias debajo de la piel.

◆ No se ha puesto una vacuna contra el tétano en los últimos 5 años o no sabe cuándo recibió la última. Si necesita una vacuna, se la debe poner dentro de un plazo de 2 días.

◆ Está presentando señales de infección. Éstas pueden incluir aumento del dolor, hinchazón, el área se siente caliente o se enrojece; aparecen rayas rojas que salen del rasguño, pus y fiebre.

Tratamiento en casa

Un buen tratamiento en casa puede reducir las cicatrices y evitar infecciones.

◆ Los rasguños usualmente vienen acompañados de suciedad. Retire pedazos de tierra y gravilla con pinzas. Luego lave bien con agua y jabón usando una toallita. El frote puede causar un poco de sangrado. Usar la manguera rociadora de un fregadero es un buen método para lavar un rasguño.

◆ Aplique presión constante con un paño limpio para detener cualquier sangrado.

◆ Use hielo o una compresa fría para reducir la inflamación y los moretones.

◆ Si el rasguño es grande o en un área donde la ropa pudiera rozarlo, aplique un ungüento de antibiótico (como bacitracin o Polysporin) y cúbralo con un vendaje sin pegamento. Cambie el vendaje una vez al día y siempre que se moje.

Respiración demasiado rápida

Cuando usted respira demasiado rápido y profundo (hiperventilación), el nivel de bióxido de carbono en la sangre puede bajar mucho. Esto puede causar:

◆ Sensación de adormecimiento o de hormigueo en las manos y los pies o alrededor de la boca o lengua.

◆ Ansiedad y latidos rápidos y fuertes.

◆ La sensación de que no tiene suficiente aire.

◆ Mareos o desmayos.

◆ Calambres o espasmos musculares, a menudo en las manos.

◆ Dolor en el pecho.

Tratamiento en casa

◆ Siéntese y concéntrese en respirar más lentamente. Trate de respirar a través de los labios fruncidos o la nariz. Trate 1 respiración cada 5 segundos.

◆ Trate una técnica de relajación. Vea la página 349.

◆ Sostenga una bolsa de papel sobre la nariz y la boca y respire naturalmente de 6 a 12 veces. Siga haciendo esto, tomando pequeños descansos, durante 5 a 15 minutos. No respire continuamente en la bolsa. No use esta técnica si tiene problemas del corazón o los pulmones o si está a más de 6,000 pies (1,828 metros) de altitud.

Respirar en una bolsa de papel por unos cuantos minutos, tomando descansos, puede ayudarle a respirar más lentamente.

Respiratorias, emergencias

Cuándo llamar al médico

Llame al 911 si:

◆ La persona no respira por más de 15 ó 20 segundos.

◆ Un adulto o niño de mayor edad tiene mucha dificultad para respirar. Una persona con este problema podría:

❖ Sentir el pecho tan apretado que se preocupa porque piensa que no puede seguir respirando.

❖ Tener tanta falta de aliento que no puede hablar.

❖ Estar respirando con dificultad, como ahogándose, o jadear mucho.

❖ Sentirse muy ansiosa, tener miedo o estar agitada.

❖ Tardar en reaccionar o tener dificultad para despertar o mantenerse despierta.

◆ Un niño tiene mucha dificultad para respirar. Esté pendiente de estas señales:

❖ Respiración muy rápida.

❖ Se babea o resopla cada vez que respira.

❖ No puede hablar, llorar ni hacer ruido.

❖ Está usando los músculos del cuello, el pecho y el vientre para respirar. La piel se "hunde" entre las costillas con cada respiración, y el niño quizás necesita incorporarse e inclinarse hacia adelante o virar la nariz hacia arriba.

❖ Las fosas nasales se abren muchísimo con cada respiración.

❖ La piel adquiere un tono gris, moteado, o azulado. Esté pendiente de cualquier cambio en el color de la raíz de las uñas, los labios y los lóbulos de las orejas.

Para problemas de respiración menos graves, vea Cuándo llamar al médico en la página 242.

Reanimación respiración (boca a boca) y cardiopulmonar (RCP)

Hacer RCP de la manera incorrecta o en una persona cuyo corazón está latiendo todavía puede causar daños graves. No haga RCP a menos que:

1. Se trate de un adulto que no está respirando normalmente (con dificultad, como ahogándose), o un niño que no está respirando para nada.

2. La persona no está respirando ni reacciona con movimiento cuando usted le da respiración boca a boca.

3. No hay otra persona presente con más capacitación en RCP que usted. Si usted es la única persona en el lugar, haga lo más que pueda.

La tabla de la siguiente página tiene los pasos básicos para la reanimación cardiopulmonar (RCP). Úsela como referencia rápida. En el resto de este apartado se explica cada paso en detalle y con fotos.

Más

Instrucciones básicas de la reanimación cardiopulmonar (RCP)

Qué debe hacer	Recomendaciones para:		
	Adultos y niños de 9 años o mayores	Niños de menos edad (de 1 a 8 años)	Bebés de menos de 1 año
Si la persona no está respirando, comience a dar respiraciones de boca a boca.	Sople 2 veces.	Sople 2 veces.	Sople 2 veces.
Si la persona no respira o no se mueve después de que usted sopla 2 veces, ubique el punto en el pecho para hacer compresiones.	Coloque dos dedos en el lugar en que se juntan las costillas. Ponga la base de la mano justo sobre sus dedos encima del esternón.	Coloque dos dedos en el lugar en que se juntan las costillas. Ponga la base de la mano justo sobre sus dedos encima del esternón.	Coloque dos dedos sobre el esternón justo debajo del nivel de los pezones.
¿Cómo se hacen las compresiones de pecho?	Ponga la base de una mano sobre la base de la otra. Entrelace los dedos.	Use la base de una mano. Si es un niño de mayor edad y necesita más fuerza, use las dos manos al igual que lo haría para un adulto.	Use dos dedos.
¿Cuán rápidas deben ser las compresiones?	Haga 100 compresiones por minuto (entre 1 y 2 por segundo).	Haga 100 compresiones por minuto (entre 1 y 2 por segundo).	Haga 100 compresiones por minuto (entre 1 y 2 por segundo).
¿Cuánto se debe presionar sobre el pecho?	Presione sobre el pecho de manera que se hunda de 1.5 a 2 pulgadas (3.8 a 5 cm).	Presione sobre el pecho para que se hunda entre 1/3 a 1/2 de su profundidad.	Presione sobre el pecho para que se hunda entre 1/3 a 1/2 de su profundidad.
¿Cuántas compresiones y respiraciones debe dar?	**30 compresiones, 2 respiraciones.** Repita este ciclo de 30/2 hasta que llegue ayuda o la persona vuelva a respirar por sí misma.	**30 compresiones, 2 respiraciones.** Repita este ciclo de 30/2 hasta que llegue ayuda o el niño vuelva a respirar por sí mismo.	**30 compresiones, 2 respiraciones.** Repita este ciclo de 30/2 hasta que llegue ayuda o el bebé vuelva a respirar por sí mismo.

Paso 1: Determine si la persona está consciente.

Déle palmaditas o sacúdale suavemente la cabeza y grítele "¿Está bien?". No sacuda a alguien que pudiera tener una lesión en el cuello o la espalda. Eso podría empeorar la lesión.

Si la persona no responde, siga estos pasos.

◆ Si la persona tiene 9 años o más, **llame al 911**.

◆ Si el niño es menor de 9 años y no está respirando, déle 2 respiraciones y 30 compresiones de pecho, 5 veces corridas (aproximadamente 2 minutos). Si el niño todavía no está respirando, **llame al 911**.

Paso 2: Tome de 5 a 10 segundos para determinar si la persona está respirando.

◆ Arrodíllese al lado de la persona con la cabeza cerca de la suya.

◆ Fíjese en el pecho de la persona, para ver si sube y baja.

◆ Escuche para detectar sonidos de respiración.

◆ Ponga la mejilla cerca de la boca y nariz de la persona para sentir si está saliendo aire.

◆ Si es un adulto que no está respirando normalmente o un niño que no está respirando para nada, ponga a la persona acostada boca arriba. Si sospecha que la persona pudiera tener una lesión del cuello o la espalda, mueva con mucho cuidado la cabeza, el cuello y los hombros como si todo fuera una unidad.

Paso 3: Comience a dar respiraciones.

◆ Ponga una mano sobre la frente de la persona, y ciérrele las fosas nasales con el pulgar y el índice. Con la otra mano, levántele la barbilla para mantener la vía respiratoria abierta.

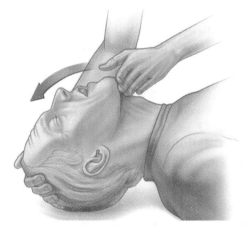

Incline la barbilla hacia arriba para abrir la vía respiratoria.

◆ Inhale normalmente (no profundo), y coloque la boca sobre la de la persona, formando un sello. Si es un bebé, coloque la boca sobre la boca y la nariz del bebé. Sople en la boca de la persona por 1 segundo, y fíjese para ver si el pecho de la persona se levanta.

Cuando dé una respiración, fíjese si el pecho sube.

Más ▶

55

◆ Si el pecho no se levanta, incline la cabeza de la persona otra vez y vuelva a soplar.

◆ Entre cada respiración, sepárese de la boca de la persona y tome una respiración normal. Deje que el pecho de la otra persona baje y sienta salir el aire.

◆ Si la persona todavía no está respirando normalmente después de 2 respiraciones, comience las compresiones de pecho.

Nota: Si por alguna razón usted no puede dar respiraciones, vaya directamente al Paso 4 y comience las compresiones.

Paso 4: Comience las compresiones.
Para un adulto o niño de más de 1 año:

◆ Arrodíllese al lado de la persona. Con los dedos, ubique el final del esternón, donde se unen las costillas. Coloque dos dedos en la punta del esternón.

◆ Coloque la base de la otra mano directamente sobre sus dedos (en el lado más cercano a la cara de la persona).

◆ Para adultos y niños de mayor edad, use ambas manos para las compresiones. Ponga la otra mano sobre la que acaba de colocar en posición. Entrelace los dedos de ambas manos, y levántelos para que no toquen el pecho.

◆ Para niños más pequeños, use la base de una mano para las compresiones.

◆ Estire los brazos, inmovilice los codos y centre los hombros directamente sobre las manos.

◆ Presione a un ritmo constante, usando el peso de su cuerpo. La fuerza de cada empuje debe ser directamente sobre el esternón, presionándolo de manera que se hunda de 1.5 a 2 pulgadas (3.8 a 5 cm) para un adulto o de una tercera parte a la mitad de su profundidad para un niño.

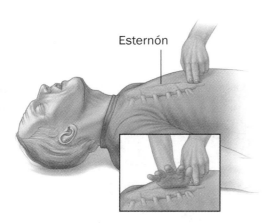

Esternón

Coloque dos dedos en la punta del esternón. Luego coloque la base de la otra mano directamente sobre los dedos.

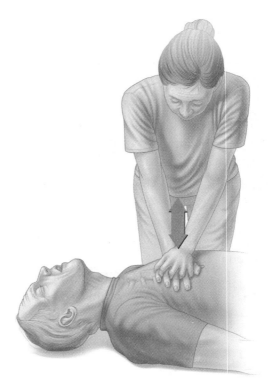

Mantenga los hombros directamente sobre sus manos y mantenga los codos derechos mientras empuja sobre el pecho.

◆ **Haga 30 compresiones. Empuje fuerte y rápido** (a razón de 100 compresiones por minuto). Después de 30 compresiones, dé 2 respiraciones.

◆ Siga repitiendo el ciclo de 30 compresiones y 2 respiraciones hasta que llegue ayuda o la persona esté respirando normalmente.

Para un bebé de menos de 1 año:

◆ Imagínese una línea que conecte los pezones, y coloque dos dedos sobre el esternón del bebé justamente debajo de esa línea. Presione el pecho para que baje de una tercera parte a la mitad de su tamaño.

◆ **Haga 30 compresiones** (a razón de 100 compresiones por minuto). Después de 30 compresiones, dé 2 respiraciones.

◆ Siga haciendo compresiones y dando respiraciones hasta que llegue ayuda o el bebé esté respirando normalmente.

Sangrado, emergencias de

Cuándo llamar al médico

Llame al 911 si:

◆ Está sangrando en forma severa y no lo puede controlar.

◆ Está sangrando y se desmaya o siente mareos.

◆ Vomita mucha sangre. Los vómitos con sangre pueden tener el aspecto de granos de café molidos.

◆ Excreta heces de color rojizo o con sangre, o hay mucha sangre en el inodoro.

◆ Tiene un sangrado vaginal fuerte o coágulos de sangre y usted está en su segundo o tercer trimestre de su embarazo.

Cómo detener el sangrado grave de una herida

◆ Eleve el área que está sangrando—más alta que su corazón, si es posible.

◆ Lávese bien las manos con agua y jabón. Póngase guantes de látex y coloque varias capas de tela o bolsas de plástico entre sus manos y la herida.

◆ Quite cualquier objeto que pueda ver en la superficie de la herida. No trate de limpiar la herida.

◆ Presione firmemente sobre la herida con un paño limpio o con el material más limpio que haya podido encontrar. Si hay un objeto enterrado en la herida, ponga presión alrededor, no sobre el mismo. No trate de sacar el objeto.

Más

◆ Aplique presión constante por 15 minutos completos. No deje de aplicar presión antes de que transcurran los 15 minutos para levantar las manos y ver si ya dejó de sangrar. **Si el sangrado de una herida grande o profunda no ha disminuido o parado después de 15 minutos, llame al 911** y continúe aplicando presión sobre la herida. Si el paño se empapa de sangre, ponga otro paño sobre el primero.

◆ Si el sangrado disminuye después de 15 minutos pero sale un poco de sangre cuando usted deja de presionar, vuelva a aplicar presión directa sobre la herida por otros 15 minutos. Para sangrados leves, usted puede aplicar presión por hasta 3 periodos de 15 minutos (45 minutos en total). Si después de 45 minutos de presión directa todavía hay cualquier tipo de sangrado, llame a un médico.

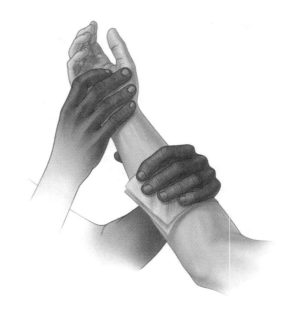

Eleve el área y aplique presión con un paño limpio.

Sangrado nasal

Cuándo llamar al médico

◆ La nariz todavía está sangrando después de 30 minutos de estar tapándola.

◆ Le baja sangre por la garganta aún cuando está tapando su nariz.

◆ La nariz parece o se siente fracturada.

◆ Le dan muchas hemorragias nasales; cuatro o más a la semana, por ejemplo.

◆ Usted toma anticoagulantes (como por ejemplo warfarina o Coumadin) o altas dosis de aspirina y tiene más de una hemorragia nasal el mismo día.

La mayoría de las hemorragias nasales no son graves. Le puede ocurrir una como consecuencia de estar en aire reseco o a gran altitud, por un golpe en la nariz, o por medicamentos (especialmente la aspirina). Sonarse o meterse el dedo en la nariz también puede causar una hemorragia nasal.

Las personas que tienen alergias pueden tener hemorragias nasales a menudo porque el interior de la nariz está irritado. Las medicinas para la alergia pueden ayudar con esto, pero también pueden empeorar el problema si las usa muy a menudo. Hable con el médico sobre cuál es la mejor manera de usar estos medicamentos.

Tratamiento en casa

◆ Siéntese derecho e incline la cabeza un poco hacia adelante. Si inclina la cabeza hacia atrás, la sangre puede bajarle por la garganta y hacerle vomitar.

◆ Suénese la nariz suavemente para remover cualquier coágulo. Tápese la nariz con el pulgar y el índice por 10 minutos.

◆ Después de 10 minutos, examine la nariz para ver si todavía está sangrando. Si lo está, vuélvala a tapar por 10 minutos más. La mayoría de las hemorragias nasales se detendrán después de 10 a 30 minutos de hacer esto.

◆ No se sople la nariz por al menos 12 horas después de que el sangrado se detenga.

◆ Si tiene la nariz muy reseca, respire aire húmedo por un rato (como por ejemplo en la regadera). Luego póngase un poco de vaselina en el interior de la nariz. Un aerosol nasal de solución salina también puede ayudar. Vea la página 256.

Para detener una hemorragia nasal, incline la cabeza hacia adelante y tápese la nariz.

Sangre debajo de una uña

Cuándo llamar al médico

◆ El dolor es intenso, y no quiere drenar la sangre de la uña usted mismo.

◆ Ya drenó la sangre de la uña, pero el dedo todavía le duele mucho.

◆ Usted tiene diabetes, problemas de circulación, el sistema inmunológico debilitado (por VIH, uso de esteroides, tratamientos de cáncer o un trasplante de órganos) y necesita ayuda para drenar la sangre de la uña.

◆ Está presentando señales de infección. Éstas pueden incluir aumento del dolor, hinchazón, el área se siente caliente o se enrojece; aparecen rayas rojas que salen de la uña; pus que sale del agujero; y fiebre.

◆ Necesita ayuda para sacar una uña que se rompió o separó de la raíz (lúnula).

Más ➡

Sangre debajo de una uña

Cuando una uña de las manos o los pies recibe un golpe o lesión fuerte, se le puede acumular sangre debajo. La presión puede doler mucho. Puede ponerse hielo o tomar paracetamol (Tylenol) o ibuprofeno (Advil, Motrin) para aliviar el dolor y la hinchazón.

Si el dolor es intenso y punzante, la única manera de aliviarlo es haciendo un agujero en la uña para drenar la sangre. No intente esto a menos que el dolor sea intenso. Si tiene diabetes, problemas de circulación, o un sistema inmunológico debilitado, ni siquiera lo intente.

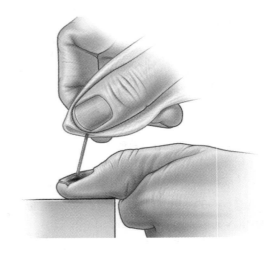

Para drenar la sangre:

◆ Enderece una presilla (*paper clip*) para sujetar papeles. Luego caliente la punta en una llama hasta que esté al rojo vivo.

◆ Coloque la punta de la presilla sobre el área que tiene la sangre y deje que derrita la uña. No empuje. Esto no debe doler, porque la uña no tiene nervios. Vaya despacio y recaliente la presilla según sea necesario. Si la uña es gruesa, es posible que tome varios intentos.

◆ Tan pronto se haga el agujero, la sangre saldrá y el dolor desaparecerá. Si el dolor no desaparece, quizás tenga una lesión más grave, como una fractura o cortadura profunda. En este caso, debe ver a un médico.

◆ Sumerja el dedo dos veces al día por 10 minutos en agua tibia con jabón. Aplíquele ungüento con antibiótico y un vendaje.

◆ Si la presión regresa al cabo de unos días, repita el proceso. Use el mismo agujero.

Shock (Choque)

El estado de shock puede presentarse a causa de una enfermedad repentina, lesión, o sangrado. Cuando el cuerpo no puede llevar suficiente sangre a los órganos vitales, entra en estado de shock. A veces hasta una lesión leve puede resultar en shock.

Tratar el shock rápidamente en el hogar puede salvarle la vida a una persona.

Tratamiento en casa

◆ **Llame al 911.**

◆ Acueste a la persona. Si hay una lesión en la cabeza, cuello o pecho, mantenga los pies reposados. De lo contrario, levántele las piernas a la persona al menos 12 pulgadas (30 cm).

◆ Si la persona vomita, póngala de lado para que los líquidos salgan de la boca. Tenga cuidado si hay posibilidad de una lesión a la espalda o el cuello. Vea la página 31.

◆ Detenga cualquier sangrado (vea la página 57) y entablille cualquier hueso fracturado (vea la página 30).

◆ Mantenga a la persona abrigada, pero no caliente. Póngale una manta debajo a la persona, y cúbrala con una sábana o manta, dependiendo del clima. Si la persona está en un lugar caluroso, trate de mantenerla refrescada.

◆ Tómele el pulso a la persona en caso de que el personal médico en el teléfono le pregunte. Vea la página 62. Tómele el pulso otra vez si la condición de la persona cambia.

◆ Trate de mantener a la persona calmada.

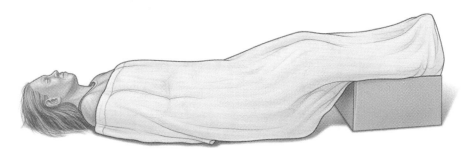

Levántele las piernas, y mantenga a la persona abrigada pero no caliente.

Más ▶

Cómo tomar el pulso

El pulso es la rapidez de los latidos del corazón. Se mide en latidos por minuto.

A medida que el corazón bombea sangre por las arterias al resto del cuerpo, usted puede sentir los latidos en los lugares del cuerpo en que las arterias están cerca de la superficie de la piel. La mayoría del tiempo, se puede tomar el pulso en las muñecas, el cuello o la ingle.

◆ Coloque dos dedos suavemente sobre la muñeca para detectar el pulso. No use el pulgar. También puede encontrar el pulso en el cuello, a cualquiera de los lados de la tráquea. Presione suavemente con dos dedos.

◆ Cuente los latidos por 30 segundos. Luego multiplique por dos para saber los latidos por minuto.

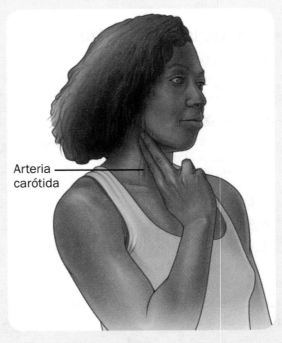

Arteria carótida

Cómo tomar el pulso en el cuello

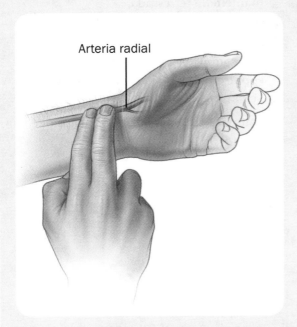

Arteria radial

Cómo tomar el pulso en la muñeca

Pulso en descanso

Para medir el pulso en descanso, tómelo después de haber estado descansando por al menos 10 minutos. Ciertas enfermedades pueden elevarle el pulso, y por lo tanto ayuda saber cuál es su pulso en descanso cuando no está enfermo. El pulso sube aproximadamente 10 latidos por minuto por cada grado de fiebre.

Pulso normal en descanso:

◆ Hasta los 12 meses: 100–160 latidos/minuto

◆ De 1 a 6 años: 65–140 latidos/minuto

◆ De 7 a 10 años: 60–110 latidos/minuto

◆ 11 años o más: 50–100 latidos/minuto

Suicidio

Cuándo llamar al médico

Llame al 911 si usted o alguien que usted conoce está a punto de intentar o está intentando un suicidio.

Llame a un médico, a su línea directa local de prevención del suicidio, o a la línea nacional de prevención del suicidio al 1-800-784-2433 (1-800-SUICIDE) si:

◆ Está pensando en suicidarse.

◆ Sospecha o sabe que alguien ha hecho planes para suicidarse.

Si está sumamente deprimido y sin esperanza, es posible que algunas veces piense en quitarse la vida. Ocasionalmente, tener pensamientos fugaces sobre la muerte es algo normal. Pero si los pensamientos suicidas continúan, o si ha hecho planes para suicidarse, usted necesita ayuda hoy.

Las personas que están pensando en suicidarse a menudo no están seguras de si quieren vivir o morir. Con ayuda y compasión, es posible que escojan vivir.

Señales de advertencia del suicidio

◆ Decir que se va a matar. La mayoría de las personas que cometen suicidio se lo dicen a alguien.

◆ Ha tenido intentos de suicidio en el pasado. Los intentos fallidos a menudo son seguidos de un intento exitoso.

◆ Regalar las pertenencias favoritas.

◆ Pensar mucho sobre la muerte o estar obsesionado con el tema. Una persona suicida puede hablar, leer, dibujar o escribir sobre la muerte.

◆ Sentirse deprimido y socialmente aislado. Una persona suicida puede dejar de ver o llamar a los amigos y dejar de hacer sus actividades normales.

Tratamiento en casa

Para usted mismo

◆ No consuma alcohol ni drogas ilícitas. Pueden aumentar la probabilidad de que haga cosas que no haría cuando está sobrio.

◆ Hable sobre lo que piensa con alguien en quien confíe: un amigo o familiar, un miembro de la comunidad religiosa, o un médico. También puede llamar a una línea de prevención del suicidio.

◆ Si piensa que está en un momento de crisis, pídale a alguien de confianza que le acompañe hasta que pase la crisis o hasta que pueda recibir ayuda.

Si le preocupa otra persona

◆ No ignore las señales de advertencia, pensando que a la persona "se le va a pasar".

Más ▶

Suicidio

◆ Hable sobre el problema con la mayor franqueza posible. Demuestre comprensión y compasión. No discuta con la persona ni la desafíe.

◆ Exhórtele a buscar ayuda profesional hoy. Haga lo que pueda para lograrlo. Ayude a la persona a hacer la cita, y asegúrese de que tiene una manera de acudir a ella. Déle seguimiento y averigüe cómo va el tratamiento.

◆ Use el sentido común y preguntas directas para determinar si el riesgo de suicidio es alto. Pregúntele a la persona:

❖ ¿Cree que no hay otra alternativa?

❖ ¿Tiene un plan para suicidarse?

❖ ¿Cómo y cuándo planifica hacerlo?

◆ Si determina que el riesgo es alto, no se vaya. Permanezca con la persona hasta que la crisis haya pasado o hasta que usted pueda conseguir ayuda.

Problemas comunes de salud

Más ▶

Guías de síntomas

Busque en el lado izquierdo de la tabla los síntomas que mejor concuerden con los suyos. Después vea en el lado derecho ejemplos de lo que puede causar esos síntomas y adónde ir para saber más. Las tablas no contienen todas las causas posibles de cada síntoma.

Problemas de la piel	
Síntomas	**Causas posibles**
Bultitos, enrojecidos y que dan comezón, o protuberancias después de un piquete de insecto o tomar un medicamento	Alergias, p. 85 Urticaria, p. 275 Picadura de araña u otro insecto, p. 37
Abultamiento enrojecido y doloroso bajo la piel	Forúnculos, p. 175
Piel enrojecida, escamosa y con comezón	Piel seca, p. 230 Dermatitis atópica, p. 132 Infecciones por hongos, p. 187 Psoriasis, p. 239 Vea también Salpullido, p. 247.
Salpullido encostrado, color miel, por lo general entre la nariz y el labio superior	Impétigo, p. 189
Salpullido que se presenta después de usar joyería o ropa nuevas, después de estar expuesto a plantas venenosas, probar alimentos nuevos o tomar un medicamento nuevo	Alergias, p. 85 Vea también Salpullido, p. 247.
Salpullido enrojecido, con ampollas y con comezón	Hiedra venenosa, roble venenoso o zumaque venenoso, p. 248 Varicela, p. 278
Ampollas dolorosas en una franja en un costado del cuerpo	Herpes zoster, p. 279
Cambio de forma, tamaño o color de un lunar, o un lunar continuamente irritado, una llaga que no se cura	Cáncer de la piel, p. 113
Piel agrietada, ampollada, con comezón o despellejada entre los dedos de los pies	Pie de atleta (vea Infecciones por hongos, p. 187)
Salpullido enrojecido, con comezón y exudación en las ingles o muslos	Tiña inguinal (vea Infecciones por hongos, p. 187)
Puntos escamados, con comezón y sin pelo o con llagas en el cuero cabelludo	Tiña (Vea Infecciones por hongos, p. 187) Vea también Pérdida del cabello, p. 229.
Partes de la piel escamosas, especialmente en las rodillas, codos y cuero cabelludo	Psoriasis, p. 239
Salpullido con la piel rasposa, con garganta irritada y lengua "de frambuesa"	Escarlatina (vea Dolor de garganta, p. 177)
Llagas en labios o boca	Llagas ulcerosas, p. 273 Herpes labial, p. 186

Dolores de cabeza

Si se presenta un dolor de cabeza:	Causas posibles
Repentino (como una explosión) y muy intenso	Sangrado en el cerebro. **Esto puede ser una emergencia.**
Inmediatamente después de despertarse	Dolor de cabeza por tensión, p. 102 Alergias, p. 85 Sinusitis, p. 254 Dolor de cuello, p. 129 Trastorno temporomandibular y dolor en la mandíbula, p. 263
En el área de la mandíbula o en ambas sienes	Trastorno temporomandibular, p. 263 Dolor de cabeza por tensión, p. 102
Cada tarde o noche, después de horas de trabajar sentado, con dolor de cuello y hombros	Dolor de cabeza por tensión, p. 102 Dolor de cuello, p. 129
En un lado de la cabeza, con problemas de visión o escurrimiento nasal	Migraña, p. 103 Dolor de cabeza en racimos, p. 105
Después de un golpe en la cabeza	Lesión en la cabeza, p. 17
Después de exposición a sustancias químicas (pintura, barniz, insecticida en aerosol, humo)	Dolor de cabeza por productos químicos. Salga al aire libre. Beba agua para desintoxicarse. Llame al médico si el dolor de cabeza no mejora.
Con fiebre, escurrimiento nasal o garganta irritada	Gripe, p. 181 Dolor de garganta, p. 177 Resfriado, p. 241 Sinusitis, p. 254
Con fiebre, rigidez de cuello, náusea y vómito	Encefalitis o meningitis, p. 174
Con escurrimiento nasal, ojos llorosos y estornudos	Alergias, p. 85
Con fiebre y dolor en los pómulos o encima de los ojos	Sinusitis, p. 254
Cuando bebe menos cafeína de la acostumbrada	Síndrome de abstinencia de café. Redúzcalo poco a poco. Vea p. 103.
Después de un evento estresante	Dolor de cabeza por tensión, p. 102
Al mismo tiempo que el ciclo menstrual	Síndrome premenstrual, p. 232 Migraña, p. 103
Con medicamento nuevo	Alergia a medicamentos. Llame a su médico.
Con intenso dolor de ojos	Glaucoma de ángulo cerrado agudo, p. 180. **Esto puede ser una emergencia.**
Con mareos y vómitos y todos en la casa sienten lo mismo	Intoxicación con monóxido de carbono. **Esto puede ser una emergencia.**

Problemas de los ojos y de la vista

Síntomas	Causas posibles
Pérdida repentina de la visión que no mejora	Ataque cerebral, p. 16 Glaucoma de ángulo cerrado, p. 180 **Usted puede necesitar atención de urgencia.**
Acometimiento repentino de dolor de ojos, visión borrosa, enrojecimiento del globo ocular o halos alrededor de las luces	Objeto en los ojos, p. 43 Quemadura por sustancias químicas, p. 47 Glaucoma de ángulo cerrado, p. 180 **Usted puede necesitar atención de urgencia.**
Súbito incremento de depósitos (manchas negras, motas o líneas en el campo visual), destellos de luz que no desaparecen, sombras o "cortina" a través del campo visual	Desprendimiento de retina. **Usted puede necesitar atención de urgencia.** (Si ha tenido algunos depósitos o destellos por un tiempo, menciónelo en su próximo examen de la vista.)
Ojos rojos, irritados o llorosos	Alergias, p. 85. Considere una alergia a productos de cuidados del ojo, al maquillaje o al humo. Problemas con lentes de contacto, p. 221
Descarga o lagañas en el ojo, párpados enrojecidos o hinchados, sensación arenosa	Conjuntivitis, p. 218 Problema con lentes de contacto, p. 221 Blefaritis (inflamación de los párpados)
Granos o abultamientos en el párpado	Orzuelo, p. 222
Dolor en los ojos	Objeto en los ojos, p. 43 Problema con lentes de contacto, p. 221 Conjuntivitis, p. 218 Substancias o emanaciones químicas, p. 47 Migraña o dolor de cabeza en racimos, p. 103 Sinusitis, p. 254 Glaucoma de ángulo cerrado, p. 180
Mancha roja o sangre en lo blanco del ojo	Sangre en los ojos, p. 220
Ojos secos o arañados	Ojos resecos, p. 220 Alergias, p. 85
Tics en el ojo	Estrés o fatiga. Llame al médico si los tics afectan a otros músculos faciales o duran más de una semana.
Ojo morado	Moretones (cardenales), p. 41
Pérdida gradual de la visión lateral, visión de túnel	Glaucoma, p. 180
Aparición gradual de visión turbia, membranosa o borrosa o de halos alrededor de las luces	Cataratas, p. 117

Problemas del oído y la audición

Síntomas	Causas posibles
Dolor de oído y fiebre; los bebés y niños pequeños se jalan las orejas, especialmente con llanto constante	Infección en el oído, p. 213 Objeto en el oído, p. 42
Dolor al masticar, dolor de cabeza	Trastorno temporomandibular, p. 263
Dolor al menear la oreja o al masticar; comezón o ardor en el oído	Otitis de nadador, p. 216
Secreción desde el oído	Otitis de nadador, p. 216 Ruptura del tímpano, p. 216
Sensación de congestión en el oído, con nariz tapada o con escurrimiento, tos, fiebre	Resfriado, p. 241 Infecciones en el oído, p. 213
Sensación de que algo se está moviendo o "dando tumbos" en el oído	Objeto en el oído, p. 42
Pérdida de la audición; no poner atención	Pérdida de la audición, p. 95 Cera del oído, p. 118 Líquido en el oído, p. 213
Zumbido o ruido en los oídos	Tinnitus, p. 96

Problemas de nariz y garganta

Síntomas	Causas posibles
Nariz tapada o con escurrimiento nasal con ojos llorosos, estornudos	Alergias, p. 85 Resfriado, p. 241
Síntomas de resfriado con fiebre, dolor de cabeza, intensos dolores en el cuerpo, fatiga	Gripe, p. 181
Secreción nasal espesa verde, amarilla o gris con fiebre y dolor facial	Sinusitis, p. 254
Nariz sangrante	Vea Sangrado nasal, p. 58.
Olor fétido de la nariz; tejido nasal inflamado y adolorido	Objeto en la nariz, p. 42 Sinusitis, p. 254
Garganta irritada	Vea Dolor de garganta, p. 177.
Garganta irritada con manchas blancas en las amígdalas, ganglios inflamados, fiebre de 101°F (38.3°C) o más	Faringitis por estreptococos, p. 178
Amígdalas inflamadas, garganta irritada, fiebre	Amigdalitis, p. 177
Ganglios inflamados en el cuello	Vea Ganglios linfáticos inflamados, p. 176. Amigdalitis, p. 177
Ronquera, pérdida de la voz	Laringitis, p. 197

Problemas del corazón, el pecho y los pulmones

Síntomas	Causas posibles
Respiración ruidosa o rápida, superficial o con dificultades	Alergias, p. 85 Asma, p. 292 Bronquitis, p. 97 EPOC, p. 297 Vea también Problemas de la respiración, p. 242.
Tos, fiebre, esputo amarillo-verdoso u ocre, y dificultad para respirar	Bronquitis, p. 97 Neumonía, p. 212
Dolor u opresión de pecho con sudoración o pulso agitado	**Llame al 911**. Posible ataque al corazón. Vea p. 15. Vea también Dolor de pecho, p. 226.
Falta de aire y tos	Asma, p. 292 Bronquitis, p. 97 EPOC, p. 297 Insuficiencia cardiaco, p. 318 Vea también Problemas de la respiración, p. 242.
Ardor, dolor o malestar detrás o abajo del esternón	Acidez gástrica (agruras), p. 78 Vea también Dolor de pecho, p. 226.
Tos	Vea Tos, p. 259.
Ritmo cardiaco palpitante o acelerado; corazón fuera de ritmo	Palpitaciones del corazón, p. 225 Ansiedad, p. 91
Dolor de tórax al toser o respirar profundamente	Neumonía, p. 212 Pleuresía Vea también Dolor de pecho, p. 226.
Dolor al oprimirse el pecho	Músculos tensos del pecho, p. 228 Costocondritis, p. 228 Vea también Dolor de pecho, p. 226.

Problemas digestivos

Síntomas	Causas posibles
Dolor de vientre (puede estar en un punto determinado o por todas partes)	Vea Dolor abdominal, p. 75.
Dolor creciente del lado derecho del bajo vientre, con fiebre, náuseas y vómito	Apendicitis, p. 76 Vea también Dolor abdominal, p. 75. **Usted puede necesitar atención de urgencia.**
Sentirse mal del estómago; estar vomitando (devolviendo)	Vómito y náusea, p. 285 Reacción a medicamentos Intoxicación por alimentos, p. 192
Excrementos frecuentes y acuosos	Diarrea, p. 136 Intoxicación por alimentos, p. 192 Síndrome del intestino irritable, p. 190
Los excrementos son secos y difíciles de expulsar	Estreñimiento, p. 163 Síndrome del intestino irritable, p. 190
Excrementos con sangre, negros o alquitranados	Úlcera, p. 271 Diarrea, p. 136 Problema rectal, p. 183 **Vea también Emergencias de sangrado, p. 57.**
Dolor al ir al baño; sangre roja brillante en la superficie del excremento o en el papel higiénico	Hemorroides u otros problemas rectales, p. 183 Estreñimiento, p. 163
Abultamiento o hinchazón indoloros en las ingles que aparecen y desaparecen	Hernia, p. 185
Ardor o malestar atrás o abajo del esternón o en el vientre alto	Acidez gástrica (agruras), p. 78 Úlcera, p. 271 Vea también Dolor de pecho, p. 226.
Inflamación y gases con diarrea, estreñimiento o ambos	Síndrome del intestino irritable, p. 190
Sólo en mujeres: Retortijones en el bajo vientre, hinchazón, diarrea o estreñimiento poco antes o durante el periodo menstrual	Cólicos menstruales, p. 123 Vea también Dolor abdominal, p. 75.

Problemas urinarios

Síntomas	Causas posibles
Dolor o ardor al orinar	Infección de vías urinarias, p. 260 Prostatitis, p. 236 Enfermedad de transmisión sexual, p. 144 Cálculos en los riñones, p. 110
Dificultad al orinar o débil chorro de orina (hombres)	Próstata, agrandamiento de la, p. 237 Prostatitis, p. 236
Goteo de orina o pérdida del control de la vejiga	Problema de control de la vejiga, p. 280 Agrandamiento de la próstata, p. 237 Prostatitis, p. 236
Sangre en la orina (Comer betabel, zarzamoras o alimentos con colorantes rojos puede hacer que la orina tome un color rosado o rojo. Algunos medicamentos también pueden cambiar el color de la orina.)	Infecciones del tracto urinario, p. 260 Cálculos en los riñones, p. 110 Lesión en las ingles Ejercicio muy intenso (como correr en un maratón)

Abdominal, dolor

Cuándo llamar al médico

Los dolores abdominales son muy comunes y con frecuencia no son graves. Use la siguiente guía como ayuda para decidir cuándo es apropiado invertir tiempo y dinero para visitar al médico y en qué ocasiones usted puede hacerse cargo del problema.

Llame al 911 si:

◆ Tiene dolor abdominal y se desmaya.

◆ Tiene dolor en la parte superior del abdomen junto con dolor o presión en el pecho, especialmente si esto ocurre junto con otros síntomas de ataque al corazón. Vea la página 15.

◆ Tiene un dolor intenso después de recibir un golpe o lesión en el abdomen. Vea la página 12.

Llame al médico si:

◆ Tiene un nuevo dolor intenso en el vientre por varias horas o más.

◆ Tiene un dolor intenso o gradual en un área de su vientre por más de 4 horas.

◆ Tiene dolor en todo el vientre o un dolor abdominal intenso por más de 24 horas y con el paso del tiempo no se siente mejor.

◆ Se está deshidratando y no puede beber líquidos. Vea la página 25.

◆ El dolor empeora cuando se mueve o tose y no se siente como si se tratara de un músculo tenso.

◆ Cuando cualquier nuevo dolor en el vientre dura más de 3 días.

Si usted no encuentra sus síntomas en esta lista, revise el índice de la tabla de Problemas digestivos en la página 73.

El dolor abdominal—dolor de estómago— es muy común. Puede obtener algunas pistas sobre la causa del dolor y de la gravedad del problema si se hace algunas preguntas:

◆ **¿Cuán fuerte es el dolor?** La gente por lo general necesita consultar al médico cuando un dolor abdominal fuerte la ataca y persiste, o cuando un dolor nuevo o diferente empeora en el curso de algunas horas o días.

◆ **¿Duele por todas partes o sólo en un punto?**

❖ Cuando le duele el estómago por todas partes y no puede localizar un punto específico que le duela, por lo general no hay razón para preocuparse. Este tipo de dolor es muy común y por lo general desaparece por sí mismo. La acidez gástrica (agruras), la gastroenteritis viral, la intoxicación por alimentos y otras enfermedades comunes pueden causar este tipo de dolor abdominal.

❖ Cuando le duele el estómago en un solo punto, eso puede ser señal de un problema más grave. Esto es especialmente cierto si el dolor es fuerte, empieza súbitamente y no desaparece, o si empeora cuando usted se mueve o tose. Puede ser señal de un problema como apendicitis, pancreatitis, diverticulitis, un quiste en los ovarios o una enfermedad de la vesícula biliar.

Más ▶

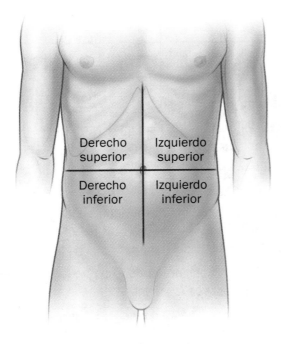

Derecho superior | Izquierdo superior
Derecho inferior | Izquierdo inferior

Si tiene dolor de vientre, su médico le preguntará en dónde siente el dolor. ¿En la parte inferior derecha? ¿En la parte superior izquierda? ¿En todo el vientre?

Tratamiento en casa

En la mayoría de los casos el dolor abdominal desaparece por sí mismo. El mejor tratamiento en casa depende de los otros síntomas que tenga, por ejemplo, diarrea y vómito. Consulte el tratamiento en casa de cualquier otro síntoma que usted tenga. Use el índice para encontrar lo que necesite o consulte la tabla de Problemas digestivos en la página 73.

Si usted tiene un dolor abdominal ligero, sin otros síntomas, estas recomendaciones podrán ayudarle:

◆ Descanse hasta que se sienta mejor.

◆ Beba muchos líquidos para evitar la deshidratación (vea la página 25). Tomar muchos sorbos pequeños es mejor para el estómago que beber mucho de una sola vez.

◆ No coma alimentos sólidos hasta que no empiece a desaparecer el dolor. Después pruebe varias comidas ligeras en lugar de dos o tres pesadas. Coma alimentos ligeros, como arroz, pan tostado, galletas saladas, plátanos y puré de manzanas. Evite los alimentos condimentados, el alcohol, la cafeína y frutas que no sean bananos hasta 48 horas después de que hayan desaparecido todos los síntomas.

Apendicitis

El apéndice es una pequeña bolsa adherida al intestino grueso. (Vea la imagen en la página 109.) Si el apéndice se bloquea, puede inflamarse e infectarse. Esto se conoce como apendicitis.

Los síntomas pueden ser:

◆ Dolor que se inicia alrededor del ombligo o un poco más arriba y que después se intensifica y pasa al lado derecho del vientre bajo. (Vea la imagen en esta página.) El dolor es continuo y empeora al caminar y toser.

◆ Pérdida de apetito, náusea, vómitos y estreñimiento.

◆ Fiebre y escalofríos.

◆ El vientre se endurece e inflama.

Llame al médico si usted tiene estos síntomas. Quizás necesite que le extraigan el apéndice de inmediato. De otro modo, podría reventarse y la infección se esparciría por todo el abdomen.

Abuso y violencia

Cuándo llamar al médico

Llame al 911 si:

◆ Usted o alguien que conozca están en peligro en estos momentos.

◆ Usted o algún familiar han sufrido maltrato físico o abuso sexual o han sido víctimas de violencia. El abuso es un delito, no importa quién lo haga.

Llame a un consejero o al médico si:

◆ Usted está preocupado por la violencia o el abuso en su propia relación o en la de algún familiar o amigo.

◆ Usted o algún familiar necesita ayuda para controlar su enojo. Vea también Enojo y hostilidad en la página 148.

◆ Usted sospecha que un niño sufre de abuso, negligencia o maltrato, o un niño le informa a usted de este tipo de trato. También puede llamar a la oficina local de servicios de protección al menor o a la policía.

El enojo y el desacuerdo son parte normal de relaciones saludables. Las amenazas y la violencia no son un comportamiento normal ni tampoco saludable.

El abuso es un problema común en toda la población. Con frecuencia comienza con amenazas e insultos, portazos o rompiendo los platos. Después empeora con empujones, golpes y otros actos violentos. Cada año, miles de personas sufren lesiones e incluso mueren a manos de sus parejas, cónyuges u otros miembros de su familia.

Signos de abuso

Si usted no está seguro de que haya abuso en sus relaciones, observe ciertas señales. Este puede ser el primer paso en la resolución del problema. Pregúntese:

◆ ¿Mi pareja limita a dónde puedo ir, lo que puedo hacer y con quién puedo hablar?

◆ ¿Mi pareja me insulta o me dice que estoy loco?

◆ ¿Mi pareja me critica por lo que digo o hago o por mi apariencia personal?

◆ ¿Mi pareja siempre "me está vigilando" en el trabajo, el hogar o la escuela?

◆ ¿Mi pareja me golpea, empuja, abofetea, patea, da puñetazos o asfixia?

◆ ¿Mi pareja me culpa por el abuso que comete?

◆ ¿Mi pareja me obliga a tener relaciones sexuales?

◆ ¿Mi pareja lastima a mis mascotas o destruye cosas que son especiales para mí?

◆ ¿Mi pareja me amenaza con lastimarme o matarme?

Si usted respondió "Sí" a cualquiera de estas preguntas, o si su pareja podría responder "Sí", es posible que haya abuso en su relación.

Qué puede hacer

Nunca debe aceptarse el abuso físico, verbal o sexual. No hay ninguna excusa. Nadie merece ser abusado.

◆ Sepa que hay personas que pueden ayudarle: sus amigos, la familia, vecinos, la policía, profesionales de la salud, trabajadores sociales o clérigos. Hable con alguien con quien tenga confianza. No sienta que debe ocultar lo que sucede. Todos tenemos derecho de estar en una relación sana.

Más

◆ Esté alerta a señales de advertencia, como por ejemplo las amenazas o el abuso del alcohol. Esto puede ayudarle a evitar el peligro.

◆ Si puede, asegúrese que no haya armas de fuego u de otro tipo en su casa.

◆ Elabore un plan para irse de su casa y tener dónde alojarse en caso de una emergencia. Si es posible, tenga a la mano algo de dinero o al menos asegúrese de poder tenerlo después de salir de su casa. No informe su plan a la persona que abusa de usted. En las oficinas locales de la YMCA, YWCA, la policía, un hospital o clínica pueden informarle acerca de los refugios y albergues seguros más cercanos. También puede llamar al teléfono de emergencia contra la violencia doméstica, al número gratuito 1-800-799-7233.

La prevención de la violencia empieza en casa

La violencia es una conducta aprendida. Es importante que le enseñe a sus hijos que la violencia no es una solución saludable a los conflictos. El desacuerdo está bien. El abuso verbal o físico, no.

Ayude a sus hijos a aprender que no está bien lastimar a los demás, ni permitir que los demás los lastimen a ellos. Usted mismo dé el ejemplo de esa conducta. Aplique técnicas de disciplina como la del "tiempo fuera", que no impliquen dar nalgadas o golpes a su hijo. Si usted necesita ayuda con la disciplina, tome un curso o lea libros sobre el arte de la crianza, o hable con un consejero.

Acidez gástrica (agruras)

Cuándo llamar al médico

Llame al 911 si:

◆ Siente dolor en la parte superior del abdomen con dolor o presión en el pecho u otros síntomas de un ataque al corazón. Vea la página 15.

◆ Vomita mucha sangre o algo que parece granos de café molido.

Llame a su médico si:

◆ Hay rayas de sangre en el vómito.

◆ Tiene dolores frecuentes al tragar, o tiene dificultad para tragar.

◆ Está perdiendo peso y no sabe por qué.

◆ Piensa que un medicamento le puede estar dando acidez gástrica. Los antihistamínicos, los medicamentos para la ansiedad y los antiinflamatorios, incluida la aspirina, el ibuprofeno (Advil, Motrin), y el naproxeno (Aleve), pueden a veces causar acidez gástrica.

◆ La acidez gástrica dura más de 2 semanas, aunque se aplique un tratamiento en casa. Llame antes si los síntomas son intensos y no mejoran nada al tomar antiácidos o medicamentos para reducir el ácido. Además vea Úlceras en la página 271.

La acidez gástrica ocurre cuando los fluidos del estómago suben al esófago, el tubo que conecta la boca con el estómago. Este flujo de líquido de regreso, llamado **reflujo**, causa una sensación de ardor o calor detrás del esternón. Es posible que sienta que se extiende en oleadas hacia el cuello y crea un sabor amargo en la boca.

La acidez gástrica puede durar hasta 2 horas o más. Empeora cuando se acuesta o se inclina y mejora al sentarse o ponerse de pie.

No se preocupe si tiene acidez gástrica de vez en cuando. A casi todo el mundo le da. Siga los consejos de tratamiento en casa para obtener alivio.

No obstante, si le da acidez gástrica a menudo, es posible que tenga **enfermedad por reflujo gastroesofágico** (GERD, por sus siglas en inglés). La GERD puede ocasionar otros problemas de salud. Usted necesita ver a un médico si tiene acidez gástrica a menudo y el tratamiento en casa no le está ayudando.

Si tiene enfermedad por reflujo gastroesofágico, vaya al sitio Web indicado en la contraportada y escriba **u884** en la celda de búsqueda para que sepa qué hacer para controlar los síntomas.

Tratamiento en casa

◆ Coma porciones más pequeñas, y evite las meriendas tarde en la noche. Después de comer, espere de 2 a 3 horas antes de acostarse.

◆ Evite alimentos que puedan causar acidez gástrica. Estos pueden incluir frutas cítricas y jugos ácidos (naranja, tomate), chocolate, alimentos grasosos o fritos, alimentos con sabor a menta, alcohol, bebidas carbonatadas, y café y otras bebidas con cafeína.

◆ No fume ni mastique tabaco.

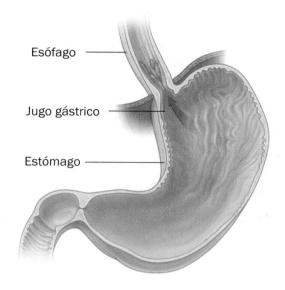

Esófago

Jugo gástrico

Estómago

La acidez gástrica ocurre cuando los ácidos del estómago suben (refluyen) hacia el esófago.

◆ Si tiene acidez gástrica en las noches, levante la cabecera de su cama de 6 a 8 pulgadas poniendo el marco de la cama sobre bloques o colocando un pedazo de espuma en forma de cuña debajo del colchón. (Añadir almohadas adicionales no funciona bien).

◆ Tome un medicamento de venta libre para la acidez gástrica. En los casos de acidez leve, un antiácido como Maalox, Mylanta, o Tums podría ser útil. También puede usar un medicamento para reducir el ácido, como por ejemplo Pepcid AC, Tagamet HB, o Zantac. Además puede comprar un bloqueador de ácido llamado Prilosec OTC sin receta médica. Pídale ayuda al farmacéutico para seleccionar uno de estos medicamentos.

◆ No use ropa apretada en el área de la cintura.

Más ➡

Acidez gástrica (agruras)

◆ No tome aspirina, ibuprofeno (Advil, Motrin), ni naproxeno (Aleve). Éstos pueden causar acidez gástrica o empeorarla. Si necesita tomar algo para el dolor, use acetaminofén (Tylenol).

◆ Pierda peso si lo necesita. Perder solamente 5 a 10 libras (2.5 a 4.5 kilos) puede ayudar.

Acné

Cuándo llamar al médico

◆ El acné no ha mejorado después de 6 a 8 semanas de tratamiento en casa.

◆ Su piel está muy enrojecida o con moretones o cuando presenta protuberancias debajo de la piel.

◆ Sus espinillas son grandes y duras o están llenas de fluido.

◆ El acné ha sanado, dejando cicatrices y marcas.

◆ Tiene acné después de iniciar un tratamiento con un medicamento nuevo.

◆ El acné ocurre junto con otros síntomas, como por ejemplo el crecimiento de vello facial en las mujeres o junto con dolor de los huesos o músculos.

El acné es un problema de la piel que se presenta cuando las células muertas y la grasa en la piel obstruyen sus poros. Esto provoca abultamientos, puntos negros y blancos, con mayor frecuencia en el rostro, cuello y la parte superior del cuerpo. El acné en general comienza durante la pubertad y con frecuencia dura hasta que la persona llega a la adultez. Muchas mujeres adultas presentan algunos abultamientos justo antes de su periodo menstrual.

El estrés y algunas píldoras anticonceptivas empeoran el acné. (Sin embargo, algunas píldoras anticonceptivas podrían ayudar en el tratamiento del acné).

Usted puede controlar la mayoría de los brotes leves de acné si limpia con delicadeza su piel cada día. También pueden servir los productos contra el acné de venta libre. Si el tratamiento en casa no funciona o si su acné es muy grave, su médico puede prescribirle cremas o lociones más fuertes, antibióticos de administración oral u otros medicamentos, como la isotretinoína (Accutane).

Los tratamientos para el acné con frecuencia funcionan muy bien, pero es posible que no observe los resultados por hasta 8 semanas. En ocasiones el acné empeora antes que de que haya mejoras, incluso con un tratamiento. Trate de tener paciencia.

Tratamiento en casa

◆ Mantenga limpia su piel. Lave con delicadeza una o dos veces al día su rostro, hombros, pecho y espalda con agua tibia (no caliente) y un jabón suave, como por ejemplo Aveeno, Cetaphil, Neutrogena o Basis. No se frote con demasiada fuerza. No use jabones que resequen su piel, como por ejemplo los jabones con desodorante. Siempre enjuague bien.

◆ Lave su cabello todos los días y asegúrese de que no toque su rostro u hombros.

◆ Trate de no tocar ninguna de las áreas en las que tiene acné.

◆ Nunca pellizque ni reviente los abultamientos. Esto provoca infecciones y cicatrices.

◆ Use una crema, loción o gel para el acné que contenga peróxido de benzoílo. Después de limpiar su piel, aplique una capa delgada del medicamento en todas las áreas en donde se han presentado los abultamientos y no sólo en donde los tenga ahora. Comience con los medicamentos más suaves e incremente su fuerza si su piel puede tolerarlo. Recuerde que deben pasar hasta 2 meses para comenzar a ver resultados. Es normal un poco de resequedad y enrojecimiento, pero si su piel se reseca demasiado o presenta escamado o si la piel se enrojece y duele, reduzca la cantidad. No use concentraciones de peróxido de benzoílo mayores al 5% a menos que así lo prescriba su médico.

◆ Use sólo lociones, maquillaje y bloqueadores solares de base acuosa, sin aceite, para que no se obstruyan sus poros. Estos productos pueden estar etiquetados como no comedogénicos. No use productos que empeoren su acné.

Alcohol y drogas

Cuándo llamar al médico

Llame al 911 si:

◆ Una persona queda inconsciente o tiene problemas para respirar después de haber bebido alcohol o usado drogas.

◆ Una persona que ha bebido alcohol o usado alguna droga amenaza con lastimarse o lastimar a otros.

◆ Cuando una persona que deja de beber alcohol tiene temblores, alucinaciones, convulsiones u otros síntomas de abstinencia.

Llame al médico o consejero si:

◆ Está preocupado acerca de un problema de abuso de alcohol o drogas en una persona cercana a usted.

◆ Cuando piensa que tiene un problema con el uso del alcohol o las drogas y necesita ayuda. (Vea la sección: ¿Es un usuario con problemas? en la página 83.) El tratamiento que puede ayudarle a abandonar su adicción.

El abuso o uso excesivo del alcohol u otras drogas se denomina como abuso de sustancias. Es común, costoso y puede generar muchos problemas.

Problemas con el alcohol

Usted tiene problemas con el alcohol si sigue bebiendo incluso cuando esto interfiere con su salud o vida diaria.

Las personas abusan del alcohol de diferentes maneras. Algunas personas se emborrachan todos los días. Algunas beben cantidades elevadas de una vez. Otras pueden mantenerse sobrias por mucho tiempo y luego beben por semanas o meses. Todos estos son problemas.

Más ➤

Alcohol y drogas

Beber en exceso por un periodo prolongado produce lesiones en el hígado, el sistema nervioso, el corazón y el cerebro; presión arterial alta, depresión, problemas estomacales, problemas sexuales y cáncer. El abuso del alcohol también conduce a actos de violencia, accidentes y problemas en el trabajo, en el hogar o con la ley.

Las señales de que usted depende del alcohol:

◆ No recuerda que sucedió mientras bebía (pérdida temporal de la memoria).

◆ Bebe cada vez más para sentir la misma euforia.

◆ Se siente incómodo cuando no puede beber alcohol.

◆ Bebe de un solo trago o a escondidas.

◆ Bebe solo o temprano por las mañanas.

◆ Comienza a tener "temblores".

Si su cuerpo tiene dependencia del alcohol es posible que presente síntomas severos de abstinencia (como por ejemplo temblores, delirios, alucinaciones, sudor frío y convulsiones) después de dejar de beber repentinamente. Es muy difícil dejar de beber sin ayuda si usted tiene dependencia del alcohol. Puede necesitar un tratamiento de "desintoxicación" bajo cuidados médicos.

Problemas con las drogas

El abuso de drogas incluye el uso de marihuana, cocaína, metanfetaminas, heroína y otras drogas ilegales. Esto también incluye el abuso de medicamentos con recetas legales. Las personas con frecuencia hacen mal uso de los tranquilizantes, sedantes, medicamentos para el dolor y las anfetaminas, aunque no siempre a propósito. Algunas personas abusan de las drogas como una forma de sentir euforia o de sobrellevar el estrés.

Señales del consumo de drogas:

◆ Enrojecimiento constante de los ojos, dolor de la garganta, tos seca y fatiga. Estos también pueden ser tan sólo síntomas de alergias.

◆ Cambios repentinos en los hábitos de dormir o comer.

◆ Mal humor, hostilidad o comportamiento abusivo.

◆ Problemas en el trabajo o la escuela, especialmente mucho ausentismo.

◆ La pérdida de interés en sus actividades favoritas.

◆ El alejamiento de amigos o el cambio a un grupo nuevo de amigos.

◆ Robos, mentiras y malas relaciones familiares.

La dependencia de las drogas o adicción a ellas ocurre cuando se desarrolla una necesidad física o fisiológica por una droga. Puede no darse cuenta de que es dependiente de una droga cuando trata de abandonar su uso de manera repentina. Los síntomas de abstinencia derivados de las drogas pueden causar dolores musculares, diarrea, depresión y otros síntomas.

El tratamiento habitual para la dependencia de las drogas es la reducción de las dosis de manera lenta hasta su abandono. Con frecuencia, esto debe realizarse bajo supervisión médica.

Tratamiento en casa

◆ Ponga atención a los signos iniciales de que el uso de alcohol o drogas se están convirtiendo en un problema. Vea la sección: ¿Es un usuario con problemas? en esta página.

◆ Acuda a las juntas de Alcohólicos Anónimos (AA) o a las de Narcóticos Anónimos (NA). Estos grupos de apoyo ayudan a sus miembros a estar sobrios y mantenerse sobrios.

◆ Si está preocupado acerca del abuso en el alcohol o las drogas por parte de un amigo o familiar:

❖ No lo ignore. Discútalo como un problema de salud.

❖ Eleve la autoestima de la persona. Ayude a la persona a que entienda que puede tener éxito sin el uso de alcohol o drogas. Ofrézcale su apoyo.

❖ Pregúntele a la persona si aceptará ayuda. Si la persona está de acuerdo, **actúe ese mismo día** para obtener ayuda. Llame a un médico o a los grupos de alcohólicos o drogadictos anónimos (AA o NA) para un cita inmediata. Haga que sea fácil para la persona recibir ayuda. Si la persona no acepta su ayuda, siga intentando.

❖ Asista a algunas juntas de Al-Anon, un grupo de apoyo para familiares y amigos de alcohólicos. Lea la información del programa de 12 pasos. Muchos programas usan el enfoque de los 12 pasos para enfrentar la adicción.

¿Es un usuario con problemas?

Responda con sinceridad las siguientes preguntas. Estas preguntas se refieren al uso del alcohol y las drogas, incluyendo los medicamentos recetados y las drogas ilegales.

◆ ¿Ha sentido que debería reducir su uso del alcohol o de las drogas?

◆ ¿Se ha molestado cuando otros critican su forma de beber o el uso de drogas?

◆ ¿Se ha sentido culpable acerca de su forma de beber o por su uso de drogas?

◆ ¿Ha ocurrido que su primera acción por la mañana sea la de beber o usar drogas para calmar sus nervios o comenzar el día?

Si su respuesta es sí a dos o más de estas preguntas, es posible que usted tenga problemas con el alcohol o las drogas. Hable de este problema con su médico o consejero.

Más

El alcohol, las drogas y sus hijos

Usted puede tener una fuerte influencia en el hecho de que sus hijos consuman alcohol o drogas o no. Aquí hay algunas ideas que le ayudarán a enfrentarse a esta cuestión.

1. Hable con sus hijos antes de que hayan consumido cualquier sustancia. Ayúdele a entender los riesgos:

   ◆ Recuérdeles que su consumo es contra la ley.

   ◆ Dígales que el consumo de alcohol y drogas provocan malas decisiones respecto de la escuela y el sexo y que puede dañar sus posibilidades de ir a una universidad o conseguir trabajo.

   ◆ Concéntrese en lo que les importa a las personas de su edad. Los niños y los adolescentes viven el momento. Sermonearlos sobre los problemas de salud a largo plazo no tendría mucho efecto.

2. Dígales lo que usted espera de ellos y cuál sería el castigo en caso de que no siguieran las reglas. Si rompen las reglas, aplique el castigo que hubieran acordado. Sea claro, sea justo y sea congruente.

3. Dígales qué hacer si sus compañeros los presionan para beber o consumir drogas.

4. Dé un buen ejemplo. Si usted bebe, hágalo con responsabilidad. Si tiene problemas por abuso de sustancias, consiga ayuda. Nunca beba y conduzca.

5. Si usted sospecha que su hijo está consumiendo alcohol o drogas, averígüelo hoy mismo. No adopte una estrategia de esperar y ver.

Para recibir ayuda acerca de qué hacer si su hijo tiene problemas con su forma de beber o si usa drogas, visite el sitio Web de la contraportada y escriba **q922** en la celda de búsqueda.

Alergias

La mayoría de las alergias son provocadas por el polen, el polvo u otros elementos en el aire. Con frecuencia, puede encontrar la causa de una alergia si nota cuándo se presentan los síntomas.

◆ Los síntomas que se presentan al mismo tiempo cada año pueden ser provocados por el polen de los árboles, del pasto o de los arbustos. Es más probable que presente síntomas durante la primavera, al inicio del verano o del otoño.

◆ Las alergias que duran todo el año pueden ser provocadas por el polvo, partículas, ácaros, cucarachas, moho o caspa de los animales.

◆ Una alergia derivada del contacto con animales es fácil de detectar: Sus síntomas desaparecen cuando se aleja de la mascota o del área de descanso de la mascota.

Las alergias al polen o al pasto con frecuencia causan **fiebre del heno**. Si ha tenido de fiebre del heno ya conoce los síntomas: comezón; ojos llorosos; estornudos; escurrimiento, congestión o comezón en la nariz y fatiga. También pueden presentarse ojeras.

Las alergias parecen tener una incidencia familiar. Los padres con fiebre del heno con frecuencia tienen hijos alérgicos.

Más

Tratamiento en casa

Los descongestionantes y antihistamínicos pueden ayudar con algunas alergias. Hable con su médico acerca de la mejor opción para usted y debe tener precaución al usar estos medicamentos.

Si sabe a qué productos es alérgico el mejor tratamiento es evitar el contacto con ellos siempre que sea posible. Mantenga un registro de sus síntomas y de las plantas, animales, alimentos, medicamentos o productos químicos que parecen desencadenarlos.

En general:

◆ Evite los trabajos de jardinería que le pongan en contacto con el polen o moho. Si debe realizar trabajos de jardinería, use una careta y tome antihistamínicos antes de comenzar.

◆ Si fuma, déjelo. Vea la página 344 para recibir ayuda.

◆ No use productos en aerosol, perfumes, desodorantes ambientales o productos de limpieza que desencadenen los síntomas de alergia.

Para los síntomas estacionales provocados por el polen o el pasto:

◆ Mantenga cerradas las ventanas de su casa y del automóvil. No abra las ventanas de su dormitorio en la noche.

◆ Limite el tiempo que pasa fuera cuando la concentración de polen es elevada.

◆ Bañe con frecuencia a sus perros y mascotas o déjelos afuera. Ellos pueden traer una gran cantidad de polen a su casa.

Para los síntomas presentes todo el año y provocados por el polvo:

◆ Mantenga su recámara y otros sitios en donde pase la mayor parte del tiempo lo más libres de polvo posible. Retire los artículos "captadores de polvo", como por ejemplo los muñecos de peluche, los objetos colgados en la pared, los libros, adornos y flores artificiales.

◆ Sacuda y pase la aspiradora una o dos veces a la semana. Esto levanta polvo y empeora el aire hasta que éste se asienta, de modo que deberá usar una mascarilla si usted hace la limpieza. Limpie los pisos de piedra, loseta o madera con un trapeador húmedo.

◆ Trate de no usar alfombras, muebles tapizados y cortinas que recolecten el polvo. Las aspiradoras recogen el polvo pero no los ácaros. Use muebles de piel, vinilo o plástico que puedan limpiarse y tapetes pequeños que puedan lavarse.

◆ Cubra sus colchones y bases de cama con protectores contra polvo y límpielos cada semana. No use sábanas o cobijas de lana o que generen pelusa y tampoco almohadas de plumas. Lave toda la ropa de cama de la recámara en agua caliente cada semana.

◆ Use un sistema de acondicionador de aire o purificador con un filtro especial HEPA. Arriende un equipo antes de comprarlo para comprobar si le ayuda.

◆ Cambie o limpie con frecuencia los filtros del sistema de calefacción y enfriamiento.

Reacciones alérgicas que ponen en peligro la vida

Algunas personas tienen alergias graves a las picaduras de insectos, a las nueces u otros alimentos, o algunos medicamentos, especialmente los antibióticos como la penicilina. La reacción es repentina y grave y puede causar una inflamación severa en la garganta y boca, problemas para respirar y reducción en la presión sanguínea. Esta condición se conoce como anafilaxis. Este cuadro requiere atención de emergencia.

Si alguna vez ha tenido una reacción alérgica grave, su médico puede sugerirle que tenga a la mano un botiquín especial para alergias (por ejemplo EpiPen). Estos botiquines incluyen píldoras y una inyección que puede darse usted mismo en caso de que se exponga al mismo elemento que provocó su reacción grave antes. La inyección puede prevenir una reacción adversa y le permite tener tiempo para obtener ayuda.

Si alguna vez ha tenido una reacción alérgica a un medicamento, use un brazalete o collar de alerta médica en el que se enumeren sus alergias.

Para los síntomas que persisten todo el año y que son provocados por moho o mantillo (que empeoran cuando el clima es húmedo):

◆ Mantenga su hogar seco y con circulación de aire. Mantenga la humedad por debajo del 50 por ciento. Use un deshumidificador cuando el clima sea húmedo.

◆ Use un acondicionador de aire que elimina el moho del aire.

◆ Cambie o limpie con frecuencia los filtros del sistema de calefacción y enfriamiento.

◆ Limpie con frecuencia las superficies de los baños y la cocina con blanqueador.

◆ Use ventilación en los baños y la cocina.

Si es alérgico a una mascota:

◆ Mantenga fuera al animal o al menos fuera de su recámara.

◆ Si sus síntomas son agudos y sus esfuerzos por reducir su exposición a la caspa de la mascota no le ayudan, lo mejor puede ser que encuentre un nuevo hogar para su mascota.

Más

¿Y las inyecciones contra las alergias?

Para muchas personas que tienen alergias a las picaduras de insectos, polen, polvo o ácaros, moho, caspa de los animales o a las cucarachas, las inyecciones contra las alergias pueden reducir o prevenir los síntomas.

◆ El tratamiento con este tipo de inyecciones puede tomar de 3 a 5 años.

◆ Necesitará dárselas al principio una vez a la semana y luego una vez al mes.

◆ Puede necesitar hasta un año completo de inyecciones antes de que pueda observar algún cambio en sus síntomas.

También necesitará realizarse pruebas de sangre y piel para descubrir a qué es alérgico usted. Las inyecciones atacan un solo tipo de alergia, como por ejemplo la alergia al polen. Si es alérgico a más de un elemento, será necesario que reciba inyecciones para cada uno de ellos.

El tratamiento con inyecciones contra las alergias requiere tiempo y dinero. Sin embargo, funciona para muchas personas y puede valer el esfuerzo en los siguientes casos:

◆ Sus alergias le molestan mucho y los medicamentos no le ayudan lo suficiente.

◆ No puede evitar el contacto con los elementos a los que es alérgico y sus esfuerzos para controlarlos no resuelven el problema.

◆ Ha tenido una reacción alérgica grave a la picadura de un insecto o sus reacciones empeoran con el tiempo.

◆ Las inyecciones contra las alergias funcionan para los elementos a los que es alérgico. Por ejemplo, le ayudan con las alergias a las picaduras de insectos, pero no le ayudan con las alergias a los alimentos.

Para ayudarle a decidir si debe intentar el uso de inyecciones contra las alergias, vaya al sitio Web indicado en la contraportada y escriba **v162** en la celda de búsqueda.

Alergias a los alimentos en niños

Las alergias alimenticias no son comunes. Muchos padres piensan que su hijo tiene alergia alimenticia cuando en realidad lo que tiene es intolerancia alimenticia. A diferencia de la alergia, la intolerancia alimenticia no causa síntomas graves y por lo general no se presenta rápidamente. Un buen ejemplo es la intolerancia a la lactosa (vea la página 137).

Si agrega poco a poco los alimentos a la dieta de su hijo, podrá detectar rápidamente cualquier alergia. Huevos, leche, cacahuates (maní), trigo, soya y pescado son los alimentos que causan más reacciones alérgicas en los niños.

◆ Al crecer, la mayoría de los niños superan las alergias a la leche, el trigo, los huevos y la soya, entre los tres y los cinco años.

◆ Las alergias a los cacahuates, el pescado y los mariscos suelen durar toda la vida.

Si su hijo fue alérgico a determinado alimento cuando era menor, hable con su médico antes de hacer que lo vuelva a probar. Un niño con una fuerte reacción alérgica puede tener una reacción peligrosa incluso a un pequeño pedazo de ese alimento.

Si su hijo tiene una alergia alimenticia grave:

◆ Asegúrese de que en su escuela o guardería sepan de ello.

◆ Tenga a la mano en todo momento un botiquín para alergias.

◆ Haga que su hijo use un brazalete o collar de alerta médica.

Ampollas

Cuándo llamar al médico

◆ Está presentando señales de infección. Éstas pueden incluir aumento del dolor, hinchazón, el área se siente caliente o se enrojece; aparecen rayas rojas que salen de la ampolla, pus y fiebre.

◆ Le salen ampollas a menudo y no sabe por qué.

◆ Tiene una línea de ampollas dolorosas en un lado del cuerpo o la cara. Vea Herpes zoster en la página 279.

◆ Tiene diabetes o enfermedad de las arterias periferales y le salen ampollas en las manos, los pies o las piernas.

Más

Ampollas

Las ampollas en general son provocadas por algún objeto que roza contra la piel.

Tratamiento en casa

◆ Si una ampolla es pequeña y cerrada, déjela. Use una bandita para protegerla. Evite la actividad o los zapatos que provocaron las ampollas. (Las ampollas normalmente son causadas por algún objeto que roza contra la piel).

◆ Si una ampolla pequeña se encuentra en un área que soporta peso, como por ejemplo la planta del pie, protéjala con almohadillas especiales con la forma de rosquillas. (Las almohadillas especiales tienen fieltro suave por un lado y por el otro tienen adhesivo). Deje expuesta el área en que se encuentra la ampolla.

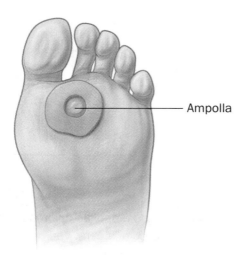

Ampolla

Use una almohadilla en forma de dona para proteger la ampolla.

◆ Si una ampolla es grande y dolorosa, lo mejor es drenarla. A continuación se explica un método seguro:

❖ Limpie una aguja o alfiler recto con una toallita empapada en alcohol.

❖ Pinche suavemente el borde de la ampolla.

❖ Oprima el fluido de la ampolla hacia el orificio abierto para drenarla.

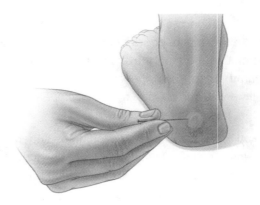

Use una aguja para reventar una ampolla grande.

Una vez que se ha abierto una ampolla o si se ha cortado:

◆ Lave el área con agua y jabón. No use alcohol, yodo ni otro limpiador.

◆ No retire el pellejo encima de la piel de la ampolla a menos que se encuentre muy sucio, roto o haya pus debajo. Comprima suavemente el pellejo sobre la piel.

◆ Aplique un ungüento con antibiótico y un vendaje limpio.

◆ Cambie el vendaje una vez al día o cuando se ensucie. Retírelo por la noche y deje que el área se seque.

Ansiedad y pánico

Cuándo llamar al médico
Llame al médico o a un consejero si:

◆ La ansiedad o el miedo afectan su vida diaria.

◆ Los ataques intensos de miedo o ansiedad parecen ocurrir sin causa.

◆ Los síntomas de ansiedad son aún severos después de una semana de tratamiento en casa.

◆ Tiene pesadillas o recuerdos de acontecimientos traumáticos.

◆ No tiene la certeza de haber hecho algo (por ejemplo si desconectó la plancha) sin importar cuántas veces lo haya revisado, especialmente si esto interfiere con su vida diaria.

Sentirse preocupado, ansioso y nervioso es una parte normal de la vida. Todos nos sentimos ansiosos en algunas ocasiones.

Su cuerpo le avisa cuándo se encuentra ansioso:

◆ Puede temblar, tener tics o sobresaltarse.

◆ Puede sentirse aturdido o mareado.

◆ Puede sentir una sensación extraña en el estómago.

◆ Su respiración y pulso cardiaco pueden acelerarse.

◆ Siente la garganta o el pecho obstruido.

◆ Puede sudar y sus músculos pueden tensarse.

◆ Puede tener trastornos del sueño.

La ansiedad también afecta sus emociones:

◆ Puede sentirse excitado, enfadado o nervioso.

◆ Puede preocuparse mucho o temer que va a suceder algo malo.

◆ Es posible que no pueda concentrarse.

◆ Puede sentirse triste todo el tiempo.

Un miedo o una situación específica puede causar estos síntomas por un corto tiempo. Cuando la situación pasa, los síntomas desaparecen.

Cuando tiene un **trastorno de ansiedad** usted tiene estos síntomas sin un motivo aparente o por razones que no tienen sentido. Este tipo de ansiedad no es normal y puede ser abrumador. Las personas con trastornos de ansiedad pueden tener miedos o fobias a sitios, objetos o situaciones comunes.

El **trastorno de pánico** es un problema relacionado con la ansiedad. Las personas con trastorno de pánico tienen periodos de ansiedad y miedo repentinos e intensos sin que haya un peligro o alguna causa evidente. Estos ataques de pánico pueden provocar síntomas atemorizadores (aunque no peligrosos), como palpitación del corazón, respiración recortada y una sensación de que está a punto de perder el control o de morir.

Las personas que han tenido ataques de pánico pueden esforzarse mucho por evitar cualquier cosa que pueda desencadenar otro ataque. Esto con frecuencia provoca un nivel mayor de ansiedad.

Por sí mismo o con ayuda de un consejero, puede aprender formas para controlar su ansiedad y pánico. También pueden ayudar los medicamentos.

Más ▶

Tratamiento en casa

Trate los siguientes consejos para aliviar la ansiedad. Estos pueden ayudar si está recibiendo tratamiento para los trastornos de ansiedad y pánico.

◆ Reconozca y acepte su ansiedad. Entonces, cuando alguna situación le hace sentirse ansioso, dígase: "Esta no es una emergencia, me siento incómodo, pero no estoy en peligro. Puedo seguir aunque sienta ansiedad".

◆ Trate bien a su cuerpo:

❖ Alivie la tensión y el estrés por medio del ejercicio, masajes, baños tibios, caminatas o cualquier cosa que le funcione.

❖ Aprenda y use una técnica de relajación. Vea la página 349.

❖ Descanse lo suficiente. Si tiene problemas para dormir, vea la sección Trastornos del sueño en la página 266.

❖ Evite el consumo de alcohol, cafeína y nicotina. Estos productos pueden aumentar su ansiedad, provocarle trastornos del sueño o desencadenar un ataque de pánico.

◆ Utilice su mente. Haga cosas que disfruta, como ir a ver una película graciosa, dar una caminata o salir de excursión. Planifique su día. Tener demasiado o demasiado poco para hacer puede darle más ansiedad.

◆ Mantenga un registro diario de sus síntomas. Discuta sus miedos con un buen amigo o familiar, o únase a un grupo de apoyo. Hablar con otros acerca del problema, a veces alivia el estrés.

◆ Participe en grupos sociales o sea voluntario para ayudar a otros. Estar solo puede hacer que las cosas parezcan peores de lo que son.

Artritis

Cuándo llamar al médico

◆ Tiene fiebre o salpullido en la piel junto con un dolor intenso en las articulaciones.

◆ Tiene un dolor de espalda repentino junto con debilidad en las piernas y pérdida del control del intestino grueso o de la vejiga.

◆ Tiene hinchazón, enrojecimiento, calor o dolor repentinos y sin causa aparente en una o más articulaciones.

◆ Una articulación le duele tanto que no puede usarla.

◆ El dolor en la articulación dura más de 6 semanas y el tratamiento en casa no le ayuda.

◆ Tiene efectos colaterales (dolor de estómago, náuseas, acidez gástrica (agruras) o heces de color negro o con manchas) cuando usa aspirina y otros medicamentos para la artritis.

Los problemas en las articulaciones que provocan dolor, hinchazón y rigidez se llaman artritis. La artritis puede presentarse a cualquier edad pero afecta con más frecuencia a las personas mayores.

Existen muchos tipos de artritis. La tabla en la página 94 describe tres de las más comunes.

Tratamiento en casa

Los consejos presentados aquí ayudan con muchos tipos de artritis y dolor de las articulaciones. El objetivo es aliviar el dolor, proteger sus articulaciones y ayudarle a mantenerse activo.

◆ Tome una ducha o un baño tibios para ayudarle a aliviar la rigidez matutina. Muévase de modo que sus articulaciones no se pongan rígidas.

◆ Si una articulación permanece rígida o con llagas pero sin inflamación, póngala en calor húmedo por 20 a 30 minutos, 2 a 3 veces al día. También puede intentar el uso de compresas frías.

◆ Si hay inflamación en la articulación, use compresas frías por 10 minutos cada hora. El frío puede ayudar a reducir el dolor y la inflamación.

◆ Cuando las articulaciones duelen, déjelas descansar. Por algunos días evite actividades que coloquen peso o pongan en tensión a las articulaciones. Permita descansos cortos para sus articulaciones a lo largo del día.

◆ Ponga cada una de sus articulaciones en movimiento completo una o dos veces al día.

◆ Haga ejercicio de manera regular para ayudarle a sus músculos y articulaciones a mantenerse fuertes y flexibles. Practique la natación, ejercicios aeróbicos en el agua, montar en bicicleta o caminar como un excelente ejercicio para mantenerse activo y no aplicar tanta tensión en sus articulaciones, como con otros ejercicios.

Haga algunos estiramientos todos los días. Para aprender cómo hacer ejercicio de manera segura cuando tiene artritis y ver algunos ejemplos de los ejercicios recomendados, visite la página en Internet indicada en la contraportada y escriba **r551** en la celda de búsqueda.

Vaya a la Web

◆ Mantenga un peso sano. El sobrepeso aplica más tensión en sus articulaciones. Si necesita perder peso, vea la página 326 para ayuda.

◆ Tome medicamentos para el dolor que no requieran receta.

   ❖ Intente primero con acetaminofén (Tylenol).

   ❖ Los medicamentos antiinflamatorios, como la aspirina, ibuprofeno (Advil, Motrin) o naproxeno (Aleve), también tienen buenos resultados pero pueden generar problemas en algunas personas. Hable con su médico para saber si estos medicamentos son seguros para usted y cuál es la dosis recomendada.

◆ Use aditamentos que le ayuden, como por ejemplo diseños especiales para las perillas de las puertas, utensilios para la cocina con asas acolchonadas y asientos más altos en los excusados. Los soportes ortopédicos, férulas, bastones o andaderas pueden darle soporte a sus articulaciones al mismo tiempo que le ayudan a moverse.

◆ Únase a un grupo de apoyo o tome un curso acerca de cómo controlar su artritis. Los participantes en estos grupos con frecuencia tienen menor dolor y menos limitaciones en lo que pueden hacer o no.

Más ➡

Tipos más comunes de artritis		
Tipo	**Síntomas**	**Comentarios**
Osteoartritis (desgaste del cartílago de la articulación)	Dolor y rigidez; común en las rodillas, dedos, caderas, pies y espalda	Es más común después de los 50 años; es el tipo de artritis más común
Artritis reumatoide (inflamación del tejido que recubre la articulación)	Dolor, rigidez, calor e hinchazón en las articulaciones en ambos lados del cuerpo; comúnmente en las manos, muñecas, codos, pies, rodillas y cuello	Frecuentemente comienza alrededor de los 40 años; es más común en las mujeres
Gota (acumulación de cristales de ácido úrico en el líquido de las articulaciones)	Dolor repentino y abrasador, rigidez e hinchazón; normalmente en el dedo gordo del pie o en tobillo, rodilla, muñeca o codo	Es más común en los hombres de 30 a 50 años; el alcohol y la exposición al frío pueden empeorar la gota

Audición, problemas de la

Este tema cubre dos problemas comunes de audición:

◆ Pérdida de audición

◆ Zumbido en los oídos (tinnitus)

Proteja su audición

◆ Evite ruidos que le hagan daño. El ruido de máquinas, armas de fuego, motos de nieve, motocicletas, cortadoras de césped, herramientas eléctricas, enseres electrodomésticos, música a alto volumen y otras fuentes pueden dañarle la audición.

◆ Use protectores para la audición como por ejemplo tapones para los oídos u orejeras cuando esté en un lugar donde haya este tipo de ruidos. Esto puede reducir bastante el ruido que entra al oído. Ponerse algodones o pañuelos desechables en los oídos no ayuda mucho.

◆ Controle el volumen cuando sea posible. No compre juguetes, enseres electrodomésticos ni herramientas que hagan mucho ruido si hay alternativas más silenciosas. Baje el volumen del estéreo, el televisor, el radio del auto y los tocadores de música personales que se usan con audífonos.

◆ Nunca use hisopos, horquillas de pelo ni otros objetos para remover la cerilla ni rascarse los oídos. Estas cosas pueden hacerle daño al oído. Vea la página 119 para saber cómo retirar la cerilla de los oídos correctamente.

◆ Pregúntele al farmacéutico si alguno de los medicamentos que toma le pueden afectar la audición. Por ejemplo, los antibióticos, medicamentos para la presión arterial, ibuprofeno (Advil, Motrin), y dosis grandes de aspirina pueden causar pérdida de audición.

◆ Cuando viaje en avión, trague y bostece mucho cuando el avión esté aterrizando. Si tiene resfriado, gripe, o una infección en los senos paranasales, tome un descongestionante varias horas antes de que el avión aterrice.

◆ Si practica el buceo, aprenda a hacerlo de manera segura.

Pérdida de audición

Cuándo llamar al médico

◆ La pérdida de la audición aparece repentinamente (en cuestión de días o semanas).

◆ Está perdiendo la audición en un solo oído.

◆ Presenta un problema de audición mientras toma un medicamento, incluidos la aspirina o el ibuprofeno (Advil, Motrin).

◆ La pérdida de la audición está acompañada de vértigos (siente que la habitación da vueltas) o de pérdida de movilidad en la cara.

◆ Siente que la audición se le está empeorando poco a poco.

◆ Se pregunta si necesita un audífono.

◆ Piensa que su bebé o hijo no oye bien.

Millones de personas enfrentan problemas de audición. En los adultos, las causas más comunes son:

◆ **Ruido.** Con el paso del tiempo, el ruido al que está expuesto en el trabajo, durante el ocio (como por ejemplo escuchar música a alto volumen), o hasta mientras realiza sus tareas comunes (como cortar el césped) puede ocasionar la pérdida de audición. Su audición usualmente empeora al cabo de muchos años.

◆ **Edad.** Cambios en el oído medio que ocurren a medida que usted envejece resultan en una pérdida de audición gradual pero constante. Esto se llama **presbiacusia**.

Otras causas de la pérdida de audición incluyen acumulación de cerilla, un objeto en el oído, lesión al oído o la cabeza, infecciones de oído, y otros problemas. Algunos medicamentos comunes—aspirina, ibuprofeno (Advil, Motrin), antibióticos—pueden afectar la audición. Consulte al farmacéutico. A veces, la pérdida de audición puede ser indicio de un problema de salud grave.

Tratamiento en casa

La pérdida de audición puede afectar su trabajo y la vida en el hogar. Puede hacer que se sienta solo, deprimido o indefenso. Pero hay cosas que puede hacer para oír mejor y sentirse conectado a los demás.

◆ Proteja la audición que todavía tiene. Siempre debe usar protección para los oídos cuando esté en lugares de mucho ruido. Evite los ruidos fuertes cuando pueda.

◆ Cuando una persona le hable, aprenda a fijarse en su cara, postura, gestos y tono de voz. Estas cosas le ayudarán a entender lo que la persona le está diciendo. Esté frente a la persona que le está hablando y pídale que le mire de frente. Cerciórese de que la iluminación del lugar sea adecuada para que pueda verle la cara bien.

◆ Considere usar un audífono. Consulte a un experto que le pueda ayudar a seleccionar uno que le quede bien. No olvide hacerse un examen de audición y que le ajusten el audífono cada cierto tiempo.

◆ Use otros artefactos útiles, tales como:

   ❖ Amplificadores para el teléfono.

   ❖ Audífonos que se pueden conectar a un televisor, estéreo, radio o micrófono.

   ❖ Dispositivos que usan luces o vibraciones para alertarle que alguien tocó a la puerta, que el teléfono está sonando, o que el monitor de un bebé está sonando.

Más

95

❖ Activar los subtítulos en los programas de televisión para ver las palabras en la parte inferior de la pantalla. La mayoría de los televisores tienen esta opción.

❖ TTY (teléfono de teletexto), que le permite teclear mensajes en el teléfono en lugar de tener que hablar o escuchar. Estos dispositivos también se conocen como TDD.

Zumbido en los oídos

Cuándo llamar al médico

◆ El zumbido en los oídos comienza repentinamente y afecta sólo un oído.

◆ Tiene zumbido en los oídos que antes no tenía acompañado de pérdida de audición, vértigos (siente que la habitación da vueltas), pérdida del equilibrio, náuseas, o vómitos.

◆ El zumbido en los oídos no desaparece ni cambia.

◆ Tiene zumbido en los oídos después de una lesión en la cabeza o el oído.

◆ El zumbido en los oídos dura más de 2 semanas, aunque aplique el tratamiento en casa. Es posible que no haya cura, pero el médico le puede ayudar a aprender cómo vivir con el problema.

La mayoría de las personas sienten zumbidos, sibilancias, ruidos o silbidos en los oídos de vez en cuando. El sonido usualmente dura unos pocos minutos. Si no desaparece o si ocurre a menudo, es posible que tenga un problema conocido como tinnitus.

El tinnitus mayormente es causado por estar alrededor de demasiado ruido. Pero también puede ser causado por infecciones de oído, problemas dentales, y medicamentos (especialmente antibióticos y cantidades grandes de aspirina). No olvide hablar sobre esto con el médico. Consumir alcohol o mucha cafeína puede también contribuir al problema.

Tratamiento en casa

◆ Reduzca el consumo de alcohol y cafeína.

◆ Limite el uso de aspirina, ibuprofeno (Advil, Motrin), y naproxeno (Aleve).

◆ Si tiene problemas con la cerilla, quítesela correctamente. Vea la página 119.

Bronquitis

Cuándo llamar al médico

Cualquiera de estos síntomas puede significar que su bronquitis ha empeorado o que tiene una infección bacteriana que necesita tratamiento.

Llame al médico si:

◆ Se presenta una tos con respiración jadeante o un nuevo problema respiratorio.

◆ Arroja sangre con la tos.

◆ La tos arroja moco amarillo, verde o rojizo proveniente de sus pulmones (no de su nariz o de la parte posterior de la garganta) por más de dos días, además de presentar fiebre.

◆ Una tos dura más de 7 ó 10 días después de que han desaparecido otros síntomas, especialmente si se presenta moco. (Es normal tener una tos seca e intensa que dure unas semanas después de un resfriado).

◆ Tiene una fiebre de 104°F (40°C) o más.

◆ Tiene una fiebre mayor de 101°F (39°C) con escalofríos y tos.

◆ Aún tiene fiebre después de usar un tratamiento en casa. La bronquitis puede causar fiebres de 102°F (39°C) o más por un día. Sin embargo, deberá llamar al médico si la fiebre se mantiene alta. Vea los pasos a seguir en el caso de la fiebre en la página 173.

◆ Su respiración es rápida o poco profunda, además de perder fácilmente el aliento.

◆ Tiene dolor en los músculos del pecho (dolor en la pared del pecho) cuando tose o respira.

◆ Está más cansado de lo que debería con un resfriado común.

También llame si:

◆ No puede beber suficientes líquidos y está deshidratado o no puede comer para nada.

◆ La persona enferma es un bebé, un adulto mayor o alguien que tiene problemas en los pulmones o alguna otra enfermedad de largo plazo.

◆ Cualquier tos le dura más de 2 semanas.

La bronquitis significa que se han irritado las vías respiratorias que conducen hasta los pulmones. En general, es causada por un virus, como un resfriado, y puede comenzar de 3 a 4 días después de que desaparece el resfriado. Sin embargo la bronquitis también puede ser provocada por bacterias, por el humo de cigarrillos o por la contaminación en el aire.

Puede tener una tos seca, fiebre moderada, fatiga, dolor o rigidez en el pecho, además de respiración jadeante. A medida que empeora su tos, puede generar moco (esputo).

Si tiene bronquitis con frecuencia, especialmente si es fumador, puede llegar a un punto en donde se inflamen las vías respiratorias y se irriten de manera permanente. A este estado se le denomina bronquitis crónica. Si es fumador, también se encuentra en alto riesgo de enfisema. La bronquitis crónica, el enfisema y otras enfermedades de los pulmones se conocen como **EPOC (enfermedad pulmonar obstructiva crónica)**. Si tiene una enfermedad pulmonar obstructiva crónica, vea la página 297.

Más

Tratamiento en casa

◆ Si su médico le receta medicamentos, tómelos conforme a sus instrucciones. Sin embargo, no se sorprenda si su médico no le receta ningún medicamento. Con frecuencia la bronquitis desaparece sin medicamentos.

◆ Beba una gran cantidad de agua. Los líquidos adicionales ayudan a diluir el moco en sus pulmones de modo que podrá arrojarlo.

◆ Descanse un poco más.

◆ Tome aspirina, ibuprofeno (Advil, Motrin) o acetaminofén (Tylenol) para atacar la fiebre y el dolor corporal. Sin embargo no tome aspirina si tiene asma y tampoco administre aspirina a personas menores de 20 años.

◆ Use un medicamento contra la tos que no requiera receta y que contenga dextrometorfano. Este medicamento ayudará a aliviar la tos seca y recurrente de modo que podrá dormir. Lea la etiqueta en la botella y no tome medicamentos contra la tos que contengan más de un ingrediente activo.

◆ Respire el aire húmedo proveniente de un humidificador, una ducha caliente o un baño de tina con agua caliente. El calor y la humedad diluirán el moco de modo que pueda expulsarlo.

◆ No fume.

◆ Si presenta los síntomas típicos de un resfriado, pruebe un tratamiento en casa y vea cómo se siente después de uno o dos días. Vea la sección referente a la gripe en la página 181.

Bursitis y tendinitis

Cuándo llamar al médico

◆ Tiene fiebre con una inflamación repentina de la articulación.

◆ No puede usar la articulación para nada.

◆ Tiene un dolor intenso en la articulación cuando se encuentra en reposo.

◆ El dolor dura más de 2 semanas incluso con un tratamiento en casa. Su médico o terapeuta físico puede ayudarle a desarrollar un plan de ejercicios y tratamiento en casa.

Si tiene una lesión repentina, vea la sección de distensiones, esguinces y huesos fracturados en la página 27 o lesiones deportivas en la página 198.

La bursitis y tendinitis son las causas más comunes del dolor e inflamación en las piernas, rodillas, caderas, muñecas, codos y hombros.

Una bursa es una pequeña bolsa llena de líquido que ayuda a los tejidos alrededor de una articulación a deslizarse el uno sobre el otro con facilidad. Las lesiones, el uso excesivo o una presión directa constante en una articulación puede provocar dolor, enrojecimiento, calentura e inflamación de la bolsa. A este estado se le denomina **bursitis**. La bursitis con frecuencia se desarrolla rápidamente, en tan solo unos días.

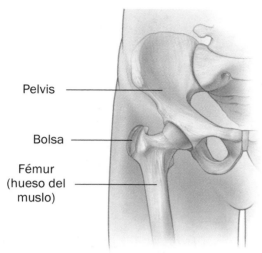

Pelvis

Bolsa

Fémur (hueso del muslo)

La bolsa llena de fluido ayuda a amortiguar las articulaciones, como por ejemplo las de la cadera.

Los tendones son fibras duras, semejantes a cuerdas, que conectan los músculos a los huesos. La **tendinitis** se desarrolla cuando el desgaste, ruptura o uso excesivo de un tendón provoca desgarres pequeños en el tejido. Esto produce dolor, inflamación y ruptura de los tendones o del tejido que les rodea.

Tanto la bursitis como la tendinitis puede generarse en el trabajo, por la práctica de deportes o cuando se realizan tareas en el hogar que requieren una gran cantidad de movimientos rápidos o de torsión en las articulaciones o una presión constante sobre una articulación (arrodillarse, por ejemplo).

El mismo tratamiento en casa es bueno para ambos problemas.

Tratamiento en casa

La bursitis o tendinitis en general mejoran en unos días o semanas si se evita la actividad que las provocó. Sin embargo, el error más común de muchas personas es pensar que el problema se ha solucionado cuando ya no hay dolor.

Para evitar que el problema regrese, necesitará fortalecer y contraer los músculos alrededor de la articulación y cambiar la forma en que realiza algunas actividades.

◆ Permita que descanse el área en donde tiene el problema. Cambie la forma en que realiza la actividad que provoca el dolor de modo que pueda realizarla sin dolor. Vea los consejos específicos para cada articulación que se presentan más adelante. Para mantenerse en forma, pruebe con actividades que no ocasionen tensión en el área.

◆ Tan pronto como sienta dolor, use hielo o compresas frías por 10 a 15 minutos a la vez, una vez cada hora o con la frecuencia que soporte por al menos 2 días. Mantenga el uso de hielo (10 minutos, 3 veces al día) mientras alivia el dolor. Vea la sección de hielo y compresas frías en la página 200. Las almohadillas térmicas o los baños calientes pueden ayudarle a sentirse bien, pero no lo ayudarán a sanar.

◆ Tome aspirina, ibuprofeno (Advil, Motrin) o naproxeno (Aleve) contra el dolor y la inflamación. Sin embargo no debe usar medicamentos para el control del dolor mientras sigue usando excesivamente la articulación. No administre aspirina a personas menores de 20 años.

◆ Para prevenir la rigidez, mueva suavemente la articulación a través de todo su rango de movimiento, mientras pueda hacerlo sin dolor. A medida que el dolor desaparece, siga haciendo los ejercicios en todo el rango de movimiento y agregue ejercicios que fortalezcan los músculos alrededor de la articulación.

◆ Cuando se encuentre listo para intentar de nuevo la actividad que provocó el dolor, comience lentamente y hágala únicamente por periodos cortos o a velocidad lenta. Aumente la intensidad lentamente y únicamente si el dolor no regresa.

◆ Haga ejercicios de calentamiento antes de la actividad y haga estiramientos después de ella. Use hielo después de realizar el ejercicio para prevenir el dolor y la inflamación.

Más

Bursitis y tendinitis

Junto con la información anterior del tratamiento en casa para la bursitis y tendinitis, los siguientes consejos le ayudarán para los problemas con una articulación en específico.

Muñecas

El dolor en las muñecas puede ser causado por la tendinitis. Aunque esto no es lo mismo que el síndrome del túnel carpiano, puede ayudar el mismo tratamiento en casa. Vea la página 270.

Codos

El dolor en los codos normalmente es causado por una tendinitis en el antebrazo o una bursitis en el codo.

Para aliviar el dolor en el codo y prevenir lesiones posteriores:

◆ Descanse el codo el tiempo necesario para que sane.

◆ Use una manga o soporte ortopédico.

◆ Sostenga el codo lesionado con un cabestrillo de1 a 2 días (vea la página 29). Realice diariamente los ejercicios para todo el rango de movimiento.

◆ Fortalezca la muñeca, el brazo, el hombro y los músculos de la espalda.

◆ Evite las actividades que le hagan repetir muchas veces un movimiento de la muñeca.

◆ Haga cambios en sus actividades de modo que no irrite el tendón:

  ❖ Use herramientas con asas grandes.

  ❖ Evite apoyarse en el punto de su codo por mucho tiempo.

  ❖ Cambie de mano durante actividades como rastrillar, barrer o hacer trabajo de jardinería.

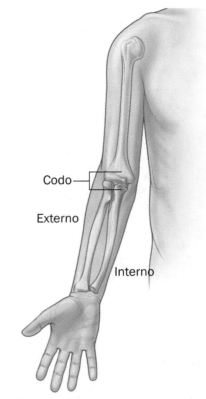

El fenómeno del "codo de jugador de tenis" provoca dolor en la parte exterior del codo. El fenómeno del "codo del golfista" provoca dolor en el interior.

Hombros

El dolor del hombro que ocurre en el exterior de la parte superior del brazo con frecuencia es provocado por bursitis o tendinitis alrededor de la articulación del hombro. El dolor en la parte superior del hombro o en el cuello puede tener como causa la tensión en los músculos trapecios, los cuales empiezan en la parte posterior de la cabeza y cruzan por detrás hasta los hombros. Vea la sección de dolor del cuello en la página 129.

Los síntomas comunes para la bursitis o tendinitis en el hombro son dolor, punzadas y rigidez cuando se sube el brazo. Los síntomas con frecuencia se presentan al realizar movimientos repetidos con los brazos elevados. El dolor y la inflamación pueden ocurrir cuando se usan los brazos en exceso sin permitirles descansar.

Para aliviar el dolor de los hombros y la rigidez:

◆ Evite las actividades que impliquen alcanzar objetos en la altura, pero siga usando su hombro.

◆ Intente el ejercicio del "péndulo". Dóblese hacia el frente y sosténgase en el respaldo de una silla con su brazo sano. Deje que el otro brazo cuelgue recto hacia debajo de su hombro. Mueva este último brazo en círculos; comience con círculos pequeños y agrándelos lentamente. Después cambie de dirección. Nuevamente, vaya de círculos pequeños a grandes. Después, balancee el brazo hacia el frente y atrás, después de un lado a otro. Realice este ejercicio 10 veces al día.

◆ Use las técnicas de lanzamiento apropiadas para el béisbol y otros deportes.

◆ Use una técnica distinta en la natación. Intente nadar de pecho o dorso en vez de usar los estilos de crol o mariposa.

◆ Haga trabajar su hombro en toda su extensión de movimiento todos los días.

Caderas

El dolor de caderas puede ser causado por la tendinitis o bursitis. Puede sentirlo en un lado de sus caderas cuando se levanta de una silla o da los primeros pasos, mientras sube escaleras o mientras maneja. Si el dolor es intenso, el dormir de lado también puede resultar doloroso.

El dolor en la parte anterior de la cadera también puede ser provocado por artritis (vea la página 92).

El dolor de cadera también puede provocar dolor en la rodilla o muslo. Esto se llama dolor referido.

Para aliviar el dolor de cadera y evitar dolores posteriores:

◆ Use zapatos bien acolchonados. No use tacones altos.

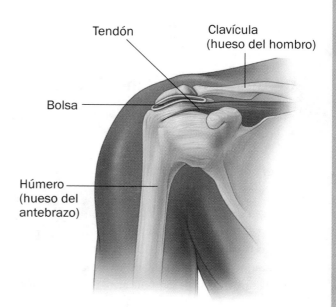

Tendón
Clavícula (hueso del hombro)
Bolsa
Húmero (hueso del antebrazo)

La bursitis, tendinitis y tensión muscular son las causas comunes del dolor de hombros.

◆ Evite las actividades que apliquen una fuerza mayor en un lado de la pelvis que en el otro, como por ejemplo correr en una sola dirección de un camino o trabajar de lado sobre una pendiente.

◆ Duerma del "lado sano" con una almohada entre las rodillas o sobre su espalda con almohadas debajo de las rodillas.

◆ Vea los ejercicios de estiramiento y contracción en la página 162. Use ejercicios de estiramiento después de la actividad, cuando sus músculos todavía están calientes.

Rodillas

El dolor de rodillas puede ser causado por bursitis o tendinitis. Vea también la sección de problemas de la rodilla en la página 243.

Piernas y pies

El dolor en el talón o en los pies puede estar provocado por la fascitis plantar o la tendinitis en el talón de Aquiles. Vea la página 165. El dolor en la parte frontal o baja de la pierna puede deberse a calambres. Vea la página 107.

Cabeza, dolores de

Cuándo llamar al médico

Llame al 911 si:

◆ Le da un dolor de cabeza repentino e intenso, como nunca antes había sentido. El dolor de cabeza parece haber "explotado" de la nada.

◆ Tiene un dolor de cabeza acompañado de señales de un ataque cerebral. Éstas pueden incluir debilidad, entumecimiento, incapacidad para moverse, pérdida de la vista, arrastrar las palabras al hablar, confusión, cambios en el comportamiento, o ataques de convulsiones. Vea la página 16.

Llame al médico si:

◆ Tiene un dolor de cabeza acompañado de cuello rígido, fiebre, vómitos, mareos o confusión. Es posible que tenga una enfermedad grave. Vea la página 174.

◆ Recientemente tuvo una lesión en la cabeza y los dolores de cabeza se están intensificando.

◆ Tiene dolor de cabeza acompañado de dolor intenso en los ojos. Vea la página 180.

◆ Tiene dolor de cabeza con mareos y vómitos, y otras personas en su hogar tienen los mismos síntomas. Estos pueden ser síntomas de **envenenamiento con monóxido de carbono**.

◆ A menudo tiene dolores de cabeza intensos sin razón aparente.

◆ Piensa que sus dolores de cabeza son migrañas pero todavía no ha hablado con el médico sobre ello. Es posible que pueda tomar un medicamento que los prevenga.

◆ Tiene más dolores de cabeza que antes, o son peores de lo que eran.

◆ A menudo le da dolor de cabeza durante o después de hacer ejercicio, tener relaciones sexuales, toser o estornudar.

◆ Los dolores de cabeza le despiertan cuando está completamente dormido o son peores al despertarse en las mañanas.

◆ Está tomando medicamentos para controlar los dolores de cabeza más de una vez a la semana, o necesita ayuda para manejarlos.

Si su dolor de cabeza parece fuera de lo común o si ocurre con otros síntomas, le recomendamos que consulte la tabla en la página 69.

La mayoría de los dolores de cabeza son **causados por tensión**, que empeora cuando está bajo estrés. Es posible que sienta tensión o dolor en los músculos del cuello, espalda y hombros junto con el dolor de cabeza. Haber tenido una lesión en el cuello o tener artritis en el cuello también puede causar dolores de cabeza por tensión.

Un dolor de cabeza por tensión puede causar dolor en toda la cabeza, presión dentro de la cabeza, o darle la sensación de que tiene una banda apretada alrededor de la cabeza. Algunas personas tienen una sensación amortiguada de presión y ardor sobre los ojos. Con un dolor de cabeza por tensión, raras veces se puede señalar un punto exacto en el que duele.

¿Sus dolores de cabeza son migrañas?

Podrían serlo si:

◆ El dolor es intenso, punzante o penetrante.

◆ Los dolores de cabeza están acompañados de náuseas y vómitos, y los sonidos parecen demasiado fuertes y la luz parece demasiado brillante cuando tiene el dolor.

◆ El dolor es en un lado de la cabeza.

◆ Usted siente un "aura"—luces que resplandecen, puntos ciegos, entumecimiento o sensación de hormigueo, olores o sonidos extraños— aproximadamente una hora antes de que le dé el dolor de cabeza. (Algunas personas podrían tener síntomas que se notan menos como hambre o cambios en el estado de ánimo uno o dos días antes del dolor de cabeza.)

◆ Los dolores de cabeza parecen estar relacionados con su ciclo menstrual.

Cómo evitar los dolores de cabeza

◆ Reduzca el estrés emocional. Tome tiempo para relajarse antes y después de algo que le haya dado un dolor de cabeza antes. Intente técnicas para relajarse como la meditación o la relajación progresiva de músculos. Vea la página 349.

◆ Reduzca el estrés físico. Cuando esté sentado en un escritorio, cambie de posiciones a menudo, y estírese por 30 segundos cada hora. Trate de relajar la mandíbula, el cuello, los hombros y los músculos de la parte superior de la espalda.

◆ Esté pendiente de la postura de su cuello y hombros mientras esté trabajando. Vea la página 130.

◆ Haga ejercicio todos los días. Le puede ayudar a reducir el estrés y la tensión muscular.

◆ Dése masajes con regularidad. Algunas personas encuentran que esto es muy útil para aliviar la tensión.

◆ Limite la cafeína a 1 ó 2 bebidas al día. Las personas que toman mucha cafeína a menudo tienen un dolor de cabeza varias horas después de la última bebida con cafeína que bebieron. O es posible que se despierten con dolor de cabeza que no desaparece hasta que tomen cafeína. Reduzca el consumo gradualmente para que no le den dolores de cabeza por la falta de cafeína.

Si le dan migrañas

Quizás note que ciertos alimentos, eventos, medicamentos o actividades tienden a "desencadenar" sus dolores de cabeza. Saber cuáles son las cosas que activan sus dolores y encontrar maneras para limitarlas o evitarlas le puede ayudar a prevenir los dolores de cabeza. Algo que puede ser útil es anotar los factores asociados con sus dolores de cabeza.

 Para ayudar a determinar cuáles son las causas de sus migrañas, vaya al sitio Web que está en la contraportada y escriba **z015** en la celda de búsqueda.

Tratamiento en casa

◆ Si tiene migrañas y su médico le ha recetado medicamentos para ellas, tómelos ante el primer síntoma de que está teniendo una migraña.

◆ Detenga lo que está haciendo, y siéntese en silencio por un momento. Cierre los ojos, y respire lentamente. Si puede, váyase a un lugar oscuro y silencioso y relájese. Si tiene una migraña, podría ayudarle dormir.

Más ➤

Cómo guardar registro de sus dolores de cabeza

Si le dan dolores de cabeza a menudo, mantenga un registro de sus síntomas. Este registro le ayudará al médico si es necesario examinarlo o darle tratamiento. También podría ayudarle a controlar los dolores de cabeza, especialmente si son migrañas.

Anote:

1. La fecha y hora en que cada dolor de cabeza comenzó y desapareció.

2. Cualquier cosa que pudiera haber causado el dolor de cabeza. Esto podría ser un alimento, humo, luces brillantes, estrés o actividad.

3. Dónde le duele. ¿Le duele en un punto específico o en toda la cabeza?

4. Qué tipo de dolor siente. ¿Es una sensación pulsante, dolorida, penetrante o amortiguada?

5. ¿Cuán fuerte es el dolor? Califíquelo entre 1 y 10 (10 es el peor).

6. Cualquier otro síntoma que pudiera tener, como náuseas, vómitos, cambios en la vista o sensitividad a la luz o al sonido.

7. (Mujeres solamente) Cualquier relación entre sus dolores de cabeza y su ciclo menstrual, las píldoras anticonceptivas o la terapia de hormonas.

◆ A algunas personas les ayuda tomar un medicamento para el dolor como acetaminofén (Tylenol) o ibuprofeno (Advil, Motrin) ante el primer indicio de un dolor de cabeza. Sin embargo, usar estos medicamentos demasiado a menudo puede hacer que los dolores de cabeza empeoren o sean más frecuentes cuando pasen sus efectos. Esto se conoce como dolor de cabeza de rebote.

◆ Póngase una compresa fría en el área del dolor o en la frente.

◆ Dése un masaje suave en el cuello y en los músculos de los hombros. Pruebe los ejercicios de cuello en la página 131.

◆ Póngase una almohadilla térmica sobre los músculos doloridos o tensos, o báñese en una regadera con agua caliente. No use calor si tiene migraña.

◆ Intente un ejercicio de relajación como por ejemplo la relajación muscular progresiva. Vea la página 349.

Dolores de cabeza en niños

Las personas a menudo comienzan a tener migrañas durante la niñez o los años de adolescencia. Las migrañas son los dolores de cabeza más comunes en los niños. El tratamiento en casa para migrañas en los niños es el mismo que para los adultos, aunque algunos de los medicamentos podrían ser diferentes.

Los dolores de cabeza en los niños también pueden ser causados por:

◆ Estrés por la escuela, deportes, relaciones con los demás, o presión de grupo. Aún las actividades divertidas pueden hacerse en forma excesiva. Muchas veces, solamente con hablar sobre el problema con el niño puede ser de ayuda.

◆ Hambre. Un desayuno saludable y una merienda después de la escuela pueden evitar los dolores de cabeza.

◆ Hacer mucho esfuerzo con los ojos. Lleve a su hijo a hacerse un examen de la vista.

◆ Falta de sueño. Establezca la hora de irse a la cama y hágala cumplir. Asegúrese de que su hijo descansa suficiente.

◆ Resfríos, problemas de los senos paranasales, y otras enfermedades.

Cuando su hijo tenga dolor de cabeza

◆ Consulte la lista de Cuándo llamar al médico en la página 102.

◆ Si el médico ha recetado un tratamiento específico para los dolores de cabeza de su hijo, comience el tratamiento tan pronto el niño diga que tiene dolor de cabeza.

◆ Para los dolores de cabeza leves que solamente ocurran de vez en cuando, deje que el niño descanse en silencio en un cuarto oscuro con un paño frío y mojado puesto en la frente. Si el descanso no ayuda, pruebe acetaminofén (Tylenol) o ibuprofeno (Advil, Motrin). Nunca le dé aspirina a su hijo a no ser que el médico se lo haya indicado.

◆ Si su hijo tiene dolores de cabeza leves a menudo, anímelo a continuar con sus actividades normales. No permita que deje de hacer sus tareas cotidianas, las tareas de la escuela u otras cosas a menos que el dolor sea intenso. Ayuda el que usted practique lo mismo. Cuando tenga dolor de cabeza, maneje la situación con calma y naturalidad, y trate de seguir con sus propias actividades normales. Es posible que su hijo siga su ejemplo.

◆ Hable con su hijo. Dígale que a usted le importa lo que le pasa. Quizás la atención adicional y un momento de tranquilidad sean suficientes para aliviar el dolor de cabeza.

Dolores de cabeza en racimos

Los dolores de cabeza en racimo ocurren en "racimos o grupos" durante un periodo de días o meses y luego desaparecen por meses o hasta años. Durante un periodo de estos dolores en serie, es posible que tenga varios dolores de cabeza al día.

Estos dolores de cabeza causan dolor repentino, muy intenso, agudo y penetrante en un lado de la cabeza, usualmente en la sien o detrás de un ojo. El ojo y la fosa nasal en ese lado podrían lagrimear, y el ojo podría estar enrojecido. Los dolores de cabeza a menudo comienzan en las noches y pueden durar desde unos pocos minutos hasta casi una hora.

Para evitar los dolores de cabeza en racimos durante un periodo:

◆ Evite el alcohol y el tabaco.

◆ Descanse bien.

◆ Reduzca el estrés.

Si cree que está teniendo dolores de cabeza en racimos, hable con su médico.

Calambres musculares y dolor en la pierna

Cuándo llamar al médico

◆ Usted tiene dolor repentino en la pierna, y la piel de la parte inferior de la pierna, el pie o los dedos está fría, pálida o amoratada. Esto podría ser un problema grave.

◆ Tiene hinchazón, enrojecimiento y dolor en la pierna o la pantorrilla. También puede tener fiebre. Estos son síntomas de flebitis (vea la tabla en la página 107).

◆ El dolor en la pierna siempre comienza después de caminar cierta distancia y luego desaparece cuando deja de caminar. Este es una señal de un problema de circulación.

◆ El tratamiento en casa no alivia los calambres musculares.

El dolor en las piernas y los calambres musculares son comunes. A menudo ocurren en la noche o durante el ejercicio, especialmente si el clima es caluroso o húmedo. Los calambres pueden ser causados por deshidratación, niveles bajos de potasio, o usar un músculo que no se haya estirado bien.

Tratamiento en casa

◆ Si tiene dolor, hinchazón o sensación de pesadez en la pantorrilla de una de las piernas, o si tiene otros síntomas que le hagan sospechar que tiene flebitis, llame al médico antes de intentar el tratamiento en casa.

◆ Caliente y estire los músculos bien antes de hacer ejercicio. También debe estirarse después de hacer ejercicio. Si un músculo se acalambra, estírelo suavemente y déle masaje.

◆ Tome mucho líquido. Tome líquido adicional antes y durante el ejercicio, especialmente si el clima es caluroso o húmedo.

◆ Incorpore mucho potasio en la dieta. Las bananas, el jugo de naranja y las papas son buenas fuentes.

◆ Si se despierta en la noche con calambre en una pierna, dése un baño tibio y estire los músculos antes de acostarse. Mantenga tibias las piernas al dormir.

◆ Para dolores en la zona de la espinilla, póngase una compresa fría por periodos de 10 a 15 minutos y tome acetaminofén (Tylenol) o ibuprofeno (Advil, Motrin) para el dolor. Descanse de una a dos semanas y no haga actividades de alto impacto como correr. Vuelva a hacer ejercicio poco a poco.

◆ Para evitar los calambres en los músculos del vientre durante el ejercicio, estire los costados antes de comenzar. Trate de respirar profundamente y de manera pareja.

Dolores del crecimiento

Los niños de 6 a 12 años a menudo tienen inofensivos "dolores del crecimiento" en las piernas durante la noche. A no ser que el dolor de su hijo sea intenso, no necesita preocuparse. Una almohadilla térmica, acetaminofén (Tylenol) o un masaje suave podrían ayudar.

Causas comunes de dolor en las piernas	Síntomas	Comentarios
Calambres musculares	Dolor de calambre súbito, usualmente en la parte inferior de la pierna; la pierna se siente como si estuviese en "nudos"	A menudo ocurre en la noche o durante el ejercicio
Calambres en la espinilla	Dolor en la parte inferior de enfrente de la pierna	A menudo causado por el uso excesivo o el ejercicio de alto impacto (como correr en una superficie dura), especialmente si no está acostumbrado a hacerlo
Artritis	Dolor en las articulaciones de la pierna (rodillas, tobillos, dedos)	Vea Artritis, p. 92.
Ciática (problema de la espalda)	Dolor en la pierna que se extiende desde las nalgas hacia abajo en la pierna y hasta el pie	Vea Ciática, p. 156.
Flebitis (una vena inflamada)	Dolor e inflamación en una pantorrilla; común después de cirugías, descanso en cama, y viajar demasiado en avión	Puede ser grave si se forma un coágulo de sangre que se desprende y pasa a los pulmones
Reducción en la circulación de sangre (claudicación intermitente)	Dolor de calambre en la pantorrilla que comienza después de caminar cierta distancia y desaparece cuando descansa; dolor en la pierna y piel fría y pálida	

Cálculos biliares

Cuándo llamar al médico

Si no ha recibido un diagnóstico de cálculos biliares, vea Cuándo llamar al médico en la página 75 en Dolor abdominal.

Si sabe que tiene cálculos biliares, **llame al médico si:**

◆ De repente siente dolor agudo en el abdomen. El dolor intenso en el abdomen puede ser señal de un problema serio o que pone en peligro la vida.

◆ Usted presenta un color amarillento en la piel y en la parte blanca de los ojos, tiene la orina de un color café amarillento, o excrementos de color claro.

◆ Le da otro ataque de síntomas de cálculos biliares.

Los cálculos biliares son piedras (usualmente de colesterol) que se forman en la vesícula o en el conducto biliar, que es el que lleva la bilis de la vesícula a los intestinos. La bilis le ayuda a digerir las grasas. Los cálculos biliares pueden ser tan pequeños como un grano de arena o tan grandes como una bola de golf.

La mayoría de las personas que tienen cálculos biliares no tienen síntomas, pero a veces los cálculos pueden irritar la vesícula. Cuando esto ocurre, usted puede tener:

◆ Un dolor o retortijón súbito que comienza en la parte superior derecha o la parte superior del medio del abdomen apenas debajo de su esternón (vea la ilustración en la página 76). Se puede extender hasta la parte superior derecha de su espalda o su omóplato.

◆ Un dolor repentino e intenso que dura varias horas y luego desaparece rápidamente.

◆ Fiebre y vómitos.

Los síntomas a menudo ocurren en la noche, usualmente a la misma hora todos los días. El dolor puede o no estar relacionado a una comida.

Tratamiento en casa

No hay tratamiento en casa para los cálculos biliares. Usted puede evitar tener más cálculos biliares si:

◆ Mantiene en un peso sano.

◆ Sigue una dieta saludable, baja en grasas. Evita alimentos que ocasionan los síntomas, especialmente los alimentos grasosos.

◆ Hace ejercicio regularmente.

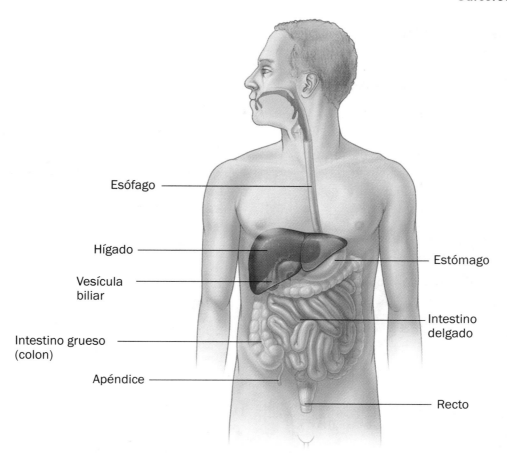

Esófago

Hígado

Vesícula
biliar

Intestino grueso
(colon)

Apéndice

Estómago

Intestino
delgado

Recto

El tracto digestivo (la vesícula biliar se encuentra en la parte
superior derecha del abdomen)

¿Necesita cirugía de la vesícula biliar?

◆ Las personas con dolor frecuente o
intenso por cálculos biliares en ocasiones
se someten a una operación para
extraerse la vesícula biliar.

◆ Si su primer ataque por cálculos biliares
es ligero, lo más prudente es esperar y ver
si tiene otro, antes de buscar tratamiento.
Si los cálculos biliares no le causan
problemas, usted puede no necesitar
la cirugía.

◆ Además del dolor de los cálculos biliares,
hay otras razones médicas por las que
puede necesitar la cirugía.

◆ La cirugía es muy costosa e implica
algunos riesgos. Si no la necesita, no
se la haga.

Para ayudar a determinar si la cirugía es
adecuada para usted, vaya al sitio Web que
está en la contraportada y
escriba **e653** en la celda de
búsqueda. Después hable con
su médico.

Vaya a la Web

Cálculos renales

Cuándo llamar al médico

- Sospecha que tiene cálculos renales. Los síntomas incluyen:

  - Dolor repentino en el costado, la ingle o el área genital que va empeorando durante 15 a 60 minutos hasta que es constante e intenso.

  - Náuseas y vómitos.

  - Sangre en la orina.

  - Sensación de que tiene que orinar a menudo o dolor cuando orina.

  - No poder encontrar una posición cómoda.

- Usted tiene fiebre o escalofríos y dolor que está aumentando en la espalda, justo debajo de las costillas.

- Al orinar sale un cálculo, aunque el dolor haya sido poco o ninguno. Guarde el cálculo, y pregúntele al médico si es necesario hacerle un análisis.

Los cálculos en los riñones se pueden formar de los minerales en la orina. La causa más común es no tomar suficiente agua.

Mientras permanezcan en los riñones, los cálculos por lo general no causan problemas. Pero si un cálculo entra en el uréter, que es el tubo que conduce a la vejiga (vea la imagen en la página 261), podría obstruir el flujo de orina y causar dolor intenso. De hecho, podría ser el peor que haya sentido.

Cuando el cálculo entra en la vejiga, el dolor puede desaparecer repentinamente. No obstante, puede volver a doler cuando el cálculo sale del cuerpo.

La mayoría de los cálculos en los riñones salen sin que necesite tratamiento adicional al medicamento para el dolor. En raros casos, podría necesitar cirugía o un procedimiento que usa ondas de sonido para romper los cálculos en pedazos pequeños.

Tratamiento en casa

- Tome suficiente agua para mantener su orina clara—más o menos 8 a 10 vasos al día. Esto ayudará a que el cálculo pase y puede ayudar a prevenir cálculos en el futuro.

- Tome aspirina, acetaminofén (Tylenol), o ibuprofeno (Advil, Motrin) para aliviar el dolor. No tome aspirina si tiene menos de 20 años.

- Aplique calor en las áreas de dolor en la espalda o el vientre por periodos de 20 minutos. El calor húmedo (una compresa caliente o un baño caliente o ducha) funciona mejor que el calor seco.

Callos y callosidades

Los callos y callosidades son áreas de la piel que se han engrosado y endurecido en respuesta a la fricción y presión. Los callos son comunes en las plantas de los pies, los talones y en las manos. Las callosidades se presentan frecuentemente en los dedos.

Tratamiento en casa

◆ Si tiene diabetes o enfermedades de las arterias periféricas, hable con su médico antes de tratar de retirar un callo o callosidad por usted mismo.

◆ Si un callo o callosidad le duele, sumerja su pie en agua caliente por 5 ó 10 minutos. Después, frote el callo o callosidad con una toalla o piedra pómez. Necesitará repetir esto varias veces al día hasta que desaparezca la piel gruesa.

◆ También puede usar medicamentos que no requieren receta para retirar los callos y callosidades.

◆ Para evitar el dolor y fricción, coloque almohadillas especiales en forma de rosquillas en el área. (Las almohadillas especiales tienen fieltro suave por un lado y por el otro tienen adhesivo).

◆ No trate de cortar o quemar el callo o callosidad.

Cáncer colorrectal

Más

El cáncer del colon y el recto es una de las principales causas de muerte por cáncer en Estados Unidos. El tratamiento funciona bien a principios de la enfermedad y puede curar el cáncer. Sin embargo, como el cáncer por lo general no causa síntomas al principio, suele ser detectado cuando ya ha pasado más tiempo.

Por eso son importantes las pruebas de detección. Estas pruebas pueden ayudar a detectar temprano el cáncer, cuando el tratamiento funciona mejor. También permiten determinar brotes y cambios en el colon antes de que se conviertan en cáncer.

Pruebas de detección

Su médico puede sugerirle una o más de estas pruebas:

Colonoscopía. Para esta prueba, los médicos usan un tubo flexible luminoso para ver el recto, el colon y parte del intestino delgado. Al mismo tiempo pueden extirpar brotes o pólipos. La colonoscopia es la prueba de detección más minuciosa. También es la más costosa y quizá la más incómoda (usted tiene que hacer algunos preparativos en casa). Pero si el primer resultado es normal y usted no es de alto riesgo, sólo necesita hacerse la prueba cada 10 años.

Sigmoidoscopia flexible. Como en la colonoscopia, el médico usa un tubo luminoso para buscar brotes y tumores cancerosos. Pero el médico sólo observa el recto y parte del colon. Si en la prueba se encuentra algún brote, usted podría necesitar una colonoscopia. Si el primer resultado es normal y usted no es de alto riesgo, sólo necesita hacerse la sigmoidoscopia cada 5 años.

Prueba de sangre fecal oculta. Esta prueba puede encontrar sangre oculta en los excrementos. No cuesta mucho y es fácil hacerla en casa, pero es sólo un primer paso. Si la prueba encuentra sangre en los excrementos, serán necesarias más pruebas. Si ésta es su única prueba de detección (no es recomendable), necesita hacerla cada año.

Enema de bario. Éste es un examen con rayos X del colon y del recto. El colon se llena con un líquido blanco llamado bario, para que se vea más claramente en los rayos X. El enema de bario no se usa con mucha frecuencia para detectar el cáncer colorrectal. Si usted no es de alto riesgo, necesitaría hacerse esa prueba cada 5 años.

¿Quién debe someterse a las pruebas?

◆ Todos los adultos, a partir de los 50 años de edad.

◆ Los adultos de más de 40 años que sean de alto riesgo. Usted es de alto riesgo si tiene antecedentes familiares de este tipo de cáncer o si ha tenido pólipos en el colon, colitis ulcerosa o enfermedad de Crohn.

¿A qué pruebas debe someterse? Algunas pruebas cuestan menos, pero es necesario practicárselas más seguido. Y en algunos casos, usted puede acabar necesitando una prueba más costosa de todos modos.

Para decidir qué pruebas son las indicadas para usted y con qué frecuencia las necesita, vaya al sitio Web indicado en la contraportada y escriba **u280** en la celda de búsqueda. Después hable con su médico.

Cáncer de piel

Cuándo llamar al médico

- Un lunar le pica, está sensible o le duele.

- Un lunar comienza a crecer o cambia de color o forma.

- Un lunar se escama, supura o sangra, o el color se propaga a la piel de alrededor.

- Usted nota un bulto o nódulo nuevo en un lunar, o cualquier cambio en el aspecto del lunar.

- Tiene una llaga que no se cura.

- Tiene un crecimiento en la piel que se ha irritado o no es usual.

Si sus lunares no cambian con el tiempo, no hay de qué preocuparse. Si tiene un historial familiar de melanoma maligno, dígaselo al médico. Es posible que tenga mayor riesgo.

El cáncer de piel es el cáncer más común. La mayoría de los cánceres de la piel son resultado de daños por el sol, y por lo tanto tienden a ocurrir en las áreas que reciben la mayor cantidad de sol, como la cara, el cuello y los brazos. Las personas de tez blanca y ojos azules tienen mayor probabilidad de tener cáncer de piel. Las personas de piel oscura tienen menos riesgo. La mayor parte de la exposición dañina al sol ocurre antes de los 20 años, por lo tanto mantenga a sus hijos protegidos. (Vea No se queme con el sol en la página 49.) La exposición repetida al sol (que incluye las lámparas solares) y las quemaduras de sol graves pueden aumentar en gran medida el riesgo de cáncer de piel.

La mayoría de los cánceres de la piel son del **tipo no melanoma**. Estos incluyen carcinomas de células basales y de células escamosas. El cáncer de piel no melanoma en muy raras ocasiones pone en peligro la vida. Sin embargo, lo mejor es encontrarlo temprano y darle tratamiento de inmediato. Por lo general es fácil de tratar.

El **melanoma** es un tipo de cáncer de la piel más grave. Puede afectar solamente la piel, o se puede propagar a otros órganos o a los huesos. El melanoma puede ser fatal si no se encuentra y se le da tratamiento temprano. En la mayoría de los casos, extirpar temprano los melanomas de poco grosor puede curar la enfermedad.

Esté pendiente de los cambios en la piel

Una vez al mes, examínese todas las áreas de la piel con un espejo (o pida que alguien le ayude). Fíjese en cualquier lunar, mancha, bulto de aspecto raro o en las llagas que no sanen. Preste atención especial a las áreas que reciben mucho sol: manos, brazos, espalda, pecho, parte de atrás del cuello, cara y orejas. Informe cualquier cambio a su médico.

Los cánceres de la piel son diferentes a los demás tumores de la piel porque:

- Tienden a sangrar más y a menudo se presentan como llagas abiertas que no sanan.

Más

◆ Tienden a crecer lentamente. Sin embargo, un melanoma puede aparecer repentinamente y crecer rápidamente.

También fíjese en cualquiera de estos cambios, conocidos como **ABCD,** en un lunar o en cualquier otro tumor:

◆ **A**simetría: Una mitad no concuerda con la otra.

◆ **B**orde (orillas): Las orillas se ven irregulares, ranuradas o borrosas.

◆ **C**olor: El lunar cambia de color, tiene tonos de rojo y negro, o tiene una apariencia enrojecida, blancuzca o con manchas moradas.

◆ **D**iámetro (tamaño): Un lunar crece a un tamaño mayor que la goma de un lápiz.

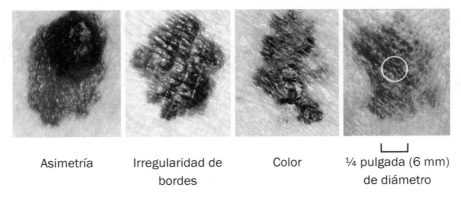

| Asimetría | Irregularidad de bordes | Color | ¼ pulgada (6 mm) de diámetro |

Esté pendiente de estos cambios "ABCD" en los lunares.

Cáncer de próstata

Cuándo llamar al médico

◆ Tiene sangre o pus en la orina.

◆ Tiene síntomas urinarios que se presentan repentinamente, le molestan lo suficiente como para que quiera ayuda, o duran más de 2 meses. (Vea también Agrandamiento de la próstata en la página 237.)

◆ Ya tiene problemas de la próstata y presenta dolor en la espalda o los huesos.

El cáncer de próstata es la segunda causa de muertes por cáncer en los hombres. (Vea ilustraciones de la próstata en las páginas 236 y 237.) Cuando se detecta temprano, antes de que se esparza a otros órganos, a menudo se puede curar. También tiende a crecer lentamente. Muchos hombres mayores con cáncer de próstata mueren por otra causa (como una enfermedad del corazón) antes de que el cáncer haya crecido lo suficiente como para dar problemas.

La mayoría de los hombres con cáncer de próstata no tienen síntomas. En unos pocos casos, el cáncer puede causar síntomas urinarios parecidos a los del agrandamiento de la próstata. Vea la página 237. Si se propaga a los huesos o a otros órganos, puede causar dolor y otros síntomas.

Cualquier hombre puede tener cáncer de próstata. Pero el riesgo es mayor para:

◆ Hombres mayores de edad. La mayoría de los hombres que presentan cáncer de próstata tienen más de 65 años.

◆ Hombres africano-americanos.

◆ Los hombres con un historial familiar de cáncer de próstata.

◆ Hombres que consumen una dieta alta en grasas.

¿Debe hacerse el examen?

Los médicos pueden usar uno de dos exámenes sencillos para detectar el cáncer de próstata:

◆ Un examen rectal digital, en el que el médico le inserta un dedo enguantado en el recto y examina la próstata

◆ Análisis de sangre de antígeno especifico de la próstata (PSA, por sus siglas en inglés)

Muchos expertos no están seguros de que los exámenes de rutina sean adecuados para los hombres que no tienen síntomas. Detectar el cáncer de próstata temprano puede en algunos casos salvar la vida. Sin embargo, en los hombres de mayor edad que no tienen síntomas, saber si tienen cáncer de próstata no necesariamente extenderá ni mejorará sus vidas.

Para ayudar a determinar si usted debe hacerse el examen o no, vaya al sitio Web que está en la contraportada y escriba **t952** en la celda de búsqueda. Después hable con su médico.

¿Debe recibir tratamiento?

Si tiene cáncer de próstata, hay varias cosas que debe saber:

◆ Tal vez no muera más pronto que lo que lo haría si no tuviera el cáncer. El cáncer de próstata tiende a darse tarde en la vida y por lo general crece lentamente.

◆ Si el cáncer no causa síntomas, posiblemente no afecte su calidad de vida.

◆ Mientras más joven sea y más grande o avanzado sea el cáncer, más grave podría ser la enfermedad.

◆ El tratamiento puede ser doloroso y causar problemas perdurables con el control de la vejiga o las erecciones.

Aprenda todo lo que pueda sobre las opciones de tratamiento, que podrían o no incluir tratamiento para el cáncer. Necesita considerar la edad, su salud, y la naturaleza del cáncer en sí cuando tome las decisiones de tratamiento. Por ejemplo, si es mayor y el cáncer no está creciendo mucho, podría ser mejor esperar a ver qué pasa.

Para ayudarle a decidir qué enfoque quiere tomar, vaya al sitio Web que se indica en la

contraportada y escriba **L867** en la celda de búsqueda. El médico le puede ayudar a tomar la decisión.

Caspa

Se tiene caspa cuando las células de la piel del cuero cabelludo se caen en escamas. Esta descamación es natural y ocurre en todo el cuerpo. Pero, en el cuero cabelludo, las escamas pueden mezclarse con grasa y polvo para formar la caspa. Algunas personas tienen más probabilidad de tenerla que otras.

Tratamiento en casa

◆ Lávese el pelo todos los días con el champú de su elección. Por lo general, esto es suficiente para combatir la caspa.

◆ Si usted tiene mucha caspa o comezón, pruebe un champú para la caspa, como Head & Shoulders, Sebulex, T/Gel y Tegrin. Lávese el cuero cabelludo con el champú hasta formar espuma y déjelo ahí varios minutos. Después enjuáguese bien.

◆ Puede tratarse las cejas, orejas y barba con un champú suave.

Dermatitis seborreica

La dermatitis seborreica es una descamación grasosa y amarillenta en el cuero cabelludo del bebé. Es causada por la acumulación de aceites normales en la piel.

Si su bebé tiene dermatitis seborreica:

◆ Lávele la cabeza con un champú para bebés una vez al día. Mójele la cabeza y luego frote con delicadeza el cuero cabelludo con un cepillo de cerdas suaves durante algunos minutos para eliminar las escamas. Un cepillo de dientes suave funciona bien. Lave con champú y enjuague bien.

◆ Puede ser útil frotarle el cuero cabelludo al bebé con aceite mineral antes de lavarlo con champú. Esto le afloja las escamas.

◆ Si el champú no le funciona, pruebe con uno para la caspa, como Selsun Blue, Head & Shoulders o Sebulex. Tenga cuidado de que estos champús no le entren en los ojos al bebé.

◆ Si el salpullido se ve irritado o rojo, podría servirle una crema suave de hidrocortisona (como Cortaid).

Cataratas

La catarata es una área indolora y nebulosa en el cristalino del ojo (vea la imagen en la página 180). Al bloquear parte de la luz que le llega al ojo, la catarata puede causar una visión nebulosa, brumosa, membranosa o doble. El encandilamiento también es un problema común.

Las cataratas pueden ser causadas por:

◆ Cambios normales en los ojos al ir envejeciendo.

◆ Lesiones en los ojos.

◆ Algunos medicamentos.

◆ Enfermedades de los ojos y otros problemas de salud, en especial diabetes.

Algunos niños nacen con cataratas.

Tratamiento en casa

El tratamiento en casa puede ayudarle a evitar o retrasar la cirugía de cataratas. Hay muchas cosas que puede hacer para que la vida sea más sencilla con los cambios de visión.

◆ Haga cambios en las luces de las habitaciones y use cortinas en las ventanas para evitar el encandilamiento.

◆ Use más luz o bombillas de más vatios en su casa.

◆ Use contraste en color y brillantez para que sea más fácil encontrar las cosas. Por ejemplo, use placas oscuras para los interruptores en paredes de color claro. Use etiquetas brillantes para "clasificar por color" los medicamentos, las especias y los cuadrantes de la estufa u horno.

◆ Use una lupa para ayudarse a leer. Busque libros y otro material de lectura impresos en letras grandes. En ocasiones es posible conseguir cheques de banco, etiquetas de medicamentos y otros artículos en letras grandes.

◆ Hágase examinar los ojos con regularidad. Actualice sus lentes cuando sea necesario.

◆ Use anteojos de sol que reduzcan el encandilamiento y bloqueen la luz solar dañina. Compre anteojos de sol que bloqueen los rayos ultravioleta A y B.

◆ Si fuma, deje de hacerlo. Fumar puede empeorar la catarata.

Más ►

¿Necesita cirugía?

Para la mayoría de los adultos, la necesidad de cirugía depende de cuánto afecte la catarata la calidad de vida. La mayoría de las cataratas avanzan lentamente. Al principio, usted quizá sólo tenga que usar lentes más potentes. Muchas personas se las arreglan muy bien con la ayuda de lentes, lentes de contacto y otras ayudas para la vista.

Después, si la catarata crece y empieza a afectarle la visión en forma grave, puede someterse a cirugía para extraerla. Algunas cataratas, como aquellas producidas por lesiones, necesitan ser extraídas de inmediato.

Para la mayoría de gente con cataratas, la decisión de someterse a cirugía y cuándo hacerlo le corresponde a la persona afectada. Si desea ayuda para tomar la decisión, vaya al sitio Web indicado en la contraportada y escriba **g628** en la celda de búsqueda.

Vaya a la Web

Cera del oído

Cuándo llamar al médico

- La cera del oído o cerilla sigue dura, seca y densa después de una semana de tratamiento en casa.

- La cerilla produce zumbidos en los oídos, una sensación de atiborramiento o pérdida de la audición.

- Tiene problemas de náusea o equilibrio junto con la cerilla.

- Aparece un problema de cerilla en una persona que tiene el tímpano desgarrado, que usa tubos para los oídos o que ya ha tenido cirugía de oídos.

La cerilla ayuda a mantener limpios los oídos y evita que entren el polvo y el agua. Normalmente, la cerilla se escurre libremente de los oídos y no causa problemas.

Como regla, lo mejor es dejar la cerilla en paz. Usted puede evitar la mayoría de los problemas con la cerilla no usando hisopos de algodón en los oídos.

De tanto en tanto, la cerilla se acumula, se endurece y causa cierta pérdida de audición o incomodidad. Tratar de sacar la cerilla con

hisopos, dedos u otros objetos simplemente la empuja más al fondo del conducto auditivo y la aprieta contra el tímpano.

Con tratamiento en casa debe ser posible atender la mayoría de los problemas causados por la cerilla. Pero si la cerilla está muy apretada, usted podría necesitar ayuda profesional para extraerla.

Tratamiento en casa

No aplique el tratamiento en casa si usted cree que el tímpano está desgarrado, si hay escurrimiento de pus o sangre del oído o si la persona tiene tubos para los oídos.

Para extraer la cerilla de manera segura, pruebe alguno de estos métodos:

◆ Coloque dos gotas de aceite mineral tibio (a temperatura del cuerpo) en el oído dos veces al día, durante uno o dos días, para ablandar y aflojar la cerilla. Después, use el rocío de una ducha caliente y suave o de una pera de goma para extraer la cerilla. Rocíe el agua en el oído, y después incline la cabeza para permitir que la cerilla escurra hacia afuera.

◆ Cada noche durante 1 ó 2 semanas, use un ablandador de cerilla que se venda sin receta (como Debrox o Murine), después enjuague suavemente el oído con agua tibia de una pera de goma. Asegúrese de que el agua esté tibia pero no demasiado. Ponerle al oído líquidos fríos o calientes puede causarle mareos.

Colesterol alto

Cuándo llamar al médico

◆ Tiene el colesterol sobre 200, y el médico no lo sabe (por ejemplo, si se hizo una prueba de colesterol en una feria de salud o en un evento relacionado con el trabajo).

◆ Tiene más de 30 años y nunca se ha hecho la prueba del colesterol. Esto es especialmente importante si en su familia hay un historial de enfermedades del corazón, diabetes o colesterol alto.

El colesterol es un tipo de grasa que su cuerpo produce. También lo adquiere de alimentos que provienen de los animales, tales como carnes, leche y productos lácteos, huevos, pollo y pescado.

Su cuerpo necesita un poco de colesterol. Pero cuando tiene demasiado, se le puede acumular en las arterias y hacer que sea más difícil que la sangre fluya por ellas. Este problema se llama **aterosclerosis**. Es el punto de inicio para la mayoría de los problemas del corazón y de la circulación, que incluyen los ataques al corazón y los ataques cerebrales.

Colesterol bueno y malo

Su cuerpo contiene varios tipos de colesterol.

◆ El **LDL** es el colesterol "malo". En el caso del LDL, es mejor que el valor sea menor. Un LDL alto aumenta el riesgo de tener enfermedades del corazón, un ataque al corazón y un ataque cerebral.

◆ El **HDL** es el colesterol "bueno." Ayuda a eliminar el colesterol malo del cuerpo. En el caso del HDL, lo mejor es que el valor sea mayor. Aumentar el HDL podría reducir el riesgo de tener enfermedades del corazón, un ataque cerebral, y tener el problema de circulación conocido como enfermedad de las arterias periferales.

Más ▶

◆ Los **triglicéridos** son otro tipo de grasa en la sangre. Tener los triglicéridos altos puede aumentar el riesgo de tener enfermedades del corazón y de un ataque cerebral.

¿Qué significan los números?

Los números en la esta página son para las personas que tienen un riesgo promedio de tener enfermedades del corazón. Si usted tiene diabetes o una enfermedad del corazón, o tiene mayor riesgo de tener una enfermedad del corazón, es posible que su médico se base en valores diferentes para determinar a qué nivel debe estar su colesterol.

Cuándo debe hacerse pruebas de colesterol

Usted y el médico pueden decidir con qué frecuencia deberá hacerse la prueba de acuerdo a su riesgo de tener una enfermedad del corazón. La mayoría de los adultos saludables que no están en alto riesgo deben hacerse la prueba de colesterol al menos cada cinco años.

Es buena idea hacerse la prueba de colesterol con mayor frecuencia si:

◆ En una prueba anterior su colesterol fue de más de 200.

◆ Su familia tiene un historial de ataques al corazón a edad temprana. Edad temprana significa antes de los 55 años en su padre o hermano o antes de los 65 años en su madre o hermana.

◆ Usted fuma.

◆ Tiene presión arterial alta (más de 140/90) o toma algún medicamento para la presión.

◆ Tiene diabetes.

◆ Su HDL fue de menos de 40 o sus triglicéridos estuvieron sobre 150 en una prueba anterior.

Colesterol total
Normal: menos de 200
Valor límite superior: 200 a 239
Valor elevado: 240 o mayor

LDL (colesterol "malo")
El mejor valor: menos de 100
El valor aceptable: 100 a 129
Valor límite superior: 130 a 159
Valor elevado: 160 a 189
Valor muy alto: 190 o mayor

HDL (colesterol "bueno")
El mejor valor: mayor de 60
Demasiado bajo: menos de 40

Triglicéridos
Límite superior: 150 a 199
Valor elevado: 200 a 499
Valor muy alto: 500 o mayor

Todos estos factores aumentan el riesgo de tener una enfermedad cardiaca. Por esto es que necesita hacerse la prueba del colesterol más a menudo.

Las pruebas básicas de colesterol son fáciles, rápidas y baratas. Llame al departamento de salud local para averiguar dónde puede hacerse una prueba gratis o a bajo costo.

Cómo reducir el colesterol

◆ Lleve una dieta saludable para el corazón que sea baja en grasas saturadas y colesterol.

❖ Coma menos grasa, especialmente grasa saturada. Vea consejos para comer menos grasa en la página 334. Su consumo total de grasa puede ser de hasta 35 por ciento de las calorías totales, siempre y cuando la mayoría sea en grasas no saturadas.

❖ Pregúntele a su médico o dietista sobre la dieta "Cambios terapéuticos del estilo de vida" (Therapeutic Lifestyle Changes, o TLC por sus siglas en inglés). Esta dieta le ayudará a reducir la grasa saturada a 7 por ciento o menos de las calorías totales y el colesterol de los alimentos a menos de 200 mg por día.

❖ Coma al menos 2 porciones de frutas y al menos 3 porciones de verduras cada día.

❖ Coma de 2 a 3 porciones (4 a 6 onzas) de pescado al horno o a la parrilla cada semana. Pregúntele al médico si debe tomar suplementos de aceite de pescado y de ser así, qué tipo y cuánto tomar.

❖ Coma más fibra (frutas, frijoles y chíncharos, granos enteros). Vea la página 335.

◆ Haga ejercicio al menos 30 minutos durante la mayoría de los días de la semana. Esto aumenta su nivel de HDL y podría reducir su nivel de LDL. También le puede ayudar a perder peso y bajar la presión arterial. Si necesita ayuda para comenzar, vea la página 338.

◆ Si fuma, deje de hacerlo. Fumar aumenta el riesgo de tener un ataque al corazón o ataque cerebral.

◆ Pierda peso si necesita hacerlo. Aun perder 5 a 10 libras (2.5 a 4.5 kilos) puede reducir los triglicéridos y aumentar el HDL. Su LDL podría reducirse también. Hacer ejercicio y llevar una dieta saludable puede ayudarle a no aumentar de nuevo. Vea la página 326.

Comience con estos cambios. Hacer ejercicio y seguir una dieta baja en grasas saturadas son a menudo suficiente para bajar el colesterol.

Algunas personas también necesitan tomar medicamentos. Podrían tener colesterol muy alto o diabetes, tener alto riesgo de una enfermedad del corazón, o tener otros problemas de salud. Para ayudar a determinar si debe tomar medicamentos para el colesterol alto, vaya al sitio Web que está en la contraportada y escriba **u971** en la celda de búsqueda.

Vaya a la Web

Usted puede hacer todo lo correcto y de todos modos tener el colesterol alto. Aunque mucho colesterol se adquiere de los alimentos, su hígado también produce colesterol. Su nivel de colesterol aumenta a medida que envejece, sin importar cuán saludable esté. Pero los hábitos saludables le pueden ayudar a evitar algunos de los problemas relacionados al colesterol, como los ataques al corazón, las enfermedades cardiacas y los ataques cerebrales.

Cólico

Cuándo llamar al médico

El cólico no necesita cuidados médicos, a menos que se presente con vómito, diarrea u otros indicios de una enfermedad más grave. Si su bebé se ve sano y actúa normalmente cuando no está llorando, y si sus nervios pueden aguantar el ruido los primeros 3 ó 4 meses, usted no necesita preocuparse.

Pero si el cólico dura más de cuatro horas al día, o si siente que necesita ayuda, llame al médico para pedirle consejo.

En casos raros, el cólico puede ser tan grave que usted y su médico podrían considerar darle un medicamento al bebé. Pregunte acerca de sus efectos secundarios.

¿Su bebé tiene cólico?

Todos los bebés lloran, pero el cólico por lo general sigue la "regla de tres": el llanto empieza en las primeras 3 a 6 semanas después del parto, y se mantiene más de 3 horas al día, en más de 3 días a la semana, durante más de 3 semanas. El llanto tiende a empeorar en las noches.

No hay forma de prevenir el cólico. Es igualmente común entre niños y niñas, y entre bebés alimentados con pecho o con biberón.

Lo bueno es que el cólico desaparece a medida que crece el bebé, casi siempre al final del cuarto mes. Para muchos bebés, los cólicos terminan antes.

Tratamiento en casa

Un bebé con cólico puede llorar, sin importar lo que usted haga, pero hay muchas cosas que puede intentar. Lo que funciona en una ocasión, puede no servir a la siguiente. Sea creativo y no se rinda.

- Lo más importante: conserve la calma. Si usted empieza a perder el control, tómese un minuto para calmarse. Nunca sacuda al bebé. Eso puede causarle daños en el cerebro e incluso la muerte. Si tiene la posibilidad, haga que familiares o amigos por turnos traten de consolar al bebé.

- Asegúrese de que su bebé tenga comida suficiente, pero no demasiada. El problema puede ser el hambre, no el cólico.

- Asegúrese de que su bebé no trague mucho aire al comer.

  - Aliméntelo lentamente, sosteniéndolo casi en posición vertical. Hágalo eructar regularmente. Cargue a su bebé hasta por 15 minutos después de comer.

  - Si su bebé toma biberón, use chupones con un agujero de tal tamaño que permita pasar la leche preparada por lo menos a un ritmo de una gota por segundo. Los bebés tragan más aire de alrededor del chupón si el agujero está demasiado pequeño.

- Caliente la leche preparada a la temperatura del cuerpo. No la caliente demasiado.

- Los bebés necesitan chupar algo hasta dos horas al día para estar satisfechos. Si el alimento no es suficiente, use un chupón o chupete.

- Establezca un programa para comidas, siestas y juego. Procure que las comidas sean tranquilas y serenas.

- Asegúrese de que su bebé no tenga sucio el pañal, no tenga mucho calor y que no esté aburrido.

- Trate de que el ambiente que rodee al bebé sea pacífico. Algunos bebés lloran porque hay demasiada luz, ruido o actividad, o porque hay demasiada gente a su alrededor.

- Trate de mecerlo o cargarlo mientras camina. Ponerlo boca abajo sobre sus rodillas o en el brazo puede ayudarlo.

- Tranquilice a su bebé con un paseo en el coche o con una caminata en exteriores. El zumbido de la lavarropas, la lavavajillas o el burbujeo de un acuario pueden apaciguar a su bebé.

- No se preocupe por "malcriar" al bebé en los primeros meses de su vida. Consolar a un bebé hace que los dos se sientan mejor.

- No deje a su bebé solo por más de 5 a 10 minutos cuando esté llorando. Después de 10 minutos, vuelva a probar estas sugerencias.

Cólicos menstruales

Cuándo llamar al médico

- De manera repentina tiene un dolor intenso en la pelvis o en el vientre, con o sin sangrado menstrual.

- Tiene cólicos y fiebre.

- Los cólicos menstruales se le han empeorado recientemente.

- El dolor en la pelvis parece no estar relacionado con su ciclo menstrual.

- Los dolores comienzan de 5 a 7 días antes de su periodo menstrual y continúan hasta después de que el periodo termine.

- Los dolores no mejoran con el tratamiento en casa durante 3 ciclos, o le impiden realizar sus actividades normales.

- Sospecha que su DIU de cobre le está ocasionando dolores, y el dolor es más de lo que puede tolerar o peor de lo que el médico le dijo que anticipara.

Muchas mujeres tienen periodos menstruales dolorosos. Es común tener:

- Dolor en el vientre bajo, la espalda o los muslos.

- Dolores de cabeza.

- Diarrea, estreñimiento o náuseas.

- Mareos.

Estos problemas a menudo son causados por cambios hormonales normales. El dolor y los cólicos también pueden estar relacionados con la endometriosis (un problema del útero), infecciones en la pelvis, o tumores no cancerosos (fibromas) en el útero.

Si usted tiende a tener síntomas que no sean los cólicos (aumento de peso, dolor de cabeza y tensión) antes de que comience el periodo menstrual, es posible que tenga síndrome premenstrual (PMS, por sus siglas en inglés). Vea la página 232.

Más ➤

Los DIU y los cólicos

Si tiene puesto un DIU (dispositivo intrauterino) de cobre como método anticonceptivo, es posible que tenga dolores intensos durante los primeros meses de uso.

Si los dolores no desaparecen, es posible que necesite quitarse el DIU y usar otro método anticonceptivo. Vea la página 208. Las píldoras anticonceptivas o el DIU de levonorgestrel (Mirena) podrían reducir los cólicos.

Tratamiento en casa

◆ Tome ibuprofeno (Advil, Motrin) o naproxeno (Aleve) el día antes de que comience su periodo menstrual, o

ante el primer síntoma de dolor. Estos medicamentos pueden aliviar los cólicos mejor que la aspirina o el acetaminofén (Tylenol).

◆ Haga ejercicio. Esto ayuda a que los cólicos sean menos intensos.

◆ Use una almohadilla térmica o un baño en agua caliente para relajar la tensión en los músculos y aliviar los dolores.

◆ Pruebe con tés de hierbas, como por ejemplo de jengibre, manzanilla o menta. Estos podrían ayudar a aliviar los músculos tensos y la ansiedad.

Confusión y pérdida de memoria

Cuándo llamar al médico

Llame al 911 si:

◆ Siente confusión además de otras señales de un ataque cerebral, como por ejemplo un dolor de cabeza repentino e intenso; problemas para ver o hablar que antes no tenía; debilidad o entumecimiento que antes no tenía; y pérdida de equilibrio.

◆ La confusión y la pérdida de memoria se presentan rápidamente, en términos de unas pocas horas o días. Esto puede ser señal de muchos problemas graves, como un problema con un medicamento, una infección, un problema de alcoholismo o drogadicción, o que se está empeorando una enfermedad crónica como diabetes o una enfermedad del corazón.

Llame al médico si:

◆ Le preocupa que la confusión o la pérdida de memoria haya sido causada por un medicamento o un problema de salud.

◆ La confusión o la pérdida de memoria está acompañada de cambios en el comportamiento o la personalidad.

◆ Tiene problemas que antes no tenía con cosas cotidianas tales como el leer, o cómo saber leer la hora, o se pierde en lugares que conoce bien.

◆ La confusión o la pérdida de memoria empieza a causar problemas en su vida diaria.

No recordar el nombre de una persona o perder las llaves de vez en cuando es algo normal. No obstante, la confusión o pérdida de memoria más grave necesita ser investigada por un médico. Si se presenta repentinamente, es posible que la haya causado algo que necesita atención urgente.

A todos se nos olvidan cosas a medida que envejecemos. También es posible que le tome más tiempo recordar cosas a medida que cumple más edad. Esto es normal. Pero si los problemas de memoria siguen empeorando—especialmente si empieza a tener otros problemas también—vea al médico.

Tratamiento en casa

La mejor manera de mantener la mente alerta y evitar los problemas que pueden causar confusión es mantenerse saludable y en forma.

◆ Lleve una dieta saludable, y tome mucha agua (a no ser que el médico le haya dicho que limite los líquidos).

◆ Duerma lo suficiente. Si tiene problemas para dormir, vea Trastornos del sueño en la página 266.

◆ Trate de reducir el estrés. No tenga prisa y enfóquese en lo que está haciendo. La gente a menudo olvida cosas porque tiene la mente demasiado llena. Vea Cómo manejar el estrés en la página 347.

◆ Manténgase físicamente activo. Trate de hacer algo de ejercicio la mayoría de los días de la semana.

◆ Mantenga el cerebro activo. Este es un caso de "o lo usa o lo pierde".

  ❖ Aprenda cosas nuevas. Lea. Tome una clase.

  ❖ Practique juegos que lo hagan pensar como cartas y Scrabble. Haga crucigramas u otros juegos de palabras o números.

  ❖ Pase tiempo con otras personas.

◆ No consuma alcohol.

◆ No use drogas ilícitas.

◆ Algunas personas toman una hierba llamada *ginkgo biloba* para ayudar la memoria. Hable con el médico antes de usar este o cualquier otro tratamiento para asegurarse de que no hay peligro en que lo tome. La *ginkgo* parece tener muy pocos efectos secundarios, pero puede causar problemas de sangrado y no interactuar bien con otros medicamentos.

◆ Si se siente deprimido (vea ¿Está deprimido? en la página 168), dígaselo a su médico. Hay tratamientos que le pueden ayudar.

Tenga cuidado con los medicamentos

Tomar mal los medicamentos es una causa común de la confusión. Esto es especialmente cierto en los adultos mayores, pero puede ocurrir a cualquier edad. Usted puede evitar problemas si se toma los medicamentos de manera segura.

Más ➤

◆ Tome la menor cantidad de medicamentos como sea posible. No tome medicinas que no necesita. Si tiene un medicamento y no está seguro para qué es, lléveselo al farmacéutico o médico y pregunte.

◆ Mantenga una lista de los medicamentos, vitaminas y productos herbales que usa. Repase la lista con el médico, y llévele una copia a cualquier persona que le dé tratamiento o a cualquier farmacéutico que le surta una de sus recetas. Algunos medicamentos no funcionan bien juntos y pueden causar una mala reacción.

◆ Tómese siempre los medicamentos exactamente como el médico le diga. Tómeselos al momento correcto y en la cantidad correcta. Si se supone que tome un medicamento con comida, hágalo.

◆ A las personas que toman varios medicamentos se les puede hacer difícil mantener la cuenta de todos. Use un calendario o libreta para anotar cada medicamento y a qué hora del día se lo debe tomar. Ponga la lista en su refrigerador o gabinete del baño, en cualquier lugar en el que lo vea varias veces al día. Su farmacéutico puede sugerirle productos, como organizadores de medicamentos, que le ayuden a seguir el programa de dosis.

◆ Nunca se tome un medicamento que fue recetado para otra persona.

Enfermedad de Alzheimer

La enfermedad de Alzheimer daña la parte del cerebro involucrada en la memoria, la solución de problemas, el juicio, el habla y la conducta. Es el tipo más común de **demencia** en adultos mayores.

El Alzheimer por lo general empieza con una ligera pérdida de memoria y se agrava en unos cuantos años. Hay medicamentos que pueden mejorar por poco tiempo los problemas de razonamiento y memoria, pero no curan la enfermedad. Con el tiempo, el Alzheimer le quita a la persona la capacidad de cuidar de sí misma. Pueden sentirse confundidos y atemorizados y llegar a golpear a otros.

Quizás se pregunte cómo distinguir si la pérdida de memoria es normal o si está relacionada con el Alzheimer. En un principio, no siempre está claro.

Pero hay algunas señales de advertencia que usted puede buscar. Éstas son algunas:

◆ Problema para aprender o recordar información nueva

◆ Problemas con tareas conocidas, como preparar la comida o conducir un auto

◆ Problema con el habla y encontrar las palabras adecuadas

◆ Juicio erróneo o reducido, como vestir en forma impropia para el clima o darle grandes cantidades de dinero a extraños

◆ Extraviar cosas en lugares extraños, como poner la plancha en el congelador o el reloj en la azucarera

◆ Confusión acerca del tiempo y del espacio

Convulsiones por fiebre

Cuándo llamar al médico

Llame al 911 si:

◆ El niño deja de respirar por más de 15 a 20 segundos o si tiene fuertes problemas para respirar. Déle respiración boca a boca (vea la página 53) mientras espera a que llegue la ayuda.

◆ Las convulsiones duran más de tres minutos o el niño tiene un segundo acceso.

◆ Las convulsiones se presentan junto con fiebre, vómito, dolor de cabeza intenso, somnolencia, ofuscación o un punto hinchado en la cabeza del bebé.

Llame al médico si:

◆ Son las primeras convulsiones del niño, o si no ha hablado con su médico de lo que tendría que hacer si tuviera otra.

◆ Un niño de menos de 6 meses o de 5 años de edad o más tiene convulsiones.

◆ Las convulsiones afectan sólo la mitad del cuerpo.

◆ Las convulsiones se presentan sin fiebre.

Vea en las páginas 171 y 173 cuándo llamar al médico a causa de la fiebre.

Las convulsiones por fiebre son espasmos musculares incontrolables, que pueden ocurrir cuando la temperatura del niño se eleva rápidamente. En ocasiones, las convulsiones se presentan incluso antes de que usted sepa que el niño tiene fiebre.

El niño que tiene convulsiones por fiebre puede desmayarse. Los músculos se le endurecen y el niño aprieta fuertemente los dientes. Después brazos y piernas empiezan a sacudirse. El niño puede voltear los ojos hacia atrás y puede dejar de respirar por unos segundos, poniéndose ligeramente azul. El niño también puede vomitar, orinar o defecar. Las convulsiones por lo general duran de 1 a 15 minutos.

Las convulsiones por fiebre dan miedo, pero en niños de 6 meses a 5 años por lo general no son graves y no causan daños. Algunos niños de este grupo de edad simplemente tienen convulsiones por fiebre, aunque no haya ninguna razón clara. Cerca de la tercera parte de los niños que tienen convulsiones por fiebre tendrán otro ataque en el futuro.

Tratamiento en casa

Durante un ataque de convulsiones

◆ Trate de permanecer tranquilo. Esto ayudará a calmar al niño.

◆ Proteja al niño de lesiones. Baje al niño con cuidado al suelo; si es muy pequeño, sosténgalo boca abajo en sus piernas. No refrene al niño.

◆ Voltee al niño de lado. Esto le ayudará a despejar la boca de cualquier vómito o esputo y mantendrá abiertas las vías respiratorias para que pueda respirar.

◆ No le ponga nada en la boca para impedir que se muerda la lengua, pues eso puede lesionar al niño.

◆ Si puede, mida cuánto tiempo duran las convulsiones.

Más ▶

Después de un ataque de convulsiones

◆ Si el niño está teniendo dificultad para respirar, voltéele la cabeza de lado. Con el dedo límpiele suavemente la boca de cualquier vómito o esputo para que el niño pueda respirar.

◆ Revise si tiene lesiones.

◆ Déle acetaminofén (Tylenol) o ibuprofeno (Advil, Motrin) y baños de esponja con agua tibia si la fiebre es de más de 102°F (38.9°C) y su hijo se siente mal. No le dé aspirina a su hijo, a menos que el médico se lo indique.

◆ Ponga a su hijo en una habitación fresca para dormir. Es común que se sienta somnoliento después de convulsiones. Revise al niño con frecuencia. El niño debe regresar al nivel normal de conducta y actividad 1 hora después de las convulsiones.

Crup

Cuándo llamar al médico

Llame al 911 si:

◆ Su hijo deja de respirar o empieza a ponerse azul. Déle respiración boca a boca (vea la página 53) hasta que llegue la ayuda.

◆ Su hijo tiene muchas dificultades para respirar. Puede ser difícil saberlo con certeza, pero un niño que tiene dificultad al respirar puede:

❖ Respirar demasiado rápido.

❖ Babear o gruñir en cada respiración.

❖ No poder hablar, llorar o emitir sonidos

❖ Usar los músculos del cuello, el pecho y el vientre para respirar. La piel se "hunde" entre las costillas con cada respiración, y el niño quizás necesita incorporarse e inclinarse hacia enfrente para girar la nariz hacia arriba.

❖ Ensancha las fosas nasales en cada respiración.

❖ Tiene un color grisáseo, manchado o azulado en la piel. Esté pendiente de cualquier cambio en el color de la raíz de las uñas, los labios y los lóbulos de las orejas.

Llame al médico si:

◆ Su hijo tiene tos fuerte y dificultad al respirar y no mejora después de 30 minutos del tratamiento en casa.

◆ La tos de su hijo no ha empezado a mejorar después de 2 días.

El crup puede ser atemorizador pero por lo general no es grave. El síntoma principal del crup es una tos aguda que suena como ladrido de foca. También es común una fiebre de hasta 101°F (38.3°C).

El crup puede durar de 2 a 5 días. Por lo general empeora en las noches, pero tiende a mejorar cada noche que pasa.

El crup se presenta con más frecuencia en niños de 6 meses a 4 años de edad. Por lo general sucede cuando el niño tiene una infección viral, como el resfriado.

Tratamiento en casa

◆ Haga todo lo posible por calmar al niño. Llorar hace que sea más difícil respirar.

◆ Humidifique el aire para que al niño le sea más fácil respirar. Ponga agua en un humidificador frío. Siente al niño en sus piernas y haga que el vapor frío le llegue a la cara. No use un vaporizador caliente.

◆ Si su hijo no mejora después de varios minutos, llévelo al baño y abra todas las llaves del agua caliente para producir vapor. Cierre la puerta y siéntese con el niño mientras él respira el aire húmedo durante varios minutos.

◆ Si aun así no mejora su respiración, arrópelo y salga al aire fresco de la noche durante algunos minutos.

Cuello, dolor de

Cuándo llamar al médico

Llame al 911 si el dolor de cuello se presenta con dolor del pecho u otros síntomas de un ataque al corazón (vea la página 15).

Llame a su médico si:

◆ El cuello se le pone rígido y está acompañado de fiebre y un dolor de cabeza intenso. Es posible que tenga una enfermedad grave. Vea la página 174.

◆ Tiene un dolor intenso en el cuello después de una lesión o caída. Vea la página 31.

◆ Tiene una debilidad o entumecimiento constante en los brazos o piernas que antes no tenía.

◆ El dolor de cuello le baja por un brazo, o siente adormecimiento u hormigueo en las manos.

◆ Un golpe o lesión en el cuello (desnucamiento) le causa dolor nuevo.

◆ No puede controlar el dolor con tratamiento en casa.

◆ El dolor no ha mejorado después de 2 semanas de tratamiento en casa.

La mayoría de las personas tiene dolor, rigidez, o tortícolis en el cuello de vez en cuando. El dolor de cuello a menudo es causado por tensión, una distensión o un espasmo en los músculos del cuello o inflamación de los ligamentos, tendones o articulaciones en el cuello. Esto puede ocurrir cuando:

◆ Permanece demasiado tiempo en una posición que fuerza el cuello. Algunos ejemplos son sostener el teléfono entre la oreja y el hombro, dormir boca abajo o con el cuello torcido, o mirar una pantalla de computadora todo el día.

◆ Usted repite movimientos que fuerzan el cuello. Esto puede ocurrir mientras hace ejercicios o practica deportes, en el trabajo o en el hogar.

La artritis o un daño en los discos del cuello pueden causar un nervio pellizcado. Con este problema, el dolor por lo general baja por un brazo. Es posible que sienta hormigueo en el brazo o la mano o que éstos se sientan adormecidos o débiles. Si tiene síntomas de un nervio pellizcado, necesita ver al médico.

Más

Tratamiento en casa

La mayoría del tratamiento en casa para el dolor de espalda también sirve para el dolor de cuello. Vea la página 152. Estos consejos también podrían ayudar:

◆ Póngase hielo o una compresa fría en el cuello por 10 a 15 minutos varias veces al día durante los próximos dos a tres días. Esto reducirá el dolor y acelerará la recuperación. Si el problema es cerca del hombro o la parte superior de la espalda, a menudo ayuda más que se aplique el hielo en la parte de atrás del cuello.

◆ Después de las primeras 72 horas (o si tiene dolor crónico en el cuello), puede ponerse calor en el área dolorida por periodos de 20 minutos.

◆ Tome aspirina, ibuprofeno (Advil, Motrin) o acetaminofén (Tylenol) para ayudar a aliviar el dolor. No le dé aspirina a nadie menor de 20 años.

◆ Camine un poco, pero sin esforzarse. El movimiento suave de oscilación de los brazos a menudo alivia el dolor. Comience caminando de 5 a 10 minutos, 3 a 4 veces al día.

◆ Si el dolor de cuello está acompañado de un dolor de cabeza, vea la página 102.

◆ Después de que el dolor comience a mejorar, pruebe con los ejercicios de cuello en la página 131.

Prevención del dolor de cuello

Usted puede prevenir la mayoría de los dolores de cuello manteniendo una buena postura, haciendo ejercicio regularmente, y no forzando el cuello demasiado ni a menudo. Usted puede fortalecer y proteger el cuello haciendo ejercicios de cuello. Vea la página 131.

Reducir el estrés podría ayudar también. Vea los ejercicios de relajación en la página 349.

Para evitar el dolor al final del día, tenga cuidado sobre cómo se sienta, se pone de pie y se mueve durante el día.

◆ Siéntese derecho en la silla con apoyo en la parte inferior de la espalda. No se siente por periodos largos sin levantarse o cambiar de posición. Tómese pequeños descansos varias veces cada hora para estirar el cuello.

◆ Si trabaja con una computadora, la parte superior de la pantalla debe estar al nivel de los ojos. Use un sujetador de documentos para poner cualquier papel al mismo nivel que la pantalla.

◆ Si usa mucho el teléfono, use un audífono o un teléfono con altavoz.

Para evitar la rigidez en el cuello en las mañanas, es posible que necesite mejor apoyo para el cuello al dormir. (El dolor de cuello en las mañanas puede también ser el resultado de algo que haya hecho el día anterior.)

◆ Doble una toalla a lo largo hasta que tenga 4 pulgadas (10 cm) de ancho y envuélvala alrededor de su cuello. Sujete los extremos con alfileres para tener buen apoyo.

◆ Es posible que necesite una almohada especial para apoyar el cuello. Busque una almohada en la que apoye el cuello cómodamente al acostarse boca arriba y de costado (pruébela antes de comprarla). No use almohadas que le empujen la cabeza hacia adelante al acostarse boca arriba.

◆ No duerma boca abajo con el cuello torcido o doblado.

Ejercicios de cuello

Estos ejercicios hacen que el cuello esté más fuerte y flexible y le ayudan a evitar problemas de cuello. No necesita hacer todos los ejercicios. Haga los que más le ayuden. Vaya poco a poco, y deje de hacer cualquier ejercicio que le duela. Haga los ejercicios dos veces al día.

Deslizamiento dorsal

Siéntese o póngase de pie de manera erguida, mirando directamente hacia enfrente (postura de "guardia de palacio"). Lentamente, baje la barbilla a medida que mueve la cabeza hacia la parte de atrás del cuerpo. Sostenga la posición mientras cuenta hasta 5; luego relájese. Repita de 6 a 10 veces. Esto estira la parte de atrás del cuello. Si siente dolor, no mueva tanto la cabeza.

Deslizamiento dorsal

Elevaciones de hombros

Acuéstese boca abajo con los brazos a lo largo del cuerpo. Levante los hombros del piso tan alto como pueda, sin sentir dolor. Mantenga la barbilla hacia abajo y en posición hacia el suelo. Mantenga el abdomen y las caderas presionadas contra el suelo. Repita de 6 a 10 veces. Vea la imagen de la página 160.

Estiramiento de pecho y hombros

Siéntese o póngase de pie de manera erguida, y mueva la cabeza hacia atrás como en el deslizamiento dorsal. Levante ambos brazos hasta que las manos estén a la altura de las orejas. Mientras exhala, baje los codos y llévelos hacia atrás. Sienta cómo los omóplatos se mueven hacia abajo y se juntan. Sostenga la posición por varios segundos y luego relájese. Repita de 6 a 10 veces.

Manos en la cabeza

Mueva la cabeza hacia atrás, hacia adelante, y de lado a lado mientras le hace resistencia leve con las manos. Sostenga cada posición por varios segundos. Repita de 6 a 10 veces.

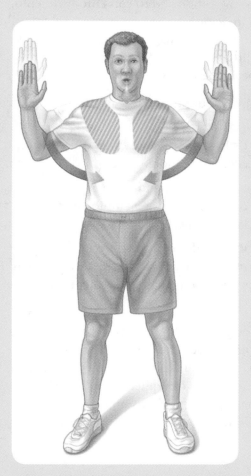

Estiramiento de pecho y hombros

Dermatitis atópica

Cuándo llamar al médico

- Tiene ampollas o moretones nuevos y no sabe por qué.

- El salpullido se expande y aparece como una quemadura provocada por los rayos del sol.

- Hay llagas con costra o que supuran, o marcas de raspaduras severas.

- Hay fiebre junto con el salpullido.

- Hay dolor en las articulaciones o en el cuerpo junto con el salpullido.

- La comezón es intensa y el tratamiento en casa no ayuda.

- No puede controlar la dermatitis atópica con el tratamiento en casa.

La dermatitis atópica (también llamada eccema atópico) produce una comezón intensa y un salpullido severo con enrojecimiento, inflamación y escamado. Cuando el salpullido es intenso, puede generar ampollas llenas de líquido. Las ampollas pueden infectarse, especialmente si las rasca demasiado.

El área en donde aparece el salpullido depende en parte de la edad:

- En los bebés aparece en general en el rostro, cuero cabelludo, brazos, muslos y torso.

- En los niños tiende a aparecer en las áreas con pliegues, por ejemplo en los codos y las rodillas.

- En los adultos parece afectar más las manos, cuello, cara, genitales o piernas. El salpullido en general es menor que en el caso de los niños.

La dermatitis atópica ocurre con frecuencia en niños pequeños que tienen asma, fiebre del heno y otras alergias, aunque puede presentarse a cualquier edad. Esta afección desaparece en muchos niños hacia la pubertad.

Tratamiento en casa

- Tome baños cortos o duchas con agua tibia (no caliente). Para las áreas que necesiten jabón (axilas, pies, ingle), use un limpiador que no reseque, como Aveeno, Dove, Basis o Neutrogena.

- Justo después del baño, aplique un humectante mientras la piel siga húmeda. Use una crema humectante como Lubriderm, Moisturel o Cetaphil que no le irrite la piel.

- Manténgase fresco y alejado de los rayos del sol.

- Use un humidificador de vapor fresco en su recámara si el aire es seco.

- Evite las cosas que empeoren el salpullido, como los limpiadores, productos químicos o determinado tipo de telas. Use guantes cuando tenga que trabajar con un producto irritante.

◆ Cuando lave la ropa y la ropa de cama use un detergente suave y enjuague al menos dos veces. No use suavizante de telas si irrita su piel. Evite el uso de telas rasposas.

◆ Córtese y lime sus uñas de modo que no se lastime la piel con ellas. Póngale guantes o calcetines de algodón a las manos de su bebé.

◆ Use un pano fresca y húmeda para reducir la comezón. Un antihistamínico oral (por ejemplo Benadryl) puede ayudar. No use aerosoles o cremas antisépticas o antihistamínicas. Vea también la sección Alivio de la comezón en la página 230.

Si su hijo tiene dermatitis atópica

La dermatitis atópica puede ser muy dura para los niños. Tanto el niño como los padres deben evitar tocarse, lo cual es parte vital de su vínculo emocional. El niño lo evita pues le duele la piel, y los padres, porque la piel se siente tosca y se ve mal.

El niño también puede sentirse apartado de otros niños debido a las restricciones (de dieta y deportes, por ejemplo). Puede sentirse poco atractivo debido al salpullido. Y el niño puede ser quisquilloso y difícil de manejar debido a que siente comezón.

Usted puede ayudarlo así:

◆ Hable con su hijo y ofrézcale apoyo. Pase tiempo con su hijo todos los días.

◆ Asegúrese de que su hijo participe en actividades con otros niños.

◆ Ayude a su hijo a encontrar cosas qué hacer con las manos para que esté ocupado y se distraiga de la comezón. (Esto puede requerir muchos esfuerzos por parte de usted, pero puede ayudar.)

◆ Ayude a su hijo con el cuidado adecuado de la piel. Déle prendas y ropa de cama suaves. Mantenga fresco a su hijo. Observe las cosas que agraven el problema y retírelas si puede.

Diarrea en niños de 11 años o menores

Cuándo llamar al médico

Llame al 911 si:

- Su hijo se desmaya y usted no puede despertarlo.

- Su hijo tiene señales de deshidratación grave. Las señales son ojos hundidos, nada de lágrimas y boca y lengua secas; un punto suave hundido en la cabeza del bebé, poca o nada de orina en 8 horas; piel que se pliega al pellizcarla; respiración y ritmo cardiaco rápidos.

Llame al médico si:

- La diarrea tiene sangre o es de color rojo oscuro, o si parece alquitrán.

- La orina tiene sangre o es del color de los refrescos de cola.

- Su hijo se niega a beber o no puede tomar líquidos suficientes para reemplazar los que pierde.

- La diarrea grave (excremento abundante y flojo cada 1 ó 2 horas) dura más de:

  - ❖ 4 horas en un bebé de menos de 3 meses.

  - ❖ 8 horas en un bebé de 3 a 6 meses de edad.

  - ❖ 24 horas en un niño de 7 meses a 11 años de edad.

- Una diarrea de leve a moderada continúa sin causa evidente ni otros síntomas por más de:

  - ❖ 24 horas en un bebé de menos de 3 meses.

  - ❖ De 1 a 2 días en un bebé de 3 a 6 meses.

  - ❖ 4 días en un niño de 7 meses a 11 años de edad.

- Su hijo tiene una fiebre de 103°F (39.4°C) o más. Vea también las recomendaciones para la fiebre en la página 173.

- Su hijo tiene poca fiebre con diarrea por más de 12 horas.

- Su hijo tiene dolor de vientre intenso.

- Su hijo tiene dolor sólo en una parte del abdomen, especialmente en la parte baja derecha. Vea la imagen de la página 76. Puede ser difícil detectar dónde tiene el dolor un niño pequeño.

La diarrea en los niños por lo general es causada por:

- Comer cantidades o variedades desacostumbradas de alimentos. El sistema digestivo del bebé en ocasiones no puede manejar una cantidad grande de jugo, fruta e incluso leche. Es menos probable que los niños amamantados tengan diarrea, gastroenteritis viral u otra enfermedad.

- La gastroenteritis viral por lo general empieza con vómitos, seguidos en pocas horas (en ocasiones de 8 a 12 horas, o más) de diarrea. En ocasiones no hay diarrea.

- Los bebés y niños pequeños necesitan cuidados especiales cuando tienen diarrea, pues pueden deshidratarse rápidamente. Esto significa que el cuerpo ha perdido demasiados líquidos. Si su hijo tiene una diarrea fuerte, observe si hay señales de que se vea enfermo y asegúrese de que beba suficiente líquido.

Tratamiento en casa

Diarrea en bebés de hasta un año de edad

◆ Si usted amamanta a su bebé, hágalo con más frecuencia para reemplazar los líquidos perdidos.

◆ Si alimenta a su hijo con biberón, hágalo también con más frecuencia, con pequeñas cantidades en cada alimentación, para compensar los líquidos perdidos.

◆ Si hay señales de deshidratación (vea Cuándo llamar al médico), déle una solución infantil electrolítica (como Pedialyte, Infalyte o de marca de la tienda) junto con la alimentación. La cantidad que necesite su bebé depende de su peso y de su grado de deshidratación. Puede darle la solución electrolítica un poco a la vez, con un gotero, una cuchara o un biberón. Para niños mayores de 6 meses, agréguele una pizca de NutraSweet, Kool-Aid o polvo de gelatina sin azúcar para que tenga mejor sabor.

◆ No use soluciones electrolíticas orales como única fuente de líquidos por más de 12 a 24 horas.

◆ No use bebidas energéticas, jugos de fruta o refrescos para tratar la deshidratación. Estas bebidas tienen demasiada azúcar y carecen de los minerales que necesita su bebé.

◆ No le dé a su bebé agua sola.

◆ Ofrézcale alimentos sólidos que sean fáciles de digerir (cereal, plátanos colados, puré de papas) si ya los ha comido antes.

◆ Proteja el área del pañal con Desitin, Diaparene, ungüento A & D o crema de óxido de zinc. Los bebés suelen tener erupción del área del pañal después de una diarrea.

Diarrea en niños de 1 a 11 años

◆ Déle de media taza a una taza de solución electrolítica pediátrica, jugo de fruta mezclado a la mitad con agua, o agua sola (si el niño está tomando alimentos) cada hora. Agregue saborizante NutraSweet si es necesario. Permita que su hijo beba todo lo que quiera.

◆ No use una solución electrolítica como única fuente de líquidos y nutrientes durante más de 24 horas.

◆ No le dé a su hijo jugos sin diluir, caldo de pollo, bebidas energéticas, bebidas gaseosas o *ginger ale*. Estas bebidas no tienen la mezcla adecuada de minerales y azúcar para restablecer los líquidos perdidos y pueden empeorar la diarrea.

◆ Déle comidas frecuentes pero pequeñas con alimentos de fácil digestión. Cereal cocido, galletitas, puré de papas, puré de manzana y plátanos son buenas opciones. Evite alimentos que contengan mucha azúcar.

A medida que mejore el niño, el volumen de sus evacuaciones será menor y éstas serán menos frecuentes. Algunos tipos de diarrea pueden causar excrementos aguados durante 4 a 6 días. Puede tratar la enfermedad en casa en tanto el niño reciba líquidos y nutrientes suficientes, esté orinando en cantidades normales y parezca ir mejorando.

Diarrea en niños de 12 años o mayores

Cuándo llamar al médico

Llame al 911 si tiene señales de deshidratación grave. Éstas pueden ser orinar poco o nada durante 8 horas, ojos hundidos, no tener lágrimas y tener la boca y la lengua secas; piel que se pliega al pellizcarla; sensación de mareo o aturdimiento; respiración y ritmo cardiaco rápidos, sentirse o actuar menos alerta.

Llame al médico si:

◆ Tiene síntomas de deshidratación ligera (boca seca, orina oscura, orina escasa) que empeoran aun con el tratamiento en casa.

◆ El dolor abdominal empeora o se concentra en un área, especialmente en la parte baja del abdomen, izquierda o derecha. Esto podría ser grave.

◆ Tiene evacuaciones grandes y flojas cada una o dos horas durante más de 24 horas.

◆ Los excrementos tienen sangre o son negros.

◆ Tiene diarrea y fiebre.

◆ La diarrea empeora o se hace más frecuente.

◆ Tiene diarrea después de beber agua no tratada.

◆ La diarrea dura más de 2 semanas.

En caso de diarrea en niños de menos de 11 años de edad, vea la página 134.

La diarrea tiene muchas causas: gastroenteritis viral, intoxicación alimentaria, antibióticos y otros medicamentos, algunos alimentos y aditivos alimentarios como sorbitol (endulzador artificial) y olestra (aceite). En algunas personas, la causa puede ser el estrés y la ansiedad. El síndrome del intestino irritable (vea la página 190) puede causar diarrea frecuente o de largo plazo.

Beber agua no tratada que contenga parásitos, virus o bacterias es otra causa. El hecho de que el agua se vea limpia no significa que lo esté. Usted puede tener diarrea pocos días o semanas después.

Tratamiento en casa

◆ No consuma ningún alimento durante varias horas o hasta que se sienta mejor. No deje de tomar pequeños sorbos de agua o de una bebida rehidratante (vea la página 26).

◆ No tome medicamentos para la diarrea, como Pepto-Bismol o Imodium, durante las primeras 6 horas. Después de ese tiempo, tómelos sólo si no tiene fiebre, retortijones, excrementos con sangre u otros síntomas.

  ❖ No tome más de lo indicado en la etiqueta.

  ❖ Suspenda el medicamento en cuanto el excremento sea más grueso.

◆ Después de 24 horas (o antes, si se siente mejor) pruebe algunos alimentos blandos. Plátanos, arroz, puré de manzana, pan tostado y galletitas son buenas opciones. Evite los alimentos condimentados, frutas que no sean plátanos, el alcohol, y la cafeína hasta 48 horas después de que hayan desaparecido todos los síntomas. Evite la leche y los productos lácteos por lo menos durante tres días.

◆ Tenga cuidado de no deshidratarse. Esto puede suceder cuando su cuerpo pierde muchos líquidos. Vea la página 25.

Intolerancia a la lactosa

Las personas cuyos cuerpos producen muy poco de la enzima lactasa tienen problemas para digerir la lactosa (azúcar) en la leche. Si usted es intolerante a la lactosa, le pueden dar gases, sentirse hinchado, y tener retortijones y diarrea después de tomar leche o comer productos lácteos.

Para reducir los síntomas:

◆ No coma ni beba grandes cantidades de productos lácteos al mismo tiempo.

◆ Trate de comer queso en lugar de leche. Quizás le siente mejor al estómago porque la mayor parte de la lactosa se elimina durante el procesamiento.

◆ Coma yogurt hecho con cultivos activos. Éstos tienen enzimas que digieren la lactosa en la leche.

◆ Tome leche pretratada (como Lactaid), o pruebe con tabletas de enzimas (como Lactaid o Dairy Ease).

◆ Quizás pueda tolerar la leche si la toma con meriendas o comidas.

Si tiene intolerancia grave a la lactosa:

◆ Lea las etiquetas de los alimentos para evitar todo tipo de lactosa.

◆ Cerciórese de incluir fuentes no lácteas de calcio en la dieta. Puede obtener una buena dosis de calcio de tofu, brócoli, ciertas verduras de hoja verde, y jugo de naranja fortificado con calcio. Pregúntele al médico o dietista si necesita tomar un suplemento de calcio.

◆ Planifique su dieta de manera que le proporcione los nutrientes que normalmente se obtienen de la leche.

Disfunción eréctil

Cuándo llamar al médico

◆ Una erección dura más de 4 horas después de haber tomado un medicamento para provocar la erección, como Viagra, Cialis y Levitra.

◆ Tomó un medicamento para provocar la erección en las últimas 24 horas y ahora siente dolor de pecho. **¡No tome nitroglicerina!** Vea Dolor de pecho en la página 226.

◆ No puede tener una erección o piensa que la causa puede ser física.

◆ Tiene disfunción eréctil junto con problemas para orinar, dolor en el vientre bajo o en la espalda baja, o fiebre.

◆ La disfunción eréctil empezó después de una lesión reciente.

◆ Piensa que la disfunción eréctil puede ser causada por un medicamento.

La disfunción eréctil es común. En algún momento de su vida, la mayoría de los hombres tienen problemas para tener una erección o no la pueden mantener lo suficiente para mantener relaciones sexuales.

Tener disfunción eréctil de vez en cuando es normal y por lo general no hay que preocuparse al respecto. Pero si con frecuencia no puede alcanzar la erección o mantenerla, le conviene colaborar con su médico para encontrar la causa.

La disfunción eréctil puede ser causada por:

◆ Problemas con los vasos sanguíneos, nervios u hormonas. Estas causas pueden estar relacionadas con diabetes, enfermedad del corazón, lesiones y otros problemas médicos.

◆ Medicamentos. Los medicamentos para la presión sanguínea, los diuréticos (pastillas para orinar) y los fármacos que alteran el humor pueden tener efectos secundarios sexuales.

◆ Alcohol.

◆ Fumar.

◆ Depresión, estrés, aflicciones o problemas de relación.

Al ir envejeciendo puede tardar más tiempo para lograr una erección y ésta puede ser menos firme. Pero con una actitud adecuada, los hombres saludables pueden tener erecciones a cualquier edad.

Tratamiento en casa

◆ Asegúrese de que los medicamentos no son la causa. Pregúntele a su médico o farmacéutico si algo de lo que está tomando pudiera tener efectos secundarios sexuales.

◆ Limite el consumo de alcohol. No tome más de 2 tragos al día.

◆ Si fuma, deje de hacerlo. Fumar dificulta que los vasos sanguíneos del pene se relajen y permitan el flujo de sangre hacia adentro. Si necesita ayuda para dejar de fumar, vea la página 344.

◆ Trate de reducir el estrés. Vea la página 347. El ejercicio regular también puede ayudarlo.

◆ Dése más tiempo para la estimulación previa.

◆ Hable con su pareja de sus dudas. Si usted y su pareja tienen problemas para hablar de sexo, consulte con un terapeuta que los pueda ayudar a hablar juntos de eso. También puede ayudar leer juntos libros sobre sexo.

◆ Averigüe si puede tener erecciones en otros momentos. Si usted tiene erección cuando se masturba o la tiene al despertarse, es más probable que la causa sea emocional y no física.

◆ Hable con su médico de los medicamentos que lo pueden ayudar, como Viagra, Levitra y Cialis. Estos medicamentos pueden empeorar los problemas cardiacos en algunas personas, así que primero consulte con su médico. Si desea ayuda para decidir si estos medicamentos son adecuados para usted, vaya al sitio Web indicado en la contraportada y escriba **u809** en la celda de búsqueda.

◆ También hay dispositivos que ayudan a la erección. Hable con su médico si quiere saber más al respecto.

Duelo

Cuándo llamar al médico

El duelo normal puede durar días, semanas, meses, o años. Sólo usted sabe cuánto duelo es razonable para usted. Pero si el duelo continúa y tiene cualquiera de los siguientes problemas, es posible que necesite obtener ayuda.

Llame a un consejero o médico si:

◆ Se siente sin esperanza y no puede dejar de pensar en morirse o en suicidarse. **Llame al 911 o a la línea nacional de prevención del suicidio 1-800-784-2433.**

◆ Está empezando a hacer cosas que le hacen daño física o económicamente a usted o que le hacen daño a los demás.

◆ No puede controlar el coraje que siente contra las personas que usted culpa por la pérdida.

◆ El sentimiento de culpabilidad le agobia.

◆ Se siente cada vez más aislado de los demás.

◆ Ha estado guardando duelo por más tiempo del que considera es saludable.

El duelo es un proceso natural de curación que le permite ajustarse a un cambio o pérdida importante. El duelo es un proceso que duele, pero también ayuda a sanar.

El duelo puede afectarle al cuerpo al igual que a sus emociones. Se puede sentir cansado o inquieto, tener problemas para conciliar el sueño, tener dolores de cabeza, y perder el apetito. Se puede sentir triste, enojado, culpable, o deprimido.

Ninguna persona ni libro le puede decir lo que su duelo debe ser. Cada uno de nosotros tiene su propia manera de procesar el duelo. Además, el duelo no sigue un programa ni horario.

Aunque quizás no pueda reponerse del todo de una pérdida importante, sí puede encontrar maneras para sobrellevarla. Es posible que su vida nunca sea igual que antes. Pero llegará el momento en que se sentirá mejor y más tranquilo.

Más

Tratamiento en casa

No hay fórmula para superar el duelo.

Algunas de estas ideas pueden ser de ayuda:

◆ Tómese todo el tiempo que necesite para guardar duelo.

◆ Permítase llorar. No resista las emociones que siente. Mire fotos, y lea cartas viejas.

◆ Trate de reducir algunas de sus responsabilidades usuales por un tiempo. No tome decisiones importantes mientras está de duelo a menos de que no le quede otra alternativa.

◆ Hable con amigos que estén dispuestos a escuchar y que le den ánimos para reconectarse con el mundo. Únase a un grupo de apoyo, o hable con un consejero o miembro de la comunidad religiosa.

◆ Encuentre maneras de expresar su duelo. Mantenga un diario. Pinte o dibuje.

◆ Cuide bien de sí mismo. Descanse suficiente y coma alimentos nutritivos.

◆ Haga ejercicio. Muévase. Camine. Es una buena manera para aliviar el estrés.

◆ A medida que empiece a superar el duelo, renueve viejos intereses y busque otros nuevos. Haga cosas que le den un sentido de control y de esperanza.

Embarazo, problemas en el

Cuándo llamar al médico

Llame al 911 si:

◆ Tiene sangrado vaginal fuerte y está en el segundo o tercer trimestre de su embarazo.

◆ Tiene dolor intenso en el vientre o la pelvis.

◆ Se desmaya.

◆ Le sale líquido a chorros o poco a poco de la vagina y usted sabe o piensa que el cordón umbilical se está saliendo. Si esto ocurre, póngase sobre sus manos y las rodillas, y mantenga sus glúteos más alto que la cabeza. Esto reducirá la presión sobre el cordón hasta que llegue ayuda.

Llame a su médico si:

◆ La cara, las manos o los pies se le hinchan repentinamente; tiene un dolor de cabeza intenso; o tiene problemas de la visión nuevos (opaca o borrosa).

◆ Tiene dolor, calambres o cualquier sangrado vaginal.

◆ Tiene fiebre.

◆ Tiene contracciones regulares (cada 5 a 6 minutos, y cada una dura al menos 45 segundos).

◆ Tiene flujo vaginal repentino.

◆ Siente dolor en la parte baja de la espalda o presión en la pelvis.

◆ Nota que su bebé ha dejado de moverse o se está moviendo menos de lo normal.

◆ Vomita más de 3 veces al día, o siente demasiadas náuseas que le impiden comer o beber.

◆ Siente comezón en todo el cuerpo. Es posible que también tenga orina oscura o excremento pálido, o la piel o los ojos se le pueden poner amarillos.

Pueden ocurrir problemas durante el embarazo, sin importar cuán cuidadosa sea. Pero puede aumentar la probabilidad de tener un bebé saludable si sigue algunas normas básicas.

Colabore con su médico

◆ Vaya a todas las citas prenatales. En cada cita, el médico le tomará la presión sanguínea y analizará el contenido de proteínas en la orina. La presión arterial alta y las proteínas en la orina son señales de preeclampsia. Este problema puede ser peligroso para usted y su bebé.

◆ Siga las recomendaciones del médico en cuanto a la actividad. El médico le dirá cuánto ejercicio está bien para usted. Esto puede cambiar a medida que se acerca al final del embarazo.

◆ Pregúntele al médico si puede tener relaciones sexuales. Si tiene riesgo de un parto prematuro, el médico podría pedirle que se abstenga de las relaciones sexuales después de cierto punto.

◆ Si está tomando medicamentos para otro problema de salud, pregúntele al médico si puede continuar el tratamiento o si necesita cambiarlo.

Aliméntese bien

◆ Consuma una dieta balanceada con muchos alimentos ricos en calcio y hierro. Los alimentos ricos en calcio incluyen leche, queso, yogurt, almendras y brócoli. Los alimentos ricos en hierro incluyen carne de res, crustáceos, pollo y pavo, huevos, frijoles, pasas, pan integral y verduras de hojas verdes.

Más ➤

Náuseas del embarazo

Muchas mujeres tienen náuseas y vómitos durante los primeros meses del embarazo. Esto se conoce como náuseas del embarazo, y puede ocurrir a cualquier hora del día. Es normal, pero desagradable.

Para evitar o al menos reducir las náuseas en el embarazo:

◆ Consuma de cinco a seis comidas pequeñas al día para que el estómago nunca esté vacío. Coma un poco de proteína en cada comida.

◆ Coma galletas saladas o un pedazo de pan tostado antes de levantarse de la cama en la mañana.

◆ Tome una bebida para deportes poco a poco (a sorbos) cuando se le haga difícil comer alimentos sólidos.

◆ Tome más vitamina B_6 y B_{12} comiendo más granos y cereales integrales, germen de trigo, nueces, semillas y legumbres. No obstante, consulte con el médico antes de tomar cualquier suplemento vitamínico.

◆ Pruebe con té o dulces de jengibre.

◆ Evite comidas u olores que le provoquen náuseas.

◆ Descanse bien.

Llame al médico si está vomitando todos los alimentos o líquidos, si está vomitando más de 3 veces al día, o si está perdiendo peso.

◆ Si necesita ayuda para pagar por la comida, llame a la agencia local del WIC (Women, Infants and Children) y pregunte si es elegible para recibir asistencia. El WIC les proporciona vales para comprar alimentos nutritivos, educación sobre nutrición y apoyo para la lactancia a las mujeres embarazadas y a las mujeres con bebés recién nacidos y niños menores de 5 años.

◆ Tome una multivitamina diaria que contenga 0.4 mg de ácido fólico (folato). El ácido fólico ayuda a prevenir ciertos defectos congénitos. Otras buenas fuentes de ácido fólico son el cereal fortificado y el pan integral.

◆ Tome mucho líquido. La deshidratación puede causar contracciones.

◆ Si toma café o refrescos con cafeína, limítelos a 2 tazas o menos al día.

Proteja a su bebé

◆ No fume.

◆ No consuma alcohol ni drogas.

◆ Si tiene un gato, pídale a otra persona que limpie la caja de desperdicios. Evite todo contacto con los excrementos de gato.

◆ Lávese las manos bien después de tocar carne cruda. Cocine bien toda carne antes de comerla.

◆ Evite todo tipo de gases químicos, olores a pintura y venenos.

◆ No use saunas ni tinas de hidromasaje. No permanezca mucho rato en el sol durante clima caluroso. Tome acetaminofén (Tylenol) si le da fiebre alta.

◆ No tome ningún medicamento con receta o de venta libre, suplementos herbales o vitaminas (aparte de sus vitaminas prenatales) sin antes consultarlo con el médico o farmacéutico.

◆ Tenga cuidado de prevenir caídas. Durante el embarazo, las articulaciones están más sueltas y el equilibrio no es el mismo. Después de 25 semanas, evite los deportes con alto riesgo de caídas, como el ciclismo, el esquí, patinaje, y montar a caballo o en motocicleta. No practique clavados ni buceo.

Prepárese para el parto

En las últimas etapas del embarazo, es buena idea comenzar a prepararse para el parto en sí.

◆ Tome clases de parto con su pareja o la persona que usted seleccione como "entrenador".

◆ Aprenda cuáles son las señales del parto para que sepa de qué tiene que estar pendiente.

◆ Si tiene otros hijos, hábleles sobre el nuevo bebé y ayúdeles a adaptarse a la idea.

◆ Aprenda uno o dos ejercicios de relajación (vea la página 349). Le pueden ayudar mientras está en trabajo de parto.

◆ En colaboración con el médico, considere crear un plan para el parto que establezca lo que usted quiere y lo que anticipa que ocurra durante todo el proceso. Esto puede incluir cosas como qué personas usted quiere que estén presentes durante el alumbramiento y si usted quiere medicamentos para el dolor. Tenga en mente, sin embargo, que hay algunas cosas que ni usted ni el médico podrán controlar.

◆ Aprenda sobre la lactancia y encuentre recursos que le puedan ayudar (como La Liga de la Leche o el Nursing Mothers Counsel). Vea la página 197.

◆ Descanse mucho, coma bien, y mímese.

Enfermedad de manos, pies y boca

Cuándo llamar al médico

◆ Su hijo tiene fiebre alta. Vea la información sobre fiebre para niños menores de 4 años en la página 171 y para niños de mayor edad en la página 173.

◆ Su hijo está deshidratado y tiene fiebre con ampollas en la boca acompañada de un salpullido con ampollas en las manos y los pies. Vea la página 25.

La enfermedad de manos, pies y boca es una enfermedad viral que mayormente afecta a los niños menores de 10 años. Por lo general, ocurre durante el verano y el otoño.

Los primeros síntomas son fiebre, garganta o boca irritada, y pérdida de apetito. En 2 días, aparecen ampollas en la boca y la lengua. Los niños a menudo tienen un salpullido con ampollas en los dedos, encima de las manos, y en los lados y encima de los pies. Es posible que aparezcan ampollas en los glúteos.

El virus que causa la enfermedad de mano, pies y boca se propaga rápidamente mediante la saliva, la mucosidad de la nariz, y el excremento. Los niños no deben ir a la escuela ni a la guardería (cuidado diurno) mientras tengan síntomas. La época de mayor contagio es durante los primeros 7 a 10 días, pero pueden contagiar la enfermedad por unas cuantas semanas. Esto se puede evitar lavándose bien las manos.

Tratamiento en casa

◆ Déle a su hijo acetaminofén (Tylenol) para reducir la fiebre y aliviar el dolor en la boca. No le dé aspirina a nadie menor de 20 años.

◆ Déle a su hijo muchos líquidos.

◆ Déle a su hijo alimentos suaves y sin mucho condimento y bebidas frías o tibias (no calientes) si le duele la boca. Las paletas de jugo congeladas también pueden ayudar.

◆ Si el salpullido duele o pica, póngale loción de calamina.

◆ Lávese las manos bien después de limpiarle la nariz o cambiarle el pañal al niño. Esto ayudará a evitar que otros se contagien con la enfermedad.

Enfermedades de transmisión sexual (ETS)

Cuándo llamar al médico

Todas las enfermedades de transmisión sexual (ETS) necesitan ser diagnosticadas y tratadas. Su médico o un profesional de la salud del departamento local de salud puede ayudarlo con los exámenes y el tratamiento.

Llame a su médico si:

◆ Cree que quizá se haya expuesto a una ETS. Su pareja o parejas sexuales también necesitarán tratamiento, aunque no presenten síntomas. Sin tratamiento, usted y su pareja pueden contagiarse entre sí o tener graves complicaciones.

◆ Tiene secreciones raras de la vagina o del pene; siente ardor al orinar; tiene llagas, enrojecimiento o brotes en los genitales.

◆ Su conducta y la de sus compañeros lo ponen en riesgo de contraer el VIH.

◆ Está embarazada y tiene alguna razón para pensar que se ha expuesto a una ETS, en especial al VIH.

◆ Tiene síntomas como fatiga, pérdida de peso, fiebre, diarrea o ganglios inflamados que no desaparecen en poco tiempo y no parecen tener relación con ninguna enfermedad.

◆ Usted tiene VIH y:

❖ Fiebre de más de 103°F (39.4°C).

❖ Fiebre de más de 101°F (38.3°C) que dura 3 días o más.

❖ Mayores brotes de herpes labial o de otra llaga rara en la piel o la boca.

❖ Fuerte entumecimiento o dolor en manos y pies.

❖ Pérdida inexplicable de peso.

❖ Fiebre y sudoración nocturna inexplicables.

❖ Fatiga severa.

❖ Diarrea y otros cambios intestinales.

❖ Falta de aire y frecuente tos seca.

❖ Ganglios inflamados en cuello, axilas o ingle.

❖ Cambios de personalidad, dificultad para concentrarse, confusión o dolor de cabeza intenso.

Las enfermedades de transmisión sexual, también conocidas como ETS, son infecciones que se pasan de una persona a otra mediante la actividad sexual, el contacto genital y el contacto con fluidos como semen, fluidos vaginales y sangre (también la sangre menstrual). Algunas de estas infecciones pueden transmitirse al compartir agujas de jeringa, navajas de rasurar y otros artículos que tengan sangre o líquidos infectados.

Usted puede contraer una ETS con cualquier tipo de contacto sexual. Este puede ser:

◆ Sexo vaginal.

◆ Sexo anal.

◆ Sexo oral.

Prevenir las ETS es mucho más fácil que tratarlas o vivir con ellas. Para aprender a protegerse, vea Sexo seguro en la página 350.

Algunas de las enfermedades de transmisión sexual (ETS) más comunes se describen en la tabla de la página 146. Si piensa que ha estado expuesto a cualquiera de ellas, use la tabla para revisar sus síntomas y conocer más.

VIH: ¿Debe realizarse una prueba?

El VIH o virus de la inmunodeficiencia humana es un virus que ataca el sistema inmunológico. Esto dificulta que su cuerpo combata las infecciones y enfermedades. El SIDA es la etapa última y más grave de la infección por VIH.

¿Está en riesgo?

Todas las personas están expuestas al VIH, hombres y mujeres, homosexuales y heterosexuales, de todas las edades y razas. Sí usted o su pareja realizan acciones que les exponen al VIH, usted está en riesgo.

El VIH se trasmite por medio del contacto de los siguientes fluidos corporales: el semen, los fluidos vaginales y la sangre (incluyendo la sangre menstrual). Entre los comportamientos que permiten la transmisión del VIH se pueden mencionar:

◆ Tener más de una pareja sexual.

◆ Tener sexo sin protección. El sexo sin protección significa tener relaciones sexuales sin el uso apropiado del condón. Esto es especialmente peligroso si usted es un hombre que tiene relaciones con otros hombres, pero es un riesgo para todos. El sexo sin condón no es seguro a menos que usted y su pareja estén seguros de que ninguno tiene VIH y que ninguno está teniendo relaciones sexuales con nadie más.

◆ Compartir agujas u otros dispositivos para la administración de drogas con alguien que es VIH positivo.

◆ Tener una pareja sexual que hace cualquiera de las acciones anteriores.

Enfermedades de transmisión sexual (ETS) durante el embarazo

Muchas enfermedades de transmisión sexual (ETS) pueden transmitirse de una madre infectada al feto. Entre éstas se incluye la clamidiasis, la gonorrea, la hepatitis B, el herpes, el VIH y la sífilis.

La buena noticia es que al seguir un tratamiento durante el embarazo se puede prevenir la transmisión de muchas de estas enfermedades a su hijo.

Si está infectada o cree que ha estado expuesta a cualquier enfermedad de transmisión sexual (ETS), hable con su médico acerca de cómo proteger a su bebé antes y después del nacimiento.

Usted no se puede contagiar de VIH por tocar, abrazar o besar suavemente a alguien que es VIH positivo. El VIH no se contagia por mosquitos, asientos de los sanitarios, donar sangre o por contacto o tos de alguien que es VIH positivo o que tiene SIDA.

Cómo hacerse la prueba

Debe hacerse la prueba si tiene conductas que le ponen en riesgo de una infección de VIH. Asegúrese de realizarse la prueba cada 6 meses. A continuación le explicamos por qué:

◆ Los medicamentos para el VIH pueden demorar o prevenir el SIDA y ayudarle a vivir más y mejor. Cuanto más pronto detecte que se ha infectado con el VIH e inicie las pruebas, mejores serán sus probabilidades de mantenerse sano. Las revisiones regulares de su sistema inmunológico le ayudarán al médico a saber cuándo necesita comenzar con los medicamentos.

Más ➤

Enfermedades de transmisión sexual

Síntomas	Enfermedad	Tratamiento	Otras dudas
Secreciones de la vagina o del pene; dolor o ardor al orinar; en las mujeres, dolor y sangrado durante la relación sexual o después.	**Clamidiasis, gonorrea, tricomoniasis**	Antibióticos para todos los compañeros. No tenga relaciones sexuales hasta que usted y su pareja o parejas hayan terminado el tratamiento y no presenten síntomas.	Si no se trata, puede provocar enfermedad pélvica inflamatoria y problemas de fertilidad. La gonorrea puede propagarse a las articulaciones y causar artritis.
Llaga roja pero indolora en el área genital o rectal o en la boca, unas tres semanas después del contacto. Dos meses después: Salpullido, áreas con pérdida de pelo, fiebre, síntomas como de gripe	**Sífilis**	Antibióticos para todas las parejas. No tenga relaciones sexuales hasta que usted y sus compañeros hayan terminado el tratamiento y no presenten síntomas.	Si no se trata, puede causar graves problemas de salud y la muerte.
Llagas o ampollas dolorosas en el área genital o anal de 2 a 7 días después del contacto; fiebre, ganglios inflamados, dolor de cabeza y muscular.	**Herpes genital**	No hay cura. Los medicamentos pueden aliviar el dolor y acelerar la curación durante un brote.	Quienes tienen brotes frecuentes o graves pueden tomar medicamentos todos los días para prevenirlos. Las parejas deben abstenerse del sexo durante un brote. Las mujeres embarazadas deben avisar de inmediato a su médico si tienen un brote.
Pequeñas protuberancias carnosas o áreas blancas y planas en la zona genital o anal.	**Verrugas genitales y virus del papiloma humano (VPH)**	No hay cura para el VPH. Las verrugas pueden eliminarse pero pueden regresar. La infección puede desaparecer por sí misma.	El virus del papiloma humano (VPH) puede aumentar el riesgo en relación al cáncer de cuello uterino y hay una vacuna para prevenir el VPH. Pregunte a su médico al respecto.

Enfermedades de transmisión sexual

Síntomas	Enfermedad	Tratamiento	Otras dudas
Cuando la piel se pone amarilla así como el blanco de los ojos, con síntomas semejantes a la gripe, con dolor constante en la parte superior derecha del vientre, debajo de la caja del tórax, diarrea o estreñimiento, dolor en los músculos y articulaciones, salpullido en la piel	**Virus de la Hepatitis B**	No hay tratamiento en el corto plazo para la hepatitis (aguda), la mayoría de las personas se sienten mejor en 6 a 8 semanas. Hay medicamentos para el tratamiento a largo plazo de la hepatitis (crónica), pero no hay cura.	Puede convertirse en una enfermedad crónica y producir lesiones en el hígado o cáncer. Si se encuentra en riesgo de contagio de hepatitis B, vacúnese. Vea la página 355.
Los síntomas semejantes a los de la gripe se presentan tan pronto se haya infectado; entonces los síntomas desaparecen por varios años hasta que la enfermedad avanza	**Virus de la inmuno-deficiencia humana (VIH)**	No tiene cura. Los medicamentos demoran el avance de la enfermedad, retrasan el SIDA y prolongan la vida.	El virus debilita el sistema inmunológico, llevando al SIDA y en muchos casos lleva a la muerte. Vea página 145.

◆ Una prueba de sangre es la única manera de saber si tiene VIH. Es posible que no se sienta enfermo y que no presente síntomas por muchos años, aunque dentro de su cuerpo el virus se esté desarrollando.

◆ Si tiene VIH y no lo sabe, podría contagiar la enfermedad a los demás.

◆ Si está embarazada, realizarse las pruebas es lo más importante que puede hacer por usted y su bebé. Si es VIH positiva, los medicamentos durante el embarazo pueden reducir en gran medida la probabilidad que su bebé nazca con VIH.

Todo lo que debe hacer es realizarse una prueba de sangre simple y barata. La prueba detecta los anticuerpos de VIH en su sangre. Si se detectan anticuerpos de VIH, se le considera como VIH positivo. Si no se detectan anticuerpos de VIH, deberá realizarse de nuevo la prueba. Esto es para asegurarse de que los anticuerpos de VIH no aparezcan posteriormente, debido a que pueden transcurrir hasta 6 meses desde su primera exposición al VIH para que aparezcan los anticuerpos.

Puede realizar la prueba en el consultorio de su médico o en un consultorio de atención médica local.

Si resulta ser VIH positivo, discuta con el médico el tratamiento correcto y manténgase lo más sano posible. Muchas personas viven muchos años con VIH e incluso décadas antes de presentar el SIDA.

Si necesita ayuda con respecto al VIH o SIDA o simplemente quiere saber más, llame a la línea directa CDC-INFO al 1-800-232-4636.

Enojo y comportamiento hostil

Cuándo llamar al médico

Llame al 911 si usted o alguien que conoce se encuentra ante un peligro inminente.

Llame a un consejero si:

◆ El enojo ha generado o podría generar violencia o lesiones a usted o a otros.

◆ El enojo o comportamiento hostil altera su trabajo, la vida familiar o a sus amistades.

El enojo le avisa a su cuerpo que se prepare a pelear. Puede ser una respuesta normal a los acontecimientos diarios. Además, es una respuesta sana a cualquier situación que es una amenaza verdadera. En ocasiones puede usar su enojo como una fuerza impulsora positiva detrás de sus acciones.

El comportamiento hostil le mantiene listo para pelear en todo momento. Las personas hostiles con frecuencia son testarudas, impacientes, exaltadas o tienen una "actitud adversa".

Sentirse enojado y hostil todo o la mayor parte del tiempo no es bueno para usted. Ello mantiene alta su presión sanguínea y le hace más propenso a tener ataques al corazón, ataques cerebrales u otros problemas de salud. El enojo constante también le aleja de las personas en su vida. Puede llevarle a conductas de abuso o violencia (vea la página 77).

Tratamiento en casa

◆ Trate de entender por qué se enoja. ¿Es alguna situación actual lo que le enoja o algo que sucedió antes?

◆ Detecte cuándo comienza a enojarse y tome las medidas necesarias para controlar su enojo de manera sana. No ignore su enojo hasta el punto de "explotar".

❖ Piense antes de actuar. Cuente hasta 10 o use alguna otra forma de relajación mental. Cuando se haya calmado estará en mejores condiciones para solucionar el problema.

❖ Tómese "una pausa". Vaya a un sitio tranquilo donde pueda calmarse.

❖ Haga una caminata o trote ligero.

❖ Hable con un amigo acerca de su enojo.

❖ Dibuje o pinte para liberar su enojo o escriba acerca de ello en un diario.

◆ Si está enojado con una persona, escuche lo que la otra persona tiene para decir. Trate de entender su punto de vista. Hable con frases en donde use "Yo" en vez de "Tú" para discutir su enojo. Diga "Yo me enojo cuando no se cumplen mis expectativas" en vez de "Tú me haces enojar cuando eres tan desconsiderado".

◆ Perdone y olvide. Perdonar a los demás reduce su presión sanguínea y la tensión muscular de modo que se sentirá más relajado.

◆ Concéntrese en las cosas en su vida que le hacen feliz.

◆ Lea libros acerca del enojo y cómo controlarlo o explore otros recursos a través de su trabajo o su comunidad.

Entrenamiento para usar el inodoro

Cada niño tiene su propia etapa para aprender a ir al baño solo. La mayoría de los niños están listos para empezar entre 24 y 30 meses de edad.

Su hijo podría estar listo si:

◆ Vacía el intestino a la misma hora todos los días.

◆ Es capaz de tener el pañal seco por al menos dos horas durante el día.

◆ Hace ciertas expresiones faciales al orinar o vaciar el intestino.

◆ Le avisa cuando tiene el pañal sucio y pide que se lo cambien.

◆ Desea complacer y puede seguir instrucciones sencillas.

◆ Le dice que quiere usar el inodoro o ponerse ropa interior "de niños grandes".

Si piensa que su hijo está listo para aprender a ir al baño, algunos de estos consejos le podrían facilitar el proceso:

◆ Consiga un miniinodoro portátil para el niño. Déle tiempo para que se acostumbre a él. Siente al niño en el miniinodoro con el pañal puesto mientras esté vaciando el intestino u orinando.

◆ Permita que el niño esté presente cuando usted o un hermanito mayor del mismo sexo esté usando el inodoro. Hable con el niño sobre lo que usted está haciendo.

◆ Seleccione ropa para el niño que sea fácil de quitar. Lo que mejor funciona son las cinturas de elástico y los cierres con Velcro o broches de presión. Los pañales que se pueden quitar y poner también son útiles.

◆ Siempre que tenga éxito, recompense al niño con abrazos y elogios. Anticipe algunos accidentes durante las primeras semanas, y no se enoje si ocurren. Mantenga una actitud relajada.

Enuresis nocturna (orinarse durante el sueño)

Cuándo llamar al médico

Su médico puede descartar o tratar cualquier causa física de la enuresis nocturna y ayudarle a usted y a su hijo a manejar el problema.

Llame al médico si:

◆ La enuresis nocturna ocurre con dolor o ardor u otros signos de infección de las vías urinarias. Vea la página 260.

◆ La enuresis ocurre en niños mayores de 6 años y se diagnostica cuando el tratamiento en casa no resuelve el problema de incontinencia después de 4 a 5 semanas.

◆ Su hijo comienza a orinarse en la cama con mayor frecuencia, incluso con tratamiento en casa.

◆ La enuresis nocturna ocurre en un niño que se había mantenido seco por varios meses.

◆ Un niño de 4 años o más con enuresis nocturna o con heces líquidas.

◆ Un niño de más de 3 años que ya ha sido entrenado para usar los excusados pero que tiene problemas con la vejiga durante el día.

La enuresis en niños que nunca han podido mantenerse secos es común. La mayoría de los niños superarán este problema entre los 5 ó 6 años.

En algunos casos, los niños que se habían mantenido secos por varios meses comienzan a tener enuresis de nuevo. Esto puede ocurrir sin una razón clara o puede derivarse de una infección en el tracto urinario o por problemas emocionales.

Tratamiento en casa

Hay muchas formas de lidiar con la enuresis si ésta no se debe a una infección y si no hay otras causas físicas detrás de ella. Pida consejos a su médico.

◆ No castigue, ponga en evidencia o culpe a su hijo. Felicite y recompense a su hijo por las noches en que logra mantenerse seco.

◆ Haga que su hijo orine y vacíe su vejiga antes de irse a dormir.

◆ Recuérdele a su hijo que se levante durante la noche si desea orinar. El uso de una luz nocturna puede ayudar.

◆ Deje que su hijo elija si desea usar pañal, ropa que le permita orinar fácilmente o ropa interior absorbente por las noches. Use una cubierta de vinilo o hule grueso para proteger el colchón.

◆ Si su hijo tiene la edad suficiente, deje que su hijo le ayude a cambiarse de ropa después de que se ha orinado, que ponga una toalla seca en la cama y que cambie las sábanas y la ropa de cama.

◆ Agregue ½ taza de vinagre al agua de lavado para eliminar el olor en la ropa de cama y la del niño.

Erupción del área del pañal

Cuándo llamar al médico

◆ La erupción del área del pañal está muy roja o en vivo, se ve muy llagada, o tiene ampollas, pus, áreas peladas o partes con costra.

◆ La erupción básicamente está en los pliegues de la piel. Esto puede significar que su hijo tiene una infección por hongos.

◆ El salpullido no mejora después de 3 días.

La erupción del área del pañal es una reacción de la piel, por lo general a la humedad y las bacterias de la orina y excrementos del bebé, al jabón usado para lavar los pañales o a los pañales mismos. La erupción es incómoda pero por lo general no es grave.

Los síntomas de este salpullido son el enrojecimiento de glúteos y muslos. Será muy fácil reconocer la erupción del área del pañal después de haberla visto la primera vez.

Tratamiento en casa

Si su bebé tiene erupción cutánea causada por el pañal con frecuencia, las siguientes recomendaciones son buenas para aplicarse todo el tiempo.

◆ Cambie los pañales mojados o sucios tan pronto como pueda. Revise el pañal por lo menos cada 2 horas. Use una toallita y agua para enjuagar la piel del área del pañal en cada cambio. Cuando pueda, deje que el área del pañal se oree de 5 a 10 minutos. Lave esa área con un jabón suave una vez al día.

◆ No le ponga al bebé calzoncillos de hule. Éstos atrapan la humedad contra la piel.

◆ Proteja la piel sana cerca del salpullido con Desitin, Diaparene, ungüento A & D o crema de óxido de zinc. Ponga crema sólo en la piel seca y sana. Deje de usar la crema si aparece un salpullido o si parece que está retrasando la curación.

◆ Pruebe con pañales de otra marca. Algunos bebés reciben mejor un tipo que otro. Los pañales blancos y sin aroma pueden no irritar la piel tanto como los aromatizados o de color.

◆ No use pañales voluminosos ni aquellos con muchas capas.

◆ Si usted usa pañales de tela, lávelos con un detergente suave y enjuáguelos dos veces. No use blanqueadores ni suavizantes de tela.

◆ Pruebe de cambiar de detergente si no se alivia el salpullido.

Espalda, dolor de

Cuándo llamar al médico

Llame al 911 si el dolor de espalda se presenta con dolor del pecho u otros síntomas de ataque al corazón (vea la página 15).

Llame al médico si:

◆ Repentinamente pierde el control de sus intestinos o de la vejiga. Esto podría ser un signo de un problema serio.

◆ No puede caminar o ponerse de pie. Si esto se debe a la debilidad y no debido a un dolor intenso, necesitará atención o cuidados médicos de inmediato.

◆ Tiene una nueva sensación de entumecimiento en los glúteos, el área genital o rectal o en las piernas.

◆ Tiene débiles las piernas y no sólo debido al dolor. Muchas personas con dolor en la parte baja de la espalda afirman que sienten débiles sus piernas. Consulte a su médico si la debilidad en las piernas es tan grave que no puede sostenerse de pie, levantarse de una silla o subir escaleras.

◆ Tiene un dolor nuevo o gradual en la espalda acompañado de fiebre, dolor al orinar u otros signos de infección del tracto urinario. Vea la página 260.

◆ Tiene un aumento dramático en el dolor de espalda crónico, especialmente si no se relaciona con la actividad física.

◆ Tiene un historial de cáncer o infección de VIH junto con un dolor en la espalda nuevo o gradualmente más intenso.

◆ Tiene un dolor intenso que no mejora después de algunos días de tratamiento en casa.

◆ El dolor le impide dormir.

◆ Tiene un dolor nuevo e intenso en su espalda que no cambia cuando se mueve y no se relaciona con el estrés, la tensión muscular o una lesión conocida.

◆ El dolor no se alivia después de dos semanas de tratamiento en casa.

La espalda es toda el área que se extiende desde el cuello hasta la rabadilla. Incluye los huesos (vértebras) y articulaciones de la columna vertebral, los discos de la columna que separan los huesos y absorben los impactos cuando se mueve y los músculos y ligamentos que mantienen unida a la columna. Usted puede tensionar o lastimar cualquiera de estas partes de la espalda.

¿Cuál es la causa de la mayor parte de los dolores de espalda?

◆ Repetir movimientos o permanecer demasiado tiempo en posiciones que generan distensiones en la espalda.

◆ Movimientos de manera repentina o forzada que producen torceduras en la espalda.

Este tipo de movimientos o posturas pueden generar distensiones o esguinces en los ligamentos, músculos o las articulaciones entre la columna y los huesos de la pelvis (articulaciones sacroilíacas).

De la misma manera puede lastimar un disco en su espalda, provocando que sobresalga o se desgarre (ruptura). Esta condición se conoce como **hernia de disco**. Sí un desgarramiento es lo suficientemente grande, el gel dentro del disco puede escapar y hacer presión sobre un nervio.

Un esguince o distensión puede provocar de 2 a 3 días de dolor e inflamación, seguido de un alivio lento y una reducción progresiva del dolor. El dolor de una hernia de disco puede durar mucho más.

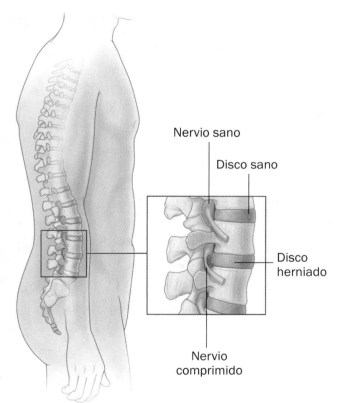

Nervio sano

Disco sano

Disco herniado

Nervio comprimido

Un disco inflamado (hernia) puede comprimir un nervio, generando dolor.

Puede sentir el dolor en la parte baja de la espalda, en sus glúteos o debajo de una o ambas piernas.

Con buenos cuidados personales, la mayoría de las lesiones de la espalda sanarán en 6 a 12 semanas. El tratamiento en casa puede ayudar a aliviar el dolor, promover que sane y prevenir nuevas lesiones.

El dolor de espalda también puede ser causado por problemas que afectan a los huesos y las articulaciones de la columna vertebral.

◆ El dolor provocado por la **artritis** es un dolor permanente, a diferencia del dolor agudo y repentino de la distensión lumbar y las lesiones de disco. Si considera que la artritis podría ser la causa de su dolor de espalda, combine el tratamiento en casa para el dolor de espalda con un tratamiento para la artritis en la página 92.

◆ La **osteoporosis** puede debilitar los huesos de la columna y provocar que se rompan o colapsen. Vea la página 222.

Tratamiento en casa

◆ Siga los primeros auxilios para el dolor de espalda que aparecen en la página 155. Estos incluyen el descanso, hielo, inclinación de la pelvis y caminatas cortas.

◆ Sentarse o descansar en posiciones cómodas que reduzcan el dolor, especialmente cualquier dolor en la pierna.

◆ No se siente en la cama y evite el uso de almohadas suaves y posiciones torcidas. Evite sentarse por periodos prolongados. Siga los consejos para una buena mecánica corporal que aparecen en la página 157.

◆ El descanso en la cama puede aliviar el dolor de espalda pero podría no acelerar su alivio. A menos que tenga un dolor intenso en la pierna, 1 a 2 días de descanso en la cama debe aliviarle el dolor. No permanezca en cama por más de 3 días a menos que así se lo aconseje su médico.

Más ➤

◆ Para descansar en cama intente una de las siguientes posturas (vea las ilustraciones en la página 158):

❖ Descanse sobre su espalda con las rodillas dobladas y apoyadas entre almohadas grandes. O descanse sobre el suelo con sus piernas sobre el asiento de un sofá o silla.

❖ Descanse sobre un costado, con las articulaciones de las caderas y las rodillas dobladas y una almohada entre sus piernas.

❖ Descanse sobre su estómago si esta posición no empeora el dolor.

◆ Tome aspirina, ibuprofeno (Advil, Motrin) o naproxeno (Aleve) contra el dolor y la inflamación. No administre aspirina a personas menores de 20 años. Si su médico le ha recomendado no usar estos medicamentos, intente en su lugar con el acetaminofén (Tylenol). Lea las etiquetas y no tome más de la dosis máxima recomendada. Si enmascara por completo el dolor, esto podría motivarle a moverse de modo que podría empeorar su espalda.

◆ Relaje sus músculos. Vea la página 349.

De dos a tres días después de la lesión, puede intentar lo siguiente:

◆ Ponga una compresa caliente en su espalda lastimada por 20 minutos en cada ocasión. El calor húmedo (compresas calientes, baños, duchas) funciona mejor que el calor seco. Algunas personas prefieren alternar entre las compresas calientes y las frías con hielo o usar únicamente hielo. Siga el tratamiento que mejor le funcione.

◆ Siga realizando caminatas cortas. Aumente de 5 a 10 minutos, 3 a 4 veces al día.

◆ Trate de nadar. Puede resultar doloroso después de una lesión en la espalda, pero nadar con las piernas o practicar la patada con aletas con frecuencia ayuda a evitar que el dolor regrese.

◆ Cuando haya mejorado el dolor, intente algunos ejercicios sencillos que no aumenten su dolor. Uno o dos de los ejercicios descritos en las páginas 159 a 162 podrían ser un buen comienzo. Comience con 5 repeticiones, 3 a 4 veces al día y aumente a 10 repeticiones si esto no le provoca dolor.

A quién acudir en caso de tener dolor de espalda

Médicos

Un médico (MD o DO) puede:

◆ Diagnosticar la causa del dolor de espalda y evaluar las lesiones.

◆ Ayudar en el desarrollo de un plan de ejercicios y de atención en el hogar, o un plan de trabajo modificado si usted lo necesita.

◆ Recetar medicamentos relajantes, antiinflamatorios y contra el dolor. (Si está bajo un tratamiento con un medicamento fuerte contra el dolor o un relajante muscular, tenga mayor cuidado para evitar posturas que podrían volver a lesionar su espalda).

◆ Aconsejar una terapia física.

◆ Recomendar una cirugía en la espalda.

Primeros auxilios para el dolor de espalda

Cuando por primera vez siente una distensión en su espalda, intente los siguientes pasos para evitar o reducir el dolor. Estos son los tratamientos caseros más importantes para los primeros días de dolor de espalda.

1. Relajación: Descanse recostado en una posición cómoda. Esto le permitirá relajar los músculos de la espalda.

2. Hielo: Ponga hielo o una compresa fría sobre su espalda durante 10 a 15 minutos cada hora. Las compresas frías durante los primeros 3 días reducen el dolor y aceleran la curación.

3. Inclinaciones de la pelvis: Este ejercicio mueve con delicadeza la columna vertebral y estira la parte baja de la espalda.

  ◆ Recuéstese sobre su espalda, con las rodillas dobladas y con la planta de los pies rectos sobre el suelo.

  ◆ Lentamente apriete los músculos de su estómago y flexione la parte baja de su espalda en contra del suelo. Mantenga la posición durante 10 segundos (no retenga la respiración). Relájese lentamente.

4. Caminata: Realice una caminata corta (3 a 5 minutos) sobre una superficie plana y nivelada cada 3 horas. Camine únicamente lo que pueda sin sentir dolor. Si su espalda o piernas le duelen, deténgase.

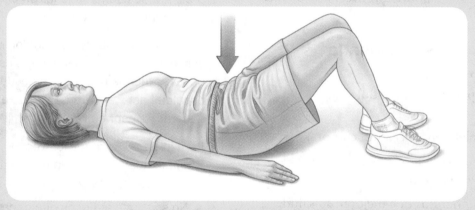

Inclinaciones de la pelvis

Terapeutas físicos

Después de los primeros auxilios básicos, un terapeuta capacitado en el tratamiento ortopédico puede:

◆ Identificar el músculo específico o los problemas en el disco.

◆ Participar activamente con usted en un tratamiento para ayudarle a relajar los músculos, aflojar los tejidos apretados o alinear las articulaciones.

◆ Desarrollar un programa de ejercicios para ayudarle a recuperarse y enseñarle cómo prevenir problemas futuros.

Más

Quiroprácticos y osteópatas

Los quiroprácticos y osteópatas pueden aliviar algunos tipos de dolor de espalda a través de una manipulación de la columna vertebral. (Si tiene hernia de disco, esto podría empeorar su problema). La manipulación de la columna vertebral en general funciona mejor si sus síntomas tienen menos de 4 semanas. Si sus síntomas no mejoran después de un mes de tratamiento, interrumpa el tratamiento y vuelva a evaluar la causa de su dolor.

Para ayudarle a decidir si debe consultar a un quiropráctico, vaya a la página en Internet indicada en la contraportada y escriba **c377** en la celda de búsqueda.

Otros profesionales de atención médica

Los acupunturistas, terapeutas de masajes y otros proveedores también pueden ofrecer tratamientos que podrían proveer alivio en el corto plazo.

Cómo conservar sana la espalda

Las claves para prevenir el dolor de espalda son:

◆ Usar una buena mecánica corporal.

◆ Hacer estiramientos y ejercicios que fortalezcan su espalda.

◆ Practicar hábitos que mejoren su salud, por ejemplo haciendo ejercicio de manera regular, mantener un peso sano y no fumar (la nicotina debilita los discos de su espalda).

Algunos de los consejos que se presentan aquí son cosas que puede hacer todos los días y no sólo debido a que son buenas para su espalda, sino porque representan un beneficio para su salud en general. El resto le será útil si alguna vez tiene dolor de espalda. Entre los consejos se incluye:

◆ Buena mecánica corporal.

◆ Ejercicios para hacer más flexible y fuerte su espalda.

◆ Ejercicios que deben evitarse.

Ciática

La ciática es una irritación del nervio ciático, el cual está formado por las raíces del nervio que salen de la médula espinal en la parte baja de la espalda. El nervio se extiende hacia abajo a través de los glúteos y hasta los pies. La ciática puede presentarse cuando una lesión en un disco oprime la raíz del nervio espinal.

Los principales síntomas son dolor, sensación de entumecimiento o debilidad que se extiende hacia abajo desde la espalda hasta la pierna. El dolor, en general, es peor en la pierna.

Para aliviar esta condición vea el tratamiento en casa en la página 152 y tome en cuenta los siguientes consejos:

◆ No se siente a menos que deba hacerlo (y a menos que sea más cómodo para usted permanecer sentado que de pie).

◆ Alterne entre descansar y realizar caminatas cortas. Puede aumentar gradualmente la distancia recorrida en su caminata en tanto no le produzca dolor.

◆ Ponga hielo o una compresa fría en la parte media de su espalda baja durante 10 a 15 minutos una vez cada hora.

Buena mecánica corporal

El objetivo de una buena mecánica corporal es sentarse, estar de pie, dormir y moverse de manera que se reduzca la tensión sobre su espalda. Use una buena mecánica corporal en todo momento, no sólo cuando tiene dolor de espalda.

Sentarse

◆ Trate de no sentarse en la misma posición por más de una hora continua Levántese o cambie de posición con frecuencia.

◆ Si usted debe permanecer sentado por mucho tiempo, los ejercicios de extensión que comienzan en la página 159 son particularmente importantes.

Ajuste su silla, teclado y pantalla para reducir la tensión en el cuello y la espalda.

◆ Si trabaja en un escritorio o frente a una computadora, ajuste su estación de trabajo para reducir la tensión sobre su espalda y cuello.

❖ Use una silla que pueda ajustar y que no moleste a la curva normal de su espalda.

❖ Mantenga la planta de sus pies sobre el piso o sobre un reposapiés.

❖ Coloque su monitor sobre el nivel de sus ojos o ligeramente debajo de ellos de modo que no tenga que inclinar su cabeza o mirar a los lados.

◆ Si su silla no le ofrece el apoyo suficiente, use una almohada pequeña o una toalla enrollada para apoyar la parte baja de la espalda.

◆ Cuando maneje, empuje el asiento hacia el frente de modo que pueda alcanzar fácilmente los pedales y el volante. Deténgase con frecuencia para hacer estiramientos y caminar. También puede ayudarle una almohada o toalla enrollada detrás de la parte baja de su espalda.

Levantar objetos

◆ Mantenga la espalda derecha. No se doble hacia el frente por la cintura.

◆ Doble las rodillas, y permita que sus brazos y piernas hagan el trabajo. Apriete sus glúteos y el vientre para apoyar la espalda.

◆ Mantenga la carga lo más cercana a su cuerpo como pueda, aunque sea liviana.

◆ Mientras esté cargando un objeto pesado, use los pies para voltearse, no la espalda. Trate de no virar o torcer el cuerpo.

Más ▶

157

Espalda, dolor de

◆ No levante objetos pesados más arriba de los hombros.

◆ Para artículos sumamente pesados o difíciles de maniobrar, use un carrito de plataforma o pídale ayuda a otra persona.

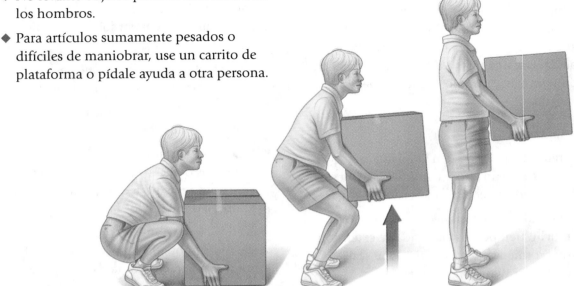

Cuando cargue objetos pesados, mantenga recta la parte baja de la espalda, doble las rodillas y mantenga la carga cerca de su cuerpo.

Acostarse

◆ Si usted tiene dolor de espalda en la noche, es probable que el problema esté en el colchón. Pruebe con un colchón más firme. O bien, si piensa que el colchón es demasiado firme, pruebe con uno más suave.

◆ Si usted duerme boca arriba, le conviene usar una toalla enrollada para dar soporte a la espalda baja, o póngase una almohada bajo las rodillas.

◆ Si duerme de lado, pruebe con una almohada entre las rodillas.

◆ Dormir boca abajo está bien, si no le causa dolor de espalda o de cuello.

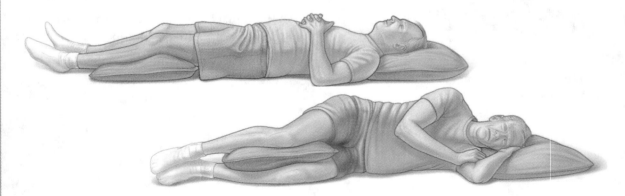

Trate de poner almohadas entre o debajo de sus rodillas para aliviar el dolor de espalda mientras descansa en su cama.

Hacer ejercicio

El ejercicio regular le ayuda a mantenerse en forma y flexible, y fortalece los músculos que soportan su espalda. También le ayuda a conservar un peso sano, lo cual reduce la tensión sobre la parte baja de su espalda.

Aunque no existe una evidencia clara de que determinados ejercicios puedan ayudarle a prevenir el dolor de espalda, los ejercicios descritos a continuación son una aproximación común y práctica que le puede ayudar a mantenerse fuerte y flexible. Es posible que desee hacerlos parte de su rutina regular de ejercicios físicos.

No realice estos ejercicios si recién se ha lesionado la espalda. En su lugar, vea Primeros auxilios para el dolor de espalda en la página 155.

Es de ayuda hacer tanto ejercicios de extensión como de flexión. Los ejercicios de extensión fortalecen sus músculos de la espalda baja y permiten la extensión de los músculos del abdomen. Los ejercicios de flexión extienden los músculos de la espalda baja y permiten fortalecer los músculos del abdomen, es decir, el efecto inverso de los ejercicios de extensión.

◆ No es necesario que realice todos los ejercicios. Realice aquellos que más le ayuden.

◆ Si cualquiera de los ejercicios empeora el dolor de espalda, deténgase e intente otra cosa. Detenga cualquier ejercicio que haga que el dolor se extienda a los glúteos o piernas, sea durante o sea después del ejercicio.

◆ Comience con 5 repeticiones, 3 a 4 veces al día y aumente gradualmente hasta llegar a 10 repeticiones. Realice todos los ejercicios lentamente.

Ejercicios de extensión

Flexiones o "lagartijas"

Este es un buen ejercicio para comenzar y terminar su rutina.

◆ Colóquese boca abajo, con los brazos doblados, las palmas sobre el suelo.

◆ Elévese sobre sus codos, manteniendo relajada la parte baja de su cuerpo. Comprima su pecho hacia el frente.

◆ Mantenga su cadera oprimida contra el suelo. Sienta el estiramiento en la parte baja de su espalda.

◆ Haga descender la parte superior de su cuerpo hasta el suelo. Repita el ejercicio lentamente.

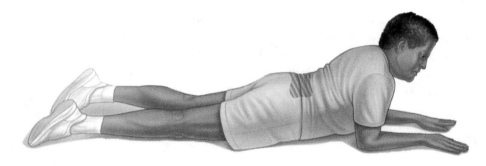

Flexiones o "lagartijas" (la parte sombreada muestra en dónde deberá sentir el estiramiento)

Más ➤

159

Elevaciones de hombros

Este ejercicio refuerza los músculos de la espalda.

◆ Acuéstese boca abajo con los brazos al lado del cuerpo.

◆ Levante los hombros del suelo todo lo que pueda sin sentir dolor. Mantenga la barbilla hacia abajo y los ojos mirando al suelo. Mantenga el abdomen y las caderas presionadas contra el suelo.

Levantamiento de los hombros (mantenga recto el cuello con la barbilla hacia abajo)

Flexiones hacia atrás

Éstas ayudan mucho si usted trabaja en una posición inclinada hacia el frente.

◆ Párese con los pies ligeramente separados. Apóyese en un mostrador si desea apoyo adicional.

◆ Coloque las manos en la parte estrecha de la espalda y suavemente dóblese hacia atrás. Mantenga derechas las piernas (no trabadas) y dóblese sólo por la cintura. Mantenga el estiramiento hacia atrás por uno o dos segundos.

Ejercicios de flexión

Ovillos

Estos ejercicios refuerzan los músculos del abdomen, que ayudan a sostener la columna vertebral.

◆ Acuéstese en la espalda con las rodillas dobladas, los pies planos en el suelo y los brazos cruzados en el pecho. No enganche los pies debajo de nada.

◆ Enrolle lentamente la cabeza y los hombros hacia arriba hasta que los omóplatos apenas se despeguen del suelo. Mantenga la espalda baja presionada contra el suelo. Para evitar problemas en el cuello, recuerde levantar los hombros y no forzar la cabeza hacia arriba o adelante. Sosténgase de cinco a diez segundos (no contenga la respiración) y después regrese al suelo lentamente.

Doblarse hacia atrás (mantenga recto el cuello con la barbilla hacia abajo)

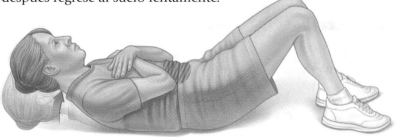

Levantamiento (mantenga recto el cuello y la barbilla tocando el pecho)

Estiramiento de rodilla a pecho

Este ejercicio estira la espalda baja y los glúteos y alivia la presión en las coyunturas de la columna vertebral.

◆ Acuéstese en la espalda con las rodillas dobladas y los pies cerca de los glúteos.

◆ Lleve una rodilla hacia el pecho, manteniendo el otro pie plano en el piso (o la otra pierna estirada, si eso es más cómodo para su espalda baja). Mantenga la espalda baja presionada contra el suelo. Sosténgalo de cinco a diez segundos.

◆ Relájese y baje la rodilla a la posición inicial. Repita el ejercicio con la otra pierna.

Estiramientos de la rodilla al pecho
(la parte sombreada muestra en dónde deberá sentir el estiramiento)

Estiramiento de los tendones de las corvas

En este ejercicio se estiran los músculos de la parte trasera del muslo, que le permiten flexionar las piernas sin tensionar la espalda.

◆ Acuéstese de espaldas en el quicio de una puerta. Mantenga una pierna en el piso del quicio y extienda la otra recta hacia arriba, apoyando el talón en la pared junto al quicio.

◆ Mantenga recta la pierna y poco a poco vaya subiendo el talón hasta que sienta un suave tirón en la parte trasera del muslo. Estírese todo lo que pueda sin causarse dolor.

◆ Relájese en esa posición durante 30 segundos. Después flexione la rodilla para aflojar el estiramiento. Repita el ejercicio con la otra pierna.

Flexiones de los ligamentos de la corva
(la parte sombreada muestra en dónde deberá sentir el estiramiento)

Más

Otros ejercicios de estiramiento y fuerza

Presión en los glúteos boca abajo

Este ejercicio fortalece los músculos de los glúteos, los cuales soportan la espalda y le ayudan a elevar sus piernas. Necesitará colocar una almohada pequeña debajo de su estómago para sentirse cómodo.

◆ Descanse con el estómago plano sobre el suelo y con sus brazos a ambos lados.

◆ Lentamente oprima los músculos de los glúteos y sostenga por 5 a 10 segundos. No retenga la respiración. Relájese lentamente.

Inclinaciones de la pelvis

Vea Primeros auxilios para el dolor de espalda en la página 155.

Extensión del músculo flexor de la cadera

Este ejercicio extiende los músculos anteriores de la cadera.

◆ Arrodíllese sobre una de sus rodillas y con la otra pierna doblada hacia el frente.

◆ Lentamente hunda sus caderas de modo que su peso cambie hacia el pie colocado al frente. La rodilla de su pierna hacia el frente debe estar en línea recta con su tobillo. Conserve la posición durante 10 segundos. Debe sentir un estiramiento en la ingle de la pierna sobre la cual está arrodillado. Repita el ejercicio con la otra pierna.

Ejercicios que deben evitarse

Estos ejercicios comunes aumentan el riesgo de tener dolor en la parte baja de la espalda.

◆ Hacer abdominales con sus piernas rectas hacia el frente.

◆ Abdominales con las piernas dobladas cuando tiene dolor en la espalda.

◆ La elevación de ambas piernas mientras descansa sobre su espalda.

◆ Cargar objetos pesados por encima de la cintura (flexiones militares, ejercicios de los bíceps mientras se encuentra de pie).

◆ Cualquier estiramiento realizado mientras se encuentre sentado con las piernas en V.

◆ Tocarse los dedos de los pies mientras se encuentra de pie.

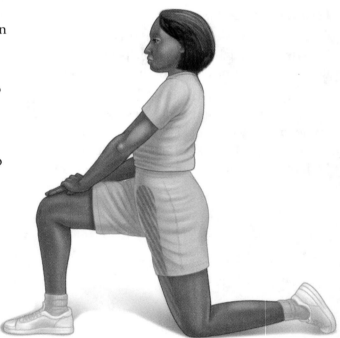

Estiramiento del músculo flexor de la cadera (la parte sombreada muestra en donde deberá sentir el estiramiento)

Cirugía de espalda

El descanso, los analgésicos y el ejercicio pueden aliviar casi todos los problemas de espalda. Y el dolor de espalda por lo general mejora en cosa de seis a doce semanas.

La mayoría de las cirugías de espalda se hacen para tratar problemas que no hayan mejorado con el tiempo. Usted puede necesitar cirugía de espalda si tiene una vértebra rota, una infección en la columna u otro problema grave. También puede considerar la cirugía si tiene un problema de disco que no haya mejorado con el tiempo y el tratamiento en casa.

Si está pensando en someterse a cirugía para tratar su dolor de espalda, conozca todos los hechos. Averigüe:

◆ Cuánto va a costar.

◆ Qué probabilidad hay de que le ayude con su problema. En algunos tipos de cirugía no hay evidencia clara de que vaya a ayudar.

◆ Qué riesgos implica.

Para ayudar a determinar si la cirugía es adecuada para usted, vaya al sitio Web que está en la contraportada y escriba **z942** en la celda de búsqueda.

Si usted planea someterse a cirugía es muy importante que tenga una buena postura corporal y haga ejercicios para la espalda. Tener una espalda fuerte y flexible le ayudará a recuperarse más pronto después de la cirugía.

Estreñimiento

Cuándo llamar al médico

◆ El estreñimiento empeora o no mejora con tratamiento en casa.

◆ El sangrado rectal es profuso (más de unas cuantas rayas rojas brillantes), la sangre es café rojiza o negra, o sus excrementos parecen alquitrán negro.

◆ El sangrado rectal dura más de dos o tres días después de que haya mejorado el estreñimiento, u ocurre cualquier sangrado más de una vez.

◆ Usted tiene dolor abdominal agudo o intenso.

◆ Sigue teniendo dolor en el recto después de obrar, o el dolor le impide obrar del todo.

◆ Tiene pérdida involuntaria de excremento.

◆ Los excrementos se vuelven más delgados (pueden ser no más anchos que un lápiz).

◆ No puede obrar a menos que tome laxantes.

Más ▶

El estreñimiento significa que tiene problemas para defecar. Algunas personas obran tres veces al día; otras lo hacen tres veces a la semana. Sin importar la regularidad de su horario, si sus excrementos son blandos y salen fácilmente, usted no está estreñido.

El estreñimiento causa retortijones y dolor en el recto, que se intensifican al tratar de obrar excrementos duros y secos. Si el excremento se atora en el recto, pueden salir alrededor de él mocos y líquidos. Esto puede hacer que usted esté pasando del estreñimiento a la diarrea una y otra vez.

La falta de fibra y escasez de agua en la dieta son las razones más comunes del estreñimiento. Otras causas pueden ser no hacer suficiente ejercicio, retrasar las idas a vaciar los intestinos, tomar ciertos medicamentos y usar laxantes con demasiada frecuencia. El síndrome del intestino irritable (vea la página 190) también puede causar estreñimiento. Aprender a ir al inodoro también puede causar estreñimiento en niños pequeños. Los niños que por jugar o estar ocupados no hacen caso a las ganas de vaciar los intestinos también pueden estreñirse. Niños y adultos a los que no les gustan usar inodoros fuera de casa pueden estreñirse.

Tratamiento en casa

- ◆ Coma más fibra (vea la página 335).
  - ❖ Coma mucha fruta, verduras y granos enteros.
  - ❖ Coma cereal de salvado que tenga por lo menos 10 gramos de salvado por porción.
  - ❖ Agregue dos cucharadas de salvado de trigo al cereal o a la sopa.
  - ❖ Pruebe productos que contengan agentes formadores de bolo, como Citrucel, FiberCon y Metamucil. Empiece con una cucharada o menos y beba agua adicional para evitar hincharse.

- ◆ Evite alimentos ricos en grasas y azúcar.

- ◆ Beba mucha agua y otros líquidos.

- ◆ Haga algo de ejercicio todos los días. Un programa de caminatas es un buen comienzo.

- ◆ Aparte un tiempo relajado y sin apuro para cada ida al inodoro. Los deseos por lo general se presentan después de las comidas. Puede ayudarle seguir una rutina diaria (después del desayuno, por ejemplo).

- ◆ Vaya cuando sienta las ganas y enséñele a sus hijos a hacer lo mismo. El intestino envía señales cuando necesita expulsar un excremento. Si no le hace caso, las ganas desaparecen y el excremento se vuelve seco y duro.

- ◆ Si necesita ayuda, use un ablandador de excremento o un laxante muy suave, como la leche de magnesia. No le dé laxantes ni le ponga enemas a un niño sin haber hablado antes con su médico. Y no use aceite mineral ni ningún otro laxante durante más de dos semanas, a menos que su médico se lo indique.

Si su hijo está estreñido y tiene dolor, pruebe lo siguiente:

- ◆ Ponga al niño en un baño caliente y vierta en la tina media cucharadita de bicarbonato de sodio. Esto ayuda a que se relajen los músculos que mantienen al excremento dentro del recto.

- ◆ Si el niño tiene más de seis meses y el baño caliente no le sirve, use uno o dos supositorios de glicerina para que sea más fácil expulsar el excremento. Use estos supositorios sólo una o dos veces. Si no ayudan, hable con su médico.

Fascitis plantar y dolor en el talón

Cuándo llamar al médico

◆ El dolor en el talón está acompañado de fiebre, enrojecimiento, o sensación de calor en el talón.

◆ Siente entumecimiento u hormigueo en el talón o el pie.

◆ Una lesión en el talón causa dolor cuando le pone peso.

◆ Siente dolor cuando no le está poniendo peso al talón.

◆ El dolor de talón dura más de 1 a 2 semanas, aun con el tratamiento en casa.

El dolor en los talones a menudo es causado por la **fascitis plantar**. La fascia plantar es una banda gruesa de tejido que cubre la parte de abajo de los pies. Si se irrita, causa dolor en los talones.

La fascitis plantar es común en atletas, personas de edad mediana, y personas que están en sobrepeso. Puede resultar de:

◆ Estar de pie por largo tiempo.

◆ Hacer movimientos repetidos de alto impacto tales como correr o saltar.

◆ Tiende a una "pronación excesiva" cuando camina o corre. Esto significa que su pie se inclina demasiado al interior cuando da un paso. Usar calzado gastado o que no tenga buen apoyo para el arco, tener los músculos de las pantorrillas tensos, o correr en bajadas o superficies desiguales puede causar que sus pies se inclinen hacia adentro todavía más.

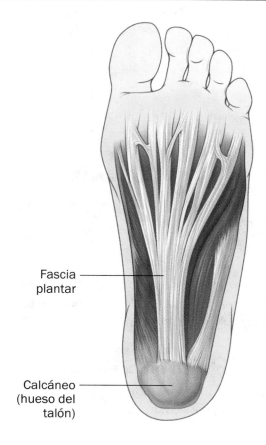

Fascia plantar

Calcáneo (hueso del talón)

El dolor de talón a menudo es causado por una fascia plantar irritada.

Le puede salir un **espolón** si se le acumula calcio donde la fascia plantar se une al hueso del talón. Los espolones usualmente no causan dolor y no necesitan tratamiento. (Rara vez, es posible que se tenga que extirpar un espolón que causa dolor.) El dolor que mucha gente piensa es causado por los espolones es en la mayoría de los casos causado por la fascitis plantar.

Más

Fascitis plantar y dolor en el talón

La **tendinitis de Aquiles** puede causar dolor en la parte de atrás del talón. Vea Bursitis y tendinitis en la página 98. Si cree que se ha desgarrado el tendón de Aquiles, vea Distensiones, esguinces y fracturas en la página 27.

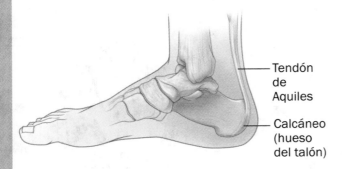

Tendón de Aquiles

Calcáneo (hueso del talón)

Los problemas con el tendón de Aquiles pueden causar dolor en la parte de atrás del talón.

Tratamiento en casa

Comience a tratar el dolor de talón tan pronto lo sienta. Si no le hace caso hasta que sea intenso, podría tomar mucho más tiempo para mejorar.

◆ Reduzca todo tipo de actividades de pie hasta que no tenga más dolor. Para ejercitarse, haga algo que no requiera estar de pie, como el ciclismo o la natación. Es posible que necesite consultar con el médico sobre cuándo podrá gradualmente volver a hacer actividades de alto impacto como correr.

◆ Estire el tendón de Aquiles y los músculos de la pantorrilla varias veces al día. Vea la página 342.

◆ Póngase hielo en el talón al menos una vez al día. Vea Hielo y compresas frías en la página 200.

◆ Ponga en sus zapatos los apoyos para el arco de los pies que se venden sin receta.

◆ No esté descalzo. Use zapatos o sandalias mullidos y con buen apoyo para el arco siempre que vaya a estar de pie o caminando. Si necesita levantarse en la noche para ir al baño, póngase zapatos. Reemplace los zapatos que se hayan gastado.

◆ Tome aspirina, ibuprofeno (Advil, Motrin), o naproxeno (Aleve) para aliviar el dolor. No le dé aspirina a nadie menor de 20 años.

◆ Para la tendinitis de Aquiles o la fascitis plantar, use levantadores de talón o soportes de talón en ambos zapatos. Úselos solamente hasta que el dolor desaparezca.

Si tiene problemas en la fascia plantar, hay ejercicios especiales y estiramientos que

Vaya a la Web

pueden ayudar. Para aprender a hacerlos, vaya al sitio Web que está en la contraportada y escriba **f023** en la celda de búsqueda.

Su médico puede también sugerirle otros tratamientos para la fascitis plantar, como por ejemplo vendajes adhesivos, entablillados para el talón, insertos para los zapatos, o inyecciones de esteroides. La cirugía usualmente se deja como última alternativa cuando los demás tratamientos no funcionan.

Fatiga y debilidad

Cuándo llamar al médico

- ◆ Usted siente una debilidad repentina en los músculos y no sabe porqué.

- ◆ Está tan cansado que tiene que reducir sus actividades acostumbradas durante más de 2 semanas.

- ◆ Ha bajado o subido de peso sin ninguna razón clara.

- ◆ No se siente mejor después de 4 semanas de tratamiento en casa.

- ◆ La fatiga empeora incluso con tratamiento en casa.

Fatiga es la sensación de estar cansado o exhausto o de no tener nada de energía. La mayoría de las veces, la fatiga es causada por falta de ejercicio, estrés o exceso de trabajo, falta de sueño, depresión, preocupaciones o aburrimiento. Por lo general, la fatiga la puede tratar uno mismo.

Debilidad es la falta de fuerza física o muscular y la sensación de que mover un brazo, una pierna o cualquier parte del cuerpo requiere mucho esfuerzo adicional. La debilidad muscular inexplicable por lo general es más grave que la fatiga. Puede ser causada por diabetes (vea la página 311), problemas de tiroides, ataque cerebral (vea la página 16) u otros problemas relacionados con el cerebro y la médula espinal.

Los resfriados, la gripe y otras enfermedades de corto plazo en ocasiones causan fatiga y debilidad mientras la persona está enferma.

Hipotiroidismo

No tener suficiente hormona tiroidea (hipotiroidismo) es una causa común de fatiga, especialmente en mujeres de edad media y avanzada. Cuando la glándula tiroides no produce suficiente hormona, el cuerpo disminuye su ritmo. Esto puede hacerle sentirse cansado y lento, tener problemas para concentrase y recordar, y subir de peso poco a poco.

Un análisis de sangre le puede decir si tiene demasiado baja la hormona tiroidea.

El hipotiroidismo es un problema fácil de tratar con medicamentos. La mayoría de las personas con este problema necesitan tomar medicamentos por el resto de su vida.

Anemia

Anemia significa que no hay suficientes glóbulos rojos en la sangre, las cuales transportan el oxígeno hacia los tejidos del cuerpo. Esto puede causar palidez, debilidad y cansancio.

La falta de hierro es la causa más común de la anemia. Es posible que no esté obteniendo suficiente hierro en la dieta, o que el cuerpo tenga dificultad para absorberlo. Para incrementar el hierro en su cuerpo:

- ◆ Coma alimentos ricos en hierro, como carne de res, mariscos, pollo, huevos, frijoles, uvas, pan integral y verduras de hoja verde.

- ◆ Use cazuelas de hierro para cocinar.

- ◆ Cueza las verduras al vapor en lugar de hervirlas (el hierro se pierde al hervirlas).

Más

Fatiga y debilidad

También puede tener anemia debido a una pérdida gradual de sangre, por ejemplo, fuertes periodos menstruales o por sangrado en el estómago o el intestino. Si la anemia es causada por un problema de salud, tratar ese problema puede corregir la anemia y ayudarlo a sentirse mejor.

Tratamiento en casa

Estas recomendaciones para tratarse uno mismo ayudan en la mayoría de los casos de fatiga. Si usted tiene hipotiroidismo, anemia u otro problema de salud, hable con su médico sobre el tratamiento en casa que deba seguir.

◆ Haga algo de ejercicio todos los días. El ejercicio diario, equilibrado con mucho descanso, suele ser el mejor tratamiento para la fatiga. Si usted se siente demasiado cansado para ejercitarse fuerte, pruebe con caminatas cortas.

◆ Siga una dieta saludable. Esto le puede ayudar a sentirse en su mejor punto.

◆ Asegúrese de dormir lo suficiente. Vea la página 266.

◆ No pase por alto problemas emocionales como la depresión y la ansiedad. Hay tratamientos que pueden ayudarlo. Vea Cómo vivir mejor con depresión en la página 307 y Ansiedad en la página 91.

◆ Tome medidas para controlar el estrés y la carga de trabajo. Vea la página 347.

¿Está usted deprimido?

Si usted se ha estado sintiendo muy cansado sin ninguna razón clara, le conviene analizar la posibilidad de que esté deprimido.

La depresión es más que la tristeza y melancolía normales, que van y vienen con los altibajos de la vida. Es una enfermedad. Usted puede estar deprimido si:

◆ Se siente triste, ansioso o descorazonado la mayor parte del tiempo, y estos sentimientos no desaparecen.

◆ Ha perdido el interés en muchas de las cosas que antes disfrutaba: aficiones, trabajo, estar con familiares y amigos.

También puede haber habido cambios en sus hábitos de dormir o de comer, subir o bajar de peso, y tener problemas para concentrarse y tomar decisiones. Puede sentirse desvalorizado o culpable sin razón alguna y piensa mucho en la muerte.

Si cree que podría estar deprimido y se ha sentido así durante más de dos semanas, hable con su médico o consejero. Si quiere hacerse un autoexamen de depresión, vaya al sitio Web indicado en la contraportada

y escriba **f948** en la celda de búsqueda. Si ya le han diagnosticado depresión, vea Cómo vivir mejor con depresión en la página 307.

El tratamiento casi siempre ayuda. Si sólo tiene una depresión ligera, el tratamiento en casa quizá sea lo único que necesite. O quizá necesite asesoramiento y medicamentos antidepresivos. Sin ningún tratamiento es probable que empeore la depresión.

◆ Pregúntele a su médico o farmacéutico si alguno de los medicamentos que esté tomando puede hacer que se sienta cansado. Los medicamentos para el resfriado y las alergias son causas comunes de fatiga.

◆ Beba menos cafeína y alcohol.

◆ Si fuma o masca tabaco, piense en dejar el hábito.

◆ Vea menos televisión. Mejor pase más tiempo con amigos o pruebe actividades nuevas.

◆ Tenga paciencia. Puede pasar algún tiempo para que usted vuelva a sentirse con energía.

Síndrome de fatiga crónica

El síndrome de fatiga crónica hace que se sienta tan cansado y débil que no puede realizar sus actividades normales. Aun después de descansar, usted puede no tener la energía acostumbrada. También puede tener problemas de memoria, dolores de cabeza, garganta irritada, dolor en los ganglios, músculos y articulaciones y trastornos del sueño.

El síndrome de fatiga crónica es difícil de diagnosticar. La depresión, los problemas de tiroides, la mononucleosis infecciosa y muchas otras enfermedades pueden causar los mismos síntomas. Quizá necesite exámenes para descartar algunas de estas otras causas. Si la fatiga y otros síntomas perduran durante al menos seis meses y no tienen ninguna explicación, su médico podría diagnosticarle síndrome de fatiga crónica.

Sentirse cansado y débil en ocasiones dificulta llegar al final del día. Pero mucha gente mejora con el tiempo. Su médico podrá ayudarlo con los síntomas específicos.

Para sentirse mejor en general:

◆ Busque la manera de ajustar su horario para que sea más ligero para usted. Programe sus descansos. Resístase al impulso de hacer demasiado cuando se sienta con energía. Si usted exagera, puede cansarse demasiado. Y al día siguiente se sentirá aun más cansado.

◆ Si tiene problemas para dormir, trate de mejorar sus hábitos de dormir. Vea la página 266.

◆ Haga ejercicio ligero todos los días. Estiramientos suaves, aeróbicos ligeros, nadar, caminar y andar en bicicleta pueden ayudarlo a aliviar sus síntomas.

◆ Siga una dieta sana. Puede sentirse mejor si evita comidas pesadas y come más frutas y vegetales.

◆ Ingrese en un grupo de apoyo con otras personas que padezcan de síndrome de fatiga crónica. Estos grupos suelen ser una buena fuente de información y recomendaciones sobre lo que hay que hacer para sentirse mejor.

Fibromialgia

Cuándo llamar al médico

- Tiene dolor intenso en articulaciones o músculos.

- Se siente triste, desesperado o desesperanzado; ha perdido el interés en cosas que antes disfrutaba o tiene otros síntomas de depresión. Vea ¿Está usted deprimido? en la página 168.

- Piensa que se ha lesionado un músculo o una articulación y el dolor no desaparece en unos días.

La fibromialgia es un problema médico doloroso que puede hacer que le duela todo el cuerpo y que se sienta cansado y débil. También causa puntos sensibles en lugares específicos del cuerpo, que duelen sólo cuando se les oprime. Puede tener dificultades para dormir. Estos problemas pueden perturbar su vida laboral y doméstica.

Los síntomas tienden a aparecer y desaparecer, aunque quizás nunca desaparezcan por completo.

La fibromialgia no daña músculos, articulaciones ni órganos. Nadie comprende muy bien la fibromialgia. Su causa es desconocida. Su médico puede recetarle medicamentos que le ayuden con algunos de los síntomas.

Tratamiento en casa

- Haga ejercicio regular, como caminar, ciclismo o natación. Es lo mejor que puede hacer por la fibromialgia. Puede ayudarle con el dolor y los problemas para dormir, y usted se sentirá mejor.

- Trate de dormir lo suficiente todas las noches. Váyase a dormir y levántese a la misma hora todos los días, ya sea que se sienta descansado o no. Asegúrese de tener un buen colchón y una buena almohada. Vea más recomendaciones en la página 266.

- Reduzca el estrés. Si puede, evite las cosas que le causen estrés. Si no, esfuércese por hacerlas menos estresantes. Aprenda bioretroalimentación (proceso de concentración mental para aprender a controlar las funciones corporales), meditación u otros métodos de relajamiento. Vea la página 349.

- Use una almohadilla térmica puesta en bajo o tome baños o duchas tibias para el dolor. Usar una compresa fría por hasta 15 minutos a la vez también puede aliviar el dolor. Ponga un paño delgado entre la compresa fría y la piel. Un masaje delicado también puede ayudar.

- Tome acetaminofén (Tylenol), ibuprofeno (Advil, Motrin) o naproxeno (Aleve) para el dolor.

- Piense en participar en algún grupo de apoyo con otras personas que también sufran fibromialgia para aprender más y recibir apoyo.

Fiebre en niños de 3 años o menores

Cuándo llamar al médico

Todas las temperaturas indicadas en esta sección son rectales.

◆ La fiebre se presenta con vómito, intenso dolor de cabeza, somnolencia, ofuscación, rigidez del cuello o un punto hinchado en la cabeza del bebé. Vea la página 174.

◆ La fiebre se presenta con convulsiones. Vea la página 127.

◆ La fiebre se presenta con:

  ❖ Respiración rápida y difícil. Vea la página 53.

  ❖ Babeo o incapacidad de tragar. Vea la página 53.

  ❖ Un salpullido amoratado que no se aclara al oprimirlo. Vea la página 174.

  ❖ Vómito, diarrea y dolor de vientre.

  ❖ Señales de deshidratación (vea la página 25).

  ❖ Salpullido inexplicable. Vea la página 249 para las enfermedades infantiles comunes que provocan salpullido.

  ❖ Dolor de oídos. Los bebés suelen tirarse de las orejas cuando les duelen. Vea Infecciones en el medio oído en la página 213.

  ❖ Dolor o llanto al orinar (no causado por una erupción cutánea por el pañal y que le duela).

❖ Inflamación, dolor, enrojecimiento o calor en una o más articulaciones.

❖ Cualquier dolor desacostumbrado o grave.

◆ Un bebé de menos de 3 meses de edad tiene una fiebre de 100.4°F (38°C) o superior.

◆ Un niño de 3 meses a 3 años de edad tiene una fiebre de:

  ❖ 105°F (40.5°C) o superior.

  ❖ 104°F (40°C) o superior que no baja 4 ó 6 horas después del tratamiento en casa.

  ❖ De 102°F (38.9°C) a 104°F (40°C) durante más de 12 horas.

  ❖ De 100.4°F (38°C) a 102°F (38.9°C) durante más de 24 a 48 horas.

◆ Su hijo tiene fiebre y parece más enfermo de lo que se esperaría de una enfermedad viral como el resfriado y la gripe.

◆ Su hijo actúa en forma extraña, parece confuso o tiene alucinaciones.

◆ La fiebre de su hijo empezó después de haber tomado un medicamento nuevo.

En casos de fiebre en niños de 4 años de edad o más, vea la página 173.

La fiebre por lo general se define como una temperatura rectal de más de 100.4°F (38°C). La temperatura rectal es la más precisa para detectar la fiebre en un niño. Para aprender a tomar la temperatura rectal, vea la página 172.

En la mayoría de los casos, aunque no en todos, la fiebre significa que el niño tiene una enfermedad. (A veces puede significar que el niño tiene prendas demasiado calientes o que la habitación está demasiado caliente.)

Más

Las causas comunes de la fiebre en los niños son:

◆ Resfriado, gripe, varicela y otras infecciones causadas por virus. La gripe puede causar una fiebre de 5 días o más.

◆ Las infecciones en los oídos, la faringitis por estreptococos y otras infecciones causadas por bacterias.

La dentición no causa fiebre. Si el bebé está echando los dientes y tiene fiebre, busque otras señales de que esté enfermo.

Por sí misma, la fiebre no es dañina. Incluso puede ayudarle al cuerpo a combatir la infección. Los niños tienden a tener fiebres más altas que los adultos. Aunque la fiebre alta es incómoda, no suele causar problemas médicos. Si la temperatura se eleva demasiado rápido puede haber convulsiones, pero eso no es muy común. Vea la página 127.

El cuerpo impide que una fiebre causada por infección suba a más de 106°F (41.11°C). Pero si hay calor de una fuente externa, por ejemplo el sol en un auto estacionado, la temperatura corporal puede elevarse a más de 107°F (41.66°C). Esto puede causar daños en el cerebro.

Tratamiento en casa

Puede ser difícil determinar cuándo llamar al médico cuando el niño tiene fiebre, especialmente en la temporada de resfriados y gripe. La temperatura de la fiebre no necesariamente es una buena medida de la gravedad de la enfermedad del niño. Su aspecto y la forma en que actúe es una orientación mucho mejor.

La mayoría de los niños son menos activos cuando tienen fiebre. Si su niño está a gusto y alerta, come bien, bebe suficientes líquidos, orina en cantidades normales y parece estar mejorando, el tratamiento en casa es lo único que necesita.

◆ Déle a su hijo líquidos adicionales o permítale chupar refrescos de jugos congelados.

◆ Vístalo con prendas ligeras. No lo envuelva en mantas.

Cómo tomar la temperatura rectal

Tomar la temperatura rectal da la medición más precisa en un niño. La temperatura rectal es de 0.5°F a 1°F más alta que la oral.

Para tomarle la temperatura rectal a un bebé o niño pequeño:

◆ Limpie el termómetro. Use sólo termómetro rectal para tomar la temperatura rectal.

◆ Ponga vaselina u otro lubricante en la bombilla.

◆ Sostenga al niño boca abajo, atravesado sobre sus piernas.

◆ Tome el termómetro a una pulgada de la bombilla e insértelo suavemente en el recto, no más de una pulgada (2.5 cm). Sostenga el termómetro junto al ano para que no resbale más adentro. No lo suelte.

◆ Espere a que pite el termómetro y después sáquelo. (Ya no se aconseja usar termómetros de vidrio con mercurio. Si tiene uno, llame al departamento de salud para averiguar cómo deshacerse de él sin causar daños.)

Si la fiebre es mayor de 102°F (38.9°C) y su hijo se siente mal:

◆ Déle acetaminofén (Tylenol) o ibuprofeno (Advil, Motrin). Nunca le dé aspirina a su hijo, a menos que el médico se lo indique.

◆ Inste a su hijo a beber más líquidos y busque señales de deshidratación. Vea la página 25.

Fiebre en niños de 4 años o mayores

Cuándo llamar al médico

◆ Usted tiene una fiebre de 104°F (40°C) o más.

◆ Tiene una fiebre de 103°F a 104°F (39.4°C a 40°C) que no baja después de 12 horas de tratamiento en casa.

◆ Tiene una fiebre de larga duración. Muchas enfermedades virales causan fiebre de 102°F (38.9°C) o más durante periodos cortos (hasta de 12 a 24 horas). Llame al médico si la fiebre permanece alta:

❖ De 102°F a 103°F (38.9°C a 39.4°C) durante 1 día completo

❖ De 101°F a 102°F (38.3°C a 38.9°C) durante 3 días completos

❖ De 100.4°F a 101°F (38°C a 38.3°C) durante 4 días completos

◆ La temperatura del cuerpo se eleva a 102.3°F (38.9°C) o más, cesa toda sudoración y la piel está caliente, seca y enrojecida. Esto es señal de insolación. Vea la página 34.

◆ Usted tiene fiebre con señales de infección de una herida (como vetas rojas, pus, aumento del dolor, inflamación, calor o enrojecimiento).

◆ Tiene fiebre junto con rigidez del cuello, dolor de cabeza, vómito y confusión. Esto puede ser señal de una enfermedad grave. Vea la página 174.

◆ Tiene fiebre con falta de aire y tos. Vea Neumonía en la página 212.

◆ Tiene fiebre con dolor por arriba de los ojos o los pómulos. Vea Sinusitis en la página 254.

◆ Tiene fiebre con dolor o ardor al orinar. Vea Infección en las vías urinarias en la página 260.

◆ Tiene fiebre junto con dolor de vientre, náusea y vómito. Vea Apendicitis en la página 76 e Intoxicación alimenticia en la página 192.

◆ La fiebre se presenta con confusión, ofuscamiento, conducta extraña u otros síntomas inquietantes.

◆ Tiene fiebre después de empezar a tomar un medicamento nuevo.

En caso de fiebre en niños menores de cuatro años, vea la página 171.

Más

La fiebre es temperatura alta del cuerpo. En sí misma, la fiebre no es peligrosa, a menos que sea demasiado alta. De hecho, puede ayudar al cuerpo a combatir enfermedades e infecciones. La mayoría de los adultos sanos pueden lidiar sin problemas con una fiebre de hasta 103°F a 104°F (39.4°C a 40°C) por poco tiempo.

Tratamiento en casa

◆ Beba mucha agua y otros líquidos.

◆ Tome acetaminofén (Tylenol), aspirina o ibuprofeno (Advil, Motrin) para bajar la fiebre. No le dé aspirina a nadie de menos de 20 años de edad.

◆ Tome y anote la temperatura cada 2 horas y siempre que cambien los síntomas.

◆ Tome un baño de esponja con agua tibia (no caliente) si se siente muy incómodo.

◆ Busque síntomas de deshidratación. Vea la página 25.

◆ Vista con ropa ligera.

◆ Coma alimentos blandos que sean fáciles de digerir, como sopa.

◆ Si tiene los síntomas clásicos de la gripe, pruebe el tratamiento en casa para la gripe y vea cómo reacciona en uno o dos días. Vea Gripe en la página 181.

Encefalitis y meningitis

La encefalitis es una inflamación del cerebro. Puede presentarse después de infecciones con un virus, por ejemplo varicela, gripe, sarampión, paperas, mononucleosis, herpes labial o herpes genital. También puede producirse por picaduras de garrapatas o mosquitos (vea la página 40).

La meningitis es la inflamación del cerebro y la médula espinal. Puede presentarse después de una infección en el oído o en las cavidades de los senos frontales, aunque también puede ocurrir aunque no se haya enfermado.

Cualquiera de estas enfermedades puede ser grave. Los síntomas son:

◆ Fiebre con un dolor de cabeza agudo, rigidez en el cuello y vómito.

◆ Problemas para mantenerse despierto, confusión o ataques.

◆ Un salpullido que se desarrolla rápidamente y aparece como moretones o puntos pequeños púrpura o rojos de sangre debajo de la piel.

Llame a su médico de inmediato si presenta estos síntomas, especialmente si recientemente ha estado enfermo o tiene piquetes de mosquito.

Forúnculos

Cuándo llamar al médico

Si lo necesita, su médico puede drenar los forúnculos y tratar la infección. **Llame al médico si:**

- Los forúnculos se encuentran en su rostro, cerca de la columna o en el área anal.

- Tiene otros abultamientos cerca de los forúnculos, especialmente si le lastiman.

- Si tiene un dolor intenso o tiene fiebre.

- El área alrededor de los forúnculos está enrojecida o tienen estrías rojizas provenientes de ellos.

- Tiene diabetes y se presenta un forúnculo.

- El forúnculo tiene el tamaño de una pelota de ping-pong.

- El forúnculo no ha mejorado después de 5 a 7 días de tratamiento en el hogar.

- Si se presentan muchos forúnculos por varios meses.

Un forúnculo es un abultamiento rojo e hinchado debajo de la piel. Tiene la apariencia de un abultamiento o espinilla crecida. Los forúnculos con frecuencia son provocados por folículos pilosos infectados. Los forúnculos pueden agrandarse y provocar un dolor intenso.

Los forúnculos ocurren con más frecuencia en donde hay cabello o vello y frotamiento. La cara, el cuello, axilas, pecho, ingle y glúteos son sitios comunes.

Tratamiento en casa

- No los apriete, raspe, drene o abra los forúnculos. Si los aprieta puede hacer que la infección penetre con más profundidad en la piel. Si los raspa aumentará la infección.

- Lávelos con jabón antibacteriano. Seque bien el área.

- Coloque compresas húmedas y calientes sobre los forúnculos por 20 a 30 minutos, 3 a 4 veces al día. Haga esto en cuanto detecte los forúnculos. El calor y la humedad pueden ayudar a que los forúnculos formen granos, aunque esto puede tardar de 5 a 7 días. También puede ayudar una compresa caliente o almohadilla térmica impermeable sobre una tolla húmeda.

- Siga usando el calor por 3 días después que los forúnculos se abren. Aplique un vendaje de modo que el material drenado no se expanda. Cambie el vendaje todos los días.

- No use ropa ajustada sobre el área.

Ganglios linfáticos inflamados

Cuándo llamar al médico

- Los ganglios están grandes, muy firmes, enrojecidos y muy sensibles.

- Tiene los ganglios inflamados y otras señales de infección en una cortadura o llaga cercana. Los síntomas pueden incluir aumento del dolor, enrojecimiento, hinchazón, y calor; aparecen rayas rojas que salen de la cortadura; pus; y fiebre.

- Tiene los ganglios inflamados después de haber viajado fuera de los Estados Unidos o a un área forestal o jungla.

- Se le inflaman los ganglios sin razón, siguen creciendo, y no mejoran después de dos semanas.

- Tiene ganglios inflamados en otras partes que no son el cuello, las axilas o la ingle.

Los ganglios o nódulos linfáticos son pequeñas glándulas que se encuentran en todo el cuerpo. Se inflaman cuando el cuerpo está combatiendo infecciones menores causadas por resfríos, picaduras de insectos o pequeñas cortaduras. Las infecciones más graves y ciertos tipos de cáncer hacen que los ganglios se endurezcan, duelan y crezcan mucho.

Los ganglios en el cuello son los que las personas notan con mayor frecuencia. Se pueden hinchar cuando tiene un resfrío o dolor de garganta. Los ganglios en la ingle se pueden hinchar si tiene una infección vaginal o pélvica o si tiene una cortadura o llaga en la pierna o el pie.

Tratamiento en casa

Trate el catarro o infección que está causando el agrandamiento de los ganglios. Use el índice en la parte de atrás del libro o la tabla de síntomas en las páginas 68 a 74 para encontrar lo que necesita.

Los ganglios pueden permanecer hinchados o endurecidos por varias semanas después de que termine la infección. Esto es muy común en los niños. Si los ganglios cerca del lugar de la infección no duelen y no están creciendo, puede observarlos en el hogar y notificárselo al médico en la próxima cita del niño.

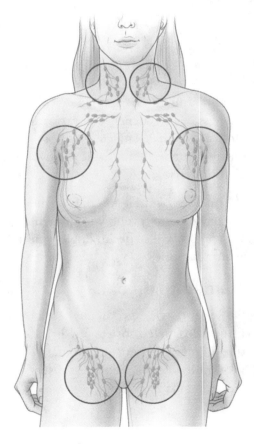

Los ganglios inflamados en el cuello, las axilas y la ingle por lo general son fáciles de palpar.

Garganta, dolor de

Cuándo llamar al médico

◆ Tiene dificultad para respirar o tragar porque le duele la garganta, o produce mucha saliva porque no puede tragar.

◆ Le duele mucho la garganta después de haber estado expuesto a una persona que tiene faringitis por estreptococos.

◆ Le duele la garganta y además tiene al menos 2 de los siguientes 3 síntomas de una faringitis por estreptococos:

❖ Fiebre de 101°F (38.3°C) o más

❖ Recubrimiento blanco o amarillo sobre las amígdalas

❖ Ganglios linfáticos inflamados en el cuello, las axilas o la ingle (vea la ilustración en la página 176)

◆ Ocurre un salpullido junto con el dolor de garganta. La escarlatina es un salpullido que puede tener a causa de una faringitis por estreptococos. Al igual que la faringitis por estreptococos, la escarlatina se trata con antibióticos.

◆ Tiene un dolor de garganta que no está relacionado con un resfrío, alergias, fumar, uso excesivo de la voz, ni cualquier otra razón obvia.

◆ Un dolor de garganta leve que dura más de 2 semanas.

◆ Su hijo ha tenido al menos de 4 a 6 episodios de amigdalitis durante el último año, aun con tratamiento de antibióticos.

◆ Su hijo respira por la boca la mayor parte del tiempo, ronca a menudo, o tiene una voz sumamente nasal (o amortiguada) gran parte del tiempo. Estos son indicios de un problema con las adenoides.

La mayoría de los dolores de garganta son leves y desaparecen con tratamiento en casa. Es posible que tenga dolor de garganta a causa de:

◆ Un resfrío u otro virus.

◆ Fumar, contaminación del aire, o aire seco.

◆ Gritar.

◆ Respirar por la boca mientras duerme. Las personas que tienen la nariz tapada a causa de alergias o resfrío a menudo hacen esto.

◆ Reflujo del ácido gástrico hacia la garganta. Si cree que esta pudiera ser la causa de su dolor de garganta, vea Acidez gástrica (agruras) en la página 78.

Amigdalitis

En los niños, los dolores de garganta a menudo son causados por inflamación de las amígdalas (amigdalitis) o las adenoides (adenoiditis). Esto por lo general es causado por un virus.

Junto con el dolor de garganta, es posible que su hijo tenga fiebre, ganglios linfáticos inflamados, cansancio, y síntomas parecidos a los de un catarro, como escurrimiento nasal y tos. Es posible que le duela tragar. Las amígdalas a menudo están sumamente enrojecidas, tienen puntos de pus y están inflamadas.

Más

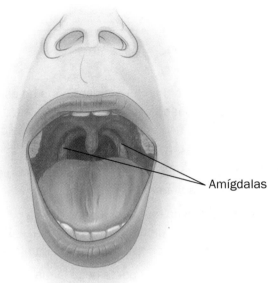

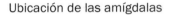
Amígdalas

Ubicación de las amígdalas

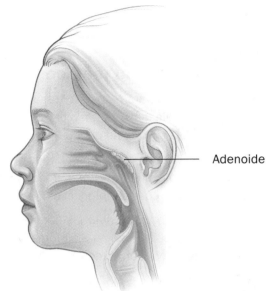
Adenoide

Ubicación de las adenoides

La adenoiditis también puede causar dolores de cabeza y vómitos. Si las adenoides están inflamadas mucho tiempo, se pueden hinchar y obstruir los tubos que conectan la garganta con los oídos. Esto puede causar infecciones de oído. Vea la página 213.

Faringitis por estreptococos

Una faringitis por estreptococos es un dolor de garganta causado por bacterias tipo estreptococos. Es más común en los niños de 3 a 15 años de edad. Uted puede tener una infección de garganta aunque le hayan extirpado las amígdalas.

La mayoría de los dolores de garganta no son causados por una infección. Mientras más sus síntomas se asemejen a los de un resfrío menor es la probabilidad de que tenga una faringitis por estreptococos. Una faringitis por estreptococos causa todos o algunos de los siguientes síntomas:

◆ Dolor de garganta intenso y repentino

◆ Fiebre de 101°F (38.3°C) o más

◆ Ganglios linfáticos inflamados

◆ Recubrimiento blanco o amarillo en las amígdalas

Se usan antibióticos para tratar la faringitis por estreptococos y prevenir la fiebre reumática, un raro pero grave problema que puede ocurrir si la infección no se trata.

Mononucleosis

La mononucleosis es una enfermedad viral que puede causar un dolor de garganta intenso y que dura mucho tiempo. Es más común en los adolescentes mayores y los adultos jóvenes.

La mononucleosis también puede causar fiebre, dolores en el cuerpo, e inflamación de los ganglios en el cuello, las axilas y la ingle. Es posible que se sienta cansado y débil. La parte superior derecha del abdomen podría dolerle (porque la vesícula está inflamada).

La mayoría de las personas se recuperan de la mononucleosis después de varias semanas. Pero podría tardar varios meses para que recupere la energía, y los ganglios podrían permanecer inflamados hasta por un mes (vea la página 176).

No hay tratamiento para la mononucleosis aparte de descanso, muchos líquidos, gárgaras de agua salada para el dolor de garganta, y aspirina o acetaminofén (Tylenol) para los dolores en el cuerpo. No le dé aspirina a nadie menor de 20 años.

Tratamiento en casa

◆ Haga gárgaras con agua salada tibia varias veces al día para reducir la inflamación y el dolor en la garganta. Mezcle 1 cucharadita de sal en 8 onzas de agua.

◆ Tome líquidos adicionales para aliviar la garganta. Añadir miel y limón a agua tibia o a té diluido podría ayudar. No le dé miel a los niños menores de 1 año.

◆ No fume y evite el humo de segunda mano. Si necesita ayuda para dejar de fumar, vea la página 344.

◆ Tome acetaminofén (Tylenol), aspirina o ibuprofeno (Advil, Motrin) para aliviar el dolor y reducir la fiebre. No le dé aspirina a nadie menor de 20 años.

◆ Pruebe con las pastillas para la garganta sin receta que contienen un medicamento para adormecer la garganta, tales como Sucrets Maximum Strength. Las gotas o caramelos que se chupan para la tos también podrían ayudar. Pero no se los dé a los niños, que se podrían ahogar.

◆ Si tiene faringitis por estreptococos, quédese en la casa y no vaya al trabajo ni a la escuela hasta 24 horas después de haber comenzado a tomar los antibióticos.

◆ Si tiene mononucleosis, no comparta los utensilios para comer ni los vasos de tomar; no bese a nadie; y no done sangre mientras tiene síntomas.

Amígdalas y adenoides: ¿Se deben sacar?

Es posible que su hijo necesite que le saquen las **amígdalas** si:

◆ Su hijo ha tenido amigdalitis intensa causada por infección al menos cuatro a seis veces durante el último año, aun después de darle tratamiento con al menos dos antibióticos.

◆ Su hijo tiene problemas para respirar o dormir debido a la inflamación en las amígdalas.

◆ Hay puntos profundos de infección en las amígdalas que no han mejorado después de haberlos tratado con medicamentos.

Es posible que su hijo necesite que le saquen las **adenoides** si:

◆ Las adenoides obstruyen la vía respiratoria y causan problemas para respirar y para dormir.

◆ El médico cree que las infecciones de oído frecuentes y que no responden al tratamiento son causadas por un problema de las adenoides.

Si el médico recomienda cirugía pero su hijo no tiene los problemas antes descritos, sería buena idea obtener una segunda opinión para cerciorarse. Es necesario que los beneficios sean mucho mayores que los costos, los riesgos y el dolor.

Glaucoma

Cuándo llamar al médico

Llame al 911 si:

◆ Pierde la vista repentinamente o la vista se le pone borrosa y no cambia.

◆ Le da dolor intenso en los ojos de manera repentina.

Llame a su médico si:

◆ Siente puntos ciegos en la vista lateral.

◆ La vista le ha empeorado.

◆ Tiene un historial en la familia de glaucoma de ángulo abierto, tiene 40 años o más, y no se ha hecho un examen de la vista en más de un año.

El glaucoma es una enfermedad de los ojos que daña el nervio óptico que está detrás del ojo. (El nervio óptico transmite las señales de los ojos al cerebro, que a su vez las transforma en las imágenes que usted ve.) El daño a menudo es causado por el aumento en la presión dentro del ojo.

El glaucoma de ángulo abierto es el tipo más común. Tiende a afectar la vista lateral (periférica). Por lo general, no es doloroso y se puede desarrollar lentamente durante varios años sin que usted se dé cuenta. Es posible que no note ningún cambio en la vista sino hasta que ya ocurrió bastante daño.

El glaucoma de ángulo cerrado no es común pero puede ser muy grave. Ocurre cuando el flujo de líquido en el ojo se obstruye. Esto causa un aumento rápido en la presión del ojo que a su vez resulta en cambios repentinos de la vista y dolor intenso. Se puede perder la vista en cuestión de unas pocas horas.

Tratamiento en casa

◆ Use las gotas para los ojos y medicamentos para el glaucoma de acuerdo a las instrucciones.

◆ Cerciórese de que sus otros médicos sepan que usted tiene glaucoma. Es posible que necesite evitar ciertos medicamentos, tales como los antihistamínicos. Consulte a su médico antes de tomar cualquier medicina, incluso las que se compran sin receta.

Cristalino
Córnea
Nervio óptico
Retina

El glaucoma daña el nervio óptico, que está detrás del ojo.

Detección temprana del glaucoma

El glaucoma sin tratar es la mayor causa de ceguera en los adultos. No obstante, es una enfermedad muy fácil de detectar en un examen de la vista. Responde muy bien al tratamiento si se diagnostica temprano.

Hable con su médico sobre la frecuencia con la que se debe hacer un examen de glaucoma. Esto se puede basar en su edad y los factores de riesgo.

Gripe

Cuándo llamar al médico

Es común que los adultos con gripe tengan fiebres altas (hasta de 104°F [40°C]) durante 3 ó 4 días. Cuando quiera decidir si necesita ver al médico, piense cuán probable es que tenga gripe en lugar de otra enfermedad. Si es la temporada de gripe y muchas personas la tienen, es muy probable que usted también la tenga.

Llame al médico si:

◆ Tiene fiebre junto con rigidez de cuello o dolor de cabeza intenso. Usted puede tener una enfermedad grave. Vea la página 174.

◆ Un bebé, un adulto mayor o una persona con un problema de salud de largo plazo pueden tener gripe. Los medicamentos antivirales pueden ayudar a prevenir problemas.

◆ Usted tiene gripe y quiere tomar medicamentos antivirales para hacerla menos grave.

◆ Empieza a presentar señales de que la infección empeora, como respiración rápida o poco profunda; una tos con la que expectora moco de color desde los pulmones; o dolor, fiebre y fatiga que empeoran mucho.

◆ Parece que está mejorando y después empeora.

La gripe (influenza) es una enfermedad viral que suele presentarse en invierno y por lo general afecta a muchas personas a la vez. Si usted tiene gripe, puede sentirse cansado y tener fiebre y escalofríos, muchos achaques, dolor de cabeza y tos.

La gripe no es lo mismo que el resfriado común.

◆ Los síntomas son peores y se presentan más rápido.

◆ Dura hasta 10 días, y uno se siente bastante mal todo el tiempo.

Para la mayoría de las personas, la gripe usualmente no resulta en problemas más graves. Sin embargo la gripe puede ser peligrosa, especialmente para los bebés, los adultos de mayor edad, las mujeres embarazadas y personas con problemas de salud tales como diabetes, asma, o enfermedades del corazón.

Se recomienda usar medicamentos antivirales para algunas de estas personas de alto riesgo. El medicamento puede ayudar a reducir la duración de la enfermedad y aliviar los síntomas si se lo toma antes de tener síntomas o dentro de las primeras 48 horas después de que comiencen. Aún aquellas personas que no sean de alto riesgo quizás quieran tomar estos medicamentos para sentirse mejor más rápido.

Los antibióticos no le ayudarán a curar la gripe. Los tratamientos caseros le ayudarán a sentirse mejor hasta que la enfermedad pase.

¿Debe vacunarse contra la gripe?

Las vacunas contra la gripe ayudan a prevenirla. No siempre funcionan, porque hay más de un virus de la gripe y pueden cambiar cada año. Pero las vacunas contra la gripe ofrecen la mejor oportunidad de evitar la enfermedad.

Más

Póngase una vacuna contra la gripe cada otoño si:

◆ Tiene más de 50 años.

◆ Si tiene un alto riesgo de que la gripe cause otros problemas de salud por razones que no sean la edad. Vea la página 355.

◆ Alguien con quien vive o trabaja de cerca tiene un alto riesgo de tener problemas a causa de la gripe. Considere la posibilidad de que contagie a un bebé, un adulto de mayor edad, u otra persona de alto riesgo con la gripe si usted la adquiere.

Las vacunas contra la gripe también se recomiendan para:

◆ Mujeres embarazadas.

◆ Niños de 6 meses hasta los 5 años de edad.

◆ Cualquier persona que cuide de un niño recién nacido hasta los 5 años de edad.

Aunque a usted no se le considere como alto riesgo, las vacunas anuales contra la gripe son recomendadas para la mayoría de las personas. Nadie quiere tener gripe.

Tratamiento en casa

◆ No vaya al trabajo, la escuela, ni lugares públicos por varios días después de enfermarse para que no contagie a nadie más.

◆ Descanse.

◆ Tome mucha agua para reemplazar los líquidos que perdió por la fiebre, para aliviar la garganta irritada, y para que la mucosidad nasal no se espese. Otras buenas alternativas son té caliente con limón, agua, jugo de frutas, y caldos.

◆ Tome acetaminofén (Tylenol), aspirina, o ibuprofeno (Advil, Motrin) para aliviar la fiebre, los dolores de cabeza y los dolores musculares. No le dé aspirina a nadie menor de 20 años.

◆ No fume ni permita que nadie lo haga a su alrededor.

Manténgase saludable durante la temporada de la gripe

◆ ¡Lávese las manos a menudo!

◆ Evite tocarse la nariz, los ojos y la boca.

◆ Mantenga su cuerpo resistente a las infecciones comiendo una dieta sana, descansando suficientemente, y haciendo ejercicio regularmente.

◆ Considere vacunarse contra la gripe antes de que comience la temporada de la gripe.

Hemorroides y problemas rectales

Cuándo llamar al médico

Llame al 911 si:

◆ Tiene excrementos con mucha sangre o de color rojo oscuro, o si hay mucha sangre en el inodoro.

Llame a su médico si:

◆ Tiene dolor intenso en el recto.

◆ Los excrementos son negros o alquitranados o si tienen rayas de sangre y usted tiene fiebre.

◆ El sangrado rectal ocurre sin razón aparente y no está relacionado con los excrementos.

◆ El sangrado rectal dura más de una semana u ocurre más de una vez.

◆ Los excrementos son más delgados de lo normal (no más gruesos que un lápiz).

◆ Todavía tiene dolor en el recto después de una semana completa de tratamiento en casa.

◆ Algún material o tejido extraño sale del ano.

◆ Un abultamiento que está cerca del ano crece o duele más y le da fiebre.

Hemorroides

Las hemorroides son venas ensanchadas e inflamadas que se pueden formar dentro o fuera del ano. Hacer fuerza al ir al baño, estar con sobrepeso o embarazada, y permanecer sentado o de pie por largo tiempo pueden causar hemorroides.

Las hemorroides usualmente duran varios días y a menudo regresan. Podría tener:

◆ Rayas de sangre roja brillante en los excrementos o el papel higiénico, o sangre que gotea del ano.

◆ Mucosidad que supura del ano.

◆ Irritación o picazón.

◆ La sensación de que no puede terminar de vaciar el intestino.

◆ Tejido o abultamiento que sobresale del ano.

El dolor usualmente no es síntoma, a menos de que se forme un coágulo en una hemorroide o el flujo de sangre a la hemorroide se obstruya (estrangulación). Una hemorroide con coágulo puede ser muy dolorosa pero no es peligrosa. Pero una hemorroide estrangulada podría necesitar atención de emergencia.

Las hemorroides se pueden aliviar con tratamiento en casa. Si tiene hemorroides que sangran mucho, le duelen, o le dificultan el mantener el área del ano limpia, sería buena idea que hable con el médico sobre cirugía u otros procedimientos. Para ayudar a determinar cuál es el tratamiento correcto para usted, vaya al sitio Web que está en la contraportada y escriba **L116** en la celda de búsqueda.

Otros problemas rectales

El recto es el extremo inferior del intestino grueso (vea la foto en la página 109). Al final del recto está el ano, por donde los excrementos salen del cuerpo.

Hemorroides y problemas rectales

La mayoría de las personas tienen picazón rectal, dolor o sangrado en algún momento. Estos problemas a menudo son menores y desaparecen por sí mismos o con tratamiento en casa.

La **picazón anal** puede tener muchas causas.

◆ La piel alrededor del ano se puede irritar con el excremento. Sin embargo, tratar de mantener el área demasiado limpia frotándola con papel higiénico seco o usando jabones fuertes puede dañar la piel.

◆ La picazón puede ser señal de parásitos, especialmente en los hogares en que hay niños. Vea la página 224.

◆ La cafeína y los alimentos demasiado condimentados pueden irritar el recto.

Una **fisura anal** puede causar dolor al ir al baño y que hayan rayas de sangre en el excremento. Una fisura es una lesión larga y estrecha que se produce cuando el tejido cerca del ano se desgarra al vaciar el intestino.

El sangrado anal, los cambios en la frecuencia de ir al baño, y el dolor rectal son también síntomas de **cáncer colorrectal**. Si tiene estos síntomas, consulte al médico para ver si necesita hacerse pruebas (vea la página 111). Esto es especialmente importante si tiene más de 50 años y tiene un historial de cáncer en el colon.

Tratamiento en casa

◆ Sumerja el área en agua tibia. Son buenos para aliviar y limpiar el área, especialmente después de vaciar el intestino. Los recipientes con apenas suficiente agua para cubrir el área anal—llamados baños de asiento (*sitz baths*)—pueden ayudar con las hemorroides pero también podrían empeorar la picazón anal.

◆ Use ropa interior de algodón y ropa suelta para reducir la humedad en el área del ano.

◆ Póngase un paño frío y húmedo en el ano durante 10 minutos, 4 veces al día.

◆ Para aliviar la picazón e irritación, use óxido de zinc, vaselina, o crema de hidrocortisona (1%). Use un supositorio como Preparation H para aliviar el dolor y lubricar el conducto del ano. Pregúntele al médico antes de usar cualquier producto que tenga un anestésico (estos productos tienen el sufijo "-caína" ["caine" en inglés] en el nombre o los ingredientes). Estos productos causan reacciones alérgicas en algunas personas.

◆ Para mantener el excremento suave, tome mucha agua y coma muchas frutas y verduras frescas y granos enteros. Es posible que necesite tomar un suavizante de excremento de venta libre hasta que se mejore. Vea Estreñimiento en la página 163.

◆ Trate de no pujar demasiado al vaciar el intestino. Nunca aguante la respiración.

◆ Evite sentarse o estar de pie demasiado rato. Camine para aumentar el flujo de sangre hacia la región pélvica.

◆ Mantenga el área anal limpia, pero tenga cuidado al limpiarla. Use agua y un jabón suave, como Ivory, o use toallitas para bebé o compresas marca Tucks.

Hernia

Cuándo llamar al médico

◆ Un testículo se hincha y duele, especialmente en un niño o adolescente. Esto puede ser muy grave. Vea la página 257.

◆ Usted sabe que tiene una hernia y de repente le da un dolor intenso en la ingle o el escroto, acompañado de náuseas, vómitos y fiebre.

◆ Dolor leve en la ingle o un abultamiento o inflamación en la ingle que dura más de una semana.

◆ La piel sobre una hernia o bulto en la ingle o vientre se enrojece.

◆ Cuando está acostado, no puede empujar una hernia de nuevo a su lugar presionando levemente.

La mayoría de las hernias ocurren cuando el tejido se estira a través de un punto débil en la pared del vientre y se extiende hacia la ingle. Esto se conoce como hernia inguinal. Son más comunes en los hombres que en las mujeres. En los hombres, las hernias inguinales a menudo se extienden hacia el escroto.

Si usted tiene una hernia:

◆ Es posible que tenga la sensación de que algo "anda suelto".

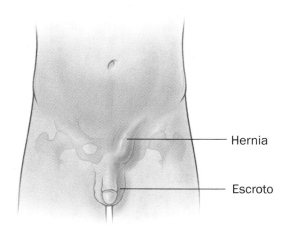

Hernia

Escroto

Una hernia puede causar un abultamiento o protuberancia en la ingle o el escroto.

◆ Quizás tenga un bulto sensible en la ingle o el escroto. El bulto puede aparecer poco a poco, o puede formarse de improviso después de levantar algo pesado, toser o hacer mucha fuerza. Quizás el bulto se baja al acostarse.

◆ Es posible que tenga dolor en la ingle que se extiende hacia el escroto. El dolor empeora al inclinarse o levantar algo. Sin embargo, no todas las hernias duelen.

Una hernia se puede formar en cualquier punto débil de la pared abdominal. Aparte de la ingle, los puntos comunes en los que ocurren son el ombligo y la cicatriz de una cirugía. Algunas personas nacen con un punto débil en la pared abdominal.

De vez en cuando, es posible que se acumule tejido en la hernia. Si el suministro de sangre al tejido se obstruye, el tejido se inflamará y morirá, y luego se puede infectar. Cuando el dolor se intensifica rápidamente en la ingle o el escroto podría ser señal de que esto ha ocurrido y de que necesita atención médica de inmediato.

Más ➤

Tratamiento en casa

Estos consejos también le ayudarán a prevenir hernias:

◆ Utilice técnicas correctas para levantar. Vea la página 157. No levante objetos que sean demasiado pesados para usted.

◆ Baje de peso si lo necesita.

◆ Evite el estreñimiento, y no haga mucha fuerza al vaciar el intestino u orinar. Vea la página 163 para consejos sobre cómo incorporar más fibra en su dieta y evitar el estreñimiento.

◆ Deje de fumar, especialmente si ha tenido tos por mucho tiempo.

Hernias hiatales

Una hernia hiatal ocurre cuando parte del estómago se extiende hacia dentro de la cavidad del tórax. Algunas veces esto causará un reflujo del ácido gástrico, que puede causar acidez gástrica y un sabor amargo en la boca.

Vea Acidez gástrica en la página 78.

Herpes labial

Cuándo llamar al médico

◆ Usted tiene herpes labial y fiebre.

◆ El herpes labial dura más de 2 semanas.

◆ Con frecuencia tiene brotes de herpes labial. Su médico le recetará un medicamento que puede ayudarlo.

El herpes labial (ampollas de fiebre) son ampollas pequeñas y rojas en los labios y en el borde externo de la boca. Suelen exudar un líquido transparente y forman costra después de unos días.

Algunas personas confunden el herpes labial con el impétigo (vea la página 189), que por lo general se produce entre la nariz y el labio superior. El líquido del impétigo es turbio y de color miel, no es transparente como el del herpes labial.

El virus del herpes simple causa herpes labial. Los virus del herpes (la varicela es otra variedad) permanecen en el cuerpo después del primer contagio. Después, algunos factores desencadenantes hacen que el virus vuelva a estar activo. Se puede contraer herpes labial después de un resfriado, una fiebre o por estrés. El periodo menstrual de la mujer también puede ser otro factor desencadenante. En ocasiones se contrae herpes labial sin ninguna razón clara.

En algunas personas, la luz del sol desencadena el herpes labial. Use crema para los labios con bloqueador de sol cuando vaya a salir a exteriores.

Tratamiento en casa

◆ No bese a nadie ni practique sexo oral mientras tenga herpes labial. Eso puede esparcir el virus.

◆ Póngase hielo o un paño húmedo y frío en la zona tres veces al día. Esto puede ayudar a reducir el enrojecimiento y la hinchazón.

◆ Póngase vaselina para aliviar el agrietamiento y la resequedad.

◆ Use un protector de labios, como Blistex o Campho-Phenique, para aliviar el dolor. No comparta el producto con nadie más.

◆ Aplíquese vitamina E en gel o un producto que tenga aloe vera, hidrastis (sello de oro) o propóleo de abeja.

◆ Sea paciente. El herpes labial por lo general desaparece en 7 a 10 días.

Hongos, infecciones por

Cuándo llamar al médico

◆ Empeoran los síntomas de una infección, tales como aumento en el dolor, enrojecimiento, hinchazón o el área se siente caliente, pus y fiebre.

◆ Usted tiene diabetes y tiene pie de atleta.

◆ De manera repentina tiene pérdida del cabello, acompañada de descamación, cabellos quebrados y enrojecimiento del cuero cabelludo, u otras personas en el hogar comienzan a perder el cabello.

◆ La tiña (culebrilla) es grave y se está esparciendo o está en el cuero cabelludo. Es posible que necesite medicamentos por receta.

◆ Una infección por hongos no mejora después de 2 semanas o no desaparece después de 1 mes aunque haya aplicado el tratamiento en casa. Sería recomendable que le preguntara al médico si puede tomar algún medicamento por receta.

Las infecciones por hongos en la piel por lo general afectan los pies, las ingles, el cuerpo cabelludo y las uñas. Los hongos crecen mejor en áreas cálidas y húmedas, como entre los dedos de los pies, en la ingle y en el área justo abajo de los pechos.

Tratamiento en casa

◆ Para el pie de atleta y la tiña de la ingle, use un talco o loción antihongos de venta sin receta, como por ejemplo Micatin, Lamisil, o Lotrimin AF. Siempre lave y seque el área bien antes de aplicar el talco o loción. Use el medicamento por 1 a 2 semanas más después de que los síntomas desaparezcan para que la infección no regrese. No use cremas de hidrocortisona en una infección causada por hongos.

◆ Para la tiña en el cuerpo, use uno de los medicamentos antihongos que se mencionan más arriba.

◆ Mantenga los pies limpios, frescos y secos. Séquese bien los dedos de los pies después de nadar o bañarse. Use un talco antihongo como Desenex o Zeasorb en los zapatos y medias y también en los pies para evitar la reinfección.

◆ Use zapatos de cuero o sandalias para permitir que los pies "respiren", y use calcetines de algodón para absorber el sudor. Espere 24 horas para que los zapatos se sequen antes de usarlos otra vez.

◆ Use chancletas de hule cuando vaya a albercas (piscinas) o baños públicos.

◆ Mantenga limpia y seca el área de la ingle. Báñese poco después de hacer ejercicio, o al menos cámbiese la ropa sudada. Use ropa interior de algodón, evite los pantalones o pantimedias ajustados.

◆ No comparta sombreros, peines, cepillos ni toallas.

Más ▶

Infecciones comunes causadas por hongos	Síntomas	Comentarios
Pie de atleta	Comezón, agrietamiento, ampollas, y áreas despellejadas entre los dedos y también en la planta de los pies	A menudo regresa; es necesario dar tratamiento cada vez
Tiña de la ingle	Picazón intensa y humedad en la ingle y en la parte superior de los muslos; áreas descamadas y enrojecidas que pueden supurar pus o líquido	Similar al pie de atleta
Tiña de la piel	Áreas que tienen el centro sano y las orillas enrojecidas, despellejadas o abultadas; picazón	Se puede esparcir rápidamente a otras áreas
Tiña del cuero cabelludo y la barba	Áreas de calvicie que están descamadas, enrojecidas, encostradas o hinchadas con pequeños bultos	El cabello o la barba puede tener escamas que parecen caspa
Infecciones en las uñas	Uñas descoloridas (a menudo amarillentas), quebradizas, que se han endurecido o ablandado	Difícil de tratar
Afta bucal (infección por hongos)	Recubrimiento blanco en el interior de la boca que parece leche y es difícil de quitar	Común en los bebés; puede ocurrir después de tomar antibióticos

Impétigo

El impétigo es una infección que causa ampollas que supuran, de color miel. A menudo aparece entre el labio superior y la nariz después de un catarro o en el ángulo de la boca. El impétigo es mucho más común en los niños que en los adultos.

Las áreas pequeñas de impétigo se podrían mejorar si se les da tratamiento en casa a tiempo.

Tratamiento en casa

◆ No se rasque. Rascarse puede esparcir el impétigo a otras áreas.

◆ Sumerja el área en agua tibia por 15 a 20 minutos para remover las llagas. Si es en la cara, póngase una toallita tibia y mojada sobre las ampollas. Luego frote suavemente con una toalla y jabón antibacterial. Seque con palmaditas. Haga esto varias veces al día, usando una toalla limpia cada vez.

◆ Póngase un ungüento antibiótico. Cubra el área con gasa y coloque la cinta adhesiva bien lejos de las llagas. Esto ayudará a que la infección no se esparza y evitará que se rasque.

◆ Los hombres se deben afeitar alrededor de las llagas, no sobre ellas. Use una navaja limpia cada día. No use un cepillo de rasurar.

◆ No comparta las toallas, las toallitas ni el agua del baño.

◆ Si su hijo tiene escurrimiento nasal, mantenga limpia el área entre el labio superior y la nariz.

Intestino irritable, síndrome del

Cuándo llamar al médico

◆ Sus síntomas empeoran, comienzan a alterar sus actividades usuales, o no responden como de costumbre al tratamiento en casa.

◆ Se siente cada vez más cansado todo el tiempo.

◆ Los síntomas a menudo le despiertan en medio de la noche.

◆ El dolor empeora cuando se mueve o tose.

◆ Tiene dolor en el vientre y fiebre.

◆ Tiene un dolor en el vientre que no mejora al vaciar el intestino o eliminar gases.

◆ Está perdiendo peso, y no se explica porqué.

◆ Le ha disminuido el apetito.

◆ Tiene sangre en el excremento, o el excremento se ve negro y alquitranado.

El síndrome del intestino irritable (IBS, por sus siglas en inglés) es uno de los problemas más comunes del tracto digestivo. Los síntomas a menudo empeoran con estrés o después de comer e incluyen:

◆ Vientre inflamado, dolor en el vientre, y flatulencia.

◆ Mucosidad en el excremento.

◆ La sensación de que no puede terminar de vaciar el intestino.

◆ El intestino no se vacía como de costumbre, y ocurre con estreñimiento, diarrea, o ambos.

Algunas personas pueden tener el síndrome de intestino irritable por muchos años. Un episodio puede ser peor que el anterior, pero el trastorno de por sí no empeora con el paso del tiempo ni conduce a enfermedades más serias tales como cáncer. Los síntomas tienden a mejorar con el tiempo.

Si tiene problemas digestivos frecuentes pero no le han diagnosticado síndrome de intestino irritable, trate de eliminar otras razones por las que su estomago podría sentirse mal,

como por ejemplo alimentos nuevos, estrés, o gripe. Intente el tratamiento en casa por 1 a 2 semanas. Si no le ayuda, llame al médico. El médico podría recetarle medicamentos para que tome mientras continúa con el tratamiento en casa.

No hay pruebas que puedan diagnosticar el síndrome del intestino irritable, pero es posible que su médico le quiera hacer exámenes para eliminar la posibilidad de otros problemas. Asegúrese de pensar y hablar sobre cuántas pruebas son las adecuadas para usted. Esto puede depender de su edad, los síntomas, su respuesta al tratamiento, y las probabilidades de tener un problema más grave.

Los exámenes tienen riesgos y conlleva gastos, y los resultados podrían o no cambiar el tratamiento. Para preguntas que puede considerar mientras decide qué pruebas hacerse, vaya al sitio Web que está en la contraportada y escriba **t432** en la celda de búsqueda.

Tratamiento en casa

Si el síntoma principal que tiene es estreñimiento:

◆ Coma más frutas, verduras, frijoles y granos enteros. Añada estos alimentos ricos en fibra a su dieta poco a poco para que no le empeore la flatulencia ni los retortijones.

◆ Añada salvado de trigo (*wheat bran*) a su dieta. Comience usando una cucharada al día, y poco a poco aumente hasta 4 cucharadas al día. Espolvoree el salvado sobre cereales, sopas y guisados. Tome más agua para evitar que se le hinche el vientre.

◆ Pruebe con un producto que contenga un agente para formar fibra, tomo Citrucel, FiberCon, o Metamucil. Comience con 1 cucharada o menos cada día, y tome agua adicional para evitar que se le hinche el vientre.

◆ Use un laxante solamente si el médico se lo recomienda. Haga un poco de ejercicio cada día.

◆ El ejercicio ayuda a que el sistema digestivo funcione mejor.

Si el síntoma principal que tiene es diarrea:

◆ Trate los consejos de dieta para aliviar el estreñimiento. Los alimentos ricos en fibra y el salvado de trigo (*wheat bran*) pueden a veces ayudar a aliviar la diarrea.

◆ Evite alimentos que le empeoren la diarrea. Intente eliminar un alimento a la vez y luego incorpórelo poco a poco. Si un alimento no parece estar relacionado con los síntomas, no necesita evitarlo. A muchas personas, los siguientes alimentos o ingredientes les empeoran los síntomas:

❖ Alcohol, cafeína y nicotina

❖ Frijoles, brócoli, repollo y manzanas

❖ Alimentos picantes

❖ Alimentos ácidos, como frutas cítricas

❖ Alimentos grasosos, que incluyen tocino, salchicha, mantequilla, aceites y cualquier cosa frita

◆ Evite los productos lácteos que contienen lactosa (azúcar de la leche) si parece que empeoran los síntomas. Sin embargo, asegúrese de obtener suficiente calcio en la dieta de otras fuentes. Vea Intolerancia a la lactosa en la page 137.

◆ Evite el sorbitol, un endulzante artificial, y olestra, un substituto de la grasa usado en algunos alimentos procesados.

◆ Añada más alimentos con almidón (panes integrales, arroz, papas, pasta) a la dieta.

◆ Si la diarrea no se detiene, le podría ayudar el medicamento sin receta loperamide (que contienen los productos como el Imodium). Consulte al médico si está usando loperamide más de 3 veces a la semana.

Para reducir el estrés:

◆ Mantenga un registro de los acontecimientos de la vida que ocurren a la par con sus síntomas. Esto podría ayudarle a detectar cualquier relación entre el estrés y sus síntomas.

◆ Haga ejercicio brioso con regularidad, como por ejemplo nadar, andar en bicicleta, o caminar.

◆ Aprenda y use una técnica de relajación. Vea la página 349.

◆ Vea más consejos sobre Cómo manejar el estrés en la página 347.

Intoxicación por alimentos

Cuándo llamar al médico

Llame al 911 si:

◆ Está presentando señales de deshidratación grave. Éstas incluyen poca o ninguna orina; ojos hundidos; falta de lágrimas, y boca y lengua resecas; piel que se queda replegada cuando se pellizca; sensación de mareo o vahído; respiración y latidos rápidos; y no sentirse ni actuar alerta.

◆ Sospecha que puede haberse intoxicado con alimentos enlatados o preservados y tiene síntomas de botulismo (visión borrosa o doble, dificultad para tragar o respirar, debilidad en los músculos).

Llame al médico si:

◆ La diarrea es intensa (mucha cantidad y excremento suelto cada 1 ó 2 horas) y dura más de 2 días en un adulto.

◆ Los vómitos duran más de 1 día en un adulto.

◆ Los síntomas de deshidratación leve (boca reseca, orina oscura o poca orina) empeoran aun con el tratamiento en casa.

La intoxicación por alimentos puede ocurrir cuando usted come alimentos que hayan sido contaminados con bacterias. A menudo, la fuente del problema son carnes, alimentos lácteos, salsas y aderezos como la mayonesa. Las bacterias pueden crecer en estos alimentos si no se manejan correctamente, no se cocinan bien, o no se guardan a una temperatura menor a 40°F (4.4°C).

Usted puede empezar a sentirse enfermo desde 1 a 2 horas después de ingerirlos o hasta 2 días después. Los síntomas usuales son náuseas, diarrea y vómitos.

Sospeche intoxicación por alimentos cuando:

◆ Otras personas que comieron lo mismo ahora presentan los mismos síntomas.

◆ Los síntomas comienzan después de ingerir alimentos que estuvieron sin refrigerar (en una fiesta, picnic, o *buffet*).

El botulismo es un tipo de intoxicación poco común pero a menudo mortal. Es mayormente causado por métodos incorrectos al preservar alimentos bajos en ácido como los frijoles o el maíz. Las bacterias que sobreviven el proceso de preservación pueden crecer y producir tóxicos en el frasco. Los síntomas incluyen visión borrosa o doble y problemas para tragar o respirar.

Tratamiento en casa

◆ Los síntomas de intoxicación por alimentos por los general desaparecerán en uno o dos días. Una buena atención casera le puede ayudar a mejorar más rápido. Para adultos y niños de mayor edad, vea Diarrea en la página 136 y Vómitos y náuseas en la página 285. Para bebés y niños pequeños, vea las página 135 y 288.

◆ Esté pendiente y trate cualquier síntoma temprano de deshidratación. Vea la página 25. Los adultos mayores y niños pequeños se pueden deshidratar rápidamente a causa de la diarrea y los vómitos.

Seguridad en los alimentos

◆ Si un alimento se ve o huele mal, tírelo a la basura.

◆ Mantenga calientes los alimentos calientes y fríos los que deben estar fríos.

- Siga la regla 2-40-140. No coma carnes, aderezos, ensaladas ni otros alimentos que hayan permanecido entre 40°F (4.4°C) y 140°F (60°C) por más de 2 horas.

- Use un termómetro para verificar la temperatura de su refrigerador. Debe estar entre 34°F (1.1°C) y 40°F (4.4°C).

- Descongele las carnes en el refrigerador o microondas, no sobre el gabinete de la cocina.

- Mantenga sus manos y la cocina limpias. Lávese las manos, las superficies para cortar y las superficies de los gabinetes con agua caliente y jabón. Después de tocar carne cruda, especialmente pollo, lávese las manos y los utensilios muy bien antes de preparar otros alimentos.

- Cocine la carne hasta que esté bien cocida. Use un termómetro de carnes para asegurar que haya cocinado las carnes, el pollo o el pescado a la temperatura segura. Esta temperatura varía dependiendo del alimento.

- Nunca coma carne de hamburguesas que no esté bien cocida. Es la fuente principal de infecciones con *E. coli*. No debe quedar nada de color rosado, y toda la carne (no solamente la superficie) debe haber alcanzado una temperatura de al menos 160°F (71.1°C).

- No coma huevos crudos ni masa cruda o salsas hechas con huevos crudos.

- Tire a la basura cualquier lata o frasco que tenga la tapa hinchada o un escape.

- Siga al pie de la letra las instrucciones para hacer conservas y congelar en el hogar. Comuníquese con la oficina de extensión agrícola de su condado para recibir asesoría.

Hepatitis A

La hepatitis A es una enfermedad producida por un virus que afecta el hígado. Mayormente se contagia mediante contacto oral con excremento que contenga el virus. Si el excremento entra en la fuente de agua o alimentos, el virus puede infectar a cualquiera que tome el agua o consuma el alimento.

En Estados Unidos no es usual tener este problema con las fuentes de agua y alimentos. Sin embargo, a veces se infecta un grupo grande de personas que comen en el mismo restaurante. Esto usualmente sucede si un empleado que tiene hepatitis A no se lava las manos bien después de ir al baño y luego prepara comida.

- Los síntomas de la hepatitis A pueden no aparecer por hasta 2 a 7 semanas después de que se exponga al virus.

- Podría tener fatiga, náuseas, fiebre, músculos doloridos, dolores de cabeza, y dolor en la parte superior derecha del abdomen. La piel y la parte blanca de los ojos se le pueden poner amarillentas. Los síntomas usualmente duran menos de 2 meses.

- La hepatitis A usualmente desaparece por sí misma y no causa problemas a largo plazo en el hígado.

Si usted o alguien en su hogar tiene hepatitis A, tenga mucho cuidado para que no contagie a los demás. Lávese bien las manos siempre después de ir al baño, después de cambiarle el pañal a un bebé, y antes de preparar o comer alimentos.

Si usted vive en un área en que la hepatitis A es común o usted está clasificado como de alto riesgo, sería buena idea ponerse la vacuna contra la hepatitis A. Vea la página 355.

Juanetes y dedo en martillo

Cuándo llamar al médico

◆ Tiene un dolor intenso y repentino en el dedo gordo del pie y no se le ha diagnosticado gota.

◆ El dedo gordo del pie comienza a cubrir parcialmente su segundo dedo.

◆ Tiene diabetes, mala circulación sanguínea, enfermedad arterial periférica o un sistema inmune debilitado, y presenta cualquier tipo de problema en los pies. La piel irritada sobre un juanete o en el dedo en martillo puede infectarse fácilmente.

◆ Tiene alguna herida en un juanete o en un dedo en martillo.

◆ El dolor no mejora después de 2 ó 3 semanas de tratamiento en casa.

Un **juanete** es un abultamiento en la parte exterior de la articulación de la parte interior del dedo gordo del pie. Un juanete sale cuando el dedo gordo se dobla y cubre parcialmente el segundo dedo.

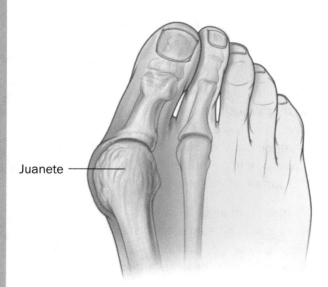

Juanete

Un **dedo en martillo** es cuando el dedo se dobla hacia arriba a la mitad de la articulación.

Estos problemas en los pies a veces son hereditarios. Los zapatos apretados o con tacones altos aumentan el riesgo de ambos problemas. Si ya tiene problemas en los pies, usar zapatos apretados o con tacones altos puede empeorarlos.

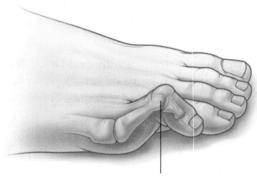

Dedo en martillo

Tratamiento en casa

Una vez que se presenta un juanete o dedo en martillo, en general no hay manera de corregirlo. El tratamiento en casa ayudará a aliviar el dolor y a evitar que el problema empeore.

◆ Use zapatos amplios de tacón bajo y que tengan puntas adecuadas y un buen soporte en el arco. Para encontrar el mejor calzado para su problema, visite el sitio en Internet indicado en la contraportada y escriba **y902** en la celda de búsqueda.

- Acolchone la articulación con almohadillas especiales o una almohadilla en forma de rosquilla para evitar la presión y la fricción. (Las almohadillas especiales tienen fieltro suave por un lado y por el otro tienen adhesivo).

- Tome un par de zapatos viejos y corte el área sobre el dedo gordo. Use estos zapatos dentro de su casa. También puede usar sandalias cómodas que no opriman sobre el área.

- Use ibuprofeno (Advil, Motrin) o acetaminofén (Tylenol) para aliviar el dolor. El hielo o las compresas frías también pueden ayudar.

- Pregunte a su médico acerca de las almohadillas para juanetes, los soportes para el arco o los soportes hechos a medida llamados ortóticos. Estos pueden sostener su pie en una posición adecuada y disminuir la presión de su dedo gordo.

¿Y la cirugía para los pies?

Si ha intentado un tratamiento en casa pero tiene un dolor intenso o una articulación desviada que le afecta al caminar, tal vez quiera pensar acerca de una cirugía.

- La cirugía puede ayudar a reducir el dolor y ayudar a que camine mejor, pero puede no curar el problema.

- Si desea que la cirugía mejore la apariencia del pie más que reducir el dolor, es posible que no quede satisfecho con el resultado.

- En ocasiones, la cirugía puede provocar otros problemas.

- La cirugía es muy costosa.

Para ayudarle a decidir si vale la pena asumir los costos y riesgos de una cirugía, vaya a la página en Internet indicada en la contraportada y escriba **u249** en la celda de búsqueda.

Lactancia

Cuándo llamar al médico

Llame al médico si está amamantando y:

- Tiene signos de infección en los senos, como dolor, salpullido, enrojecimiento, calentura o fiebre.

- Gana o pierde más de una libra a la semana por varias semanas consecutivas.

- Necesita tomar medicamentos y no ha hablado con su médico acerca de si esto es seguro.

- Tiene problemas con la lactancia y desea recibir ayuda.

Más

Tratamiento en casa para los senos doloridos

◆ Use compresas frías o con hielo en los senos por 10 a 15 minutos cada vez.

◆ Use un sostén para lactancia.

◆ Tome acetaminofén (Tylenol) o ibuprofeno (Advil, Motrin). Esto no afectará la leche.

◆ Para suavizar sus senos antes de alimentar al bebé, coloque un paño caliente y húmedo sobre ellos, déles un masaje suave y use sus manos para extraer un poco de leche de ambos senos.

◆ Aunque sea doloroso para usted, amamantar a su hijo con su seno dolorido es seguro para su bebé. Si comenzar con el seno dolorido le duele mucho, comience a amamantar al bebé con el otro seno y después cambie cuando deje de haber leche. Si el pezón le duele mucho para amamantar a su bebé con ese seno, use una bomba de lactancia para vaciar el seno de leche cada vez que no pueda amamantar a su bebé.

Consejos de salud para las madres en lactancia

◆ Consuma 500 calorías adicionales al día. Aunque no es necesario que beba leche para producir la propia, el calcio y las proteínas adicionales son importantes. Su médico puede aconsejarle que siga consumiendo su régimen de vitaminas recetado antes del nacimiento de su bebé.

◆ No fume.

◆ No beba alcohol.

◆ Limite el consumo de cafeína a una o dos tazas al día.

◆ Hable con su médico antes de usar cualquier medicamento. Algunos medicamentos pueden pasar a su bebé a través de la leche materna.

La leche materna es el alimento perfecto para los bebés.

¿Piensa en dar el pecho a su bebé?

La leche materna es el alimento perfecto para los bebés y el único alimento que necesitan en los primeros 6 meses.

◆ La leche materna ayuda a su bebé a resistir las infecciones y otras enfermedades.

◆ Los bebés alimentados con leche materna tienen menos resfriados e infecciones en el oído. La leche materna es más fácil de digerir que las fórmulas lácteas. Los bebés alimentados con leche materna tienen menos diarreas y vómitos.

◆ Los bebés alimentados con leche materna tienen menos riesgos de problemas de obesidad y presión arterial alta posteriormente en su vida.

Por estos motivos, la American Academy of Pediatrics recomienda que se alimente a los bebés con leche materna durante al menos el primer año.

Sin embargo, la decisión de amamantar a su bebé y por cuánto tiempo depende de usted, de su hijo y de la situación. Los bebés pueden recibir también una excelente nutrición a partir de las fórmulas lácteas.

Si es su primer bebé, es posible que quiera tomar una clase de amamantamiento antes del nacimiento. Muchos hospitales ofrecen estas clases. La Liga de la Leche y el Nursing Mothers Counsel son otras fuentes recomendables de apoyo y asesoría sobre el amamantamiento.

Para aprender cómo amamantar y cómo solucionar los problemas a los que podría enfrentarse, visite la página en Internet indicada en la contraportada y escriba **b910** en la celda de búsqueda.

Laringitis

Cuándo llamar al médico

◆ Tiene fiebre alta. Vea las recomendaciones para la fiebre en la página 173.

◆ Tiene síntomas de una infección más grave, tales como respiración rápida o superficial, una tos que produce mucosidad de color oscuro proveniente de los pulmones, o dolor, fiebre y fatiga que se empeoran mucho.

◆ Ha estado ronco por más de 2 a 3 semanas.

La laringitis es una infección o irritación de la laringe. Si tiene laringitis, es posible que tenga ronquera, pierda la voz, y sienta que tiene que estar aclarándose la garganta mucho. También podría tener fiebre, dolor de garganta y tos, y sentirse más cansado de lo normal.

También puede tener laringitis a causa de:

◆ Un virus, como por ejemplo un resfriado.

◆ Alergias.

◆ Hablar, cantar o gritar mucho.

◆ Humo de cigarrillo.

◆ Reflujo del ácido estomacal hacia la garganta.

Más

Laringitis

La laringe usualmente sanará en 5 a 10 días. Los medicamentos no ayudan mucho.

Si toma mucho alcohol o fuma, podría llegar a un punto en que la garganta y la laringe están irritadas todo el tiempo.

Tratamiento en casa

◆ Si está ronco porque tiene catarro, trate el catarro (vea la página 241). Cuando un catarro desaparece, es posible que esté ronco por hasta una semana después.

◆ Trate de no hablar mucho ni aclarar la garganta.

◆ No fume, y evite el humo de otras personas. Si necesita ayuda para dejar de fumar, vea la página 344.

◆ Use un humidificador en el dormitorio o en toda la casa. También puede estar en el vapor de una regadera de agua caliente.

◆ Tome agua adicional y otros líquidos.

◆ Para aliviar la garganta, haga gárgaras con agua tibia y sal (1 cucharadita de sal en 8 onzas de agua), o tome té diluido o agua caliente con miel o jugo de limón. No le dé miel a niños menores de 1 año.

◆ Si sospecha que la causa es el reflujo de ácido estomacal, reducir la acidez gástrica podría ayudarle. Vea la página 78.

Lesiones deportivas

Cuándo llamar al médico

◆ No puede usar una extremidad o articulación debido a una lesión.

◆ Una extremidad o articulación tiene una forma rara.

◆ No se mejora con tratamiento en casa.

Para una lesión repentina como un esguince de tobillo o hueso fracturado, vea la página 27.

Las lesiones deportivas son comunes entre la gente activa. La mayoría son causadas ya sea por accidentes o por uso excesivo. Los accidentes son difíciles de evitar si usted practica un deporte. Pero puede evitar las lesiones por uso excesivo si se entrena apropiadamente y usa el equipo correcto.

Usted puede encontrar información sobre lesiones específicas en las siguientes páginas:

◆ Bursitis y tendinitis, página 98

◆ Codo de tenista y codo de golfista, página 100

◆ Problemas en la rodilla, página 243

◆ Problemas en el tendón de Aquiles, página 166

◆ Fascitis plantar y dolor en el talón, página 165

◆ Calambres en la espinilla, página 107

◆ Distensiones, esguinces, huesos fracturados y dislocaciones, página 27

◆ Fracturas por estrés, página 28

Prevención de lesiones

◆ Haga un precalentamiento antes de hacer ejercicio. Los músculos y ligamentos fríos y rígidos tienen mayor probabilidad de lastimarse. Haga enfriamiento y estiramiento al terminar.

◆ No aumente de manera repentina la intensidad o duración del ejercicio. El aumento gradual es mejor. A medida que adquiere mejor condición física, podrá hacer ejercicios más intensos sin lastimarse.

◆ Use las técnicas y el equipo deportivo apropiados. Por ejemplo, use calzados con buen soporte y acojinados para correr, hacer aeróbicos y caminar. Al jugar tenis, use las dos manos para el revés. Use protectores de rodillas y muñeca cuando practique el patinaje en línea. Cerciórese de que su bicicleta está ajustada correctamente para su cuerpo. Use el casco apropiado para el deporte que esté practicando.

◆ Alterne entre programas de ejercicio difíciles y fáciles para que su cuerpo descanse. Por ejemplo, si corre, alterne rutas largas o difíciles con cortas o más fáciles. Si levanta pesas, no trabaje los mismos músculos dos días consecutivos.

◆ Pruebe con el acondicionamiento físico variado. Esto significa que en lugar de hacer lo mismo todo el tiempo, varíe los ejercicios. El acondicionamiento físico variado le permite trabajar diferentes grupos de músculos mientras los otros descansan. Por ejemplo, rote los días de caminar o correr con ciclismo o natación.

◆ No ignore los malestares y dolores. Cuando sienta el primer indicio de dolor, descanse o reduzca la actividad por varios días. Resolver el problema a tiempo con hielo u otro tratamiento en casa podría ayudarle a evitar una lesión más grave.

Tratamiento en casa

El mayor reto para la mayoría de las personas que se lesionan practicando deportes es descansar lo suficiente y sanar sin perder la condición física general.

◆ Manténgase en forma haciendo acondicionamiento físico variado con actividades que no estresen la lesión. Si le duelen las rodillas, pruebe la natación. Si le duele un pie o los tobillos, ande en bicicleta. Si le duelen los codos o los hombros, salga a caminar. No regrese demasiado pronto a la actividad que causó la lesión.

◆ Regrese a la actividad regular gradualmente. Comience a un ritmo lento y fácil, y practique la actividad por periodos más cortos de lo normal. Si está levantando pesas, use menos peso y haga menos repeticiones. Aumente el ritmo, el tiempo y la intensidad solamente si ya no siente dolor.

◆ Divida el deporte en actividades pequeñas. Tan pronto pueda lanzar una pelota a una distancia corta sin dolor, entonces trate de lanzarla un poco más lejos. Si puede caminar sin dolor, trate de trotar lentamente. Tan pronto pueda trotar lentamente sin dolor, trate de correr un poco más rápido.

Más

Hielo y compresas frías

El hielo puede aliviar el dolor, la hinchazón y la inflamación de lesiones y los problemas como la bursitis y la artritis. Cualquiera de los siguientes métodos se puede usar para aplicar "hielo" a un área:

◆ Una compresa fría comprada en la farmacia o el supermercado. Guarde la compresa en el congelador.

◆ Una compresa fría hecha en casa. Mezcle 1 pinta (0.56 L) de alcohol para frotar y 3 pintas (1.68 L) de agua en una bolsa de plástico grueso especial para congelar de 1 galón (4.54 L). Selle esa bolsa dentro de una segunda bolsa. Márquela "Compresa fría: No para comer", y guárdela en el congelador.

◆ Una bolsa de verduras congeladas. El maíz o los chícharos (guisantes) funcionan bien. No se los coma después de haberlos usado como compresa fría. Escríbale a la bolsa "no comer". La puede usar varias veces.

◆ Una toalla congelada. Moje una toalla con agua fría, y exprímala hasta que esté solamente húmeda. Dóblela, colóquela en una bolsa plástica, y congélela por 15 minutos. Saque la toalla de la bolsa, y úsela como compresa fría.

◆ Una compresa de hielo. Ponga aproximadamente una libra de hielo en una bolsa plástica. Añada suficiente agua para apenas cubrir el hielo. Sáquele el aire a la bolsa y séllela. Envuelva la bolsa en una toalla húmeda y póngala en el área dolorida.

Póngale hielo al área al menos 3 veces al día. Durante las primeras 48 horas, póngase hielo durante 10 a 15 minutos por vez por hora. Después, un buen patrón sería poner hielo durante 10 a 15 minutos, 3 veces al día: en la mañana, en la tarde después del trabajo o la escuela, y media hora antes de acostarse a dormir. También debe ponerse hielo después de cualquier periodo extendido de actividad o ejercicio intenso.

Siempre mantenga un paño húmedo entre la piel y la compresa fría para que el frío no le haga daño a la piel. Presione la compresa firmemente para que toque todas las partes del área afectada.

No use frío por más de 10 a 15 minutos, y no se duerma con hielo puesto en la piel.

Mareos y vértigo

Cuándo llamar al médico

Llame al 911 si:

◆ El vértigo se presenta con fuerte dolor de cabeza, confusión, pérdida del habla o de la vista, debilidad en brazos y piernas, o entumecimiento en cualquier parte del cuerpo.

◆ El mareo se presenta con dolor o presión en el pecho o cualquier otro síntoma de ataque al corazón. Vea la página 15.

◆ Alguien que se siente mareado se desmaya y usted no puede despertarlo.

◆ El vértigo o la pérdida de equilibrio se presenta junto con fuerte dolor de cabeza, rigidez del cuello, fiebre, convulsiones o sensación de irritabilidad o confusión.

◆ El mareo grave dura mucho tiempo y ocurre junto con un rápido cambio del ritmo cardiaco.

Llame al médico si:

◆ Se siente aturdido o tiene vértigo después de una lesión.

◆ Siente un fuerte vértigo o lo padece junto con pérdida de audición.

◆ Piensa que un medicamento quizás lo esté mareando.

◆ Siente vértigo con frecuencia y no ha consultado con su médico al respecto.

◆ El vértigo le dura más de cinco días.

◆ El vértigo es muy diferente que en ataques pasados.

◆ Se ha sentido mareado varias veces en el curso de unos cuantos días.

◆ Se siente mareado y su pulso es de menos de 50 o de más de 150 latidos por minuto. Vea la página 62 para aprender a tomarse el pulso.

Mareo es un término que la gente usa para dos sensaciones diferentes: Mareo y vértigo. Saber lo que significan le puede ayudar a usted y a su médico a reducir la lista de posibles problemas.

El **mareo** es la sensación de que está a punto de desmayarse.

◆ Se puede sentir inestable, pero no como si se estuviera moviendo.

◆ Puede sentirse enfermo del estómago, tener vómito o desmayarse.

◆ Por lo general mejora cuando se recuesta.

Es común sentirse mareado de vez en cuando. Hay muchas razones por las que se puede sentir mareado. Algunas de ellas están en la tabla de la página 202.

El mareo por lo general no es motivo de preocupación, a menos de que sea muy fuerte, ocurra con frecuencia o junto con síntomas como cambio de ritmo cardiaco y desmayos.

Vértigo es la sensación de que lo que nos rodea está girando, da vueltas o se inclina sin que en realidad haya movimientos. Esto puede hacer que se sienta mal de estómago. Puede tener dificultades para estar de pie o caminar y quizás pierda el equilibrio.

El vértigo suele estar relacionado con un problema del oído interno. La forma más común es desencadenada por el movimiento de la cabeza. Esto se llama **vértigo posicional benigno**.

Más ▶

Problema	Causas posibles
Mareo	Baja de presión sanguínea por levantarse demasiado rápido
	Gripe, resfriado o alergias
	Deshidratación, vea p. 25
	Medicamentos
	Estrés o ansiedad, vea p. 91
	Pérdida de sangre (puede ser visible u oculta, dentro del cuerpo; vea Emergencias de sangrado, en la p. 57)
	Problemas de ritmo cardiaco, vea p. 225
	Ataque al corazón, vea p. 15
Vértigo	Problemas del oído interno (vértigo posicional benigno, laberintitis, enfermedad de Meniere)
	Migraña, vea p. 102
	Esclerosis múltiple y otros problemas nerviosos
	Ataque cerebral, vea p. 16
	Tumor cerebral (raro)

Tratamiento en casa

◆ Si usted se siente mareado, recuéstese uno o dos minutos. Esto permite que fluya más sangre al cerebro. Después siéntese lentamente. Permanezca sentado uno o dos minutos antes de ponerse de pie lentamente.

◆ Si siente vértigo, no se acueste de espaldas. Apoyarse ligeramente puede ayudar. Mantenga abiertos los ojos.

◆ Si tiene resfriado o gripe, descanse y beba más líquidos.

◆ Si tiene vértigo o se siente mareado, no conduzca, ni opere maquinaria ni haga nada que pueda ser peligroso. Podría lastimarse en caso de que se cayera o se desmayara.

Hay ejercicios de equilibrio que le pueden ayudar si usted tiene problemas con el vértigo.

 Para aprender a hacerlos, vaya al sitio Web indicado en la contraportada y escriba **m057** en la celda de búsqueda.

Menopausia

Cuándo llamar al médico

◆ Sus periodos menstruales duran más, son más abundantes o más difíciles de predecir que lo normal.

◆ Se le ha presentado un sangrado nuevo entre los periodos menstruales.

◆ Tiene sangrado después de que los periodos menstruales han cesado por seis meses.

◆ Tiene resequedad vaginal, y un lubricante no le ayuda. El médico puede recetarle una crema o supositorio de estrógeno.

◆ Los síntomas están alterando su vida, aun con el tratamiento en casa.

◆ Tiene sangrado que no puede explicar (diferente del que el médico le dijo que anticipara) mientras está tomando las hormonas.

La menopausia ocurre cuando el cuerpo comienza a producir menos cantidad de las hormonas femeninas estrógeno y progesterona. Esto ocurre entre las edades de 45 y 55 años para la mayoría de las mujeres y puede tomar varios años en completarse.

Tener una cirugía para remover ambos ovarios (ooforectomía) también puede causar menopausia, aunque puede tomar hormonas para demorarla.

Los cambios hormonales pueden causar:

◆ **Menstruación irregular.** El flujo puede ser menos o más abundante de lo normal. El tiempo entre periodos podría acortarse o alargarse. Podría tener manchas. Algunas mujeres tienen periodos regulares hasta que repentinamente no tienen más ninguno. Otras tienen periodos irregulares por mucho tiempo.

◆ **Sofocos.** Estos causan una sensación intensa de calor, sudor y enrojecimiento que puede durar desde unos pocos minutos hasta una hora. Un sofoco por lo general comienza en el pecho y se extiende hacia el cuello, la cara y los brazos. Si los sofocos la despiertan por la noche, es posible que se sienta cansada y distraída porque no está durmiendo lo suficiente.

◆ **Resequedad vaginal.** La vagina se puede resecar, ponerse más delgada y menos elástica. Estos cambios pueden causar que las relaciones sexuales sean dolorosas. También pueden aumentar su riesgo de infecciones (vea la página 276) y problemas para controlar la vejiga (vea la página 280).

◆ **Cambios en el estado de ánimo.** Algunas mujeres se sienten nerviosas, de mal humor o deprimidas mientras pasan la menopausia. Es posible que le falte energía o tenga problemas para dormir.

También es posible que necesite considerar otros problemas:

◆ **Osteoporosis.** La pérdida de estrógeno puede debilitar los huesos y hacer que tengan más probabilidad de fracturarse. La terapia hormonal puede prevenir esto pero podría causar otros problemas de salud. Para más información, vea la página 222. Asegúrese de tomar suficiente calcio y vitamina D.

Más ▶

Terapia de hormonas

El médico puede recetarle una terapia de hormonas para tratar los síntomas de la menopausia. Hay dos tipos:

◆ La terapia de reemplazo de estrógeno (TRE). La TRE es solamente estrógeno. Como la TRE puede aumentar el riesgo de cáncer de útero, por lo general se usa solamente para mujeres a las que se le ha extirpado el útero.

◆ Terapia de reemplazo hormonal (TRH). La TRH se compone de estrógeno y progestina, otra hormona femenina. La progestina ayuda a proteger contra el cáncer del útero.

Las píldoras de hormonas se toman todos los días. También se pueden obtener otras formas de terapia hormonal como parches, cremas vaginales o anillos vaginales.

Beneficios de la terapia

◆ Reduce los sofocos y la resequedad vaginal.

◆ Ayuda a mantener los huesos fuertes y reduce el riesgo de osteoporosis. Pero hay otros medicamentos que pueden ayudar también para esto.

Riesgos de la terapia

◆ Aumenta su riesgo de cáncer del seno, ataques cerebrales y problemas del corazón a largo plazo.

◆ Puede hacer que el vientre se infle, los senos duelan, sangrado vaginal y otros efectos secundarios.

◆ No se recomienda para mujeres que han tenido cáncer del seno, cáncer del útero, coágulos de sangre, un ataque al corazón, un ataque cerebral, enfermedad del hígado o un sangrado uterino sin diagnosticar.

Para algunas mujeres, el beneficio a corto plazo de reducir los síntomas de la menopausia podría ser mayor que los riesgos. Usar la terapia hormonal de 1 a 2 años podría ayudar con los síntomas mientras están en su peor momento sin causar los efectos secundarios a largo plazo.

Hable con el médico para determinar si la terapia hormonal sería una buena idea

para usted. Si desea ayuda para tomar la decisión, vaya al sitio Web indicado en la contraportada y escriba **z987** en la celda de búsqueda.

Si ya toma hormonas, hable con el médico cada año para saber si todavía es la mejor opción para usted.

◆ **Control de la natalidad.** Hasta que haya terminado la menopausia, su cuerpo continuará liberando óvulos (ovulación). Esto significa que puede quedar embarazada. Si no quiere quedar embarazada, use un anticonceptivo hasta que el médico le confirme que ha terminado la menopausia o hasta que no haya tenido menstruación por 12 meses.

◆ **Enfermedades del corazón**. Las mujeres en la edad de comenzar la menopausia tienen mayor probabilidad de tener una enfermedad del corazón. Colabore con el médico para saber qué puede hacer para prevenirlo.

Tratamiento en casa

◆ Para los sofocos:

  ❖ Mantenga su hogar y el lugar de trabajo a una temperatura fresca, o use un ventilador.

  ❖ Vístase con ropa que sea fácil de quitar. Use fibras naturales como el algodón o la seda.

  ❖ Tome bebidas frías, no calientes.

  ❖ Limite la cafeína y el alcohol, y no fume.

  ❖ Consuma varias comidas pequeñas en lugar de tres grandes. El cuerpo tiene que producir mucho calor para digerir una comida grande.

  ❖ Trate una técnica de relajación. Vea la página 349.

◆ Para la resequedad vaginal y el dolor durante las relaciones sexuales, use un lubricante soluble en agua, como Astroglide o Replens. No use vaselina ni otros productos de petróleo.

◆ Mantenga un registro escrito de sus periodos menstruales. Es posible que tenga que hablar de ellos con el médico.

◆ Haga ejercicio regularmente. Esto puede reducir el estrés y el riesgo de una enfermedad del corazón y otros problemas de salud.

◆ Busque apoyo si lo necesita. Hablar con otras mujeres podría ayudarle.

◆ Trate de mantenerse relajada en cuanto a la menopausia. Estar tensa podría hacer que se sienta peor.

Menstruación, ausencia o irregularidad de la

Cuándo llamar al médico

◆ Tiene dolor en el vientre bajo y sospecha que puede estar embarazada.

◆ Una prueba de embarazo en el hogar muestra que está embarazada, o sospecha que lo está aunque la prueba dice que no.

◆ No ha tenido 2 periodos menstruales regulares y no sabe por qué.

◆ No ha tenido 2 ó 3 periodos mientras ha estado tomando píldoras anticonceptivas y no se ha saltado ninguna píldora.

◆ Tiene 16 años y todavía no ha tenido su primer periodo menstrual.

Más ▶

A muchas mujeres no les viene un periodo menstrual de vez en cuando. La ausencia o irregularidad de la menstruación puede tener muchas causas.

◆ Embarazo. Por lo general, esto es lo primero que se debe considerar.

◆ Estrés o viajes.

◆ Pérdida o aumento de peso.

◆ Aumento en el ejercicio. La ausencia de periodos menstruales es común entre las atletas que practican deportes de resistencia.

◆ Píldoras de control de la natalidad o inyecciones de Depo-Provera. Éstas pueden hacer que los periodos sean menos abundantes, menos frecuentes o irregulares.

◆ Menopausia. Vea la página 203.

◆ Medicamentos, incluidos los esteroides, tranquilizantes, píldoras de dieta y drogas ilícitas.

◆ Menarquia (el comienzo de los periodos menstruales). Los periodos pueden ser irregulares durante los primeros años.

◆ Desequilibrio hormonal o problemas en los órganos de la pelvis.

◆ Lactancia.

◆ Un problema de la tiroides sin tratar.

Si no ha tenido un periodo menstrual, trate de relajarse. A menos de que esté embarazada, hay posibilidad de que su ciclo vuelva a lo normal el próximo mes.

Si tiene actividad sexual y no quiere quedar embarazada, necesita usar un método anticonceptivo. Es posible que quiera obtener una receta para un anticonceptivo de emergencia en caso que lo necesitara. Vea la página 209.

Tratamiento en casa

◆ Si tuvo relaciones sexuales durante el pasado mes, hágase una prueba de embarazo en el hogar. Vea la esta página. Trátese como si estuviese embarazada hasta que lo determine con seguridad.

◆ Evite dietas drásticas que restrinjan las calorías y la variedad en los alimentos, y evite perder peso rápidamente.

◆ Aumente el ejercicio poco a poco. Si es una atleta que practica un deporte de resistencia, reduzca el entrenamiento y hable con un médico sobre suplementos de hormonas y calcio para protegerse contra el debilitamiento de los huesos.

◆ Pruebe con técnicas de relajación para manejar el estrés. Vea la página 349.

Pruebas de embarazo en el hogar

Si está embarazada, es importante saberlo lo antes posible para que pueda cuidarse a sí misma y al bebé. La manera más rápida de saberlo es con una prueba de embarazo en el hogar. Algunas pruebas pueden detectar si está embarazada a los pocos días de atraso en el primer periodo menstrual.

Estas pruebas son económicas y muy precisas cuando se usan correctamente. Seleccione una prueba que tenga direcciones sencillas, y sígalas al pie de la letra. Los errores pueden causar resultados falsos.

Si la prueba determina que está embarazada, vaya al médico para confirmarlo. Aunque la prueba diga que no está embarazada, es buena idea ir al médico para asegurarse.

Muelas, dolor de

Es posible que el diente le duela o tenga una sensación de hormigueo al tocarlo o al comer o beber algo caliente, frío, dulce o agrio. Es posible que el dolor sea a causa de un diente desgastado o de encías que se han despegado de los dientes y expuesto las raíces y las partes internas de los dientes.

Si el dolor es agudo, es posible que tenga caries o infección en el diente, haya perdido un empaste, o se le haya quebrado el diente. Otra causa es el daño que resulta cuando los dientes se rechinan por nerviosismo. Un diente que está saliendo pero no puede perforar la encía también puede causar dolor.

Un dentista puede ayudarle a determinar la causa del dolor y a mantener el diente vivo.

Tratamiento en casa

- Póngase hielo o una compresa fría en la mejilla por periodos de 10 a 15 minutos. Mantenga un paño delgado entre el hielo y la piel. No use calor.

- Tome aspirina, ibuprofeno (Advil, Motrin) o naproxeno (Aleve) para aliviar el dolor y la hinchazón. No le dé aspirina a nadie menor de 20 años.

- Evite alimentos y bebidas demasiado calientes, fríos o dulces si empeoran el dolor.

- Consulte al dentista sobre pastas dentales para dientes sensibles. Cepíllese con esta pasta regularmente, o frote una pequeña cantidad en el área sensible con un dedo limpio de 2 a 3 veces al día. Use el hilo dental con delicadeza.

- No fume ni masque tabaco. Puede empeorar los problemas de la encía y afecta su habilidad para combatir infecciones en las encías. Si necesita ayuda para dejar de fumar, vea la página 344.

Natalidad, control de la

El control de la natalidad ayuda a prevenir el embarazo. Sin embargo, ningún método de control de la natalidad funciona en todas las ocasiones ni está libre de riesgos. La única manera de garantizar que no se quedará embarazada es no tener relaciones sexuales.

En este tema se describe brevemente los tipos más comunes de control de la natalidad. Asegúrese de pensar acerca de las ventajas y desventajas, incluyendo el costo, si está tratando de seleccionar un método.

Para obtener más ayuda con sus opciones, entre al sitio en Internet señalado en la contraportada y escriba **k869** en la celda de búsqueda. Asimismo, hable acerca del tema con su médico.

Use el control de la natalidad exactamente como se lo indique el médico o como lo indiquen las instrucciones del empaque correspondiente. El control de la natalidad funciona mejor cuando se usa correctamente en cada ocasión.

Control hormonal de la natalidad

Esto incluye las píldoras anticonceptivas, las inyecciones Depo-Provera, los parches (Ortho Evra) y el anillo vaginal (NuvaRing). Estos tipos de control de la natalidad detienen la liberación del cigoto cada mes (ovulación) o hacen más gruesa la mucosa en la abertura del útero de modo que el esperma no puede alcanzar el cigoto.

Estos tipos de control de la natalidad funcionan muy bien si se usan correctamente. Todos estos métodos requieren receta médica. No le protegen de las enfermedades de transmisión sexual (ETS).

DIU (Dispositivo intrauterino)

El DIU es una pieza de plástico o metal que su médico coloca dentro de su útero. Existen dos tipos.

◆ El DIU de cobre puede mantenerse en su sitio por al menos 10 años.

◆ El DIU de levonorgestrel (Mirena) funciona al menos 5 años y reduce el sangrado menstrual y los cólicos.

Ambos tipos de DIU dañan o matan al esperma. Los DIU también cambian el recubrimiento del útero de modo que los cigotos no pueden adherirse en ese sitio.

Los DIU funcionan mejor que la mayoría de los otros medios de control de la natalidad (los DIU funcionan casi tan bien como la cirugía). En raras ocasiones un DIU puede salirse sin que lo note. Además, algunas mujeres tienen problemas con los DIU durante los primeros meses de uso y deciden retirarlo. Los DIU no protegen de las ETS.

Condones

El condón masculino es un tubo elástico de material de látex delgado, de poliuretano o de piel animal que se coloca en el pene erecto del hombre antes de las relaciones íntimas. También hay condones femeninos, los cuales se insertan en la vagina.

Los condones de látex son la mejor protección contra las ETS, incluyendo el VIH. Si usted es alérgico al látex, los condones de poliuretano son la siguiente mejor opción. Vea la página 352. Los condones de piel de oveja no previenen bien las ETS ni del VIH.

Control de la natalidad de emergencia

El control de la natalidad de emergencia puede ayudarle a prevenir el embarazo si se utiliza lo antes posible después de tener relaciones sexuales. En ocasiones, se le denomina la pastilla del día después, y habitualmente es una dosis alta de alguna forma de las píldoras anticonceptivas (Plan B). También funciona la inserción de un DIU (dispositivo intrauterino) de cobre, pero un médico debe realizar este procedimiento.

Es posible tomar Plan B hasta 5 días después de tener relaciones sexuales. Sin embargo, entre más pronto se tome, más probabilidades hay de quedar embarazada. Los DIU pueden usarse hasta 7 días después de tener relaciones sexuales.

Use un método anticonceptivo de emergencia de inmediato si desea evitar el embarazo y:

◆ Si tuvo relaciones sexuales sin otro método de control de la natalidad.

◆ Cuando tuvo relaciones y falló el método de control de la natalidad utilizado. (Por ejemplo, se rompió o se salió un condón, o cuando olvidó ingerir la píldora.)

Cualquier persona de 18 años o más puede comprar el método Plan B sin necesidad de receta, presentando un comprobante de su edad. Si tiene menos de 18 años necesitará obtener una receta. Llame a su médico o a su clínica local.

Para las siguientes ocasiones

Los accidentes suceden. Es una buena idea el mantener un juego de píldoras a la mano en caso de necesitarlas alguna vez. Pero no dependa de los métodos anticonceptivos de emergencia. Pídale a su médico que le ayude a encontrar un buen método anticonceptivo que pueda utilizar cada vez que tenga relaciones sexuales.

Los condones son baratos y puede conseguirlos sin receta médica. Sin embargo, muchas personas no los usan apropiadamente y pueden romperse o salirse. Para conocer algunos consejos acerca de cómo usarlos correctamente, vea la página 351.

Diafragma y capuchón cervical

Estos son capuchones pequeños de hule que se llenan de espermicida y se insertan en la vagina para cubrir la abertura del útero (cuello uterino) antes de tener relaciones sexuales. Debe dejarse en su sitio por 6 horas o más después de tener relaciones sexuales. Además, debe consultar a su médico para comprobar que el diafragma o capuchón cervical se encuentre colocado correctamente.

Para evitar el embarazo, el diafragma o capuchón cervical funciona mejor si lo usa junto con otro método, como por ejemplo los condones. El diafragma ofrece una pequeña protección contra las ETS, pero los condones son con mucho la mejor opción para complementar este método.

Más ▶

209

Espermicida

Los espermicidas son espumas, gelatinas y supositorios que matan al esperma. Puede comprarlos sin necesidad de receta. Muchos condones están lubricados con un espermicida.

El sólo uso del espermicida no es un buen método para control de la natalidad. Para lograr una mejor protección, úselo junto con otro método para el control de la natalidad, como por ejemplo el condón, el diafragma o el capuchón cervical. El espermicida no le protege de las ETS y podría irritar la vagina.

Cirugía

◆ Para los hombres: En una vasectomía, se cortan o ligan los tubos (los canales deferentes) que transportan al esperma desde los testículos. (Vea la imagen en la página 236.) Esto significa que el semen expulsado durante la eyaculación no transporta esperma.

◆ Para las mujeres: La ligadura de trompas cierra los tubos por donde se transportan los óvulos desde los ovarios hasta el útero. (Vea la imagen en la página 360.) Esto evita que los óvulos se fertilicen o se implanten en el útero.

La cirugía es la forma más efectiva de control de la natalidad. Ambos tipos de cirugía son permanentes, aunque en ocasiones pueden revertirse con una segunda cirugía.

La cirugía no le protege de las ETS.

Planificación natural de la familia

La planificación natural de la familia ayuda a la pareja a conocer cuándo la mujer tiene más probabilidad de embarazarse (justo antes de o durante la ovulación). A esto se le denomina en ocasiones como cuidado de fertilidad.

La mujer registra su temperatura, revisa la descarga de su vagina y anota sus periodos. También pueden comprarse tiras para pruebas de orina que ayudan a saber en qué momento ocurre la ovulación.

Las personas pueden usar la planificación natural de la familia para saber:

◆ Cuándo *no* tener relaciones sexuales si no desean un embarazo.

◆ Cuándo tener relaciones si desean el embarazo.

Como con otros métodos de control de la natalidad, éstos funcionan mejor cuando se usan correctamente. Si no desea un embarazo, usted debe aceptar usar otro control de la natalidad o no tener relaciones sexuales en sus días fértiles. Además es muy difícil predecir exactamente cuándo la mujer es fértil.

La planificación natural de la familia no le protege de las ETS.

¿Cuán bien funcionan los métodos para el control de la natalidad?	
Método	**Embarazos por cada 100 mujeres***
Cirugía: **Ligadura de trompas** (mujeres) **Vasectomía** (hombres)	Menos de 1
Dispositivo intrauterino (DIU): **Levonorgestrel** (Mirena) **"T" de cobre** (Paragard)	Menos de 1
Una inyección cada 3 meses (Depo-Provera)	3
Anillo vaginal (NuvaRing)	6
Píldoras anticonceptivas	8
Parche (Ortho Evra)	8
Condón masculino (látex o poliuretano)	15
Diafragma (con espermicida)	16
Capuchón cervical (con espermicida)	16 a 32
Condón femenino	21
Abstinencia periódica (planificación natural de la familia: método de la temperatura basal corporal, del moco o del ritmo / calendario)	25
Coito interrumpido (salirse o retirarse)	27
Espermicida solo (gelatina, crema, espuma, supositorios)	29
Sin control de la natalidad	85

*Número típico de embarazos accidentales por cada 100 mujeres en un año. Si usa un método de control de la natalidad conforme a las instrucciones en cada ocasión, las tasas de embarazo se reducen.

Adaptado de: Trussel J (2004). The essentials of contraception: Efficacy, safety, and personal considerations. En RA Hatcher et al., eds., *Contraceptive Technology.*, 18th ed. New York: Ardent Media.

Neumonía

Cuándo llamar al médico

◆ Usted tiene fiebre y una tos que produce mucosidad amarilla, verde, de color ladrillo, o con sangre de los pulmones.

◆ Tiene un dolor nuevo en el tórax que empeora cuando respira profundo o tose.

◆ Ha tenido resfrío, bronquitis u otra enfermedad viral y está empeorando en lugar de mejorar.

La neumonía es una infección o inflamación de los pulmones. A veces le sigue a una enfermedad viral como un catarro, gripe o bronquitis. Tener bronquitis y otra enfermedad del pulmón, como el asma, podría aumentar la probabilidad de tener neumonía.

La neumonía por lo general es causada por bacterias, pero también puede ser causada por virus y otras cosas. Una persona que tiene neumonía bacteriana por lo general está muy enferma y puede tener:

◆ Una tos intensa que produce mucosidad amarilla, verde, color ladrillo o con sangre (esputo) de los pulmones.

◆ Fiebre y escalofríos violentos.

◆ Respiración rápida y superficial.

◆ Dolor en los músculos del tórax (dolor en la pared del tórax) que empeora cuando tose o respira profundo.

◆ Latidos rápidos.

◆ Fatiga que es peor que la que normalmente siente con un resfrío.

La neumonía puede ser un problema grave en los bebés, adultos mayores y personas que tienen problemas de salud de largo plazo. Es importante que estos grupos reciban la vacuna contra el neumococo. Vea la página 352.

Tratamiento en casa

◆ Si el médico le receta cualquier medicamento, tómelo como le indiquen.

◆ Tome líquidos adicionales.

◆ Tome acetaminofén (Tylenol), aspirina o ibuprofeno (Advil, Motrin) para reducir la fiebre y el dolor. No tome aspirina si tiene asma, y no le dé aspirina a nadie menor de 20 años.

◆ Descanse mucho. Recuperarse toma tiempo.

Oído, infecciones en el

Este tema cubre los dos tipos más comunes de infecciones de oído:

◆ **Infecciones del oído medio.** Estas son muy comunes en los niños. Las infecciones del oído medio son peores que las infecciones del canal auditivo porque están más adentro del oído y pueden ocasionar más problemas.

◆ **Otitis de nadador,** que afecta el canal auditivo.

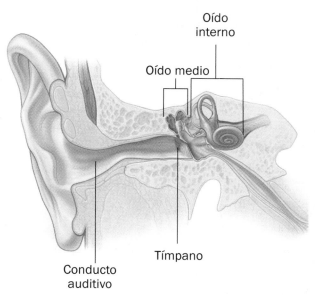

Oído interno

Oído medio

Tímpano

Conducto auditivo

Las infecciones pueden presentarse en el conducto auditivo, en el oído medio y en el oído interno.

Infecciones del oído medio

Cuándo llamar al médico

◆ El dolor de oídos es intenso o empeora incluso con tratamiento en casa.

◆ El dolor de oídos se presenta junto con otras señales de enfermedad grave, como dolor de cabeza con fuerte rigidez del cuello, o sensación de irritabilidad o confusión. Vea en la página 174.

◆ Su bebé no deja de tirarse de la oreja o de rozársela y parece que le duele (llora, grita).

◆ Su hijo tiene una fiebre de más de 102°F (38.9°C), con otros indicios de infecciones en el oído.

◆ Un bebé de menos de tres meses tiene una fiebre de 100.4°F (38°C) o más.

◆ Se escurre pus o sangre del oído.

◆ Su hijo no mejora después de 48 horas de tratamiento con antibióticos.

◆ Su hijo tiene tubos para los oídos y le duele el oído o tiene fluidos en el oído.

◆ Hay enrojecimiento o inflamación alrededor o detrás del oído.

◆ Su hijo no puede mover normalmente los músculos de la cara.

◆ Un dolor de oídos ligero dura más de 3 ó 4 días.

Más

Las infecciones del oído medio (otitis media) por lo general se contraen durante un resfriado. Los resfriados pueden hacer que se inflame y se cierre la trompa de eustaquio, que conecta el oído medio con la garganta. Después se acumulan líquidos en el oído medio. Las bacterias y los virus pueden crecer en el líquido, causando la infección.

Los síntomas de infecciones en el oído medio pueden ser:

- Dolor de oídos. Los niños que no saben hablar quizá se jalen las orejas porque les duelen.
- Mareos.
- Zumbido o sensación de atiborramiento en el oído.
- Pérdida de audición.
- Fiebre, dolor de cabeza y escurrimiento nasal.

Los líquidos atrapados e infectados presionan al tímpano. Si hay escurrimiento de pus o sangre del oído, el tímpano quizás esté desgarrado. El dolor de oídos causado por infección por lo general mejora una vez que se desgarra el tímpano.

Un solo desgarramiento del tímpano por lo general no es peligroso. Pero si se desgarra repetidas veces puede haber pérdida de la audición.

También puede ocurrir acumulación de líquidos (efusión) en el oído medio después de haberse mejorado una infección. Puede no haber síntomas, o presentarse una ligera pérdida de la audición e incomodidad leve. La acumulación de líquidos que se presenta después de una infección por lo general no necesita tratamiento, a menos que dure más de 3 ó 4 meses y cause pérdida de la audición. Vea ¿Y los tubos para los oídos? en la página 215.

Tratamiento en casa

- Coloque una toallita tibia en la oreja para aliviar el dolor, o use una almohadilla térmica puesta en bajo. No use una almohadilla térmica con un bebé o con un niño que no pueda decirle si está demasiado caliente. No mande al niño a la cama con una almohadilla térmica.
- Déle acetaminofén (Tylenol) o ibuprofeno (Advil, Motril) para el dolor. No le dé aspirina a nadie de menos de 20 años de edad.
- Haga que su hijo tome muchos líquidos claros.
- Si se rasga el tímpano, evite que le entre agua en el oído durante 3 ó 4 semanas. No hay problema con las duchas y los baños, pero no permita que su hijo meta la cabeza en la tina. Tampoco hay problema con que nade en una piscina, siempre y cuando use tapones para los oídos.

Cómo prevenir infecciones en el oído en niños

- Amamante a su bebé. Los niños amamantados tienen menos infecciones en el oído. Si lo alimenta con biberón, sostenga de manera vertical al bebé al beber. Nunca deje que el bebé se acueste o se vaya a dormir con el biberón.
- No fume en su casa ni cerca de niños pequeños.
- Lleve a su hijo a una guardería pequeña. Menos niños significan menos contacto con gérmenes y enfermedades.
- Quítele al niño su chupón hacia los 6 meses de edad. Los bebés que siguen usando el chupón después de los 12 meses de edad tienen más posibilidades de tener infecciones en el oído.
- Lávese las manos y las de su hijo con frecuencia.
- Asegúrese que estén actualizadas las vacunas de su hijo. Vea la página 352.

¿Y los tubos para los oídos?

Algunos niños parecen tener infecciones en el oído todo el tiempo. Estos por lo general tienen líquidos detrás del tímpano y presentan pérdida de la audición. La pérdida de la audición suele ser temporal, pero es de más preocupación en niños de menos de dos años de edad. Es importante que los niños pequeños tengan una audición normal cuando están aprendiendo a hablar.

Si su bebé o niño pequeño tiene infecciones en el oído y líquido en el oído, le conviene hablar con su médico acerca de los tubos

para los oídos. Estos tubos se colocan en el tímpano para que se drenen los líquidos y se restablezca la audición normal.

Es posible que el médico primero quiera examinar la audición del niño. Si no hay pérdida de la audición, usted tiene la opción de "esperar y ver" durante algunos meses.

Para ayudarle a decidir si los tubos para los oídos son adecuados para su hijo, vaya al sitio Web indicado en la contraportada y escriba **b058** en la celda de búsqueda.

¿Necesita antibióticos su hijo?

Se puede tratar una infección de oído con antibióticos, pero la mayoría de los niños mejoran sin ellos. Si los cuidados que usted le diera en casa alivian el dolor, y su hijo se siente mejor en algunos días, él puede no necesitar antibióticos.

Esto tiene sus excepciones. Su hijo puede necesitar antibióticos de inmediato si:

◆ Tiene menos de 2 años de edad. El riesgo de que haya otros problemas aumenta en los niños muy pequeños. Asimismo, una pérdida de audición, aun por poco tiempo, puede afectar al aprendizaje del habla en su niño.

◆ Su hijo está muy enfermo, tiene mucha fiebre o tiene dolor intenso.

◆ Su hijo tiene un problema de salud de largo plazo (como enfermedad del corazón o fibrosis cística).

En la mayoría de los demás casos, el médico podría sugerirle que espere 48 horas para darle antibióticos a su hijo. Si después de 48 horas su hijo no ha mejorado y necesita antibióticos, tendrá que esperar por lo menos otras 48 horas para que surtan efecto los antibióticos.

Hay buenas razones para no usar antibióticos a menos que realmente sean necesarios:

◆ Los antibióticos pueden ser muy caros.

◆ Probablemente tenga que consultar al médico para que le dé la receta. Esto le cuesta tiempo y dinero.

◆ Los antibióticos pueden tener efectos secundarios dañinos, como diarrea, vómito y salpullido.

◆ La razón más importante de todas: si toma antibióticos cuando no los necesita, quizá no le hagan efecto cuando sí los necesite. Cada vez que toma antibióticos es más probable que usted sea portador de una bacteria que no fue matada por el medicamento. Con el tiempo, esas bacterias se vuelven más fuertes y pueden causar infecciones peores. Para tratarlas, usted podría necesitar otros antibióticos, más fuertes y más costosos.

Si no está seguro que sería mejor para su hijo y necesita ayuda para decidirlo, vaya al sitio Web indicado en la contraportada y escriba **y462** en la celda de búsqueda.

Más ➡

Otitis de nadador

Cuándo llamar al médico

◆ Hay escurrimiento de pus o sangre del oído.

◆ Tanto el conducto auditivo como el oído externo están enrojecidos.

◆ Hay enrojecimiento o inflamación alrededor o atrás de la oreja.

◆ El conducto auditivo está inflamado, enrojecido y con mucho dolor.

◆ El dolor en los oídos se da después de un resfriado.

◆ Usted se siente mareado o inestable.

◆ Los síntomas no desaparecen después de 3 días de tratamiento en casa.

La otitis de nadador es una irritación o infección del conducto auditivo. Por lo general se contrae cuando el agua, la arena o el polvo se introducen en el conducto.

Otras causas pueden ser un corte dentro del oído o una lesión causada por un hisopo u otro objeto; excesivo uso de tapones de oído; acumulación de jabón o de champú; y problemas de la piel como eccema y psoriasis.

Si usted tiene oído de nadador, probablemente el oído le duela, le dé comezón y lo sienta tapado. El conducto auditivo puede estar inflamado. Una infección fuerte puede causar descargas del oído y posiblemente provocar cierta pérdida de audición.

A diferencia de las infecciones en el oído medio (vea la página 213), el dolor del oído de nadador se agrava cuando usted oprime la "coletilla" enfrente del oído, se toca el lóbulo o mastica.

Tratamiento en casa

◆ Cerciórese de que no haya ningún objeto o insecto adentro del oído. Vea la página 42.

◆ Si el tímpano está desgarrado o hay pus o sangre saliendo del oído, no se ponga gotas ni otra cosa a menos que el médico le haya dicho que lo haga.

◆ Enjuáguese suavemente el oído con una pera de goma y una mezcla a partes iguales de vinagre blanco y alcohol de frotar. Asegúrese de que la mezcla esté a temperatura del cuerpo. Ponerle al oído líquidos fríos o calientes puede causarle mareos.

◆ Evite el agua en los oídos hasta que haya desaparecido la irritación. Puede usar algodón ligeramente untado con vaselina como tapón de oídos. No use tapones de plástico.

◆ Si le da comezón, pruebe con gotas para nadadores, que se venden sin receta, antes y después de que se moje los oídos.

◆ Para ponerse las gotas, la persona debe estar acostada, con la oreja hacia arriba. Caliente las gotas haciendo rodar el recipiente entre las manos. Coloque las gotas en el oído externo, cerca de la apertura del conducto auditivo, y mueva suavemente la oreja hasta que la gota resbale hacia adentro. Ayuda jalar la oreja hacia arriba y hacia atrás.

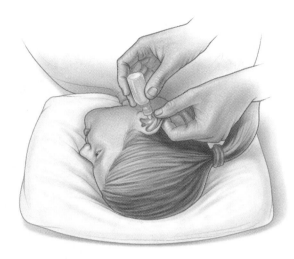

◆ Coloque un paño tibio y húmedo en la oreja para aliviar el dolor, o use una almohadilla térmica puesta en bajo. No use una almohadilla térmica con un bebé o con un niño que no pueda decirle si está demasiado caliente. No mande a la cama al niño con la almohadilla térmica.

◆ Tome acetaminofén (Tylenol) o ibuprofeno (Advil, Motrin) para el dolor. No le dé aspirina a nadie de menos de 20 años de edad.

Nunca meta un gotero en el conducto auditivo.

Prevención del oído de nadador

◆ Mantenga secos los oídos. Después de nadar o ducharse, sacuda la cabeza para sacarse el agua de los conductos auditivos. (Nunca le sacuda la cabeza a un bebé.) Séquese suavemente los oídos con la punta de un pañuelo desechable o de una toalla. También puede usar una secadora de pelo puesta en bajo.

◆ Después de nadar o ducharse, póngase en el oído unas gotas de alcohol de frotar o de alcohol mezclado a partes iguales con vinagre blanco. Jálese la oreja hacia arriba y hacia atrás para hacer que el líquido fluya más adentro del conducto auditivo. Después incline la cabeza y deje que se escurra hacia afuera. También puede usar gotas que no necesitan recetas (Star-Otic, Swim-Ear).

◆ Nunca use hisopos, horquillas de pelo ni ningún otro objeto para limpiarse la cerilla (cerumen) de los oídos. Pueden dañar los oídos. Vea en la página 119 algunas recomendaciones para extraer la cerilla con seguridad.

◆ Evite usar tapones de oído por periodos prolongados.

◆ Evite que el jabón y el champú entren en el canal auditivo. Para extraer la suciedad y la arena que se meten en los oídos, rocíe hacia los oídos un chorro suave de agua tibia de la ducha o de una pera de goma; después incline la cabeza para permitir que se escurra el agua hacia afuera.

Ojos

Este tema cubre tres problemas comunes:

◆ Conjuntivitis

◆ Sange en el ojo

◆ Sequedad de los ojos

Si usted tiene otros síntomas, no deje de consultar la tabla de problemas de ojos y de visión en la página 70.

Conjuntivitis

Cuándo llamar al médico

◆ Hay una diferencia en el tamaño de las pupilas que no había antes.

◆ La piel alrededor del ojo o del párpado está roja.

◆ Tiene visión empañada o pérdida de visión que no se alivia al parpadear.

◆ Tiene dolor en el ojo, más que irritación.

◆ La luz le lastima fuertemente los ojos.

◆ Piensa que quizá tenga un objeto en el ojo. Vea la página 43.

◆ El ojo está rojo y hay una descarga de sangre o color amarillo o verde que no empieza a desaparecer en 24 horas. Puede necesitar antibióticos.

◆ La conjuntivitis dura más de 7 días.

◆ El ojo no ha mejorado 48 horas después de haber empezado a usar antibióticos.

◆ Usa lentes de contacto y ya ha tenido conjuntivitis más de una vez.

La conjuntivitis es la inflamación de la conjuntiva, que reviste el párpado y cubre la superficie del ojo. Con la conjuntivitis, los ojos se ven enrojecidos.

La conjuntivitis puede ser causada por:

◆ Infección por virus o bacteria. Este tipo de conjuntivitis se contagia muy fácilmente.

◆ El aire seco, las alergias, el humo y las substancias químicas. Este tipo de conjuntivitis no se contagia de una persona a otra.

Si usted tiene conjuntivitis, se le puede enrojecer lo blanco de los ojos; enrojecer o inflamar los párpados; tener mucho lagrimeo; comezón o ardor; una sensación arenosa en los ojos. La luz puede lastimarle los ojos más de lo acostumbrado. Y puede haber líquido o pus en los ojos, que forman lagañas y hacen que se le peguen los párpados al dormir.

Aunque la conjuntivitis por lo general desaparece sola en 7 ó 10 días, también puede ser causada por un virus que puede durar muchas semanas. Los antibióticos pueden ayudar en caso de que la conjuntivitis hubiera sido causada por bacterias. Si usted tiene conjuntivitis debido a alergias o sustancias químicas, ésta no desaparecerá a menos que usted evite la causa.

Ojos

Tratamiento en casa

Una buena atención en casa acelerará la curación y evitará que la conjuntivitis se contagie a otros.

◆ Lávese las manos con frecuencia. Láveselas bien siempre antes y después de tratar la conjuntivitis o de tocarse los ojos o la cara.

◆ Póngase paños húmedos, fríos o calientes, en el ojo varias veces al día si le duele el ojo.

◆ Use algodón húmedo o un paño limpio y mojado para retirar las lagañas. Frote desde el ángulo interno del ojo (junto a la nariz) hacia el exterior. Use una parte limpia del paño en cada frotada.

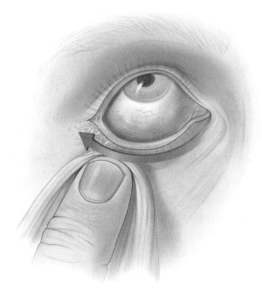

Frote suavemente del rabillo del ojo hacia el exterior para quitar las lagañas.

◆ No use lentes de contacto ni maquillaje hasta que haya desaparecido la conjuntivitis. Deseche el maquillaje de ojos que hubiera estado usando cuando le dio la conjuntivitis. Limpie sus lentes de contactos y su estuche. Si usa lentes de contacto desechables, use un par nuevo una vez que no sea peligroso volver a usarlos.

◆ Si el médico le receta gotas para los ojos, úselas tal como se las haya recetado.

  ❖ Para niños mayores y adultos: con dos dedos, jale hacia abajo el párpado inferior para crear una pequeña bolsa. Ponga ahí las gotas. Cierre los ojos de 30 a 60 segundos para dejar que las gotas se muevan por todos lados.

  ❖ Para niños menores: pídale al niño que se acueste con los ojos cerrados. Ponga una gota en el rabillo del ojo. Cuando el niño abra el ojo, la gota entrará en él.

  ❖ Asegúrese de que la punta del frasco esté limpia y que no toque los ojos, los párpados ni las pestañas. Si la punta del frasco toca el área del ojo, deseche el frasco y reemplácelo.

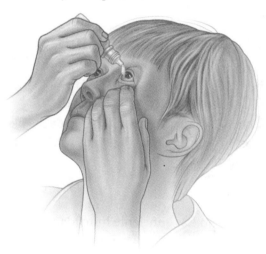

No permita que la punta del frasco toque el ojo, el párpado o las pestañas.

◆ Poner ungüento antibiótico en el ojo puede ser delicado, en especial con los niños. Si se lo puede poner en las pestañas, se funde y se mete en el ojo.

◆ Asegúrese de que cualquier medicamento que compre sin receta sea oftálmico (para los ojos) y no ótico (para los oídos).

◆ No comparta toallas, almohadas, maquillaje de ojos ni equipo de lentes de contacto mientras tenga conjuntivitis.

Más ▶

Sangre en el ojo

Cuándo llamar al médico

◆ El sangrado empieza después de un golpe en la cabeza o una lesión en el ojo.

◆ Hay sangre en la parte coloreada del ojo.

◆ El ojo tiene sangre y le duele.

◆ Con frecuencia tiene manchas de sangre en el ojo.

◆ El sangrado se presenta cuando está tomando adelgazadores de la sangre (anticoagulantes).

A veces se rompen los vasos sanguíneos en el blanco de los ojos y causan manchas o motas rojas. Esto se llama hemorragia subconjuntival. La sangre puede parecer alarmante, en especial si la mancha es grande. Pero por lo general no debe causar preocupación, y la mancha roja desaparece en 2 ó 3 semanas.

Si tiene un ojo amoratado, vea Moretones en la página 41.

Sequedad de los ojos

Cuándo llamar al médico

Llame al médico si la sequedad de los ojos es un problema y las lágrimas artificiales no ayudan.

Cuando no hay suficiente humedad en los ojos, éstos pueden sentirse secos, calientes, arenosos o granulosos. El aire seco, fumar, la edad y algunas enfermedades pueden causar resequedad en los ojos. Algunos medicamentos comunes también pueden resecar los ojos. Estos pueden ser antihistamínicos, descongestionantes, medicamentos para la depresión y píldoras anticonceptivas.

Tratamiento en casa

◆ Descanse los ojos. Cuando usted lea, mire televisión o use una computadora, tome descansos frecuentes y cierre los ojos. Al trabajar trate de parpadear con más frecuencia.

◆ Pruebe gotas para de "lágrimas artificiales". Las gotas sin preservativos son las más suaves para los ojos.

◆ No use las gotas para ojos que reducen el enrojecimiento (como Visine) para tratar la resequedad de ojos. Sus ojos podrían ponerse peor cuando dejara de usar las gotas.

◆ Evite el humo y las emanaciones de sustancias químicas.

Cómo evitar problemas con los lentes de contacto

Si usted usa lentes de contacto, estas recomendaciones podrán evitarle problemas.

◆ Conserve muy limpios los lentes y todo aquello que los toque (manos, estuches, cosméticos). Lávese las manos antes de tocar los lentes.

◆ Siga las instrucciones de limpieza de sus lentes y use una solución comercial para limpiarlos. Las marcas genéricas son tan buenas como las de nombre y cuestan menos. No prepare su propia solución. Puede contaminarse con demasiada facilidad.

◆ Nunca moje los lentes con saliva. Ésta tiene bacterias que pueden infectar al ojo. Tampoco use agua de la llave.

◆ Póngase los lentes antes de aplicarse el maquillaje en los ojos. No se aplique maquillaje en el borde interno del párpado. Reemplace los cosméticos de ojos cada tres o seis meses.

◆ Si tiene lentes de contacto de uso continuo, siga el programa de uso y limpieza que le haya recomendado el profesional de cuidados de los ojos. Cuando se usan por periodos prolongados, estos lentes tienen más probabilidades de causar infecciones graves en los ojos.

Los síntomas de un problema con los lentes de contacto pueden ser enrojecimiento, dolor o ardor del ojo; secreciones del ojo; visión borrosa; sensibilidad extrema a la luz. Quítese los lentes, lávelos y no se los vuelva a poner hasta que no hayan desaparecido los síntomas. Si los síntomas duran más de dos o tres horas después de haberse quitado los lentes, llame a su oftalmólogo u optometrista.

Consulte a su oftalmólogo u optometrista como éstos le indiquen o al menos una vez al año.

Orzuelos

Cuándo llamar al médico

◆ El enrojecimiento y la inflamación se extienden a todo el párpado o al globo ocular.

◆ El orzuelo duele mucho, crece rápidamente, o no deja de supurar.

◆ El orzuelo le obstruye la vista.

◆ El orzuelo empeora aun con tratamiento en casa o no mejora en una semana.

Un orzuelo es una infección del folículo de una pestaña. Se ve como un pequeño bulto rojo o grano y puede estar en el párpado o en el borde del párpado. Los orzuelos presentan un punto blanco y se abren después de varios días.

Los orzuelos son muy comunes y no son un problema grave. Sin embargo pueden doler, y pueden causarle una visión borrosa. La mayoría desaparece con tratamiento en casa.

Tratamiento en casa

◆ No se frote el ojo, y no apriete ni abra el orzuelo.

◆ Aplique un paño tibio y húmedo por 10 minutos, de 3 a 6 veces al día, hasta que el orzuelo presente el punto blanco y se abra.

◆ No use maquillaje en los ojos ni lentes de contacto hasta que el orzuelo se cure.

Osteoporosis

Cuándo llamar al médico

◆ Cree que tiene un hueso fracturado, o no puede mover una parte del cuerpo.

◆ Tiene un dolor repentino e intenso o no puede aguantar peso en una parte del cuerpo.

◆ Uno de sus brazos o piernas no tiene la forma normal. Esto podría ser porque tiene un hueso fracturado.

◆ Le preocupa su riesgo de tener osteoporosis.

Vea además Distensiones, esguinces y fracturas en la página 27.

Osteoporosis significa que sus huesos están debilitados y frágiles y se pueden fracturar con facilidad. El problema afecta a millones de adultos mayores, especialmente las mujeres de mayor edad.

La osteoporosis es mucho más común después de la menopausia, cuando el cuerpo produce menos estrógeno. Tener demasiada hormona tiroidea también puede debilitar los huesos.

Usted tiene el máximo riesgo de osteoporosis si:

◆ Otras personas en su familia la han tenido.

◆ No hace mucho ejercicio y no ha hecho mucho en el pasado.

◆ La constitución de su cuerpo es delgada.

◆ Fuma o consume mucho alcohol.

◆ Si es de descendencia asiática o europea.

La osteoporosis por lo general se desarrolla por muchos años sin presentar síntomas. La primera señal podría ser un hueso fracturado, la disminución de estatura, una curvatura o joroba que se va formando lentamente en la parte superior de la espalda, o dolor de espalda.

Una radiografía especial llamada **escaneo DEXA** mide el grosor de los huesos (densidad) y puede indicar cuánta pérdida ósea ha tenido. Si tiene alto riesgo de osteoporosis, o si es una mujer de más de 65 años, una prueba de la densidad ósea podría darle a usted y al médico la información que le ayudaría a decidir si necesita tratamiento. Si desea ayuda para

decidir si está en riesgo y necesita este examen, vaya al sitio Web indicado en la contraportada y escriba **b849** en la celda de búsqueda.

Qué puede hacer usted

La debilitación de los huesos es una parte natural del proceso de envejecer. Pero si comienza a adquirir hábitos saludables temprano en la vida, quizás pueda retrasar el problema. Si ya tiene osteoporosis, los mismos hábitos le pueden ayudar a retardar el proceso de la enfermedad y podría reducir el riesgo de tener huesos fracturados.

◆ Haga suficiente ejercicio. Caminar, trotar, bailar, levantar pesas y otros ejercicios fortalecen los huesos.

◆ Lleve una dieta saludable con mucho calcio y vitamina D. Necesita ambos para tener huesos fuertes y saludables.

❖ El calcio se obtiene del yogurt, queso, leche y verduras de hojas verde oscuro.

❖ La vitamina D se obtiene de huevos, pescado alto en grasa, cereal fortificado y leche.

❖ Hable con su médico sobre tomar un suplemento de calcio y vitamina D si piensa que quizás lo necesite. Muchas personas no consumen suficiente calcio. Esto es especialmente cierto después de los 35 años, cuando la necesidad de calcio aumenta.

◆ Deje de fumar. Si necesita ayuda para dejar de fumar, vea la página 344.

◆ Limite el alcohol a 1 trago al día o menos.

◆ Tome menos bebidas gaseosas de cola, como Coke y Pepsi, incluso las versiones *diet* (de dieta). Éstas pueden hacer que sus huesos se adelgacen.

Hay medicamentos que ayudan a prevenir la osteoporosis. La terapia hormonal es una opción, pero tiene otros riesgos. Pregúntele a su médico qué es lo mejor para usted. Vea además Terapia de hormonas en la página 204.

Si sabe que tiene los huesos débiles, sea sumamente cuidadoso para evitar caídas. Vea la página 362 para consejos sobre cómo tener un hogar más seguro.

Oxiuriasis (parásitos)

Cuándo llamar al médico

◆ Usted o su hijo tiene comezón en el área anal (especialmente en la noche), pero no ha visto ningún parásito. Si ésta es la primera infección, vea al médico para ver si definitivamente los parásitos son el problema.

◆ Usted o su hijo vomita o tiene dolor después de tomar el medicamento para los parásitos.

◆ Usted o su hijo todavía tiene comezón anal después del tratamiento. Es posible que necesite otra ronda de tratamiento o un medicamento más fuerte.

◆ Usted o su hijo tiene oxiuros (parásitos) y presenta cualquiera de estos síntomas:

❖ Fiebre o dolor en el vientre

❖ Enrojecimiento, dolor, hinchazón, o comezón en el área genital

❖ Dolor al orinar

Los oxiuros son pequeños gusanos que infestan el tracto digestivo. Son más comunes en los niños de edad escolar, pero los puede tener cualquier persona.

Los parásitos ponen sus huevos justo en la salida del ano. Esto causa que sienta comezón en el área. La comezón es a menudo peor en la noche. Cuando un niño se rasca y luego se chupa el pulgar o se mete un dedo en la boca, se traga los huevos y el ciclo comienza de nuevo.

Los parásitos son difíciles de evitar si tiene niños pequeños. El problema se esparce fácilmente, y los huevos pueden sobrevivir por muchos días en la ropa, en la ropa de cama y en los juguetes. Enséñele a los niños a lavarse las manos después de usar el baño y antes de comer.

Tratamiento en casa

◆ Pídale al farmacéutico que le dé un medicamento sin receta para los parásitos. No tome el medicamento si está embarazada, y no se lo dé a un niño de menos de 2 años a no ser que el médico se lo indique.

◆ Trate a todos los niños en el hogar entre las edades de 2 y 10 años. Si todavía hay un problema de parásitos, es posible que necesite darle tratamiento a todas las demás personas en el hogar también.

◆ El primer día del tratamiento, lave toda la ropa interior, piyamas, ropa de cama y toallas en agua caliente y detergente para eliminar cualquier huevo. Limpie los juguetes con desinfectante, o lávelos. Limpie los baños y áreas de dormir con un desinfectante fuerte.

◆ Recórtele las uñas a los niños y manténgalas cortas.

◆ Lávese las manos a menudo. Dése duchas por las mañanas, y cambie y lave las piyamas y la ropa interior todos los días hasta que termine el tratamiento.

Palpitaciones del corazón

Cuándo llamar al médico

Llame al 911 si siente dolor o presión en el pecho, especialmente si también tiene otros síntomas de un ataque al corazón (sudoración, falta de aliento, náuseas o vómitos, mareos o vahídos). Vea la página 15.

Llame a su médico si:

◆ Le dan palpitaciones del corazón con:

 ❖ Debilidad o fatiga.

 ❖ Confusión.

 ❖ Mareos.

 ❖ La sensación de que algo malo va a ocurrir.

◆ Si siente como si el corazón saltara latidos o late de manera irregular todo el tiempo.

◆ Antes no tenía palpitaciones o las que tiene ahora son diferentes y no desaparecen con el tratamiento en casa.

Las palpitaciones son una sensación incómoda de que el corazón está latiendo muy rápido o a un ritmo irregular. Es posible que sienta que:

◆ El corazón está latiendo con fuerza, o siente que tiene un aleteo en el pecho.

◆ El corazón está dando una "voltereta" o saltando un latido.

◆ El corazón está latiendo con mucha rapidez, o tiene un latido adicional.

◆ Siente que el corazón le está latiendo en el cuello.

Las palpitaciones pueden ser causadas por un problema en el corazón. Pero también pueden ocurrir por:

◆ Estrés o fatiga.

◆ Demasiado alcohol, cafeína o nicotina.

◆ Drogas ilegales como la metanfetamina o cocaína.

◆ Un nivel alto de tiroides.

◆ Medicamentos, incluidas las píldoras de dieta, antihistamínicos, descongestionantes, y algunos productos herbales.

Casi todo el mundo tiene palpitaciones del corazón de vez en cuando. Por lo general, no hay de qué preocuparse.

Sin embargo, si tiene alto riesgo de tener enfermedades del corazón (por ejemplo, si fuma o no es una persona muy activa, o si tiene presión arterial alta, colesterol alto, o mucho estrés), vea a su médico para que le examine. La mejor manera de evitar enfermedades graves es encontrando y detectando los problemas del corazón a tiempo.

Tratamiento en casa

◆ Respire profundamente y trate de relajarse.

◆ Si empieza a sentir como si se fuese a desmayar, acuéstese para que no se caiga.

◆ Escriba la fecha y la hora; el pulso; cuánto tiempo le duró; y cualquier otro síntoma. Tener un registro le puede ayudar a usted y a su médico a identificar la causa del problema.

Para evitar más problemas:

◆ No fume. Si necesita ayuda para dejar de fumar, vea la página 344.

◆ Reduzca el consumo de cafeína y alcohol.

◆ Consulte a su farmacéutico o médico para ver cuáles de sus medicamentos le podrían estar causando palpitaciones.

Más ▶

◆ Reduzca el estrés. Vea la página 347. Si tiene problemas de ansiedad, vea la página 91.

◆ Haga ejercicio regularmente. Si le dan palpitaciones a menudo, hable con el médico antes de comenzar un programa de ejercicios.

Pecho, dolor de

¿Está teniendo un ataque al corazón?

Usted puede estar teniendo un ataque al corazón si:

❑ Tiene un dolor de pecho que se siente como opresión, tensión, constricción, agobio, ardor intenso o dolor.

❑ El dolor u opresión dura más de cinco minutos y no desaparece con descanso o nitroglicerina.

Otras señales pueden ser:

❑ El dolor que se extiende hacia la espalda, hombros, cuello, mandíbulas, dientes o brazos.

❑ Sudoración.

❑ Falta de aire.

❑ Mareos y desmayos.

❑ Náusea o vómito.

❑ Debilidad repentina e inusual.

❑ Ritmo cardiaco rápido o irregular.

❑ Sensación de angustia.

Cuanto más casillas marque, mayor es la probabilidad de que esté teniendo un ataque al corazón. Las mujeres y las personas con diabetes quizás no sientan dolor de pecho, pero pueden tener algunos de los demás síntomas.

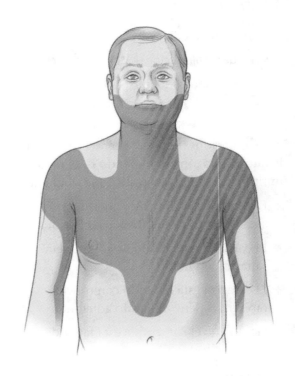

Un ataque al corazón puede causar molestia en cualquiera de las áreas sombreadas, así como en la parte superior de la espalda.

Cuándo llamar al médico

Llame al 911 si:

◆ Piensa que quizás esté teniendo un ataque al corazón. No espere a ver si se siente mejor.

◆ Se le ha diagnosticado angina y tiene un dolor de pecho que no desaparece con descanso ni mejora cinco minutos después de haber tomado una dosis de nitroglicerina.

Después de llamar al 911, mastique una aspirina para adulto (a menos que sea alérgico a ella).

Si llamar a una ambulancia no es una opción, pídale a alguien que le lleve al hospital. No maneje usted mismo.

Llame al médico si:

◆ Piensa que tiene angina y no ha visto a un médico al respecto.

◆ Se le diagnosticó angina y está teniendo dolor de pecho con más frecuencia de la acostumbrada.

◆ Tiene cualquier tipo de dolor de pecho y tiene antecedentes de enfermedad del corazón o coágulos en los pulmones.

◆ Tiene un dolor de pecho ligero pero continuo que no desaparece con el descanso.

◆ Tiene dolor de pecho junto con otros síntomas de neumonía. Vea la página 212.

◆ Un ligero dolor de pecho que dura más de 2 días sin que mejore.

Angina

La angina es un dolor, presión, pesadez o sensación de entumecimiento detrás del esternón o a través del pecho. Se presenta cuando el corazón no recibe suficiente oxígeno. Esto puede ocurrir en momentos de estrés, ejercicio o cualquier cosa que ponga a trabajar fuerte a su corazón. El dolor desaparece cuando usted para y descansa, o toma un medicamento llamado nitroglicerina.

Un ataque al corazón es causado por el bloqueo de la circulación de la sangre hacia el músculo cardiaco, no sólo por falta de oxígeno. En un ataque al corazón, el dolor por lo general es más intenso que en la angina, dura más tiempo y no desaparece con descanso ni nitroglicerina.

La angina es una señal de enfermedad de arterias coronarias. Tener enfermedad de arterias coronarias significa estar en gran peligro de tener un ataque al corazón. Para aprender a reducir el peligro, vea la página 302.

Otras causas de dolor de pecho

El dolor de pecho no siempre es causado por un problema cardiaco.

◆ La acidez gástrica (agruras) (vea la página 78) o los gases pueden causar dolor de pecho.

◆ La hiperventilación (vea la página 52) también puede causar dolor de pecho.

◆ El dolor de pecho que empeora cuando usted respira profundamente o tose, puede ser una señal de neumonía (vea la página 212) o de una enfermedad llamada pleuresía.

◆ Una úlcera gástrica (vea la página 271) puede causar dolor de pecho, por lo general debajo del esternón. El dolor puede ser peor cuando tenga el estómago vacío.

Más

227

◆ Los cálculos biliares (vea la página 108) pueden causar dolor en el lado derecho del pecho o alrededor del omóplato. El dolor puede empeorar después de las comidas o a medianoche.

◆ El herpes zoster (vea la página 279) puede causar un dolor agudo, ardiente u hormigueante que se siente como una banda apretada alrededor de un costado del pecho.

Un dolor punzante que dura algunos segundos, o un dolor rápido al término de una respiración profunda, por lo general no son causa de preocupación.

Dolor en la pared torácica

Si puede señalar el punto exacto del pecho que le duele, y le duele más cuando lo oprime, probablemente tenga dolor de la pared torácica.

Si tiene dolor de la pared torácica, quizá tenga un músculo tenso en el pecho o se haya lastimado una costilla. O bien, un cartílago de la pared torácica podría estar inflamado sin ninguna razón evidente. Esto se llama **costocondritis**. Por lo general desaparece en unos cuantos días.

Tratamiento en casa

Si tiene angina causada por enfermedad de arterias coronarias, hay muchas cosas que puede hacer para controlarla. Vea la página 302.

Para el dolor de la pared torácica causado por una lesión

◆ Tome aspirina, ibuprofeno (Advil, Motrin) o acetaminofén (Tylenol) para el dolor. No le dé aspirina a nadie de menos de 20 años de edad.

◆ Use una compresa de hielo para aliviar el dolor los primeros 2 ó 3 días después de la lesión.

◆ Después de los primeros dos o tres días (o cuando haya bajado la inflamación), puede usarse calor para el dolor. Use una almohadilla térmica puesta en bajo o a un calor que no sea mayor que el del agua del baño. No se vaya a dormir usando la almohadilla térmica.

◆ Use productos como Bengay e Icy-Hot para aliviar músculos doloridos.

◆ Evite cualquier actividad que tense al pecho. A medida que se vaya calmando el dolor, regrese poco a poco a sus actividades normales.

Pérdida del cabello

Cuándo llamar al médico

◆ La pérdida del cabello es repentina o grave.

◆ Está perdiendo el cabello en secciones, o se le cae en mechones.

◆ Se le comienza a caer el cabello después de comenzar a tomar un medicamento nuevo.

◆ La pérdida de cabello está acompañada de un salpullido en el cuero cabelludo o cualquier otro tipo de cambio en la piel de la cabeza.

◆ Está perdiendo el cabello poco a poco y quiere hablar con el médico sobre un tratamiento.

Muchas personas pierden el cabello a medida que envejecen. Mientras que los hombres tienden a perder el cabello en las entradas y en la coronilla, las mujeres pierden el cabello en toda la cabeza. La pérdida de cabello es natural y tiende a ser hereditaria. Aumenta el riesgo de quemaduras de sol y cáncer de la piel en el cuero cabelludo, pero puede evitar ambos si usa filtro solar y sombreros.

Si está pensando usar un medicamento (como por ejemplo minoxidil) o cirugía para la pérdida del cabello, cerciórese de que entiende los riesgos del tratamiento, sabe cuántos tratamientos necesitará, lo que le costarán, y cuanto tiempo durarán los resultados.

Tener **zonas de calvicie** no es lo mismo que tener calvicie.

◆ Usar trenzas apretadas o tener el hábito de torcerse el cabello puede causar zonas de calvicie.

◆ La tiña es una infección causada por hongos que resulta en áreas sin cabello en las que la piel se descama. Vea la página 187.

◆ La alopecia areata causa pérdida de cabello en áreas que podría necesitar tratamiento con medicamentos. La alopecia totalis puede causar la pérdida total del cabello, incluyendo las pestañas y las cejas.

La **pérdida del cabello** puede ser señal de problemas tales como enfermedad de la tiroides o lupus. El estrés mental o físico puede ocasionar la pérdida de cabello en toda la cabeza a corto plazo. También puede ser resultado de cambios hormonales durante el embarazo o la menopausia.

Piel seca

Cuándo llamar al médico

- Tiene comezón en todo el cuerpo, pero no hay ninguna causa evidente o salpullido.

- La comezón es tan fuerte que usted no puede dormir, y el tratamiento en casa no ayuda.

- Tiene llagas abiertas por rascarse o tiene la piel roja e inflamada.

La piel seca y escamosa con comezón es el problema cutáneo más común, especialmente en invierno. El aire seco de interiores es una causa común. Tomar muchas duchas o baños calientes también puede resecar la piel.

Tratamiento en casa

- Tome baños en lugar de duchas. La ducha remueve el aceite natural que ayuda a conservar la humedad de la piel. Los baños son mucho más benignos con la piel. Si toma duchas, tómelas cortas y no demasiado calientes.

- Use aceite de baño al bañarse. Tenga cuidado de no resbalar.

- Use jabones suaves, como Dove y Cetaphil. Usted puede necesitar usar jabón sólo bajo los brazos y en el área de las ingles.

- Use una loción humectante inmediatamente después de bañarse.

- En caso de manos o pies muy resecos, pruebe lo siguiente por una noche: aplíquese una capa delgada de vaselina y póngase unos guantes delgados de algodón o unos calcetines para dormir.

- Trate de no rascarse. Eso puede dañarle la piel.

Alivio de la comezón

- Mantenga bien hidratada el área con comezón. La piel reseca puede empeorar la comezón.

- Tome un baño de avena: envuelva una taza de avena en un paño de algodón, y póngala a hervir como si quisiera cocerla. Úsela como esponja y tome un baño con agua fresca a caliente, sin jabón. También puede probar el baño de avena coloidal Aveeno.

- Use loción de calamina en picaduras de insecto que den comezón o en salpullidos causados por plantas.

- Para áreas pequeñas con comezón, pruebe una crema de hidrocortisona al 1% que se venda sin receta. No la use en la cara ni en los genitales. Si la comezón es grave, su médico podrá recetarle una crema o ungüento de esteroides más fuerte.

- Pruebe un antihistamínico oral que se vende sin receta, como Benadryl y Chlor-Trimeton.

- Córtese bien las uñas o use guantes de noche para evitar rascarse.

- Use ropa de algodón o seda. No use lana ni telas acrílicas en contacto con la piel.

- No use jabón en la piel seca.

Piojos y sarna

Más

Cuándo llamar al médico

◆ Tiene comezón intensa en las noches que no desaparece después de unos cuantos días.

◆ Ve piojos o liendres nuevas después de haber usado un medicamento sin receta para los piojos. El médico le puede recetar un medicamento más fuerte.

Los piojos son insectos pequeñitos y blancos que pueden vivir en la piel, el cabello o la ropa. Se alimentan picando la piel y chupando sangre. La sarna ocurre cuando ácaros pequeñitos se meten debajo de la piel y ponen huevos.

Ambas cosas causan un salpullido por alergia y comezón. También ambos son comunes en los niños que van a la guardería o a la escuela.

Tratamiento en casa

◆ Para eliminar los piojos, pruebe con un medicamento sin receta como Nix o RID. Siga las instrucciones en la etiqueta al pie de la letra. Después de usar el medicamento, peine bien el cabello con un peine especial de dientes finos para remover todos los huevos de los piojos, que se llaman liendres. Los peines o peinillas para liendres se pueden comprar en la mayoría de las farmacias y supermercados.

◆ Para eliminar la sarna, necesitará medicamento por receta. Llame al médico.

◆ El día que comience el tratamiento para piojos o sarna, lave toda la ropa sucia, ropa de cama y tollas en agua bien caliente. Planche o lave en seco los artículos que no se puedan lavar, o congélelos por 24 horas.

◆ Llame a un farmacéutico o al departamento de salud para más información sobre tratamientos y prevención.

¿Cuándo puede mi hijo regresar a la escuela?

Algunas escuelas tienen una política de "cero liendres", que establece que los niños no pueden regresar a la escuela mientras tengan liendres.

Los niños que tengan sarna pueden regresar a la escuela tan pronto completen el medicamento recetado.

Preguntas frecuentes	Piojos	Sarna
¿Dónde se encuentran?	En el cabello de la cabeza (piojos de cabeza); en la ropa (piojos de cuerpo); en el área de la ingle, axilas, y pestañas (piojos púbicos)	Entre los pliegues de la piel en los dedos de las manos y los pies, las muñecas, las axilas, las rodillas, los codos, y la ingle
¿Cómo se contagian?	Mediante el contacto cercano con una persona infestada o su ropa, sombreros, ropa de cama, toallas, cepillos o peines; y los piojos públicos mediante el contacto sexual	Mediante contacto cercano con una persona infestada o su ropa de cama, ropa, o toallas
¿Cómo se eliminan?	Medicamento para los piojos de la cabeza. Lave la ropa, la ropa de cama, y las toallas	El medicamento se aplica al cuerpo entero y se deja de un día para otro. Lave la ropa, la ropa de cama, y las toallas La comezón puede durar por varias semanas.

Premenstrual, síndrome (PMS, por sus siglas en inglés)

Cuándo llamar al médico

◆ No se siente bien a los pocos días antes de que comienza su periodo menstrual.

◆ El síndrome premenstrual a menudo le impide ir al trabajo o la escuela o poder realizar sus actividades normales.

◆ Se siente sin control a causa del síndrome premenstrual.

Muchas mujeres tienen cólicos, dolor en los senos, y otros síntomas leves justo antes y durante los primeros días de sus periodos menstruales. Esto es normal. Cuando los síntomas son tan intensos que alteran la vida o afectan sus relaciones con los demás, se conocen como el síndrome premenstrual.

Los síntomas del síndrome premenstrual son diferentes en cada mujer. Algunos de los comunes son:

◆ Hinchazón en los senos, vientre hinchado, aumento de peso, y acné.

◆ Cambios en el estado de ánimo, antojos de comidas, y reducción en el deseo sexual.

◆ Calambres, dolores de cabeza, dolor en los senos, y dolores musculares.

◆ Problemas para dormir y falta de energía.

Es posible que pueda prevenir o reducir los síntomas con algunos cambios en la dieta y el estilo de vida y siguiendo otros consejos en la sección de tratamiento en casa. Pero posiblemente tarde un par de periodos antes de que las cosas mejoren.

Si el síndrome premenstrual está alterando demasiado su vida, vea al médico. El médico le puede recetar medicamentos que podrían ayudar. Si desea ayuda para decidir si éstos

 son adecuados para usted, vaya al sitio Web indicado en la contraportada y escriba **z562** en la celda de búsqueda.

Un pequeño número de mujeres tiene trastorno disfórico premenstrual (TPDM), una forma grave de síndrome premenstrual que puede hacer que se sienta enojada o hasta violenta y afectar sus relaciones en el trabajo y en casa. Hay medicamentos recetados y cuidados propios que le pueden ayudar a retomar el control de su vida.

Tratamiento en casa

◆ Mantenga un registro diario de sus síntomas: qué son, cuán graves, y cuándo le ocurren. Este registro le ayuda a ver las tendencias durante el ciclo y por lo tanto podría ayudarle a prevenir, reducir o manejar mejor el síndrome premenstrual. Por ejemplo, si usted sabe cuándo suelen comenzar los cólicos, puede empezar a tomar el medicamento justo antes de que se presenten. Esto funciona mejor que esperar a que sienta dolor.

◆ Consuma comidas pequeñas cada 3 a 4 horas. Incluya bastantes granos enteros, frutas y verduras. Limite las grasas y los dulces.

◆ Reduzca la sal para limitar la sensación de vientre hinchado.

◆ No fume, y consuma menos alcohol y cafeína.

◆ Haga ejercicio.

◆ Pruebe con medicamentos sin receta para el síndrome premenstrual como Midol o Pamprin. Estos contienen varios medicamentos que ayudan a aliviar los cólicos, la sensación de vientre inflado, y los dolores de cabeza.

◆ Tome calcio (1,200 mg diarios), vitamina B_6 (50 a 100 mg diarios), o magnesio (400 mg diarios). Éstos pueden mejorar su estado de ánimo, reducir la sensación de inflación y el dolor, y ayudar con otros síntomas del síndrome premenstrual.

◆ Reduzca el estrés lo más posible. Pruebe con el yoga u otras técnicas de relajación. Vea la página 349.

◆ Busque apoyo. Hable con su familia, amigos, y cualquier otra persona que pueda verse afectada por sus síntomas. También puede unirse a un grupo de apoyo para el síndrome premenstrual.

Presión arterial alta

Cuándo llamar al médico

Llame al 911 si tiene presión arterial alta y le da un dolor de cabeza intenso y repentino.

Llame a su médico si:

◆ Su presión arterial alta por lo general está controlada pero de repente sube mucho más de lo normal.

◆ Se toma la presión y es 180/110 o más.

◆ Tiene presión arterial alta y le da un dolor o incomodidad en el pecho o falta de aire que antes no tenía. Vea Dolor de pecho en la página 226.

◆ La presión arterial es mayor que 140/90 en dos o más ocasiones.

◆ Tiene algún problema con el medicamento para la presión arterial.

La presión arterial es una medida de la fuerza que ejerce la sangre contra las paredes de las arterias. Las lecturas de presión incluyen dos números, tales como 130/80. (Es decir, "130 sobre 80").

◆ El primer número (de arriba) de la lectura es la presión sistólica. Esta es la fuerza de la sangre cuando el corazón late.

◆ El segundo número (de abajo) es la presión diastólica. Esta es la fuerza que ejerce la sangre entre latidos, cuando el corazón está en descanso.

Nivel de presión arterial	Sistólica (Número de arriba)	Diastólica (Número de abajo)
Normal para adultos	119 o menos	79 o menos
Límite alta (prehipertensión)	120 a 139	80 a 89
Alta (hipertensión)	140 o más	90 o más

Si tiene presión arterial alta o en el límite de alta, los cambios en el estilo de vida podrían ayudar a bajarla. Algunas personas también necesitan medicamentos para controlar la presión arterial.

A pesar de lo que muchas personas piensan, la presión arterial alta usualmente no causa dolores de cabeza ni le hace sentir mareos ni desmayos. A menudo le llaman el "asesino silencioso", porque por lo general no tiene síntomas.

Sin embargo, aumenta el riesgo de que tenga un ataque al corazón, ataque cerebral, y daño a los riñones y a la vista. El riesgo aumenta a medida que le sube la presión arterial. Mientras más tiempo tenga la presión alta, mayor el riesgo.

Tratamiento en casa

Si tiene la presión normal, los siguientes pasos ayudarán a que se mantenga así. Si tiene la presión en el límite de alta o alta, estos pasos podrían ayudarle a bajarla o a evitar que empeore.

◆ Alcance y mantenga un peso saludable. Esto es especialmente importante si aumenta de peso alrededor de la cintura en lugar de en las caderas y muslos. Aún bajar 10 libras (4.5 kilos) puede ayudar a bajarle la presión arterial. Vea la página 326.

◆ Haga ejercicio al menos 30 minutos durante la mayoría de los días de la semana. No tiene que hacer los 30 minutos de una vez. Intente salir a caminar tres veces por 10 minutos. Vea Ejercicio y salud en la página 338.

◆ No consuma mucho alcohol.

◆ Limite el contenido de sal. Para aprender cómo reducir la sal en la dieta, vea la página 319.

◆ Cerciórese de obtener suficiente potasio, calcio y magnesio. Coma suficientes frutas (como bananas y naranjas), verduras, frijoles secos y chícharos, granos enteros, y productos lácteos bajos en grasa para obtener estos minerales.

◆ Limite las grasas saturadas. La grasa saturada se encuentra en productos animales tales como la leche, el queso y la carne. Limitar estos alimentos le ayudará a perder peso y reducir el riesgo de tener enfermedades del corazón. Vea la página 334 para consejos sobre cómo hacerlo.

◆ Si fuma, deje de hacerlo. Fumar aumenta el riesgo de tener un ataque al corazón y un ataque cerebral. Si necesita ayuda para dejar de fumar, vea la página 344.

Si sabe que tiene presión arterial alta:

◆ Tómese cualquier medicamento que el médico le recete para controlar la alta presión. Si los deja de tomar, la presión le puede subir de nuevo rápidamente.

¿Está en riesgo de tener presión arterial alta?

Su probabilidad de tener presión arterial alta es mayor si:

◆ Fuma.

◆ Tiene sobrepeso.

◆ Otras personas en su familia tienen alta presión.

◆ Es africano-americano.

◆ No hace ejercicio con regularidad.

◆ Consume mucho alcohol.

◆ Lleva una dieta alta en sal o sin suficiente potasio, calcio o magnesio.

◆ Toma descongestionantes, antiinflamatorios (tales como ibuprofeno o naproxeno) o esteroides de manera regular.

◆ Hable con el médico sobre tomar una aspirina cada día para reducir su riesgo de tener un ataque al corazón o ataque cerebral. No comience a tomar aspirina sin antes haberlo consultado con el médico.

◆ Vea al médico al menos una vez al año.

◆ Si toma un medicamento para la presión, hable con el médico antes de tomar descongestionantes o antiinflamatorios tales como ibuprofeno (Advil, Motrin) o naproxeno (Aleve). Algunos de éstos pueden subir la presión.

◆ Aprenda cómo medirse la presión arterial en el hogar.

Prostatitis

Cuándo llamar al médico

- Tiene problemas urinarios acompañados de fiebre, escalofríos, vómito, o dolor en la espalda o vientre.

- La orina tiene sangre, se ve roja o rosada sin razón aparente (vea la página 74).

- Dolor en la pelvis o problemas urinarios que duran más de 5 días, aun con el tratamiento en casa.

- El dolor en la pelvis o los problemas urinarios cambian o empeoran de repente.

- Le duele al orinar, eyacular, o evacuar. Nota una secreción rara del pene.

- Vea también Enfermedades de transmisión sexual en la página 144.

La prostatitis es cualquier inflamación dolorosa o infección de la próstata. Si tiene este problema:

- Es posible que a menudo sienta la necesidad de orinar pero solamente puede evacuar un poco de orina a la vez.

- Es posible que sienta ardor al orinar.

- Es posible que sienta que no puede vaciar la vejiga por completo.

- Es posible que tenga dificultad para comenzar a orinar o que el chorro de orina sea débil.

- Es posible que tenga que orinar mucho en la noche.

- Es posible que sienta dolor en la pelvis. Es posible que sienta el dolor en la parte baja de la espalda o el vientre, en el escroto, en el área entre el escroto y el ano, en la parte superior de los muslos, o en el área púbica.

- Es posible que le duela cuando eyacule.

Una infección de la próstata causada por bacterias por lo general mejora con tratamiento en casa y antibióticos. Si la infección regresa, es posible que necesite más antibióticos.

Pero la mayoría de los hombres que tienen prostatitis no tienen una infección bacteriana. En estos casos, el tratamiento en casa tiende a ser la mejor solución.

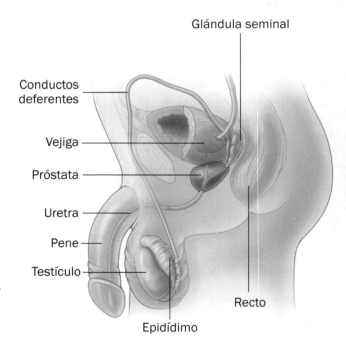

Órganos pélvicos masculinos
(la próstata está justo debajo de la vejiga)

Tratamiento en casa

◆ Evite el consumo de alcohol, cafeína y alimentos picantes o demasiado condimentados. Es posible que le agraven los síntomas.

◆ Tome baños calientes para aliviar el dolor y reducir el estrés.

◆ Coma muchos alimentos ricos en fibra, y tome mucha agua. Esto ayudará a evitar el estreñimiento. Hacer mucha fuerza puede doler mucho cuando se tiene prostatitis.

◆ Tome acetaminofén (Tylenol) o ibuprofeno (Advil, Motrin) para el dolor.

◆ Si el médico le receta antibióticos para una infección de próstata, tómeselos como le indiquen.

Próstata, agrandamiento de la

Cuándo llamar al médico

◆ No puede orinar.

◆ Siente que no puede vaciar la vejiga completamente.

◆ Tiene problemas urinarios acompañados de fiebre, escalofríos, vómitos o dolor en la espalda o el vientre.

◆ Le duele o le arde al orinar.

◆ Hay sangre o pus en la orina.

◆ Tiene problemas urinarios nuevos o peores después de comenzar un nuevo medicamento.

A medida que un hombre envejece, la próstata se le puede agrandar. Esto se llama **hiperplasia prostática benigna, o HPB**. A medida que la glándula crece, puede apretar u obstruir parcialmente la uretra. Esto puede causar problemas con el flujo de orina, tales como:

◆ Problemas para iniciar el chorro de orina o detenerlo por completo. Esto puede causar goteos. (Pero el goteo es muy común. No necesariamente significa que tiene HPB.)

◆ Necesidad de orinar más a menudo, especialmente de noche.

◆ Chorro de orina débil.

◆ Sensación de que no puede vaciar la vejiga por completo.

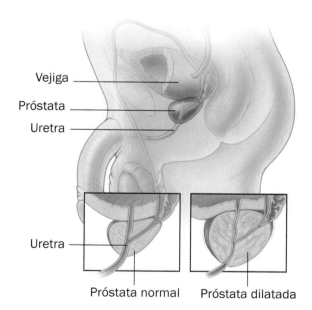

A medida que la próstata se agranda, puede hacer presión sobre la uretra.

Más

La HPB no es un problema grave a menos de que tenga muchos problemas para orinar o que la orina acumulada le cause problemas en la vejiga o los riñones.

Muchos hombres descubren que pueden manejar los síntomas si se proporcionan ciertos cuidados a sí mismos. A veces los síntomas desaparecen por sí solos. En estos casos, el mejor tratamiento posiblemente sea ningún tratamiento.

Algunos hombres deciden probar uno de los medicamentos que pueden ayudar a aliviar los síntomas. Si desea ayuda para decidir si éstos son adecuados para usted, vaya al sitio Web indicado en la contraportada y escriba

e988 en la celda de búsqueda. Después hable con su médico. Una cirugía también puede ser una opción.

Tratamiento en casa

◆ Evite medicamentos para alergia y resfríos (antihistamínicos, descongestionantes, y aerosoles nasales). Pueden empeorar los problemas urinarios.

◆ Si le molesta tener que levantarse en la noche para orinar, reduzca el consumo de líquidos antes de dormir, especialmente aquellos que contengan alcohol o cafeína. No obstante, tome suficiente agua y otros líquidos durante el día.

◆ Tómese suficiente tiempo para orinar. Abra una llave de agua, o trate de imaginar una corriente de agua. Esto les ayuda a algunos hombres. Lea o piense sobre otras cosas mientras espera.

◆ Siéntese en el inodoro para orinar.

◆ Trate la técnica de "doble micción". Orine lo más que pueda, relájese por varios momentos, y vuelva a intentar.

◆ Los productos herbales tales como la palma sabal (*saw palmetto*) pueden ayudar a algunos hombres que tienen HPB. Hable con su médico antes de tomar éste o cualquier otro producto herbal.

Vea también los consejos sobre el Control de la vejiga en la página 280.

Psoriasis

Cuándo llamar al médico

◆ La psoriasis le cubre gran parte del cuerpo o la zona está bien enrojecida. Los casos graves a menudo necesitan atención médica.

◆ Tiene señales de una infección en la piel. Éstas pueden incluir dolor o hinchazón, el área se siente caliente o se enrojece; aparecen rayas rojas que salen del área; pus; y fiebre.

La psoriasis es un problema a largo plazo en la piel que causa parches levantados y enrojecidos cubiertos de piel descamada y de color plateado. Estos parches ocurren con mayor frecuencia en las rodillas, los codos, el cuero cabelludo, las manos, los pies o la parte baja de la espalda. Si el problema es grave, es posible que la piel le pique y le duela.

Usted puede tratar la psoriasis con buen cuidado en el hogar y, algunas veces, con medicamentos que el médico le recete. Es posible que el médico también le recomiende tratamientos con luz ultravioleta.

La psoriasis no es contagiosa.

Tratamiento en casa

◆ Manténgase la piel humectada. Use un jabón suave para bañarse. Después de bañarse, use un ungüento, crema o loción humectante mientras la piel todavía está húmeda. Esto sella la humedad.

◆ Use crema de hidrocortisona sobre las áreas pequeñas. También pueden ser de ayuda otros productos para la psoriasis (lociones, gels, champús), pero podrían hacer que la piel quede más sensible al sol.

◆ Trate de evitar las quemaduras de sol. Tomar sol por periodos cortos reduce la psoriasis en la mayoría de las personas. Pero las quemaduras de sol lesionan la piel y podrían empeorar la psoriasis o causar que apareciera en áreas nuevas. Use un protector con filtro solar en las áreas que no tienen psoriasis.

◆ Evite los productos químicos o fuertes para la piel, como por ejemplo los que contienen alcohol.

◆ Use un vaporizador en frío o humidificador para añadir humedad a la habitación en que duerme.

◆ Trate de reducir el estrés. Vea la página 347. El estrés puede empeorar la psoriasis en algunas personas.

Quinta enfermedad

Cuándo llamar al médico

- Su hijo parece muy enfermo.

- Su hijo se siente muy débil y cansado y tiene pálida la piel.

- Su hijo tiene salpullido con mucha fiebre. Vea las recomendaciones para la fiebre en las páginas 171 y 173.

- Usted está embarazada y piensa que se ha expuesto a un niño con quinta enfermedad. Aunque la quinta enfermedad es inofensiva en los niños, hay una pequeña posibilidad de que dañe a su bebé por nacer.

- Usted está embarazada y tiene un salpullido que parece quinta enfermedad (un salpullido como de "mejillas abofeteadas" en la cara, o un salpullido rosado y reticular en brazos, piernas, torso o glúteos).

La quinta enfermedad causa un salpullido y, en algunos casos, síntomas parecidos a una gripe ligera. Afecta mayormente a los niños, aunque también la pueden padecer los adultos.

Un niño con quinta enfermedad puede tener:

- Un salpullido rojo en la cara, que parece como si le hubieran abofeteado las mejillas.

- Un salpullido rosado y reticular en la parte trasera de brazos y piernas, en el torso y en los glúteos.

La mayoría de los niños sólo tienen el salpullido. Pero algunos pueden tener también fiebre baja, escurrimiento nasal, garganta irritada, dolor de cabeza y dolor en las articulaciones de 7 a 10 días antes de que aparezca el salpullido.

El salpullido puede aparecer y desaparecer durante varias semanas, en reacción a los cambios de temperatura y la luz solar.

Estornudar y toser contagia la enfermedad. Es más probable que el niño con quinta enfermedad se lo contagie a otros la semana anterior a que aparezca el salpullido, cuando hay fiebre. Para cuando aparece el salpullido, el niño ya no puede contagiar la enfermedad.

Tratamiento en casa

El descanso y los líquidos son el principal tratamiento para la quinta enfermedad. Mantenga cómodo a su hijo y observe si hay señales de que esté empeorando y necesite la atención del médico.

Si el salpullido da comezón, pruebe las recomendaciones en Alivio de la comezón en la página 230.

Resfriados

Cuándo llamar al médico

- Tiene dificultad al respirar.

- Tiene fiebre alta. Vea la página 173.

- Empieza a sentir falta de aire o empeora la que ya tenía.

- Escupe de los pulmones moco (esputo) amarillo, verde o con sangre y tiene fiebre.

- El moco de la nariz es denso (como pus) o con sangre.

- Tiene enrojecimiento en el rostro o alrededor de los ojos, o siente un dolor en el rostro, ojos o dientes, que no mejora con el tratamiento en casa.

- Los síntomas son peores de lo que podría esperarse con un resfriado y no cree tener gripe. Vea Gripe en la página 181.

Todo el mundo tiene un resfriado de vez en cuando. El niño promedio tiene seis resfriados al año; los adultos tienen menos.

Hay muchos virus diferentes que causan el resfriado, pero los síntomas por lo general son los mismos:

- Escurrimiento nasal y estornudos

- Ojos enrojecidos

- Garganta irritada y tos

- Dolor de cabeza y de cuerpo

Probablemente sienta que el resfriado le viene en el curso de unos días. Al empeorar el resfriado, la nariz se tapa con moco grueso. La mayoría de los resfriados duran de una a dos semanas.

No hay cura para el resfriado común. Los antibióticos no ayudan. Si usted contrae resfriado, trátese los síntomas.

Si se siente resfriado todo el tiempo, o si los síntomas duran más de dos semanas, quizá tenga alergia (vea la página 85) o sinusitis (vea la página 254).

Tratamiento en casa

En ocasiones, un resfriado desemboca en una infección más grave, como bronquitis o neumonía. El buen tratamiento en casa de un resfriado puede ayudar a que usted se sienta mejor.

- Descanse más. Bájele un poco a su rutina habitual. No necesita quedarse en cama, pero trate de no exponer a los demás a su resfriado. Beba muchos líquidos.

- El agua caliente, el té de hierbas y el caldo de pollo ayudan a aliviar la nariz y la cabeza congestionadas.

- Tome aspirina, ibuprofeno (Advil, Motrin) o acetaminofén (Tylenol) para aliviar los dolores. No le dé aspirina a nadie de menos de 20 años de edad.

- Ponga un humidificador en su recámara y dése duchas calientes para aliviar la nariz y cabeza congestionadas.

- Si tiene flema en la parte trasera de la garganta (goteo posnasal), haga gárgaras con agua caliente.

- Use pañuelos desechables, no de tela. Esto reduce las posibilidades de contagiar el resfriado a otros.

Más

- Si tiene la nariz roja y pelada por frotársela con los pañuelos desechables, ponga un poco de vaselina en el área irritada.

- No le de ningún medicamento para el resfriado a un niño menor de 2 años.

- No tome remedios para el resfriado que usan varios fármacos para tratar diferentes síntomas. Trate aparte cada síntoma. Tome un descongestionante para la nariz tapada y un medicamento específico para la tos. Vea tratamientos caseros para la tos en la página 259.

- No use descongestionantes nasales en rociador durante más de tres días seguidos. Hacerlo puede tener un efecto de "rebote", que haría hincharse aun más las membranas mucosas de la nariz.

- No tome antihistamínicos para un resfriado. No le ayudan en nada.

Cómo evitar resfriados

- ¡Lávese las manos con frecuencia! Tenga especial cuidado en invierno y cuando esté cerca de personas resfriadas.

- Mantenga las manos lejos de la nariz, ojos y boca. Son los lugares más probables por donde puede entrar el virus del resfriado en el cuerpo.

- Coma bien, descanse mucho y haga mucho ejercicio. Esto conserva fuerte su sistema inmunológico.

- No fume.

Respiración, problemas de la

Cuándo llamar al médico

Llame al 911 si:

- No puede respirar o tiene problemas serios para poder respirar. Para las señales de las problemas serios para respirar, vea la página 53.

- Puede tener falta de aire con dolor en el pecho, presión o cualquier otro síntoma de ataque al corazón. Vea la página 15.

- Tiene una inflamación de la garganta o la lengua, lo cual le dificulta mucho la respiración. Esto puede estar provocado por una reacción alérgica. Vea la página 87.

Llame al médico si:

- Si respira con jadeo. El jadeo es un sonido agudo que se produce cuando tiene un problema en sus vías respiratorias.

- Se cansa rápidamente cuando habla o come o se detiene con frecuencia para recuperar el aliento.

- Se despierta por la noche con falta de aliento.

- Tiene problemas para respirar o tose mucho cuando hace ejercicio.

- Tiene cualquier problema respiratorio que dura más de una hora y no se relaciona con un resfriado, gripe u otra enfermedad.

Asegúrese de revisar la tabla de problemas en el pecho, el corazón y los pulmones en la página 72 si no encuentra aquí sus síntomas.

Los problemas para respirar pueden tener muchas causas posibles, desde el asma hasta la ansiedad y los problemas cardiacos. Un problema para respirar puede ser una señal de algo serio, aunque no siempre sea así. Use la lista de consejos acerca de cuándo llamar al médico para saber si requiere atención médica y cuán pronto.

Si ya se le han diagnosticado alergias, asma, EPOC (enfermedad pulmonar obstructiva crónica) o insuficiencia cardiaca, alguno de estos temas podría ser útil:

- ❖ Alergias, en la página 85

- ❖ Cómo vivir mejor con asma, en la página 292

- ❖ Cómo vivir mejor con insuficiencia cardiaca, en la página 318

- ❖ Cómo vivir mejor con EPOC, en la página 297

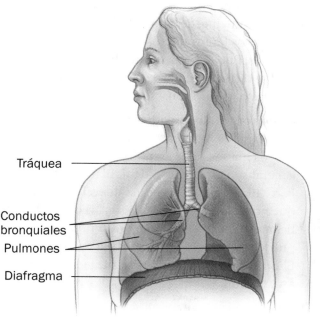

Tráquea

Conductos bronquiales

Pulmones

Diafragma

El tracto respiratorio

Rodilla, problemas en la

Cuándo llamar al médico

- ◆ La rodilla se le dobla sola o no soporta peso.

- ◆ Oyó o siente un "chasquido" en la rodilla cuando se lesionó.

- ◆ La rodilla se le inflama mucho 30 minutos después de una lesión.

- ◆ Tiene señales de daño a los nervios o a los vasos sanguíneos, como entumecimiento, sensación de hormigueo, o la piel se le pone pálida o morada más abajo de la lesión.

- ◆ La rodilla se ve deforme.

- ◆ No puede estirar o doblar la rodilla, o la articulación no se mueve.

- ◆ La rodilla está enrojecida, caliente, hinchada o duele demasiado al tocarla.

- ◆ Le duele tanto que está cojeando, o no mejora después de 2 días de tratamiento en casa.

Más ➡

Rodilla, problemas en la

La rodilla es una articulación que se puede lesionar fácilmente. Se compone simplemente de tres huesos largos unidos con ligamentos y músculos. Pueden ocurrir problemas cuando se distiende en exceso la rodilla. Tres problemas comunes son:

◆ **Esguinces en los ligamentos de la rodilla.** (Los ligamentos unen unos huesos a otros huesos.) Los esguinces por lo general son el resultado de doblar o torcer la rodilla demasiado en una dirección en la que no se supone que lo haga. A veces un ligamento se puede desgarrar. También se puede desgarrar el cartílago de la rodilla. El cartílago es el tejido que protege la articulación.

◆ **Dolor en la rótula,** también conocido como dolor patelofemoral. Este dolor ocurre alrededor o detrás de la rótula. Es posible que lo sienta al correr en pendientes en bajada, al subir o bajar escaleras, o después de estar sentado por mucho tiempo.

◆ **Rodilla de saltador,** también conocida como tendinitis patelar. Esto afecta el tendón que une la rótula a la tibia y causa dolor justo debajo de la rodilla. Es común en jugadores de baloncesto y voleibol.

Vea además Distensiones, esguinces y fracturas página 27 y Bursitis y tendinitis en la página 98.

Si el dolor en la rodilla no está relacionado con el ejercicio o una lesión reciente o pasada, vea Artritis en la página 92.

Tratamiento en casa

◆ Descanse y proteja la rodilla. Tome un descanso de cualquier cosa que le cause dolor. Después de varios días de descanso, puede comenzar ejercicios suaves y estiramientos.

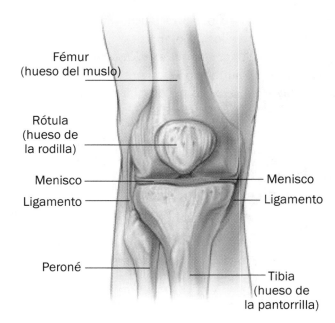

Fémur
(hueso del muslo)

Rótula
(hueso de
la rodilla)

Menisco

Ligamento

Peroné

Menisco

Ligamento

Tibia
(hueso de
la pantorrilla)

Usted puede tener problemas en la rodilla cuando las estructuras que apoyan la articulación se lesionan o se inflaman.

◆ Póngase hielo o una compresa fría en la rodilla por periodos de 10 a 15 minutos. Vea Hielo y compresas frías en la página 200.

◆ Durante los próximos 3 días, levante la rodilla sobre una almohada cuando le ponga hielo o en cualquier momento en que se siente o se acueste. Trate de mantenerla sobre el nivel del corazón. Esto ayudará a reducir la inflamación.

◆ Tome ibuprofeno (Advil, Motrin) o naproxeno (Aleve) para el dolor y la hinchazón.

◆ Pregúntele al médico si es necesario ponerse un soporte ortopédico o una bota elástica o de neopreno con un agujero que mantiene la rodilla en su lugar. Esto ayudará a aliviar el dolor mientras se mueve. Puede comprar una en una farmacia o en una tienda de artículos deportivos.

Prevención de problemas en la rodilla

◆ Fortalezca y estire los músculos de la pierna de manera pareja, especialmente aquellos en la parte frontal del muslo (llamados cuadriceps) y detrás del muslo (tendón de la corva). Vea la página 342. Esta es la mejor manera de prevenir problemas en la rodilla.

◆ No haga ejercicios intensos de cuclillas. Imagínese una línea que comienza desde la punta de los dedos de los pies y sube derecha. Al ponerse en cuclillas, las rodillas no deben pasar esa línea.

◆ No corra en pendientes hacia abajo a no ser que sus músculos están bien entrenados y suficientemente fuertes para hacerlo.

◆ Use zapatos que tengan buen soporte para el arco. Reemplace los zapatos para correr cada 300 a 500 millas (500 a 800 kilómetros).

◆ No use zapatillas con clavos (*cleats*) cuando juegue deportes de contacto.

◆ No use zapatos de tacón alto.

Rosácea

Cuándo llamar al médico

◆ Cree que tiene rosácea.

◆ El enrojecimiento, los granos y la irritación en los ojos se empeora aún con tratamiento.

La rosácea es un problema de la piel a largo plazo que causa:

◆ Áreas enrojecidas, líneas rojas (pequeños vasos sanguíneos), y pequeños granos parecidos al acné en la cara. Es posible que piense que es acné.

◆ Los ojos o los párpados le arden o le duelen. La rosácea puede resultar en problemas más graves en los ojos si no recibe tratamiento.

◆ Bultos grandes en la nariz o en la cara en casos graves.

Usted tiene mayor probabilidad de tener rosácea si su tono de piel es blanco y se enrojece fácilmente o si la cara le permanece enrojecida por más tiempo que a la mayoría de las personas. El problema tiende a repetirse en las familias.

Cuanto más rápido comience el tratamiento de la rosácea, mejor. Si se mantiene leve, es posible que la pueda controlar bien. Los medicamentos recetados pueden ayudar si el tratamiento en casa no es suficiente.

Tratamiento en casa

◆ Determine qué cosas activan el enrojecimiento y los granos en su caso, y trate de evitarlas. Éstas pueden ser:

❖ Clima muy frío o caluroso. En el invierno, use sombrero y bufanda para proteger la cara del frío y el viento. Use un humectante facial.

❖ Estrés. Lleve una dieta saludable, haga suficiente ejercicio y duerma bien.

❖ Alcohol, alimentos picantes o sumamente condimentados, o bebidas muy calientes.

Más ➤

❖ Acalorarse demasiado al hacer ejercicio. Trate de hacer ejercicio por menos tiempo. En el verano, haga ejercicio durante las horas frescas de la mañana o en un gimnasio con aire acondicionado.

❖ Bañarse con agua caliente. Báñese con agua tibia o fría. No use tinas de hidromasaje ni saunas.

◆ Siempre use un protector con filtro solar en la piel expuesta.

◆ Use jabones, lociones y cosméticos hechos para piel sensible que no contienen alcohol, no son abrasivos, y no obstruirán los poros.

◆ Si tiene rosácea en los párpados, lávelos suavemente con un producto hecho especialmente para los ojos. Use gotas de lágrimas artificiales si siente los ojos resecos.

◆ Hable con el médico sobre las cremas antibióticas u otros medicamentos que pueden ayudarle con los granos y el enrojecimiento. En casos extremos, el tratamiento con láser puede reducir el enrojecimiento.

Roséola

Cuándo llamar al médico

Vea las recomendaciones sobre la fiebre en la página 171.

La roséola es una enfermedad viral leve en los niños pequeños que a menudo comienza con una fiebre alta repentina (entre 103°F y 105°F [39.4°C a 40.5°C]). La fiebre dura de 2 a 3 días. A medida que la fiebre cede, aparece un salpullido rosado en el torso, el cuello y los brazos. El salpullido puede durar de 1 a 2 días. La mayoría de los bebés se sienten bien cuando tienen roséola.

Pero, como la fiebre es bastante alta y se presenta repentinamente, algunos niños pudieran tener convulsiones de fiebre. Vea la página 127.

La roséola es más común en los niños de entre 6 meses y 2 años de edad. No es común después de los 4 años.

Tratamiento en casa

◆ Si su hijo tiene una fiebre de más de 102°F (38.9°C) y se siente mal, déle acetaminofén (Tylenol). No le dé aspirina a sus hijos.

◆ Déle al niño muchos líquidos.

Salpullido por calor

Cuándo llamar al médico

◆ Un bebé de menos de 3 meses tiene salpullido por calor con fiebre de 100.4°F (38°C), y la fiebre no baja después de 20 minutos de haberle quitado parte de la ropa.

◆ El salpullido parece estar infectado o dura más de 3 días.

◆ El bebé parece estar enfermo.

El salpullido por calor es un salpullido de pequeños puntos rojos en la cabeza, cuello u hombros de un bebé. Algunas personas le llaman fiebre miliar.

El salpullido por calor a menudo ocurre cuando los padres abrigan demasiado a un bebé o cuando el clima es caluroso. Su bebé necesita, como mucho, una capa adicional de ropa que usted. La piel se debe sentir tibia, ni muy caliente ni muy fría. Ponga su mano entre los omóplatos del bebé. Si la piel se siente caliente o húmeda, el bebé está demasiado caliente.

Tratamiento en casa

◆ Mantenga la piel del bebé fresca y seca.

◆ Mantenga el área de dormir del bebé cómoda, ni demasiado caliente ni demasiado fría.

◆ Vista al bebé con ropa ligera durante el clima caluroso. Es posible que un pañal sea suficiente. Cerciórese de proteger la piel de las quemaduras de sol.

Salpullidos

Cuándo llamar al médico

◆ Tiene un salpullido que se desarrolla rápidamente y tiene aspecto de moretones o pequeños puntos morados o de sangre debajo de la piel. Es posible que tenga una enfermedad grave. Vea la página 174.

◆ Tiene un salpullido con señales de infección. Éstas pueden incluir más dolor o enrojecimiento, el salpullido se inflama o se siente caliente; rayas rojas que salen del salpullido; pus; y fiebre.

◆ Tiene un salpullido después de una picadura de garrapata. Vea la página 37.

◆ Tiene un salpullido después de comenzar un medicamento nuevo.

◆ Tiene un salpullido acompañado de fiebre y dolor en las articulaciones.

◆ Tiene un salpullido acompañado de dolor de garganta. Vea la información sobre la escarlatina en la página 177.

◆ No está seguro de qué está causando el salpullido.

◆ Un salpullido no desaparece después de 2 a 3 semanas de tratamiento en casa.

Más ▶

Salpullidos

Los salpullidos pueden ser causados por muchas cosas: enfermedad, alergia, bacterias, calor, y estrés, entre otras cosas.

Cuando se le presente un salpullido por primera vez, pregúntese estas cosas para ayudar a determinar la causa:

◆ ¿Tiene el salpullido en un área que hizo contacto con algo nuevo? Esto podría ser una planta; jabones, detergentes o champús; perfumes, cosméticos, o lociones; joyería o telas; o una nueva herramienta, aparato electrodoméstico, o guantes de látex. Cualquiera de estas cosas puede irritar la piel.

◆ ¿Ha comido algo nuevo a lo que pudiera ser alérgico?

◆ ¿Está tomando un medicamento nuevo?

◆ ¿Ha tenido más estrés o problemas de lo normal recientemente?

◆ ¿Ha estado enfermo?

◆ ¿El salpullido se está propagando?

◆ ¿Le pica?

Vea también la tabla de Problemas de la piel en la página 68. Si su hijo tiene un salpullido, la tabla de Salpullidos en los niños en la página 249 podría ser útil.

Hiedra venenosa, roble venenoso y zumaque venenoso

Las hojas de hiedra venenosa, roble venenoso y zumaque venenoso todas tienen un aceite al que muchas personas son alérgicas. Si usted toca las hojas o el aceite, puede presentar un salpullido rojo, con ampollas y que pica mucho. El salpullido a menudo aparece en líneas, allí donde las hojas rozaron la piel.

Es posible prevenir o reducir el salpullido si actúa rápidamente.

◆ Lávese la piel con alcohol para frotar o mucha agua dentro de los primeros 10 ó 15 minutos para eliminar el aceite de la piel.

◆ Use jabón solamente después de haber usado mucha agua.

◆ Lave su ropa, el perro, y cualquier otra cosa que pudiera haber tocado la planta.

Si de todos modos le da el salpullido, siga los consejos en el tratamiento en casa.

Hiedra venenosa

Roble venenoso

Zumaque venenoso

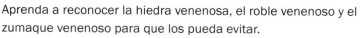

Aprenda a reconocer la hiedra venenosa, el roble venenoso y el zumaque venenoso para que los pueda evitar.

Salpullidos en los niños

Síntomas	Causas posibles
Puntos rojos semejantes al acné que se convierten en ampollas; fiebre	Varicela, p. 278
Salpullido en el área del pañal solamente	Erupción cutánea causada por el pañal, p. 151 Infección causada por hongos, p. 276
Salpullido enrojecido en la cara que parece como si alguien le hubiese abofeteado; salpullido rosado en el torso que aparece y desaparece; posible fiebre	Quinta enfermedad, p. 240
Puntos rojos o rosados en la cabeza, el cuello, los hombros; más común en los bebés	Salpullido por calor, p. 247
Fiebre alta repentina que dura de 2 a 3 días y es seguida de un salpullido rosado en el torso, los brazos y el cuello después de que la fiebre desaparece	Roséola, p. 246
Salpullido rosado y fino que comienza en la cara y cubre todo el cuerpo; glándulas inflamadas detrás de las orejas	Rubéola (raro)
Fiebre, goteo nasal, tos seca; ojos enrojecidos de 2 a 3 días antes de que un salpullido de puntos rojizos cubra todo el cuerpo	Sarampión (raro)
Fiebre alta, dolor de garganta, salpullido que parece papel de lijar, y textura parecida a una frambuesa en la lengua	Escarlatina, p. 177
Ampollas en la boca y la lengua que aparecen de 1 a 2 días después del comienzo de fiebre y dolor de boca o garganta; salpullido de ampollas que no duele en los dedos, las manos, los pies	Enfermedad de manos, pies y boca, p. 143

Tratamiento en casa

◆ Lave el área con agua. El jabón puede irritar el salpullido. Seque a palmaditas (sin frotar).

◆ Use paños fríos y mojados para reducir la comezón. Vea también Alivio de la comezón en la página 230.

◆ Manténgase fresco, y permanezca alejado del sol.

◆ Deje el salpullido expuesto al aire. El talco de bebé puede ayudar a mantener el salpullido seco.

◆ Si tiene un salpullido causado por una planta, la loción de calamina puede ayudarle. Úsela de 3 a 4 veces al día. Una loción suave como Cetaphil podría aliviar algunos salpullidos.

Más

Salpullidos

◆ Use crema de hidrocortisona para aliviar la comezón a corto plazo. No la use en la cara ni en el área genital.

◆ No use productos que le hayan causado un salpullido antes, tales como detergentes, productos para cuidado de la piel, cosméticos, ropa o joyería.

◆ Si presenta salpullidos con frecuencia, use jabones, detergentes, lociones y cosméticos que no tengan perfumes o sean hipoalergénicos.

Sangrado vaginal

Cuándo llamar al médico

Llame al 911 si:

◆ Tiene sangrado vaginal intenso y se desmaya o se siente mareada. (Sangrado intenso significa pasar coagulos de sangre y empapar sus toallas sanitarias usuales cada hora por 2 horas o más).

◆ Tiene sangrado vaginal fuerte y está en el segundo o tercer trimestre de su embarazo.

Llame al médico si:

◆ Usted está embarazada y tiene sangrado vaginal.

◆ Tiene dolor en el vientre bajo con un sangrado vaginal inesperado.

◆ Tiene un sangrado inesperado y fiebre.

◆ El sangrado es profuso.

◆ El sangrado entre sus periodos dura más de una semana o sucede 3 meses seguidos.

◆ Sangra después de haber tenido relaciones sexuales o haber usado un lavado vaginal.

◆ Tiene más de 35 años y tiene sangrado entre sus periodos.

◆ Tiene más de 35 años y sus periodos duran más de 10 días.

◆ Usa un método hormonal de control de la natalidad (pastillas, inyecciones, parche) y sus periodos no son como le dijo el médico que serían.

◆ Tiene algún tipo de sangrado después de la menopausia.

Sangrado entre periodos

Muchas mujeres tienen sangrado o manchas entre periodos. Esto no siempre significa que tenga problemas de salud.

Las causas comunes de sangrado o manchas pueden ser:

◆ Ovulación (cuando el ovario suelta un óvulo en cada ciclo).

◆ Píldoras anticonceptivas o inyecciones de Depo-Provera.

◆ Usar un dispositivo intrauterino (DIU).

◆ Lactancia.

◆ Estrés.

En todos estos casos, si el sangrado no es profuso y ocurre sólo de vez en cuando, probablemente no haya necesidad de preocuparse. No tome aspirina. Puede hacer que el sangrado dure más tiempo.

Algunas causas menos comunes son:

◆ Fibromas uterinos. Estos brotes no son cancerosos.

◆ Aborto o algún problema con el embarazo (vea la página 140).

◆ Embarazo ectópico. Esto significa que el óvulo fertilizado se adhiere en alguna parte fuera del útero.

◆ Infección en la pelvis. Puede tener fiebre, calambres, dolor al tener relaciones íntimas y una descarga vaginal olorosa. Vea la página 276.

◆ Un problema con el cuello uterino (la apertura del útero).

◆ Cáncer de cuello uterino (rara vez).

Sangrado después de la menopausia

Si usted ya pasó por la menopausia (vea la página 203) y no está tomando hormonas, no debe tener ningún sangrado vaginal. Si sangra, puede que tenga un brote anormal en el útero y debe consultar al médico.

Si está tomando hormonas, puede ser normal que haya un poco de sangrado después de la menopausia. Pero asegúrese de hablar con el médico al respecto.

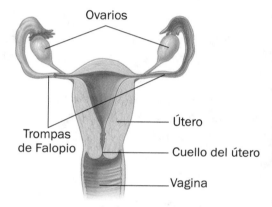

Los órganos pélvicos de la mujer

Sangrado normal de la menstruación

El ciclo menstrual es la serie de cambios por los que pasa el cuerpo de la mujer para prepararse para un posible embarazo.

Alrededor de una vez al mes, el útero produce un revestimiento nuevo y grueso (endometrio) para estar listo para recibir a un óvulo fertilizado. Los ovarios sueltan un óvulo. Si el óvulo no se fertiliza ni se implanta en el útero, éste desprende su recubrimiento.

El sangrado que eso produce es el periodo mensual. En la mayoría de las mujeres, el sangrado dura de 2 a 7 días. Puede ser fuerte o ligero. Cada mujer es diferente. Sepa lo que es normal en usted y vea si hay cambios.

También vea Ausencia o irregularidad de la menstruación en la página 205.

Senos, problemas en los

Cuándo llamar al médico

◆ Encuentra un abultamiento en su seno, axila o el área del pecho que le preocupa, especialmente si el abultamiento es duro y no tiene la misma apariencia del resto del tejido del seno.

◆ Encuentra un abultamiento en el seno después de la menopausia.

◆ Hay una descarga verdosa o rojiza del pezón o una descarga lechosa o acuosa que ocurra sin presionar el seno o el pezón.

◆ Hay un cambio en un pezón, como por ejemplo piel escamada o un pezón que se hunde en vez de asomarse.

◆ Uno de los senos cambia de forma o parece que da un tirón o se arruga al elevar los brazos.

◆ La piel aparece rugosa, como una cáscara de naranja.

◆ Hay un cambio en el color o textura de la piel del seno o en el área oscura alrededor del pezón.

◆ Se presenta un dolor nuevo en uno de los senos que dura más de 1 ó 2 semanas y no fue causado por una herida.

◆ Presenta signos de infección en uno de los senos, como dolor, enrojecimiento, calentura o salpullido.

◆ Usted es hombre y encuentra un abultamiento en el área del pecho.

Dolor en los senos

A muchas mujeres les duelen los senos, o los sienten pesados alrededor de una semana antes de sus periodos. Esto es provocado por los cambios hormonales normales. Los síntomas en general desaparecen al finalizar el periodo menstrual.

Puede ayudarle:

◆ Evitar los alimentos salados justo antes de que comience su periodo.

◆ Tomar 400 mg de magnesio al día.

◆ Tomar de 400 a 600 UI de vitamina E diariamente.

◆ Usar aceite de rosas.

◆ Reducir el consumo de cafeína.

◆ Tome ibuprofeno (Advil, Motrin) o naproxeno (Aleve) para el dolor.

◆ Usar un corpiño o brasier con más soporte, especialmente cuando haga ejercicio.

Probablemente dejará de tener éste tipo de dolor en los senos cuando se haya completado la menopausia.

El estrés, las terapias con estrógeno y el uso de ciertos medicamentos pueden empeorar el dolor en los senos. El dolor en los senos también puede ser un signo de embarazo.

El dolor en los senos, que no se relaciona con sus periodos o una lesión, en general es abrasador o agudo. Este dolor tiende a localizarse en un solo lado y ascender hasta la axila. Puede aparecer y desaparecer. El dolor en un solo punto y que no desaparece debe ser revisado por un médico.

Abultamientos en los senos

Los abultamientos en los senos son comunes, especialmente en mujeres entre los 30 y 50 años. Muchas mujeres sienten abultamientos en sus pechos antes de sus periodos. Las mujeres también tienen abultamientos mientras amamantan a sus bebés. Los abultamientos en los senos en general desaparecen después de la menopausia, pero podrían ocurrir en mujeres que toman hormonas después de la menopausia.

La mayoría de los abultamientos no son cáncer. Sin embargo, debe hacerse una revisión médica ante cualquier abultamiento o engrosamiento que no tenga la apariencia del resto del tejido de sus senos (puede ser mayor, más duro o sentirse diferente).

La densidad o los abultamientos en los senos de unas mujeres tienden a relacionarse con la historia familiar. Si su madre tiene abultamientos en los senos es probable que usted también los tenga. También es común que uno de los senos sea más denso que el otro. Lo importante es detectar cualquier signo de cambio en el tejido de los senos.

Cáncer de seno

Estos son algunos datos que debe conocer:

◆ El cáncer de seno con frecuencia es curable si se detecta a tiempo.

◆ Los mamogramas regulares y los exámenes del seno realizados por un profesional de atención médica pueden ayudarle a detectar el cáncer de seno en etapas tempranas y salvar vidas.

◆ Los autoexámenes pueden ayudarle a conocer lo que es normal para sus pechos y puede ayudarle a detectar los cambios en las etapas iniciales. Vea la página 361.

◆ Su riesgo de cáncer de seno aumenta después de los 50 años. En general las mujeres menores de 50 años tienen un riesgo menor de cáncer de seno.

◆ Si su madre o hermana tuvo cáncer de seno antes de la menopausia, usted tiene un mayor riesgo de cáncer de seno. Hable con su médico acerca del inicio de los mamogramas y otras pruebas antes de los 40 años.

Qué puede hacer para prevenir el cáncer de seno

◆ No consuma más de un trago al día. El consumo moderado o alto de alcohol aumenta su riesgo de cáncer de seno.

◆ Consuma una dieta baja en grasas (vea la página 332). Aunque no está comprobado que una dieta baja en grasas prevenga el cáncer, las mujeres en las poblaciones con dietas elevadas en grasa tienen más probabilidad de morir de cáncer de seno que aquellas con una dieta baja en grasas.

◆ Hágase un examen del seno con un profesional de atención médica cada año a partir de los 40 años.

◆ Realice un mamograma cada uno o dos años a partir de los 50. Si tiene entre 40 a 49 años, discuta con su médico el mejor plan de pruebas. Vea la página 360.

◆ Si hay un historial fuerte de cáncer de seno en su familia necesitará realizarse mamogramas antes de los 40 años, Asimismo hable con su médico acerca del tamoxifeno u otros medicamentos que puedan ayudarle a reducir el riesgo del cáncer de seno.

Sinusitis

La sinusitis es una inflamación o infección de los senos paranasales y las fosas nasales. Los senos paranasales se obstruyen, y esto causa dolor y presión en la cara.

La sinusitis con frecuencia ocurre después de un resfrío. Los problemas en los senos paranasales también se pueden relacionar con alergias, un diente infectado, la contaminación del aire, y otras cosas.

¿Es sinusitis o resfrío?

Los resfríos y la sinusitis tienen algunos síntomas en común, como la nariz tapada y tos. Sin embargo, si tiene un problema de los senos paranasales es posible que también tenga:

- Dolor sobre las mejillas y los dientes superiores.

- Dolor en la frente, sobre las cejas.

- Dolor alrededor o detrás de los ojos.

Junto con el dolor, es posible que tenga un dolor de cabeza, inflamación alrededor de los ojos, fiebre, o mucosidad que baja por la parte de atrás de la garganta. El dolor en la cara y estos otros síntomas no son comunes cuando solamente es catarro.

En los niños, la tos y el goteo nasal que duran más de 7 a 10 días y vienen acompañados de dolor de cabeza y dolor en la cara son indicios de que el problema podría ser sinusitis.

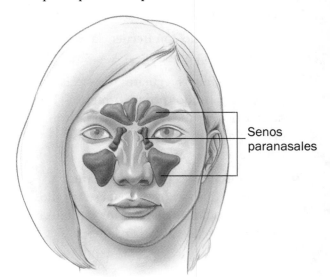

Senos paranasales

Los senos paranasales son espacios huecos en la cabeza.

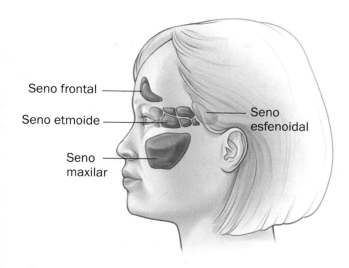

Seno frontal

Seno etmoide

Seno
esfenoidal

Seno
maxilar

Tratamiento en casa

◆ Tome mucha agua y otros líquidos para suavizar la mucosidad.

◆ Póngase una toalla tibia y húmeda o una compresa de gel en la cara varias veces al día por 5 a 10 minutos.

◆ Respire aire tibio y húmedo en la regadera, una tina de agua caliente, o un lavamanos lleno de agua caliente.

◆ Use un humidificador en el hogar, o al menos en su habitación de dormir. Evite el aire frío y seco.

◆ Use un descongestionante oral, un descongestionante nasal en aerosol, o un medicamento para la tos que contenga guaifenesina. No use descongestionantes nasales en aerosol durante más de 3 días consecutivos.

◆ No tome antihistamínicos a no ser que sus síntomas sean también causados por una alergia.

◆ Tome aspirina, acetaminofén (Tylenol), o ibuprofeno (Advil, Motrin) para aliviar el dolor facial y el dolor de cabeza. No le dé aspirina a nadie menor de 20 años.

¿Necesita un tratamiento con antibióticos?

La sinusitis con frecuencia mejora con una buena atención personal. Si considera los consejos de la sección de tratamiento en casa, podrá evitar el tratamiento con antibióticos y la consulta al médico.

Sin embargo, si sus síntomas son intensos o duran más de 10 a 14 días, necesitará el tratamiento con antibióticos. Si no se le da tratamiento a una infección por sinusitis o ésta no responde al tratamiento, puede derivarse en problemas de sinusitis a largo plazo, los cuales son difíciles de tratar.

Hay buenas razones para no usar antibióticos a menos que éstos sean necesarios:

◆ Los antibióticos pueden ser muy caros.

◆ Probablemente tenga que consultar al médico para que le dé la receta. Esto le cuesta tiempo y dinero.

◆ Los antibióticos pueden tener efectos secundarios dañinos, como diarrea, vómito y salpullido.

◆ La razón más importante de todas: Si toma antibióticos cuando no los necesita, quizá no le hagan efecto cuando sí los necesite. Cada vez que toma antibióticos es más probable que usted sea portador de una bacteria que no fue matada por el medicamento. Con el tiempo, esas bacterias se vuelven más fuertes y pueden causar infecciones más intensas y prolongadas. Para tratarlas, usted podría necesitar otros antibióticos, más fuertes y más costosos.

Más ▶

◆ No fume y evite el humo de segunda mano.

◆ Si nota rayas de mucosidad en la parte de atrás de la garganta, haga gárgaras con agua tibia.

◆ Suénese la nariz suavemente. No obstruya una fosa nasal al sonarse la nariz.

◆ Un lavado de agua salina podría ayudar a eliminar la mucosidad y las bacterias. Puede usar gotas de solución salina sin receta o una solución salina hecha en casa.

  ❖ Use una pera de goma para echarse un chorro suave del líquido en la nariz. También lo puede inhalar de la palma de la mano, una fosa nasal a la vez.

  ❖ Suénese la nariz suavemente al terminar.

  ❖ Repita de 2 a 4 veces al día.

Gotas de solución salina para la nariz

Los aerosoles de solución salina para la nariz que se compran sin receta (como NaSal y Ocean) son económicos y fáciles de usar. Mantienen los tejidos nasales húmedos y ayudan a limpiar la mucosidad y las bacterias. A diferencia de otros aerosoles nasales, éstos no causan inflamación dentro de la nariz.

Usted también puede hacer gotas de solución salina para la nariz en la casa. Mezcle ¼ de cucharadita de sal con 1 taza de agua tibia en una botella limpia con gotero. Después de 3 días, bote la mezcla y haga una nueva.

Use una pera de goma

Testículos, problemas en los

Cuándo llamar al médico

◆ Tiene un dolor repentino e intenso en un testículo o en el escroto. Esto puede ser indicio de torsión testicular, que necesita atención médica de urgencia.

◆ El dolor o la hinchazón en un testículo o en el escroto empeora durante el transcurso de varias horas o días o no desaparece después de varios días.

◆ El dolor o la hinchazón ocurre con fiebre.

◆ El dolor o la hinchazón comienza después de haber estado expuesto al virus de las paperas.

◆ Usted encuentra un bulto.

◆ Un testículo cambia de forma, tamaño o consistencia (se siente distinto).

◆ Un testículo se siente sumamente pesado.

Los testículos producen semen y hormonas masculinas. Los varones tienen dos testículos, ubicados detrás del pene dentro de una bolsa de piel llamada escroto.

Lesiones en los testículos

La ubicación de los testículos los hace blanco fácil de lesiones, especialmente durante los deportes de contacto. El dolor causado por una lesión debe desaparecer en más o menos una hora.

Para aliviar el dolor después de una lesión:

◆ Use una almohada para elevar el escroto, y aplique hielo o una compresa fría por 10 minutos, una vez por hora.

◆ Tome acetaminofén (Tylenol) o ibuprofeno (Advil, Motrin). No tome aspirina si tiene menos de 20 años.

◆ Use un suspensorio (*jockstrap*) si le ayuda.

Cáncer de testículo

El cáncer de testículo es raro y a menudo afecta a los hombres entre los 15 y 35 años. Por lo general, afecta un testículo solamente y responde bien al tratamiento si se encuentra temprano.

Los síntomas pueden incluir un bulto que no duele o inflamación que el hombre detecta por sí mismo. Es posible que el testículo también se sienta más pesado de lo normal.

Cómo hacerse un autoexamen

Después de bañarse con agua tibia:

◆ Párese con la pierna derecha sobre el borde de la tina o el inodoro.

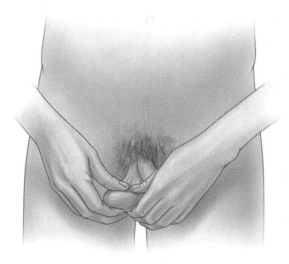

Palpe cada testículo para detectar cualquier abultamiento duro o inflamación.

Más →

257

Testículos, problemas en los

◆ Suavemente, palpe el testículo derecho entre el pulgar y los dedos de ambas manos. Trate de palpar cualquier bulto duro o inflamación. El testículo se debe sentir redondo y suave.

◆ Esté pendiente de cualquier cambio en el tamaño, forma, o consistencia del testículo. Es normal que un testículo sea un poco más grande que el otro.

◆ Repita el examen en el testículo izquierdo.

◆ Dígale al médico si encontró cualquier bulto o inflamación, si han cambiado de tamaño, o si ha cambiado el aspecto o la consistencia.

Otros problemas en los testículos			
Problema	**Síntomas**	**Causa**	**Comentarios**
Epididimitis (inflamación del conducto en la parte superior del testículo; vea la ilustración en la página 236)	Dolor e inflamación en el escroto que poco a poco empeoran; el escroto se siente caliente y dolorido; fiebre	Enfermedad de transmisión sexual; irritación causada por infección en la vejiga o lesión	Llame a su médico. Es posible que necesite antibióticos.
Orquitis (inflamación de un testículo)	Dolor e inflamación en el escroto; el escroto se siente pesado	Virus de las paperas; infección bacteriana de la próstata o el epidídimo (vea la ilustración en la página 236)	Llame a su médico. Si no se trata, la orquitis puede causar infertilidad. Cerciórese de que su hijo varón reciba la vacuna MMR para prevenir las paperas. Vea la página 354.
Torsión (el testículo rota sobre su conducto del semen, y esto corta la circulación de sangre)	Dolor repentino e intenso en el escroto que se puede extender hacia el vientre; náuseas y vómitos; fiebre	No se sabe. Puede ocurrir mientras duerme o después de ejercicio intenso. Es más común en varones adolescentes.	**Esto puede ser una emergencia.** Es posible que necesite cirugía durante las primeras horas para restaurar la circulación y evitar daños permanentes.

Tos

Cuándo llamar al médico

◆ Tiene fiebre y una tos que le hace expectorar moco amarillo, verde o con sangre de los pulmones.

◆ La tos dura más de 7 ó 10 días después de que hayan desaparecido los síntomas, en especial si al toser arroja moco de los pulmones. (Es normal tener una tos seca durante varias semanas después de un resfriado.)

◆ Cualquier tos que dure más de 2 semanas.

Toser es la forma en que el cuerpo mantiene despejados los pulmones.

◆ La **tos productiva** extrae el moco (esputo) de los pulmones. Si usted tiene este tipo de tos, no debe tratar de pararla con medicamentos para la tos.

◆ La **tos no productiva** es la tos seca que no extrae mocos. Usted puede tener una tos seca después de un resfriado o después de haber estado expuesto al polvo o al humo. Una tos seca que sigue a una enfermedad viral, como el resfriado, puede durar varias semanas y empeorar por las noches.

Los fumadores empedernidos con frecuencia tienen tos seca. Si usted tiene "tos de fumador", significa que sus pulmones siempre están irritados.

Un tipo común de medicamento para la presión sanguínea puede causarle tos seca. Si su tos empezó después de empezar a tomar inhibidores de la enzima convertidora de angiotensina (ACE, por sus siglas en inglés) para la presión sanguínea alta, consulte con su médico. Quizás necesite cambiar de medicamento.

La tos crónica por lo general es causada por el reflujo del ácido del estómago hacia los pulmones y la garganta. Si usted piensa que los problemas de reflujo del ácido del estómago puede estar causando su tos, vea Acidez gástrica (agruras) en la página 78.

Tratamiento en casa

◆ Beba mucha agua. El agua ayuda a aflojar el moco y alivia la garganta. También puede probar con té caliente o agua caliente con miel y limón. No le dé miel a un niño de menos de un año de edad.

◆ Chupe pastillas para la tos o caramelos si le duele la garganta. Las pastillas caras y con sabor a medicamento no funcionan mejor que las baratas con sabor a dulce o los caramelos.

◆ Para aliviar una tos seca en la noche, use almohadas adicionales para elevar la cabeza.

◆ No tome remedios para el resfriado que contengan varios medicamentos para tratar diferentes síntomas. Trate cada síntoma por separado.

◆ Use los medicamentos para la tos con prudencia. La tos puede ser buena, ya que saca los mocos de los pulmones y ayuda a prevenir infecciones. Las personas con asma y otras enfermedades pulmonares necesitan toser. Pero si usted tiene una tos seca que no saca nada, pídale a su médico que le recomiende un buen supresor de la tos.

◆ No tome ningún medicamento para la tos que le hayan recetado a otra persona.

◆ Evite el polvo y el humo, o use un mascarilla para protegerse.

◆ Si fuma, deje de hacerlo. Vea la página 344 para buscar ayuda.

Más ➤

Tipo de tos	Causas posibles y tratamiento
La fuerte tos del bebé suena a ladrido de foca	Crup, p. 128
Tos seca en la mañana que mejora a medida que avanza el día	Aire seco, fumar. Beba más líquidos. Humidifique la recámara. Deje de fumar. Vea también Tos, p. 259.
La tos seca puede empeorar en la noche. Es común durante varias semanas después de un resfriado.	Goteo posnasal, fumar o asma ligera. Beba más líquidos. Pruebe un descongestionante. Deje de fumar. Vea también Tos, p. 259 y Asma, p. 292.
Tos productiva después de un resfriado o gripe	Bronquitis, p. 97; Neumonía, p. 212; Sinusitis, p. 254
Tos seca que empieza de repente después de un episodio de asfixia, con más frecuencia en bebés y niños pequeños	Objeto en la garganta. Vea Asfixia, p. 13.

Tracto urinario, infecciones del

Cuándo llamar al médico

◆ Los dolores al orinar ocurren con:

❖ Fiebre y escalofríos.

❖ No poder orinar cuando siente la urgencia.

❖ Dolor en la espalda, el costado, la ingle o el área genital.

❖ Sangre o pus en la orina.

❖ Descarga rara de la vagina o el pene.

❖ Náuseas y vómitos.

◆ Los síntomas urinarios no mejoran después de 1 ó 2 días, o empeoran aun con tratamiento en casa. Las infecciones del tracto urinario (ITU) no tratadas pueden extenderse, lo que puede provocar infecciones de riñón y otros problemas graves.

◆ Usted está embarazada o tiene diabetes y tiene síntomas de una ITU.

◆ Piensa que su hijo tiene una ITU. Vea la página 262.

Las infecciones del tracto urinario (ITU) por lo general son causadas por bacterias que viven todo el tiempo en el cuerpo. La infección puede presentarse en cualquier parte del tracto urinario.

Los síntomas de una ITU pueden ser:

◆ Ardor o dolor al orinar, así como comezón o dolor en la uretra.

◆ Orina turbia o rojiza con olor extraño.

◆ Dolor en el bajo vientre o en la espalda.

◆ Tener con frecuencia la urgencia de orinar pero no poder expulsar mucha orina.

◆ Fiebre y escalofrío si la infección es fuerte, en especial si se ha extendido a los riñones.

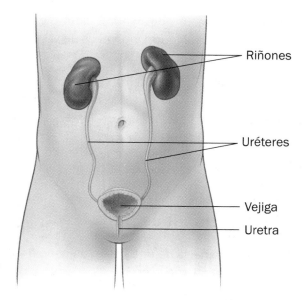

Riñones

Uréteres

Vejiga

Uretra

Los riñones filtran la sangre y los productos de desecho de la sangre se convierten en orina. La orina se desplaza por los uréteres hacia la vejiga y después sale del cuerpo a través de la uretra.

El dolor o ardor al orinar también pueden ser síntomas de enfermedades de transmisión sexual. Vea la página 146.

Los hombres con síntomas como los de la ITU pueden tener infección de la próstata (vea la página 236) o epipidimitis (vea la página 258).

Tratamiento en casa

Inicie el tratamiento en casa a la primera señal de una ITU. Uno o dos días de cuidados proporcionados por uno mismo pueden aliviar una infección menor.

- Beba líquidos adicionales en cuanto sienta los síntomas y durante las siguientes 24 horas.

- Orine con frecuencia y siga las demás recomendaciones para prevenir las ITU.

- Observe si hay fiebre. La fiebre puede significar que usted tiene una infección más grave.

- Use una almohadilla térmica o tome baños calientes para aliviar el dolor. No tome baños de burbujas ni use jabones ásperos.

- No tenga relaciones sexuales hasta que desaparezcan los síntomas.

Consejos para ahorrar dinero

Si tiene ITU con frecuencia, pregúntele a su médico si le puede dar una receta adicional, para tenerla a la mano en el futuro. Así, la próxima vez que usted tenga ITU, podrá empezar a tomar el medicamento sin tener que esperar a ver al médico.

Si el médico está de acuerdo, ésta es una opción segura para usted, que le ahorrará tiempo y dinero. También le permite tratar la infección de inmediato.

Cómo prevenir infecciones del tracto urinario

Las siguientes recomendaciones le serán especialmente útiles si suele tener ITU.

- Beba mucha agua y otros líquidos.

- Orine con frecuencia.

- Las mujeres deben limpiarse del frente hacia atrás después de usar el inodoro. Esto reduce la dispersión de las bacterias del ano hacia la uretra. Enseñe este hábito a las niñas pequeñas cuando les enseñe a usar el inodoro.

- No use lavados vaginales, desodorantes vaginales ni productos perfumados de higiene femenina. Evite los baños de burbujas.

Más

◆ No use el diafragma para el control de la natalidad. Elija otro método.

◆ Lávese los genitales una vez al día con un jabón suave. Enjuague y seque bien.

◆ Beba agua adicional antes de tener relaciones sexuales y orine inmediatamente después.

◆ Use ropa interior de algodón, pantimedias con forro de algodón y prendas de vestir sueltas.

◆ Evite el alcohol, la cafeína y las bebidas carbonatadas. Éstas pueden irritar la vejiga.

◆ Beba jugo de arándanos rojos (*cranberry*) y azules (*blueberry*).

Infecciones en vías urinarias en niños

Las infecciones del tracto urinario (ITU) en niños son de particular inquietud ya que fácilmente se extienden a los riñones, causando daños y cicatrización. La repetida cicatrización puede provocar alta presión sanguínea y problemas de los riñones, incluso insuficiencia renal. Los bebés y los niños pequeños tienen más posibilidades de tener cicatrización.

En los niños, las ITU por lo general sanan pronto si se las trata de inmediato. Pero puede ser difícil de detectar cuándo el bebé o niño pequeño tiene una infección del tracto urinario. Los niños pequeños pueden no presentar los síntomas comunes y no pueden decir cómo se sienten.

Las únicas señales de una ITU en un bebé o niño pequeño pueden ser:

◆ Fiebre inexplicable.

◆ Orina de aspecto y olor raros.

◆ No comer.

◆ Vomitar.

◆ Estar en extremo irritable.

Llame a su pediatra hoy mismo si sospecha que su hijo tiene ITU.

Trastorno temporomandibular y dolor en la mandíbula

Cuándo llamar al médico

- El dolor en la mandíbula es intenso.

- Tiene dolor en la mandíbula u otros problemas después de lesionarse la mandíbula.

- No puede mover la mandíbula.

- Un problema de la mandíbula no ha mejorado después de 2 semanas de tratamiento en casa.

- Ha notado un cambio en la manera en que sus dientes se acomodan al cerrar la boca.

La articulación temporomandibular conecta el hueso inferior de la mandíbula al cráneo. Cuando esta articulación y los músculos de la mandíbula le duelen, podría tener un problema llamado **trastorno temporomandibular (TM, por sus siglas en inglés)**.

- Es posible que sienta dolor en una o ambas mandíbulas cuando mastique o bostece.

- Es posible que en la mandíbula sienta chasquidos o chirridos que duelen.

- La mandíbula podría inmovilizarse, o quizás no pueda abrir la boca por completo.

- Es posible que tenga dolores de cabeza a menudo o dolor en el cuello, la cara o los hombros.

La causa más común del trastorno temporomandibular es la tensión en los músculos de la mandíbula, el cuello y los hombros. El estrés o los hábitos como apretar o friccionar los dientes puede causar mucha tensión en estos músculos. El trastorno temporomandibular también puede ocurrir si hay un problema en la articulación de la mandíbula misma, como por ejemplo artritis.

El tratamiento en casa puede aliviar la mayoría de los problemas temporomandibulares. El médico también le puede sugerir una placa plástica para la boca o terapia física. Rara vez se necesita cirugía y podría empeorar las cosas.

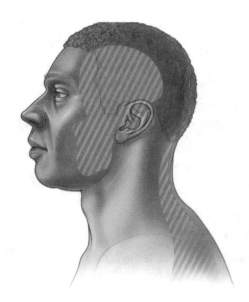

El trastorno temporomandibular causa dolor en las áreas sombreadas.

Más ➤

Tratamiento en casa

La clave para tratar el trastorno temporomandibular es reducir la tensión en la mandíbula.

◆ Trate de no apretar ni friccionar los dientes. No se muerda las uñas ni sostenga el teléfono entre el hombro y la mandíbula.

◆ Ante el primer síntoma de dolor en los músculos de la mandíbula, deje de masticar chicle o alimentos duros. Coma alimentos más blandos, y use ambos lados de la boca para masticar.

◆ Mantenga una buena postura. La mala postura puede interferir en el funcionamiento de los músculos y los huesos de la cara.

◆ Descanse la mandíbula, manteniendo los dientes separados y los labios cerrados. (Mantenga la lengua en la parte de arriba de la boca, no entre los dientes.) No abra la boca demasiado.

◆ Apliquese una compresa de hielo o calor húmedo sobre la mandíbula durante 15 minutos varias veces al día si esto mejora el dolor de la mandíbula. Usted también puede alternar la aplicación del calor con la del frío. Abra y cierre la boca suavemente mientras la compresa fría o el calor está aplicado. No use calor si la mandíbula está hinchada.

◆ Tome ibuprofeno (Advil, Motrin) o naproxeno (Aleve) para reducir la inflamación y el dolor.

◆ Relájese. Si tiene mucho estrés en su vida, intente algunas técnicas de relajación. Vea la página 349. Busque ayuda si está bajo mucho estrés o si tiene ansiedad o depresión.

Trastornos de la alimentación

Cuándo llamar al médico

Consulte con su consejero o con su médico si observa cualquiera de estas señales de advertencia:

◆ Una imagen irreal del propio cuerpo o un intenso miedo de subir de peso.

◆ Bajar mucho de peso en poco tiempo.

◆ Vómito frecuente.

◆ Uso frecuente de laxantes o diuréticos (pastillas para orinar).

◆ Estar en dieta continuamente o un interés constante en la comida.

◆ Rutinas de ejercicio excesivas y rígidas.

◆ Pérdida de periodos menstruales en mujeres jóvenes.

◆ Retraimiento de familiares y amigos.

En una cultura en la que "lo delgado está de moda", muchos hemos omitido comidas o hecho dieta para tratar de perder peso. Pero a diferencia de quienes hacen dietas normales, la gente que tiene trastornos de la alimentación está afectada por fuertes cuestiones psicológicas que la hacen comer en forma anormal. El problema tiende a ser de familia.

La anorexia, la bulimia y los "atracones" son los trastornos de la alimentación más comunes.

Anorexia

La gente con anorexia se obliga a seguir dietas severas y estrictas, incluso cuando no necesita bajar de peso. Este problema se presenta con más frecuencia entre muchachas adolescentes y mujeres jóvenes.

Las señales de la anorexia pueden ser:

◆ Negarse a comer, pero estar obsesionados con la comida.

◆ Hacer ejercicio todo el tiempo.

◆ Pérdida extrema de peso y pérdida de periodos menstruales.

◆ Pensar que se está gordo cuando en realidad se está delgado.

◆ Baja autoestima.

◆ Negar el problema.

Enseñe actitudes saludables

Usted puede enseñarles a sus hijos a establecer relaciones sanas con la comida y con su cuerpo.

◆ Enseñe mediante el ejemplo hábitos sanos de alimentación y de ejercicio, en la casa y en la escuela.

◆ Ayude a los jóvenes a forjar confianza y autoestima. Acéptelos por lo que son, no por su aspecto.

◆ Tenga cuidado al instar a un joven a que baje de peso. Hágale saber a la gente que la quiere sin importar cuánto pese.

◆ Fíjele a su hijos expectativas realistas. Tratar de vivir con base en expectativas irreales puede provocar un trastorno de la alimentación.

◆ Esté atento al estrés en la vida de sus hijos. Hágale saber a sus hijos que usted está a su lado para escucharlos y ayudarlos.

Bulimia

La gente con bulimia come grandes cantidades de alimento a la vez y después vomita o usa laxantes o diuréticos para deshacerse de los alimentos. Este hábito se llama atracón y purga. El estrés emocional, no el hambre, es lo que desencadena los atracones.

Las señales de la bulimia pueden ser:

◆ Piel seca y pelo quebradizo.

◆ Ganglios linfáticos hinchados bajo la mandíbula (por vomitar).

◆ Depresión y cambios de humor.

◆ Pensar que se está gordo cuando se es de peso normal. La mayoría de las personas con bulimia se ven saludables.

◆ Ocultamiento. Las personas con bulimia por lo general saben que tienen el problema pero tratan de ocultarlo.

Atracones

Los que se dan atracones comen enormes cantidades de alimento a la vez. Ingieren miles de calorías de una sola sentada, rápidamente y sin sentir placer. Como no se deshacen de la comida (no vomitan), las personas con este problema suelen ponerse obesas.

Qué debe hacer

Si usted sabe o sospecha que usted o algún familiar tiene un trastorno de la alimentación, consiga ayuda. Los trastornos de la alimentación necesitan tratamiento profesional. Sin él, pueden provocar graves problemas de salud e incluso la muerte.

El tratamiento por lo general implica asesoramiento sobre nutrición, consejería para la persona y su familia y medicamentos. En casos extremos, la persona puede requerir internarse en un hospital.

Trastornos del sueño

El **insomnio** puede significar:

◆ Tener dificultad para dormirse (le toma más de 45 minutos quedarse dormido).

◆ Despertarse con frecuencia y no poder dormirse otra vez.

◆ Despertarse demasiado temprano en la mañana cuando no es lo que desea.

Ninguna de estas cosas son problemas a menos de que se sienta cansado todo el tiempo. Si siente menos sueño en la noche o se despierta temprano en la mañana pero de todos modos se siente descansado y alerta, no hay de qué preocuparse.

El insomnio de corto plazo, que dura desde varias noches hasta varias semanas, usualmente es causado por preocupación o estrés. El insomnio de largo plazo, que puede durar meses o hasta años, a menudo es causado por ansiedad frecuente o constante, medicamentos, dolor a largo plazo, depresión, u otros problemas de salud.

La **apnea del sueño** es un problema por lo general causado por una obstrucción en las vías respiratorias. Cuando el flujo de aire a través de la nariz y boca se obstruye, usted deja de respirar reiteradas veces durante 10 a 15 segundos o más mientras está dormido. Las personas que tienen apnea del sueño a menudo roncan muy fuerte y se sienten sumamente cansadas durante el día. No recuerdan haberse despertado en la noche pero tienen un dormir muy inquieto.

Cambiar algunos de sus hábitos antes de acostarse podría ayudar a curar el insomnio o el apnea del sueño leves. Los casos de insomnio o apnea del sueño más graves podrían necesitar tratamiento médico.

Consejos para dormir mejor

Trate esta fórmula de siete pasos durante 2 semanas:

1. Haga actividades relajantes en la noche. Lea (pero no en la cama). Báñese con agua caliente. Otra opción es hacer ejercicios de estiramiento lentos y fáciles.

2. Use la cama solamente para dormir y para las relaciones sexuales. No coma, vea televisión, lea, ni trabaje en la cama.

3. Duerma solamente en las noches. No tome siestas, especialmente en la tarde.

4. Váyase a la cama solamente cuando tenga sueño.

5. Si permanece despierto en la cama por más de 15 minutos, levántese, salga de la habitación, y haga algo relajante.

6. Repita los pasos 4 y 5 hasta que sea hora de levantarse.

7. Levántese a la misma hora todos los días, aun en los fines de semana.

Ronquidos

Cerca de la mitad de todos los adultos ronca de vez en cuando; aproximadamente uno de cada cuatro adultos ronca regularmente. Roncar es causado por la obstrucción de las vías respiratorias en la parte de atrás de la boca y la nariz. Las vías respiratorias se pueden obstruir por muchas razones, como por ejemplo el exceso de tejido en el cuello causado por el sobrepeso o una congestión nasal causada por alergias o resfrío. Algunas personas que roncan tienen apnea del sueño.

Roncar puede interrumpir los patrones de sueño, y esto puede causar que sienta sueño y esté menos alerta durante el día. También puede interrumpir el sueño de los miembros de la familia o compañeros de cuarto.

Consejos para las personas que roncan

◆ Haga ejercicio a diario para mantener un peso saludable y mejorar el tono muscular. No haga ejercicios durante las últimas 2 horas antes de dormir (le podría hacer más difícil conciliar el sueño).

◆ Evite comidas pesadas, alcohol, pastillas para dormir, y antihistamínicos antes de acostarse.

◆ Trate de dormir de costado y no boca arriba. (Cosa un bolsillo en la espalda de su piyama, y coloque una bola de jugar tenis en el bolsillo. Esto evitará que se acueste sobre la espalda.)

◆ Acuéstese a dormir a la misma hora todas las noches, incluso los fines de semana.

◆ Permita que el compañero de cama o habitación que no ronca se duerma primero.

Si roncar es un problema o afecta la vida en su hogar, vea a un médico. Es posible que necesite hacerse un examen de la nariz, la boca y el cuello.

El tratamiento dependerá de qué es lo que está causando los ronquidos. El médico quizás quiera hacerle un estudio del sueño para determinar si la apnea del sueño es una de las razones por las que ronca. Si quiere ayuda para decidir si desea este tipo de examen, vaya al sitio Web indicado en la contraportada y escriba **b335** en la celda de búsqueda.

Más

Trastornos del sueño

Estos consejos también podrían ayudar:

◆ Mantenga la habitación para dormir oscura, silenciosa, y fresca. Pruebe con una mascarilla para dormir y tapones en los oídos. También puede tratar una máquina de sonido que emite sonidos relajantes como cascadas o el océano.

◆ Haga ejercicio regularmente. Pero no haga una sesión de ejercicio fuerte durante las 2 horas antes de acostarse.

◆ Evite el alcohol y el cigarrillo antes de acostarse. Limite la cafeína, y evítela después del mediodía.

◆ Evite los alimentos que le caigan mal al estómago.

◆ Tómese un vaso de leche tibia antes de dormir. Pero no tome más de un vaso de líquido antes de dormir, o es posible que se tenga que levantar en la noche.

◆ Repase con un farmacéutico todos los medicamentos recetados y sin receta que toma de manera de eliminar los efectos secundarios que pudieran afectarle el sueño.

Sería recomendable que leyera la información sobre la ansiedad en la página 91 o sobre la depresión en la página 168. Cualquiera de estos problemas le puede alterar el sueño.

¿Y las píldoras para dormir?

Los medicamentos para dormir recetados y sin receta le pueden ofrecer un alivio rápido para el insomnio. No obstante, es mejor usarlos solamente por poco tiempo y dejar de usarlos tan pronto pueda. A menudo pueden causar confusión, pérdida de memoria y mareos durante el día. También puede volverse adicto a algunos de ellos.

En realidad, el uso continuo de píldoras para dormir puede empeorar los problemas de sueño en muchas personas.

Hábitos de dormir en bebés

Los bebés pasan por ciclos de sueño en los que hay periodos de sueño ligero y de sueño profundo o pesado. En cada ciclo de sueño, puede haber unos 60 minutos de sueño ligero, de 60 a 90 minutos de sueño profundo y otros 30 minutos de sueño ligero. Al final de este ciclo, el bebé está semialerta y se le puede despertar con facilidad.

Usted puede ayudar a su bebé a dormir toda la noche, enseñándole a tranquilizarse a sí mismo para que se vuelva a dormir en los periodos de sueño ligero.

Para bebés de 4 a 6 meses:

◆ Ponga al bebé en la cuna cuando esté amodorrado pero aún despierto.

◆ Haga corta la comida de la mitad de la noche. No la convierta en tiempo de jugar.

◆ A medida que crezca el bebé, retrase la comida de la mitad de la noche y césela alrededor de los 6 meses de edad.

Siempre acueste boca arriba al bebé para dormir. Ésta es la mejor postura para prevenir el síndrome de muerte súbita del lactante (SMSL).

Túnel carpiano, síndrome del

Cuándo llamar al médico

◆ Tiene sensación de hormigueo, entumecimiento, debilidad o dolor en sus dedos y manos después de 2 semanas de tratamiento en casa.

◆ Tiene muy poca o ninguna sensación en sus dedos o manos.

◆ No puede hacer movimientos simples o deja caer las cosas debido a que no puede sostenerlas en la mano.

◆ No puede tomar algo con el pulgar y el primer dedo de la mano o siente que su pulgar no tiene fuerza.

◆ Tiene problemas en el trabajo debido al dolor en los dedos o las manos.

El túnel carpiano es un espacio estrecho en su muñeca. El nervio que controla la sensación en algunos de sus dedos y controla algunos de los músculos de la mano pasa a través de este espacio.

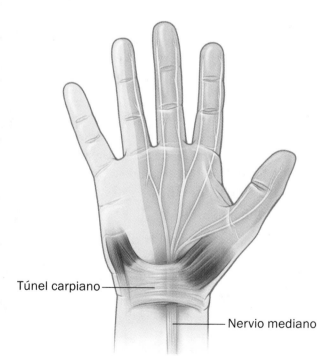

Túnel carpiano

Nervio mediano

El síndrome del túnel carpiano provoca dolor y sensación de hormigueo en el área sombreada.

El síndrome del túnel carpiano se desarrolla cuando se presiona sobre el nervio que pasa a través del túnel carpiano.

Puede tener:

◆ Sensación de entumecimiento o dolor en la mano o muñeca que le despierta por las noches.

◆ Sensación de entumecimiento o de hormigueo en sus dedos, excepto por el dedo meñique o el medio.

◆ Sensación de entumecimiento o dolor que empeora cuando usa la mano o muñeca, especialmente cuando toma un objeto o flexiona la muñeca.

◆ Un dolor intenso entre la mano y el codo. El dolor puede desaparecer y regresar.

◆ Cuando toma los objetos lo hace con debilidad.

Las actividades que hacen que use el mismo dedo y movimientos de la mano una y otra vez pueden provocar el síndrome del túnel carpiano o hacer que empeore. Puede hacer tareas en su trabajo, hogar o durante la práctica de deportes o aficiones que sean la causa de este problema.

Más ▶

Tratamiento en casa

◆ Interrumpa cualquier actividad que piense que sea la causa del entumecimiento o el dolor. Si el problema mejora cuando deja de hacerlo, regrese a dicha actividad lentamente. Trate de mantener recta la muñeca o sólo ligeramente doblada.

Cuando escriba en un teclado mantenga los dedos más abajo de las muñecas. Trate de mantener recta la muñeca o sólo ligeramente doblada.

◆ Vigile su postura. Cuando escriba en un teclado mantenga los dedos más abajo de las muñecas. Puede ayudar un soporte para las muñecas en el teclado y los soportes para los brazos en su silla. Cuando sus brazos estén a los lados, relaje sus hombros.

◆ Use toda la mano (no sólo sus dedos o el pulgar) para sostener los objetos.

◆ Reduzca la velocidad y fuerza de los movimientos repetitivos realizados con la mano. Por ejemplo, escriba un poco más lento y no oprima tan fuerte los botones del teclado.

◆ Cambie de manos y de posición con frecuencia cuando tiene que repetir el mismo movimiento muchas veces.

◆ Descanse las manos con frecuencia.

◆ Use ibuprofeno (Advil, Motrin) o naproxeno (Aleve) para aliviar el dolor y la inflamación.

◆ Use hielo o compresas frías del lado de la palma en su muñeca. Vea la sección de hielo y compresas frías en la página 200.

◆ No duerma sobre sus manos.

◆ Pregunte a su médico acerca de las férulas en la muñeca. Esto puede aliviar la presión y mantener su muñeca en una buena posición cuando duerme.

◆ Realice ejercicios simples en todo el rango de movimiento de sus dedos y muñeca para prevenir la rigidez y mantener fuertes sus músculos. Deténgase si le duele.

La pérdida de peso, dejar de fumar, reducir el consumo de alcohol y sal, y el control de la diabetes puede ayudar a reducir la inflamación en su muñeca. Use el índice de la contraportada del libro para encontrar información que pueda ayudarle.

¿Y la cirugía?

En muchos casos el síndrome del túnel carpiano puede solucionarse mejor sin cirugía. Si piensa en la cirugía, aprenda lo más que pueda acerca de sus ventajas y desventajas, incluyendo el costo de la cirugía.

Para ayudarle a decidir si la cirugía es la

opción correcta, vaya a la página en Internet indicada en la contraportada y escriba **n873** en la celda de búsqueda.

Prevención del síndrome del túnel carpiano

Es más probable que tenga síndrome del túnel carpiano si:

◆ Pasa mucho tiempo en actividades que requieren movimientos repetidos de dedos y manos.

◆ Trabaja con herramientas o máquinas que vibran en su mano, como lijadoras y taladros.

Sin embargo hay formas en que puede reducir su riesgo, además de cualquier dolor o debilidad que tenga. Para aprender cómo mantener sana su muñeca, vaya al sitio Web indicado en la contraportada y escriba **g538** en la celda de búsqueda.

Vaya a la Web

Úlceras

Cuándo llamar al médico

Llame al 911 si:

◆ Siente dolor en la parte superior del vientre con dolor o presión en el pecho u otros síntomas de un ataque al corazón. Vea la página 15.

◆ Se le ha diagnosticado una úlcera y:

❖ Tiene dolor abdominal intenso que no cesa.

❖ Tiene fuertes vómitos.

❖ Vomita sangre o una sustancia parecida a los granos de café molido.

❖ El excremento tiene mucha sangre o es color rojo oscuro.

❖ Le duele el vientre y lo tiene inflamado.

❖ Se desmaya.

Llame a su médico si:

◆ Los síntomas ligeros de una úlcera no mejoran después de 10 a 14 días de tratamiento en casa.

◆ Está bajando de peso y no sabe porqué.

◆ Con frecuencia vomita o sientes náuseas después de comer.

◆ El dolor de vientre lo despierta cuando está dormido.

◆ Con frecuencia le duele al tragar, o tiene dificultad para tragar.

Una úlcera péptica es una llaga u orificio en el revestimiento del tracto digestivo. Sin tratamiento, las úlceras pueden causar severos riesgos a su salud, como sangrado en el estómago y el intestino delgado.

Las dos causas más comunes de las úlceras son:

◆ Infección con la bacteria *H. pylori*. La mayoría de las personas que tienen *H. pylori* en el estómago no tienen úlceras, pero sí corren mayor riesgo.

Más

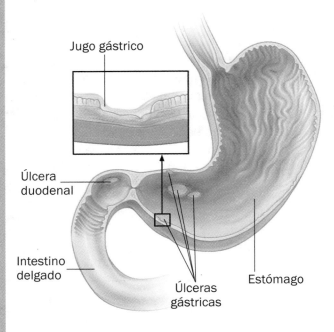

Jugo gástrico

Úlcera
duodenal

Intestino
delgado

Úlceras
gástricas

Estómago

La mayoría de las úlceras se forman en el
estómago (úlceras gástricas) o en la apertura
hacia el intestino delgado (úlceras duodenales).

◆ Uso frecuente o prolongado de aspirina,
ibuprofeno (Advil, Motrin), naproxeno
(Aleve) y otros antiinflamatorios. Eso
puede dañar el tracto digestivo.

Su riesgo de tener una úlcera es mayor si usted
fuma o bebe mucho alcohol.

Los síntomas de úlcera pueden ser un dolor
ardiente o corrosivo entre el ombligo y el
esternón. El dolor por lo general se presenta
entre comidas y puede despertarlo en la
noche. Comer algo o tomar un antiácido por
lo general alivia el dolor. Las úlceras también
pueden causar inflamación, náuseas o vómito
después de las comidas.

Tratamiento en casa

◆ Evite aquellos alimentos que parezcan
provocar los síntomas. Los alimentos
muy condimentados o grasosos son un
problema para mucha gente con úlcera.
No necesita evitar alimentos que no le
causen problemas.

◆ Evite el café, el té, los refrescos de cola y
otras fuentes de cafeína. Mucha gente
descubre que la cafeína agrava su dolor.

◆ Trate de hacer comidas más ligeras y
más frecuentes.

◆ Deje de fumar. Fumar retarda la curación
de las úlceras y aumenta la posibilidad de
que regresen.

◆ Limite el consumo de alcohol. En grandes
cantidades, retarda la curación y agrava
los síntomas.

◆ No tome aspirina, ibuprofeno (Advil,
Motrin) ni naproxeno (Aleve). Pruebe
acetaminofén (Tylenol) si necesita algo
para el dolor.

◆ Pruebe un antiácido sin receta, como Tums,
Maalox o Mylanta, o un reductor de ácido,
como Pepcid AC, Tagamet HB y Zantac 75.
También puede comprar un bloqueador de
ácido llamado Prilosec OTC, que se vende
sin receta.

  ❖ Si toma antiácidos, quizás necesite
  dosis frecuentes y altas para que le
  funcionen. Consulte con su médico
  sobre la mejor dosis.

  ❖ Su médico quizás le recomiende tomar
  un medicamento de receta, como
  Prevacid, Prilosec o Nexium. Estos
  fármacos reducen en gran medida la
  producción de ácido gástrico, lo cual
  ayuda a sanar a la úlcera.

◆ Aprenda a relajarse y a sobrellevar el estrés.
Vea la página 347.

Úlceras bucales

Cuándo llamar al médico

◆ Tiene heridas en la boca y fiebre.

◆ Tiene llagas en la boca después de empezar con un nuevo medicamento.

◆ Una llaga en la boca no sana después de 2 semanas o aparecen varias llagas.

◆ Una llaga duele intensamente o desaparece y vuelve a aparecer.

◆ Aparecen puntos blancos en la boca que no son úlceras bucales y no desaparecen después de 1 a 2 semanas.

Las úlceras bucales son heridas dolorosas y abiertas en el interior de la boca. Las heridas con frecuencia sanan en 7 a 10 días. Pueden generarse debido a heridas en la boca, infecciones, ciertos alimentos, cambios hormonales y otras razones.

Tratamiento en casa

◆ Evite el café, los alimentos muy salados o condimentados, las nueces, el chocolate y las frutas cítricas cuando tenga heridas abiertas en la boca.

◆ Use medicamentos que no requieran receta para tratar las úlceras bucales y proteger la herida, aliviar el dolor y acelerar su recuperación. También puede disolver un poco de carbonato en agua y usar esta solución para aliviar el dolor en la herida.

◆ Enjuague la boca con antiácido (como por ejemplo con los productos de las marcas Maalox o Mylanta) o con una mezcla de una cucharada de peróxido de hidrógeno en 8 onzas de agua.

◆ No fume ni masque tabaco.

◆ Use un cepillo dental de cerdas suaves para lavarse los dientes y encías.

Uña encarnada

Cuándo llamar al médico

◆ Le aumenta el dolor, la hinchazón, el calor o el enrojecimiento alrededor de la uña; hay rayas rojas que salen de la uña, tiene pus, y fiebre.

◆ Tiene diabetes o problemas de circulación y tiene una uña encarnada.

A usted se le puede encarnar una uña si:

◆ Se corta la uña del pie de manera que ésta se incrusta en la piel de las orillas. Siempre debe recortarse las uñas de los pies de manera recta, no en curva.

◆ Usa zapatos demasiado apretados.

Como la uña encarnada se puede infectar fácilmente, necesita atención de inmediato.

Tratamiento en casa

◆ Sumerja el pie en agua tibia por 15 minutos cada día para suavizar la piel alrededor de la uña. (Esto también puede aliviar la inflamación y el dolor mientras la uña va creciendo.) Le puede añadir sulfato de magnesio al agua (*Epsom salt*), si lo prefiere.

◆ Para evitar que la uña entre en la piel, coloque un pedazo pequeño de algodón húmedo debajo de la esquina de la uña para protegerla y levantarla un poco. Repita todos los días hasta que la uña haya crecido y la pueda recortar.

◆ Recórtese la uña del pie de manera recta. Déjela un poco más larga en las esquinas para que las orillas afiladas no corten la piel.

◆ Use zapatos holgados, y mantenga los pies limpios y secos.

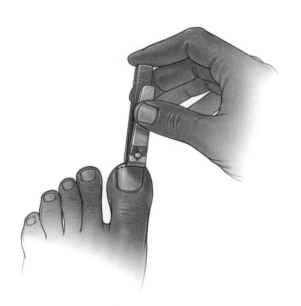

Recórtese las uñas de los pies de manera recta.

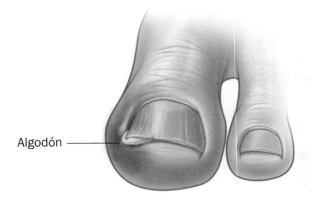

Algodón

Use un pedazo de algodón mojado para proteger y levantar la uña.

Urticaria

La urticaria es un tipo de erupción con pedazos de piel levantados, enrojecidos, que pican, y a menudo están llenos de líquido que desaparecen y regresan sin un patrón establecido. Algunas personas les llaman granos o verdugones. La urticaria puede durar unos pocos minutos o varios días. Pueden variar en tamaño desde menos de ¼ de pulgada (0.6 cm) a más de 3 pulgadas (7.6 cm) de diámetro.

Una picadura de insecto puede causar una urticaria pequeña. Puede tener urticaria como una reacción a un medicamento, alimento o infección. Otras causas incluyen alergias a plantas, alérgenos inhalados, estrés, cosméticos, y exposición a calor, frío, luz solar o látex. A menudo no puede determinar la causa.

Tratamiento en casa

◆ Si sabe qué causó la urticaria, evítelo. Si fue un alimento, no lo vuelva a comer. Si fue un cosmético, no se lo vuelva a aplicar. Si fue un medicamento, dígaselo a su médico y no lo vuelva a tomar.

◆ Use paños fríos y húmedos para ayudar a aliviar la comezón. Para más consejos, vea la página 230.

◆ Tome un antihistamínico oral (como Benadryl o Chlor-Trimeton) para tratar la urticaria y aliviar la comezón. Cuando la urticaria desaparezca, reduzca la dosis del medicamento poco a poco durante 5 a 7 días.

Vaginitis e infecciones vaginales por hongos

Cuándo llamar al médico

◆ Tiene dolor en el bajo vientre o en la pelvis, fiebre y una descarga vaginal desacostumbrada.

◆ Tiene dolor o sangrado durante o después de las relaciones sexuales y el lubricante no la ayuda.

◆ La descarga vaginal huele mal o no se ve normal.

◆ Piensa que tiene infección por hongos pero no está segura.

◆ Sabe que tiene una infección por hongos y los medicamentos sin receta no la alivian en 3 ó 4 días.

◆ Piensa que tiene una enfermedad de transmisión sexual. Vea la página 146. Quizás sea necesario tratar también a su pareja sexual.

◆ Tiene infecciones por hongos con frecuencia y no está tomando antibióticos. Esto puede ser señal de diabetes u otros problemas.

◆ Usted está o puede estar embarazada y tiene síntomas de infección vaginal (dolor, enrojecimiento, comezón, descarga olorosa).

◆ Tiene síntomas de infección del tracto urinario (dolor o ardor, necesidad frecuente de orinar). Vea la página 260.

Si piensa consultar con un médico, no se haga lavados vaginales; no use cremas vaginales y no tenga relaciones sexuales 48 horas antes de la cita.

La vaginitis es cualquier infección, inflamación o irritación de la vagina que cambia su descarga vaginal normal.

Si le duele o arde al orinar y siente la necesidad de orinar seguido, quizás tenga una infección del tracto urinario. Vea la página 260.

Tratamiento en casa

◆ Siga las recomendaciones de Prevención de problemas vaginales en la página 277.

◆ No tenga relaciones sexuales hasta que hayan desaparecido los síntomas.

◆ No se rasque. Alíviese la comezón con una compresa fría o baño fresco.

◆ Asegúrese de que la causa de la vaginitis no sea un tampón olvidado u otro objeto.

◆ Si piensa que puede estar embarazada, hágase una prueba casera de embarazo. Vea la página 206. La infección puede ser más grave si usted está embarazada.

◆ Si usted sabe que tiene una infección por hongos, pruebe un medicamento que se venda sin receta, como Monistat y Gyne-Lotrimin. Si usted está embarazada, primero hable con su médico.

◆ Use toallas higiénicas en lugar de tampones si está usando crema vaginal o supositorios. Los tampones pueden absorber el medicamento.

La vaginitis puede desaparecer en pocos días. Si no mejoran los síntomas, asegúrese de llamar a su médico.

Prevención de problemas vaginales

◆ No tome antibióticos a menos que realmente los necesite.

◆ Lávese el área vaginal una vez al día con agua simple o un jabón suave y sin aroma. Enjuáguese y séquese bien.

◆ No se haga lavados vaginales.

◆ No use desodorantes femeninos en aerosol ni otros productos perfumados. Éstos irritan y secan la piel delicada.

◆ Durante su periodo, cámbiese los tampones por lo menos 3 veces al día o alterne entre tampones y toallas sanitarias. No se deje el tampón adentro por más de 8 horas. Y asegúrese de extraer el último tampón que use.

◆ Límpiese del frente hacia atrás después de usar el inodoro.

◆ Limite el número de parejas sexuales que tenga. Use condones.

◆ Si piensa que los problemas pudieran estar relacionados con su método de control de la natalidad (diafragma, espermicida, condones) analice otras opciones con su médico. Vea la página 208.

◆ No use pantimedias ni ropa interior ajustada de nailon.

◆ Si tiene problemas de sequedad, use un lubricante vaginal durante las relaciones sexuales.

Problemas vaginales

Causas comunes	Síntomas	Qué debe hacer
Infección vaginal por hongos	Comezón y enrojecimiento; descarga blanca y sin olor, con aspecto de queso cottage; ardor al orinar o tener relaciones sexuales	La infección puede desaparecer por sí misma; pruebe medicamentos que se venden sin receta para la infección por hongos (Monistat, Gyne-Lotrimin).
Vaginosis bacteriana	Descarga delgada color gris o amarillo que huele a pescado; dolor al orinar o tener relaciones sexuales	Consulte a su médico sobre el tratamiento, en especial si está embarazada.
Tricomoniasis y otras enfermedades de transmisión sexual (vea la página 146)	Enrojecimiento e irritación; mucha descarga espumosa, blanca o de color; dolor al tener relaciones sexuales	Consulte a su médico sobre el tratamiento. Cualquier pareja sexual también necesitará tratamiento.
Vaginitis atrófica (sucede durante la menopausia)	Ardor, dolor y sequedad al tener relaciones sexuales	Use un lubricante vaginal (Astroglide, Replens). Pregúntele a su médico sobre la crema de estrógenos.

Varicela

Cuándo llamar al médico

- Un niño que toma medicamentos con esteroides, que está recibiendo tratamiento para el cáncer, o que tenga debilitado el sistema inmunológico contrae la varicela o está expuesto a ella.

- Usted está embarazada, nunca ha tenido varicela y alguien de su casa la contrae.

- Un niño de tres meses a tres años de edad tiene una fiebre de 103°F (39.4°C) o más durante 24 horas. Vea la página 171.

- Aparecen moretones sin ninguna razón clara.

- Su hijo tiene úlceras en los ojos.

- Su hijo tiene indicios de una grave enfermedad llamada **encefalitis** (vea la página 174). Estos pueden ser:

  - Fiebre, dolor de cabeza intenso y rigidez del cuello.

  - Somnolencia o falta de atención inusuales.

  - Vómito.

- Un adolescente o un adulto joven contraen varicela.

- No puede controlar la picazón intensa.

La varicela es una enfermedad viral común. En la mayoría de los niños, es una enfermedad menor.

- En los primeros días, el niño puede sentirse enfermo, con fiebre y dolor de cabeza. Puede no querer comer y sentirse muy cansado.

- Le aparecen manchas rojas. Puede haber tan sólo unas 30 manchas, o bien, el salpullido puede cubrirle todo el cuerpo, en especial la garganta, boca, orejas, ingles y cuero cabelludo. El salpullido causa mucha comezón.

- Las manchas se convierten en ampollas que se abren y forman costra.

- Aparecen más manchas de 1 a 5 días y, luego desaparecen en el curso de 1 a 2 semanas.

La varicela se contagia fácilmente. Los síntomas por lo general aparecen de 14 a 16 días después de haber estado en contacto con el virus.

La varicela puede contagiarse de 2 a 3 días antes de que aparezca el salpullido (cuando hay fiebre) y hasta que todas las manchas hayan formado costra.

Los niños por lo general pueden regresar a la escuela o a la guardería después del sexto día del salpullido, siempre y cuando la ropa les cubra cualquier ampolla que no haya formado costra. Se aplica la misma regla para los adultos que regresan al trabajo.

Prevención de la varicela

- **Niños de más de 12 meses:** Asegúrese de que reciban la vacuna contra la varicela. Vea la página 354.

- **Adolescentes o adultos que no hayan recibido la vacuna ni tenido la enfermedad:** Póngase la vacuna. Hasta entonces, evite a cualquiera que tenga varicela o herpes zoster (vea la página 279). La varicela puede ser grave si se contrae de adulto.

◆ **Mujeres embarazadas que no hayan recibido la vacuna ni tenido la enfermedad:** Evite a cualquier persona que tenga varicela o herpes zoster. El virus puede dañar a su bebé por nacer y la vacuna no es segura para las embarazadas.

Tratamiento en casa

◆ Use acetaminofén (Tylenol) para aliviar la fiebre si el niño se siente mal o si tiene temperatura alta o que sube rápidamente. No le dé aspirina a nadie de menos de 20 años de edad. Puede poner al menor en riesgo de una enfermedad rara pero muy grave llamada síndrome de Reye.

◆ Reduzca la comezón con un antihistamínico oral (como Benadryl) y baños calientes agregándole al agua bicarbonato de soda y harina de avena coloidal Aveeno. No use cremas antihistamínicas, pues hacen que sea difícil controlar cuánto medicamento se está usando.

◆ Córtele las uñas a su hijo para evitar que se rasque. Si se arranca las costras demasiado pronto, pueden infectarse las úlceras.

Herpes zoster

Si en algún momento tuvo varicela, todavía tiene el virus en su cuerpo. Si el virus se activara otra vez, años después de la enfermedad original, esto se conoce como **herpes zoster**.

El herpes zoster usualmente afecta uno o dos de los nervios grandes que salen de la espina dorsal. Esto causa dolor y un salpullido, a menudo en forma de una banda o un área pequeña en un lado del pecho, el vientre o la cara. El salpullido formará ampollas y costras, y luego desaparecerá en unas cuantas semanas.

Si sospecha que tiene herpes zoster, llame a su médico inmediatamente. Hay medicinas que pueden aliviar el dolor y el salpullido. Funciona mejor si las empieza a tomar tan pronto aparecen los síntomas.

Evite contacto con otras personas hasta que las ampollas se le hayan curado. Una persona que no haya tenido varicela puede contraer varicela si se expone a su salpullido. Sea sumamente cuidadoso y evite contacto con mujeres embarazadas, bebés, y cualquier otra persona que está teniendo problemas para combatir infecciones (como por ejemplo alguien que tenga VIH, diabetes o cáncer).

Vejiga, control de la

Si en ocasiones no puede controlar su vejiga—un problema llamado **incontinencia urinaria**—usted no está solo. Esto le sucede a muchas personas.

Los dos problemas más comunes para el control de la vejiga son la incontinencia por esfuerzo y la incontinencia de urgencia.

Si tiene **incontinencia por esfuerzo**:

◆ Escapan pequeñas cantidades de orina cuando hace ejercicio, tose, se ríe o estornuda. Esto es más común en la mujer.

◆ Los ejercicios de Kegel pueden ayudar. Vea la página 281.

Si tiene **incontinencia de urgencia**:

◆ La necesidad de orinar es tan rápida que no tiene tiempo de llegar al sanitario.

◆ Puede haber una enfermedad que causa este problema. Esto puede incluir una infección de la vejiga, el agrandamiento de la próstata, tumores que compriman la vejiga y problemas con los nervios, como los causados por la enfermedad de Parkinson, la esclerosis múltiple y el ataque cerebral.

Los problemas de control de la vejiga con frecuencia pueden controlarse o curarse si se encuentra la causa correcta. Las pastillas diuréticas y otros medicamentos comunes pueden causar problemas en el corto plazo. El estreñimiento, las infecciones del tracto urinario, los cálculos renales, el embarazo y el sobrepeso son otras causas.

Trate de no dejar que le agobie el problema del control de la vejiga. Colabore con su médico en el tratamiento.

Tratamiento en casa

◆ Evite la cafeína. La cafeína empeora el problema.

◆ No reduzca el consumo de líquidos. Los necesita para mantenerse sano. Si le molesta tener que levantarse por las noches, deje de ingerir líquidos antes de ir dormir.

◆ Si fuma, deje de hacerlo (vea la página 344). Esto puede reducir su tos, lo cual podría ayudarle en el control de la vejiga.

◆ Baje de peso si lo necesita.

◆ Practique la "doble descarga". Vacíe su vejiga lo más que pueda, relájese por un minuto y entonces intente vaciarla de nuevo.

◆ Si tiene problemas en el control de su vejiga cuando se ríe, estornuda, tose o hace ejercicio, trate de realizar todos los días los ejercicios de Kegel. Vea esta página.

◆ Realice las descargas de orina de manera programada, quizás cada 3 a 4 horas durante el día, sienta o no la urgencia de orinar. Esto podría ayudarle a restablecer el control.

◆ Use ropa que pueda quitarse rápidamente, como por ejemplo pantalones de ejercicios con elástico en la cintura.

◆ Libere de obstáculos el camino desde su recámara hasta el baño o coloque un excusado portátil al lado de su cama.

◆ Use toallas o ropa interior absorbente, como por ejemplo los de las marcas Attends o Depend. Nadie notará que está usando una toalla absorbente.

◆ Mantenga seca la piel del área genital para prevenir el salpullido. Use vaselina o un ungüento tipo Desitin para ayudarle a proteger la piel de la irritación causada por la orina.

◆ Pregunte a su médico o farmacéutico si alguno de los medicamentos que usa, incluyendo los medicamentos con receta, puede afectar el control de la vejiga. No interrumpa el uso de su medicamento sin hablar primero con su médico.

Ejercicios de Kegel

Los ejercicios de Kegel fortalecen los músculos pélvicos que controlan el flujo de la orina. Esto puede curar o mejorar algunos problemas para el control de la vejiga.

◆ Para localizar los músculos, detenga repetidamente su orina a la mitad de la descarga e inicie de nuevo.

◆ Practique comprimiendo estos músculos mientras no se encuentre orinando. Si se mueven su vientre o sus glúteos, no está usando los músculos correctos.

◆ Sostenga la contracción por 3 segundos, después relájelos por 3 segundos.

◆ Repita el ejercicio 10 a 15 veces por sesión. Realice al menos 3 sesiones por día.

Puede realizar los ejercicios de Kegel en cualquier lugar y a cualquier hora. Nadie notará que los está realizando.

Venas varicosas

Cuándo llamar al médico

- Usted tiene dolor o hinchazón repentina en la pierna. Puede tener un coágulo en una vena profunda, lo cual puede ser grave.

- La piel sobre una vena varicosa sangra profusamente por sí misma o después de una lesión, y usted no puede contener el sangrado.

- Tiene una herida abierta en la pierna o el pie.

- Le aparece un abultamiento doloroso en la pierna sin ninguna razón clara (no se ha golpeado ni raspado la pierna).

Las venas varicosas son venas grandes y torcidas cerca de la superficie de la piel. Son más comunes en piernas y tobillos.

La vena varicosa se produce cuando una vena se debilita y estira, y ya no puede transportar la sangre hacia el corazón. (Esto no es dañino, ya que hay muchas otras venas en el cuerpo.) La sangre se estanca en la vena débil, provocando que se hinche.

La obesidad, el embarazo y estar de pie por periodos prolongados pueden causar venas varicosas. También suelen estar vinculadas con el historial familiar.

- Las venas varicosas pueden no causar ningún síntoma. El color azul de las venas puede ser la única razón por la cual las detecta.

- Las piernas, pies o tobillos pueden doler, hincharse un poco y sentirse cansados.

- Si se agravan las venas, pueden causar resequedad de la piel y comezón; también pueden abrirse y sangrar, causando llagas abiertas.

Algunas personas tienen pequeñas venas varicosas en la superficie de la piel. Estas son llamadas telarañas vasculares. No son un problema de salud pero, si las tiene, quizás a usted no le guste cómo se ven.

Si le molestan o le causan sangrados o problemas de la piel, le conviene pensar en tratamientos como la escleroterapia o cirugía. Para ayuda en decidir si quiere o necesita tratamiento, vaya al sitio Web que está en la contraportada y escriba **u936** en la celda de búsqueda.

Tratamiento en casa

- Use medias largas elásticas de soporte. No use tobilleras. Para síntomas ligeros, las pantimedias normales de soporte pueden ayudar. O bien, su médico puede darle una receta para medias de compresión, que usted puede comprar en farmacias o tiendas de artículos médicos. No use medias ni calcetas que le dejen marcas rojas en las piernas.

- No use cinturones apretados ni pantalones ajustados en la cintura o los muslos.

- Levante los pies al sentarse. Si no puede levantarlos, entonces siéntese con los pies planos en el suelo o cruzados en los tobillos. No cruce las piernas por las rodillas. Al final del día, acuéstese y pose las piernas por arriba del nivel del corazón.

Si tiene que estar sentado por mucho tiempo (por ejemplo, en el trabajo) levántese y camine con frecuencia. Si tiene que estar de pie por mucho tiempo, muévase con frecuencia o siéntese y levante los pies siempre que pueda.

Haga ejercicio regular, como caminar, andar en bicicleta, nadar o bailar. Poner a trabajar los músculos de las piernas impide que la sangre se estanque en ellas.

Baje de peso si lo necesita. Vea la página 326.

Verrugas

Cuándo llamar al médico

- La verruga se ve infectada.
- Una verruga en la planta del pie duele al caminar y las plantillas de hule espuma no ayudan.
- Tiene verrugas en el área anal o genital. Vea la página 146.
- Tiene una verruga en la cara que quiere extirpar.
- Tiene diabetes o enfermedad de arterias periferales y tiene una verruga en el pie.

Las verrugas son formaciones anormales de la piel causadas por virus. Pueden aparecer en cualquier parte del cuerpo. Las verrugas plantares se encuentran en la planta de los pies. La mayor parte de la verruga se encuentra bajo la superficie de la piel y puede que usted la sienta como si caminara sobre un guijarro.

Las verrugas aparecen y desaparecen sin razones claras. Pueden durar semanas, meses y hasta años.

Hay varias formas de ocuparse de las verrugas:

- No las trate. Si las verrugas no le molestan, no hay razón de gastar tiempo y dinero tratándolas.

- Aplique algún tratamiento en casa para quitárselas. Hay tres métodos para hacerlo: ácido salicílico, cinta y crioterapia. Vea el tratamiento en casa en esta página. El tratamiento en casa funciona en muchos casos, pero no siempre.

- Sométase a cirugía para extirparlas. Si usted tiene una verruga muy dolorosa que no desaparece, o si tiene tantas que le molestan, le conviene pensar en la cirugía. Pero debe de saber que las verrugas pueden regresar después de la cirugía.

Hable con su médico sobre las opciones de tratamiento y sus ventajas y desventajas. Para ayudarse a decidir qué es lo más adecuado para usted, vaya al sitio Web indicado en la contraportada y escriba **f263** en la celda de búsqueda.

Tratamiento en casa

- No trate de extraer verrugas genitales. Vea la página 146.
- No pellizque la verruga. Puede difundirse hacia la piel bajo las uñas.
- No trate de cortar ni quemar una verruga.
- No trate de sacar la verruga si tiene diabetes o enfermedad de arterias periferales. Consulte a su médico.

Más

Para eliminar las verrugas

Pruebe primero con el método menos costoso. Podrá ahorrarse una consulta con su médico. Si encuentra un tratamiento que le funcione, siga con él.

Si usted está seguro de que la formación anormal en su piel es una verruga, puede tratarla con uno de estos tres métodos:

◆ **Método 1:** Use un producto de ácido salicílico que se venda sin receta. Con el tiempo, esto ablanda a la verruga, de modo que se pueda desprender frotándola o limándola. Sigas las instrucciones de la etiqueta. El ácido salicílico funciona tan bien, o aun mejor, que cualquier otro tratamiento para las verrugas. Puede tardar de 2 a 3 meses para producir resultados.

◆ **Método 2:** Cubra la verruga con un pedazo de cinta a prueba de agua (como cinta para ductos) y déjela cubierta durante 6 días. Después de los 6 días, retire la cinta y remoje la verruga en agua. Después frote suavemente con una lima de uñas o piedra pómez. (Necesita limpiar o reemplazar con frecuencia la lima de uñas o la piedra pómez.) No se ponga la cinta por la noche. Repita este proceso hasta que haya desaparecido la verruga, pero no por más de 2 meses. Este método es muy barato y le funciona a la mayoría de la gente si lo aplica bien.

◆ **Método 3:** Use un producto de crioterapia que se venda sin receta. Rocíe el medicamento en un aplicador de hule espuma y después sosténgalo sobre la verruga durante unos segundos. Así, la verruga se congela y se desprende. Las mujeres embarazadas o que estén amamantando y los niños menores de 4 años no deben usar este método.

Si el tratamiento irrita el área, tome un descanso de 2 ó 3 días.

Si frota la verruga con una piedra pómez o lima para eliminar el tejido muerto, no use ese artículo para ningún otro propósito. Podría difundirse el virus que causa la verruga. Lávese bien las manos con jabón después de tocar los restos de la verruga o la piedra pómez o la lima.

Para reducir el dolor de una verruga en el pie

◆ Use zapatos y calcetas cómodos. No use tacones altos ni zapatos que le opriman los pies.

◆ Amortigüe la verruga con una almohadilla en forma de dona o una almohadilla especial que puede comprar en la farmacia. Coloque la almohadilla alrededor de la verruga en el pie. También puede poner almohadillas o cojinetes en los zapatos.

Vómito y náuseas en niños de 4 años de edad o mayores

Cuándo llamar al médico

Llame al 911 si:

◆ El vómito se presenta con dolor u opresión en el pecho, junto con otros signos de ataque al corazón. Vea la página 15.

◆ Está presentando síntomas de deshidratación grave. Éstos pueden ser orinar poco o nada durante 8 horas, ojos hundidos, nada de lágrimas y tener la boca y la lengua secas; piel que se hunde al pellizcarla; sensación de mareo o aturdimiento; respiración y ritmo cardiaco rápidos, sentirse o actuar menos alerta.

◆ Vomita mucha sangre o algo que parece granos de café molido.

Llame al médico si:

◆ Vomita después de una lesión en la cabeza. Vea la página 17.

◆ Los síntomas de deshidratación leve (boca reseca, orina oscura o poca orina) empeoran aun con el tratamiento en casa.

◆ El vómito se presenta junto con cualquiera de estos síntomas de enfermedad grave:

❖ Dolor de cabeza intenso, somnolencia o rigidez de cuello. Vea la página 174.

❖ Fiebre y dolor en aumento en el bajo vientre derecho. Vea la página 76.

❖ Fiebre y escalofríos fuertes.

❖ Hinchazón del vientre.

❖ Dolor en la parte superior derecha o izquierda del vientre.

◆ El vómito y la fiebre duran más de 48 horas.

◆ Usted piensa que un medicamento está causando el problema.

◆ Cualquier tipo de vómito que dura más de 1 semana.

En caso de vómito en niños de menos de 3 años de edad, vea la página 287.

La náusea es una sensación muy desagradable en la boca del estómago. Puede sentirse débil y sudoroso y producir mucho esputo. La náusea fuerte por lo general provoca el vómito y hace que usted "devuelva". Un buen tratamiento en casa le ayudará a sentirse mejor y evitar la deshidratación.

Las causas comunes de la náusea y el vómito son:

◆ Gastroenteritis viral o intoxicación por alimentos. Vea la página 192.

◆ Estrés o nerviosismo.

◆ Medicamentos, en especial antibióticos, aspirina, ibuprofeno (Advil, Motrin) y naproxeno (Aleve).

◆ Embarazo y náuseas matutinas. Vea la página 140.

◆ Diabetes.

◆ Dolor de cabeza migrañoso. Vea la página 103.

◆ Lesiones en la cabeza. Vea la página 17.

Las náusea y el vómito también pueden ser señales de otros problemas graves. No deje de revisar la tabla de problemas digestivos en la página 73 si este tema no cubre sus necesidades.

Más

Tratamiento en casa

◆ Esté pendiente y trate cualquier señal temprana de deshidratación. Vea la página 25. Los adultos mayores y los niños menores que están vomitando pueden deshidratarse rápidamente.

◆ Una hora después de que haya cesado el vómito, tome pequeños sorbos de algún líquido claro cada 10 ó 15 minutos. Beba más a medida que se sienta mejor y su cuerpo pueda tolerarlo. Los líquidos claros pueden ser jugo de manzana o uva, diluido a partes iguales con agua; bebidas rehidratantes (vea la página 26), té suave con azúcar, caldo claro y Jell-O. Evite el jugo de naranja y de toronja.

◆ Si los vómitos duran más de 24 horas, tome sorbos de una bebida rehidratante para reemplazar los líquidos y nutrientes perdidos. Vea la página 26.

◆ Cuando se sienta mejor, pruebe sopas y líquidos claros y alimentos blandos. Jell-O, plátanos, arroz, puré de manzana, pan tostado y galletitas son buenas opciones. Siga con estos alimentos blandos hasta que hayan desaparecido todos los síntomas por 12 a 48 horas.

◆ Descanse en cama hasta que se sienta mejor.

Vómitos en niños de 3 años de edad o menores

Cuándo llamar al médico

Llame al 911 si:

◆ Su hijo se desmaya o no lo puede despertar.

◆ Su hijo presenta señales de deshidratación grave. Los síntomas son ojos hundidos, nada de lágrimas y boca y lengua secas; un punto suave hundido en la cabeza del bebé, poca o nada de orina en 8 horas; piel que se hunde al pellizcarla; respiración y ritmo cardiaco rápidos.

◆ Su hijo vomita sangre o algo que parece granos de café molido.

Llame al médico si:

◆ El vómito se presenta con fuerte dolor de cabeza, rigidez de cuello, ofuscamiento o dificultad para despertar. Su hijo puede tener una enfermedad grave. Vea la página 174.

◆ Su hijo se niega a beber o no puede ingerir los líquidos necesarios para reemplazar los que pierde.

◆ Se presenta vómito grave (vomitar casi todos los líquidos claros y alimentos) en un bebé de menos de tres meses. En caso de niños mayores, llame si el vómito grave dura:

❖ Más de 4 horas en un bebé de 3 a 12 meses de edad.

❖ Más de 8 horas en un niño de 1 a 3 años de edad.

◆ Su hijo vomita de vez en cuando, no tiene otros síntomas y puede retener los líquidos entre cada vómito. Llame si esto dura más de:

❖ 1 a 2 días en bebés menores de 3 meses.

❖ De 2 a 4 días en un bebé de 3 a 6 meses de edad.

❖ De 1 a 2 semanas en un niño de 7 meses a 3 años de edad.

◆ Su hijo tiene dolor abdominal intenso.

◆ Su hijo tiene dolor abdominal y vómito por más de 12 horas, pero no tiene diarrea o es muy poca.

◆ El dolor abdominal empezó varias horas antes del vómito y parece que es algo más que retortijones.

◆ Su hijo tiene dolor sólo en una parte del abdomen, en especial el bajo vientre derecho. Vea la imagen de la página 76. Puede ser difícil detectar dónde tiene el dolor un niño pequeño.

Más ➡

El vómito en los niños por lo general es causado por:

◆ Gastroenteritis viral. La gastroenteritis viral por lo general empieza con vómito, seguido en pocas horas (en ocasiones de 8 a 12 horas, o más) de diarrea. En ocasiones no hay diarrea.

◆ Comer cantidades o variedades desacostumbradas de alimentos. El sistema digestivo del bebé en ocasiones no puede tolerar una cantidad grande de jugo, fruta e incluso leche.

El vómito también puede estar causado por una enfermedad grave, aunque esto no es común. En estos casos, el vómito por lo general se presenta con otras señales de enfermedad, como rigidez de cuello, llanto continuo y no estar alerta o activo.

Los bebés y los niños pequeños necesitan atención especial cuando están vomitando, pues podrían deshidratarse rápidamente. Esto significa que el cuerpo ha perdido demasiados líquidos. Observe muy de cerca el aspecto de su hijo y cómo actúa y asegúrese de que esté bebiendo suficientes líquidos.

Tratamiento en casa

De hasta 6 meses de edad

◆ No le dé de comer nada a su bebé de 30 a 60 minutos después de que haya vomitado. Preste mucha atención para detectar señales de deshidratación en su hijo (vea Cuando llamar al médico).

◆ Si le da pecho al bebé, ofrézcale comidas cortas pero frecuentes.

◆ Si le da leche preparada, cámbiela por una solución oral electrolítica, como Pedialyte o Infalyte. Ofrézcale una cucharada cada 10 minutos durante la primera hora. Después de la primera hora, aumente poco a poco la cantidad que le ofrezca a su bebé. Podrá regresar a la alimentación regular cuando hayan pasado 6 horas sin que vomite su bebé.

◆ No le dé agua simple a su bebé.

De 7 meses a 3 años

◆ Cuando haya pasado una hora desde el último vómito del niño, déle una onza de líquido claro cada 20 minutos, durante una hora. Las opciones sin riesgos son solución rehidratante pediátrica, caldo ligero, Jell-O y jugo de frutas diluido a partes iguales con agua.

◆ Incremente la cantidad en una onza cada hora, en tanto el niño no vomite.

◆ No use bebidas energéticas (como Gatorade y All Sport), refrescos o jugos de frutas sin diluir. Estas bebidas tienen demasiada azúcar. No le ofrezca agua simple ni refrescos de dieta. Estos carecen de las calorías y los minerales que necesita el niño.

◆ Después de 6 horas de no vomitar, ofrézcale alimentos normales. Evite alimentos ricos en fibra (como frijoles) y con mucha azúcar, como dulces o helados.

Cómo vivir mejor con una enfermedad crónica

Cómo vivir mejor con una enfermedad crónica

Las enfermedades crónicas son problemas de salud de largo plazo. Pueden durar meses o años. Con frecuencia duran toda la vida.

Un problema de salud crónico menor puede no tener mucho efecto en su vida. Sin embargo para millones de personas, lidiar con una enfermedad crónica es parte de su vida diaria. La buena noticia es que, aunque la enfermedad crónica sea parte de su vida, no tiene que ser la única parte. Cualquiera que sea su problema médico, hay cosas que usted puede hacer para controlar su enfermedad y vivir mejor.

1. Infórmese. La buena información le ayuda a tomar buenas decisiones de salud. Si este libro no aborda el problema médico que usted tiene —o aunque sí lo aborde— vaya al Internet o su biblioteca o hospital local para empezar a aprender acerca de su enfermedad.

No tema considerar a su médico como un maestro. Vea en la página 2 algunos consejos para aprovechar al máximo su asociación con su médico.

2. Obtenga apoyo. En la mayoría de los problemas graves de salud, el apoyo puede ser muy importante para determinar cómo le vaya y cómo se sienta. Busque el apoyo de:

◆ Familiares y amigos. Hágales saber cómo pueden ayudar, aunque lo único que usted necesite es alguien con quien hablar.

◆ Grupos de apoyo. La gente que tiene la misma enfermedad que usted puede ser una excelente fuente de ayuda emocional y práctica. Busque grupos de apoyo en su localidad o en línea. Hay grupos en línea y oportunidades de conversar por Internet (salas de chat) prácticamente para cualquier problema de salud.

(Tenga cuidado con lo que usted aprenda en línea y hable con su médico antes de cambiar de tratamiento o probar cualquier medicina, vitamina o producto herbal nuevo.)

◆ Asociaciones grandes dedicadas a enfermedades específicas, como el American Diabetes Association o el American Heart Association.

◆ Consejeros y terapeutas. Vivir con una enfermedad crónica en ocasiones puede ser abrumador. Si usted se siente deprimido o siente que no está manejando bien la enfermedad, hablar con un experto podría ayudarlo.

3. Siga su plan de tratamiento. El médico orienta su tratamiento, pero depende de usted apegarse al plan. Según la enfermedad, el tratamiento puede implicar cosas como:

◆ Tomar medicamentos todos los días, a tiempo y en la cantidad debida.

◆ Cambiar de dieta. (Quizás necesite una dieta baja en sodio o evitar ciertos alimentos.)

◆ Cambiar su forma de vida, por ejemplo, ser más activo, dejar de fumar o descansar más. Para algunos problemas de salud, hacer los cambios de este tipo no son solo hábitos saludables. Son vitales para tratar la enfermedad.

◆ Hacer terapia física.

◆ Recibir tratamientos como radiación, diálisis y quimioterapia.

Seguir el plan del tratamiento puede ser difícil en ocasiones, pero puede ser de gran importancia. Hable con su médico si tiene cualquier problema con su tratamiento. Puede haber maneras de hacerlo más fácil.

4. Evite los "factores desencadenantes" siempre que pueda. Es decir, aquellas cosas que empeoran los síntomas o la enfermedad. Por ejemplo, fumar, el polvo, la contaminación son desencadenantes comunes para la gente con problemas respiratorios. En quienes tienen enfermedades de riñón, una comida muy rica en proteínas o algunos medicamentos que se venden sin receta pueden activar los síntomas. El estrés y la falta de sueño son factores desencadenantes en ciertos problemas de salud.

Si usted no está seguro cuáles son sus activadores o factores desencadenantes, podría ayudar que anote sus síntomas. Escriba cuándo aparecen, con qué gravedad y qué parece empeorarlos o mejorarlos. Con el tiempo empezará a ver los rasgos comunes que le permitirán reconocer sus activadores. Y después podrá tratar de evitarlos.

5. Monitoree su salud. Parte del trabajo de cuidarse a sí mismo puede ser someterse a exámenes periódicos y seguirle la pista a su enfermedad. Las personas con diabetes necesitan revisarse el azúcar de la sangre cada día. Las personas con asma deben revisar su flujo máximo, que mide cuán bien están respirando. Si usted tiene presión sanguínea alta, quizás necesite revisarse la presión con frecuencia.

Hacer estos "autoexámenes" le ayuda a:

◆ Saber cuándo hay un problema, antes de que se vuelva grave. Podría parar el problema antes de que empeorara.

◆ Saber cuándo llamar al médico de inmediato y no esperar a la siguiente consulta.

◆ Saber si el tratamiento está funcionando bien. Sus registros le ayudarán al médico a llevar el control de su enfermedad a través del tiempo.

6. Saber qué problemas debe observar. En ocasiones hay señales que le advierten que su enfermedad va a tener una crisis. O también puede necesitar detectar las primeras señales de complicaciones.

Pregúntele a su médico cuáles son los síntomas a los que debe estar atento y tenga un plan para manejarlos. ¿Debe ir al hospital? ¿Hay medicinas que pueda tomar? Consiga instrucciones para el caso de que empeore súbitamente.

7. Consulte a su médico periódicamente. Las visitas y, en algunos casos, los exámenes periódicos permiten que usted y su médico revisen su salud y determinen si es necesario cambiar el tratamiento. También le permiten a su médico detectar oportunamente los problemas, cuando pueden ser más fáciles de corregir.

Establezcan un calendario de consultas y exámenes. ¿Una vez al año? ¿Cada tres meses? Coopere con su médico para decidir lo que es mejor para usted.

8. Consérvese tan sano como pueda. Una enfermedad crónica puede volverse más difícil de manejar si usted empieza a tener otros problemas de salud. Para la mayoría de las personas es muy importante optar por un estilo de vida saludable: comer correctamente, no fumar, ser activo, reducir el estrés. Recuerde cuidar de toda su persona.

Qué hacer ahora

El resto de esta sección cubre seis enfermedades crónicas comunes: Asma, enfermedad pulmonar obstructiva crónica, enfermedad de las arterias coronarias, depresión, diabetes e insuficiencia cardiaca. Si usted tiene alguno de estos problemas médicos, siga leyendo para aprender los fundamentos del manejo de su enfermedad.

Si usted tiene otro problema de salud, revise el índice al final del libro o vaya al Internet o su biblioteca o hospital local. Con la información adecuada y un poco de asesoría, usted puede empezar a vivir mejor con su enfermedad hoy mismo.

Cómo vivir mejor con asma

Si usted tiene asma, le ayudará saber qué es y qué le hace a su cuerpo. El asma causa inflamación e hinchazón en las vías respiratorias (conductos bronquiales) que llevan a los pulmones. Esto hace que las vías respiratorias sean más angostas, lo cual dificulta la respiración.

La frecuencia con que usted tenga problemas para respirar depende de la gravedad del asma y de lo que lo active. Algunas personas respiran normalmente la mayor parte del tiempo, mientras que otras pierden fácilmente el aliento. Otras personas pueden tener problemas al respirar sólo de noche o cuando hacen ejercicio.

Cuando usted tiene muchas dificultades para respirar, está teniendo un ataque de asma. Sus vías respiratorias están muy hinchadas y es difícil que pase el aire por ellas.

Junto con los síntomas que el asma puede causar en forma cotidiana, también puede dañar las vías respiratorias y los pulmones. Incluso el asma ligera puede causar problemas a largo plazo. El asma puede empeorar enfermedades como la bronquitis y la neumonía. Y puede provocar la enfermedad pulmonar obstructiva crónica (EPOC), la cual es de largo plazo.

Pero el asma no tiene porqué controlar su vida ni su futuro. Hay cosas que usted puede hacer, hoy y todos los días, para evitar ese tipo de problemas y vivir mejor con el asma.

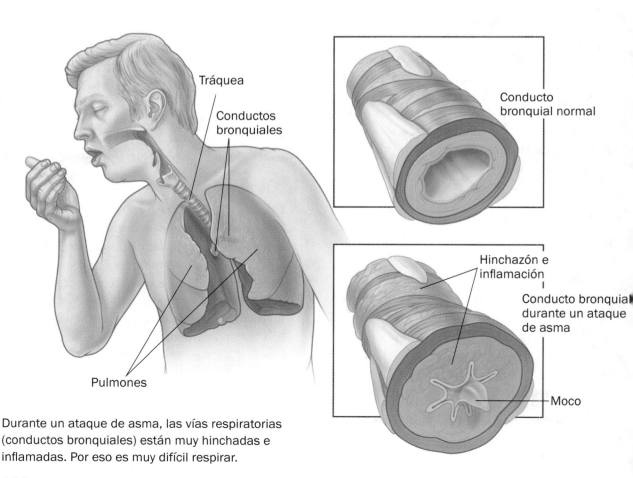

Tráquea

Conductos bronquiales

Pulmones

Conducto bronquial normal

Hinchazón e inflamación

Conducto bronquial durante un ataque de asma

Moco

Durante un ataque de asma, las vías respiratorias (conductos bronquiales) están muy hinchadas e inflamadas. Por eso es muy difícil respirar.

Qué puede hacer usted

◆ ¡Tenga un plan! Un plan de tratamiento diario y un plan de acción para el asma pueden darle mucho de lo que se necesita para manejar el asma. Vea sus planes de asma en esta página.

◆ Tome sus medicamentos para el asma. Si no está seguro de cómo o cuándo tomarlos, hable con su médico. Vea la página 294.

◆ Participe en su atención médica. Revise su flujo máximo (vea la página 294). Lleve el registro de sus síntomas. No pase por alto su asma sólo porque se siente bien.

◆ Conozca qué cosas hacen que empeore su asma o provocan crisis de asma. Evite esos factores desencadenantes siempre que pueda. Vea la página 295.

◆ Consulte a su médico periódicamente. La frecuencia de la consulta depende de la gravedad del asma. Si tiene asma ligera, podría necesitar una revisión cada seis o doce meses. Si su asma está fuera de control, puede necesitar una cada 2 meses.

◆ Si fuma, deje de hacerlo. Fumar hace que empeore su asma y eleva el riesgo de cáncer del pulmón y otros problemas. Si necesita ayuda para dejar de fumar, vea la página 344.

Sus planes para el asma

Un factor importante para vivir bien con el asma es seguir un plan de tratamiento diario y tener un plan de acción.

Plan de tratamiento diario

Este plan le dice:

◆ Qué medicinas tomar cada día.

◆ Con qué frecuencia controlar el flujo máximo. (Vea la página 294).

◆ Qué más necesita hacer cada día para tratar su asma.

Su plan de tratamiento diario está enfocado a controlar el asma a largo plazo. Puede ayudarle a evitar los síntomas y ataques y a prevenir problemas a largo plazo causados por el asma.

Plan de acción para el asma

El plan de acción le dice cómo tratar un ataque de asma. Le ayuda a tomar decisiones buenas y rápidas sobre lo que tiene que hacer cuando empeora su asma. Incluso le puede salvar la vida.

Para seguir un plan de acción para el asma, usted necesita saber algunas cosas.

◆ Su flujo máximo. El flujo máximo es la velocidad a la que exhala cuando se esfuerza al máximo. Indica cuán bien están trabajando sus vías respiratorias y pulmones. Es fácil revisar su flujo máximo. Vea la página 294 para saber cómo hacerlo.

◆ Su mejor flujo máximo personal. Este número es una base para saber si usted está bien o si está empeorando. Para determinar su mejor flujo máximo, tome las lecturas de flujo máximo en dos o tres semanas, cuando su asma esté controlada.

◆ Sus zonas de asma. Hay tres zonas: verde, amarilla y roja. Su plan de acción le indica qué hacer cuando esté en cada zona. Las zonas están basadas en su flujo máximo y en sus síntomas.

 Estos planes pueden ayudarle a sentirse mejor y a evitar graves problemas de salud. Si actualmente no tiene ningún plan, pídale a su médico que lo ayude a prepararlo. Si necesita ayuda para empezar, vaya al sitio Web indicado en la contraportada y escriba **y930** en el cuadro de búsqueda.

Tome sus medicamentos

Los medicamentos para el asma le ayudan a evitar síntomas y le dan la posibilidad de hacer lo que desee. Le ayuda a controlar el asma, en lugar de que el asma lo controle a usted.

La mayoría de las personas necesitan dos tipos de medicamentos para el asma:

◆ Medicamentos controladores. Tome su medicamento controlador todos los días, aunque no presente los síntomas. Esto evita daños en el pulmón y ataques de asma, y ayuda a detener los problemas antes de que éstos ocurran.

Uso del inhalador

El medicamento para el asma por lo general viene en un inhalador, un dispositivo que permite inhalar el medicamento a través de la boca, para que vaya directamente a las vías respiratorias y a los pulmones.

 Para obtener los mejores resultados del medicamento, asegúrese de usar el inhalador correctamente. Si desea ver una guía paso a paso (¡con dibujos!), vaya al sitio Web indicado en la contraportada y escriba **L206** en el cuadro de búsqueda. También puede pedirle ayuda a su médico o farmaceuta.

Su médico quizás le sugiera que use un espaciador. El espaciador es una pieza que se acopla al inhalador. Para muchas personas, esto facilita el uso del inhalador.

Si usted sigue teniendo problemas, dígaselo a su médico. Puede haber otra manera de tomar su medicamento.

◆ Medicamento de alivio rápido. Tómelo cuando tenga síntomas de un ataque de asma. Éste actúa con rapidez para tratar un ataque antes de que empeore. Siempre lleve consigo algo de este medicamento.

Revise su flujo máximo

El flujo máximo (flujo respiratorio máximo, FRM) es la velocidad a la que usted puede exhalar cuando se esfuerza al máximo. Revisar periódicamente su flujo máximo le puede ayudar:

◆ A saber cuando se aproxima un ataque de asma y tratarlo antes de que se ponga mal. Esto le ayuda a conservarse sano y a no hospitalizarse.

◆ A saber cuán bien están funcionando sus pulmones, aun cuando no tenga síntomas.

◆ A descubrir qué cosas empeoran su asma. Por ejemplo, si su flujo máximo siempre empeora cuando usted está estresado o cuando permite que su perro duerma en su habitación, eso es una buena pista de que esas cosas no son buenas para su asma.

Es fácil y rápido revisar su flujo máximo. Puede hacerlo en su casa con un dispositivo sencillo y barato, llamado medidor de flujo máximo. Se hace así:

◆ Tome aire y sople en el tubo del medidor tan fuerte y tan rápido como pueda.

◆ Escriba el número que aparezca en el medidor. Use un cuaderno o un calendario para registrar su flujo máximo y los síntomas de asma a lo largo del tiempo.

◆ Haga lo que le indique hacer su plan de acción (vea la página 293), con base en su flujo máximo.

Colabore con su médico para averiguar cuál debe ser su flujo máximo y con qué frecuencia debe revisarlo. Lleve consigo los registros de las mediciones de flujo máximo y de los síntomas siempre que vaya a revisión. Eso le ayudará a su médico a saber si necesita cambiarle el tratamiento.

Vaya a la Web

Revisar el flujo máximo es una medida fácil y barata que le ayuda a controlar su asma y evitar crisis graves. Si desea ver una guía completa y paso a paso, vaya al sitio Web indicado en la contraportada y escriba **t075** en el cuadro de búsqueda.

Evite los desencadenantes del asma

Un factor desencadenante es cualquier cosa que empeora su asma y puede causar un ataque. Fumar, la contaminación, el polen, la caspa de las mascotas, los resfriados, el estrés y el aire frío son factores desencadenantes para muchas personas.

Usted puede conocer cuáles son sus factores desencadenantes llevando el registro de su flujo máximo y de sus síntomas. Cuando empeore o mejore, piense cuál puede ser la causa. ¿Es elevada la cantidad de polen? ¿Pasó la tarde en un bar lleno de humo de tabaco? ¿Salió a correr en el aire frío?

Una vez que conozca sus factores desencadenantes, trate de prevenirlos o evitarlos. Estas recomendaciones le ayudarán con la mayoría de los factores desencadenantes comunes.

◆ Si fuma, deje de hacerlo. Vea la página 344 si necesita ayuda para dejar de fumar. Aléjese de lugares llenos de humo. No use estufa de leña ni chimenea en su casa.

Más

Medicamento de alivio rápido: Para ataques, no para uso diario

Ya que el medicamento de alivio rápido ayuda tan rápido en los problemas respiratorios, usted puede tener la tentación de usarlo con frecuencia para controlar su asma, en lugar de tomar el medicamento controlador.

Eso no es una buena idea. El medicamento de alivio rápido es para los casos en que usted no pueda prevenir los síntomas y necesite tratarlos. No está destinado a ser el medicamento que tome a diario para controlar su asma, así como tampoco se usa el medicamento controlador para tratar un ataque (éste actúa demasiado despacio).

¿Por qué es importante esto?

◆ El objetivo es prevenir los síntomas antes de que empiecen y evitar daños a largo plazo. Ese es el trabajo del medicamento controlador. El medicamento de alivio rápido no funciona tan bien para eso.

◆ Tomar el medicamento de alivio rápido con demasiada frecuencia puede hacer que su corazón lata a demasiada velocidad o fuera de ritmo.

Hable con su médico si está tomando el medicamento de alivio rápido más de dos veces a la semana o si se acaba más de un recipiente en tres meses.

Nota: Algunas personas con asma necesitan tomar medicamento de alivio rápido antes de hacer ejercicio. Si su médico se lo ha recomendado, está bien que lo tome con la misma frecuencia con que haga ejercicio.

Cómo vivir mejor con asma

◆ Reduzca el polvo, los ácaros, el polen y el moho en su casa, especialmente en su dormitorio. Vea la página 86 encontrará muchas ideas que le ayudarán.

◆ No haga ejercicio en exteriores cuando el aire esté frío y seco. Ejercítese en interiores, por ejemplo en un gimnasio. Camine en el centro comercial. Consiga un video de ejercicios que pueda hacer en casa. (Consulte con su médico si no está seguro de que sea prudente hacer ejercicio.)

◆ Mantenga a las mascotas fuera de su casa, o al menos fuera de su dormitorio. Haga que su mascota permanezca en áreas de piso duro. Son más fáciles de limpiar que las alfombradas.

Evitar los factores desencadenantes le ayudará a prevenir crisis de asma y usted se mantendrá sano y lejos del hospital. Si desea más ayuda para averiguar cuáles son sus factores desencadenantes y cómo manejarlos, vaya al sitio Web indicado en la contraportada y escriba **x085** en el cuadro de búsqueda.

Si su hijo tiene asma

Muchos niños tienen asma y la manejan muy bien. Usted puede ayudar a su hijo a sentirse mejor y a evitar emergencias y problemas a largo plazo.

◆ Asegúrese de que su hijo tome sus medicamentos para el asma. Esto significa tomar los medicamentos controladores todos los días (o como se haya recetado) y usar los medicamentos de alivio rápido en el momento indicado. Su hijo quizás necesite ayuda para usar debidamente el inhalador.

◆ Dígales a los maestros, entrenadores y a la enfermera de la escuela que su hijo tiene asma. Hable con ellos de lo que hay que hacer si su hijo tiene una crisis asmática.

◆ Asegúrese de que su hijo disponga de medicamento de alivio rápido en todo momento.

◆ Ayude a su hijo a revisar y registrar su flujo máximo. Con un poco de apoyo, muchos niños mayores pueden hacerlo por su cuenta.

◆ Anime a su hijo a ser activo, a jugar y a hacer lo que hagan otros niños. El asma no tiene porqué limitar a su hijo.

Para padres de adolescentes con asma

Los adolescentes sienten que el asma limita su libertad o los aparta de sus amigos. Hay formas de ayudarlos a apegarse a su tratamiento y sentirse bien al respecto.

◆ Deje que su hijo adolescente vaya solo a la consulta con el médico. Eso le ayudará a hacerse cargo de su propia atención.

◆ Elabore un plan de tratamiento diario que le permita a su hijo adolescente hacer lo que le guste (deporte, música, actividades escolares).

◆ Hágale ver que el tratamiento le ayudará a llevar una vida normal y activa.

◆ Hable con su hijo adolescente acerca de los peligros de fumar. Fumar es malo para cualquier adolescente. Es especialmente malo para los adolescentes con asma.

◆ Ayude a su hijo a reunirse con otros adolescentes con asma para que puedan brindarse apoyo mutuo.

Cuándo llamar al médico

Llame al 911 si:

◆ Tiene problemas graves para respirar y no lleva consigo el medicamento para el asma.

◆ Ha tomado el medicamento de alivio rápido y después de 20 ó 30 minutos no se siente mejor.

◆ Ha medido su flujo máximo y éste es menos de 50 por ciento de su mejor flujo máximo.

Llame a su médico si:

◆ No mejoran los síntomas después de haber seguido su plan de acción para el asma.

◆ Escupe moco amarillo, café oscuro o con sangre.

◆ No tiene un plan de acción para el asma y quiere uno.

◆ Necesita tomar el medicamento de alivio rápido más de dos veces a la semana (que no sea debido al ejercicio).

◆ Tiene algún problema con el medicamento para el asma.

Cómo vivir mejor con EPOC

EPOC (enfermedad pulmonar obstructiva crónica) es una enfermedad a largo plazo que dificulta la respiración. Cuando usted tiene EPOC, el aire no fluye fácilmente al salir de los pulmones. A usted puede faltarle el aire, toser mucho y tener mucha mucosidad en las vías respiratorias.

Si usted tiene enfisema o bronquitis crónica, entonces tiene una forma de EPOC.

Con el tiempo, los problemas respiratorios empeoran y se dificulta realizar las actividades diarias. La EPOC puede provocar problemas del corazón y la muerte.

Pero usted puede hacer cosas importantes para su salud. El cuidarse a sí mismo de manera adecuada le ayudará a permanecer sano por más tiempo. Por ejemplo, el ejercicio regular, las técnicas especiales de respiración y las pausas para descansar durante el día pueden ayudarle a sentirse mejor día a día. Tomar los medicamentos que le recete el médico lo ayuda con la respiración.

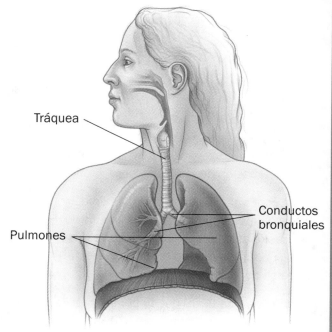

Cuando usted tiene EPOC, las vías respiratorias (la tráquea y los conductos bronquiales) que llevan a los pulmones pueden estar bloqueados por la hinchazón, los daños y el moco. Esto dificulta respirar.

Más ▶

Lo mejor que puede hacer es dejar de fumar. Es la única forma segura de frenar la enfermedad. Pero también puede ser el paso más difícil de dar cuando se tiene EPOC.

Hable con su médico sobre los programas para dejar de fumar y los medicamentos que pueden ayudarlo. Vea también Cómo dejar de fumar en la página 344.

Tome sus medicamentos

Los medicamentos para la EPOC reducen la falta de aire, controlan la tos y el jadeo y pueden evitar o reducir una crisis. Mucha gente con EPOC considera que el medicamento le facilita respirar.

Los medicamentos para EPOC por lo general vienen en un inhalador, un dispositivo que permite inhalar la medicina a través de la boca, para que vaya directamente a las vías respiratorias y a los pulmones.

Asegúrese de usar correctamente el inhalador. Si desea ver una guía paso a paso (¡con dibujos!), vaya al sitio Web indicado en la contraportada y escriba **h732** en el cuadro de búsqueda. También puede pedirle ayuda a su médico o farmaceuta.

Hable con su médico si sigue teniendo problemas para usar el inhalador. Puede haber otra manera de tomar su medicamento.

Respire aire limpio en casa

Hay muchas cosas que pueden empeorar los síntomas o causar crisis: el humo, el aire de mala calidad, el polvo, el polen e incluso el clima. Algunos de estos "factores desencadenantes" de la EPOC no están bajo su control. Pero usted puede hacer de su casa un lugar donde pueda respirar con mayor facilidad.

◆ No permita que nadie fume en su casa. Esto se refiere también a usted.

Crisis de EPOC

En ocasiones, su falta de aire habitual de pronto empeora. Quizá empiece a toser más y a tener más moco. Esto se llama crisis o exacerbación de la EPOC.

La contaminación del aire o una infección en los pulmones pueden causar una crisis. En ocasiones puede ocurrir una crisis después de un rápido cambio de clima o al estar cerca de sustancias químicas.

Una crisis de EPOC puede poner en peligro su vida. Si usted tiene una:

◆ Use primero el inhalador de medicamento.

◆ Si sus síntomas no se reducen después de tomar el medicamento, pida que alguien lo lleva a la sala de emergencias. Llame al 911 si es necesario.

Quizá sea necesario que reciba tratamiento en un hospital hasta que pueda respirar mejor por sí mismo. Con el tratamiento adecuado, la mayoría de las personas se recuperan de la crisis y su respiración no es peor de lo que era antes.

Haga todo lo posible por evitar las crisis y permanecer lejos del hospital:

◆ Tome sus medicamentos.

◆ Evite los "factores desencadenantes", como el humo, el aire de mala calidad y las sustancias químicas.

◆ Consérvese tan sano como pueda.

◆ Use aire acondicionado para que no tenga que abrir las ventanas. El aire fresco puede parecer una buena idea, pero el polen, el moho, la contaminación del aire y otros factores irritantes exteriores pueden empeorar su EPOC.

◆ Use un acondicionador o purificador de aire con filtro de alta eficiencia (HEPA).

◆ Asegúrese de que los aparatos de gas estén bien ventilados y tengan puertas que cierran bien. Revise que no haya grietas en los conductos y las chimeneas que dejen pasar los humos. No use chimeneas abiertas ni estufas de leña; el humo de leña es malo para la respiración.

◆ No use sustancias químicas fuertes ni aerosoles en su casa, y no mezcle productos de limpieza. Pruebe los productos limpiadores naturales, como vinagre, jugo de limón, ácido bórico o bicarbonato de sodio.

◆ No conserve en interiores los artículos para el reciclado. Los periódicos, trapos, latas y botellas pueden despedir emanaciones.

◆ Reduzca el polvo de su casa todo lo que pueda. Vea algunas recomendaciones en la página 86.

◆ Asegúrese de que las ventilas externas de entrada de aire fresco, de los sistemas de calefacción y aire acondicionado, estén por arriba del suelo. Mantenga a los automóviles, camiones y otras fuentes de contaminación alejados de las ventilas.

Lecciones de respiración

Las personas con EPOC tienden a hacer respiraciones rápidas y cortas. Al respirar de esta manera es más difícil que el aire llegue a los pulmones. Pero usted puede aprender otras maneras de respirar que lo hagan más fácil.

Siga estos métodos cuando le falte más aire de lo normal. Practíquelos cada día para que los pueda hacer bien.

Respiración con labios contraídos

Respire por la nariz y exhale por la boca mientras casi cierra los labios. Inhale durante unos 4 segundos y exhale durante 6 a 8 segundos.

La respiración con labios contraídos ayuda a exhalar más aire, de modo que su siguiente inhalación puede ser más profunda. Hace que le falte menos aire y le ayuda a hacer más ejercicio.

Respiración con inclinación

Inclinarse hacia adelante a la altura de la cintura facilita la respiración. Puede reducir la falta de aire cuando esté haciendo ejercicio o descansando.

Respiración con el diafragma

◆ Respirar con el diafragma ayuda a los pulmones a expandirse para que pueden tomar más aire.

◆ Acuéstese de espaldas o apóyese en varias almohadas.

◆ Con una mano en el vientre y la otra en el pecho, inhale. Saque su vientre todo lo que pueda. Debe sentir que se eleva la mano que está en el vientre, mientras que la mano en el pecho no debe moverse. Al exhalar, la mano en el vientre debe descender.

◆ Una vez que aprenda a hacerlo estando acostado, podrá aprender a hacerlo sentado o de pie.

Más ▶

Manténgase sano, siéntase mejor

Hay cosas que usted puede hacer para tener más energía y hacer más cosas.

◆ Deje de fumar. Éste es el paso más importante que puede tomar para sentirse mejor y vivir más tiempo. Vea la página 344 para empezar.

◆ Evite los resfriados y la gripe.

❖ Póngase una vacuna contra la gripe en otoño. Pídales a aquellos con quien viva o trabaje que hagan lo mismo, para que ellos tampoco se enfermen y lo contagien.

❖ Lávese las manos con frecuencia, en especial en la temporada de resfriados y gripe.

❖ Vacúnese contra el neumococo cada cinco a diez años, según se lo recomiende su médico.

◆ Evite el humo, el aire frío y seco, el aire húmedo y caliente y las grandes alturas. Cuando la contaminación del aire sea muy fuerte, quédese en casa con las ventanas cerradas.

◆ Haga ejercicio prácticamente todos los días de la semana. Caminar es una excelente forma de conservarse activo. Para saber qué otros tipos de ejercicio son buenos para las personas con EPOC, consulte el sitio Web indicado en la contraportada y escriba **e863** en el cuadro de búsqueda.

◆ Pregúntele a su médico si un programa de rehabilitación pulmonar sería bueno para usted. La rehabilitación comprende programas de ejercicios, educación sobre la enfermedad y cómo manejarla, ayuda con cambios en la dieta y de otro tipo, y

apoyo emocional. Para muchas personas con EPOC, estos programas son muy útiles. Para saber más, vaya al sitio Web indicado en la contraportada y escriba **h279** en el cuadro de búsqueda.

◆ Tome breves descansos cuando esté haciendo sus quehaceres y otras actividades. Esto le ayudará con su respiración y a evitar que usted se canse demasiado.

◆ Coma alimentos saludables y con regularidad. Las personas con EPOC con frecuencia tienen dificultades para comer debido a sus problemas respiratorios, pero hay algunas formas sencillas de facilitarlo. Vaya al sitio Web indicado en la contraportada y escriba **z830** en el cuadro de búsqueda.

Planeación del futuro

Con el tiempo, su respiración y su salud en general probablemente vayan a empeorar, haga lo que haga. Es normal que se sienta asustado, enojado, desesperanzado o incluso culpable. Hable con sus familiares y amigos, o con un terapeuta sobre lo que sienta; o ingrese en un grupo de apoyo. Hablar de sus sentimientos puede ayudarle a manejarlos.

También podría sentirse más tranquilo con respecto al futuro si usted lo planea. Hable con su médico y con su familia de lo que usted quiere que suceda cuando empeore su salud. Escriba sus instrucciones por anticipado y un testamento vital, para que usted pueda decidir qué tipo de tratamiento tendrá al final de su vida.

Si desea ayuda para la planeación del final de la vida, vea la página 322.

¿Y la terapia de oxígeno?

En algún momento, usted podría necesitar terapia de oxígeno. Al incrementar el oxígeno en la sangre, este tratamiento le ayuda a respirar más fácilmente y le da más energía. También puede ayudarle a vivir más tiempo y a no hospitalizarse.

Usted puede usar la terapia de oxígeno cuando esté haciendo sus tareas diarias. Puede respirar el oxígeno a través de un tubo de plástico flexible en las fosas (cánula nasal), una mascarilla o un tubo colocado en la tráquea.

El oxígeno puede suministrarse de varias maneras. Por ejemplo, puede obtener un tanque de oxígeno en gas, o puede obtener oxígeno líquido que viene en un recipiente pequeño. Cada uno tiene sus ventajas y sus desventajas en lo que se refiere al peso, costo, cuánto oxígeno contiene y cuán peligroso es. (Hay peligro de incendio si usa el oxígeno cerca de un cigarrillo encendido o una llama abierta.)

Quizá necesite oxígeno sólo cuando haga ejercicio o cuando duerma. O quizá lo necesite todo el tiempo. Si usted y su médico deciden que necesita el oxígeno para prolongar su vida, trabajen juntos para determinar lo que sea mejor para usted.

Cuándo llamar al médico

Llame al 911 si tiene problemas graves para respirar.

Llame a su médico si:

◆ Le falta el aire o está jadeando y las cosas empeoran rápidamente.

◆ Está tosiendo más profundamente o con más frecuencia de lo acostumbrado.

◆ Tose con sangre.

◆ La hinchazón de las piernas o del vientre empeora.

◆ Tiene fiebre.

◆ El medicamento parece no funcionar tan bien como antes.

Cómo vivir mejor con una enfermedad de las arterias coronarias

Enfermedad de las arterias coronarias (EAC) significa que los vasos sanguíneos que llevan la sangre al corazón se vuelven estrechos o se bloquean. Por lo general se bloquean por la **placa**, que es una acumulación de grasa y otras sustancias.

Si usted tiene EAC, sus vasos sanguíneos no pueden llevar suficiente sangre y oxígeno al corazón. Una deficiente circulación de la sangre causa **angina** (dolor de pecho) cuando usted obliga a su corazón a trabajar más fuerte. Si la circulación de la sangre se bloquea por completo, usted puede tener un ataque al corazón.

Con una mala circulación, el corazón se debilita con el tiempo y no bombea como debiera. Esto puede provocar peligrosos problemas de ritmo cardiaco e insuficiencia cardiaca.

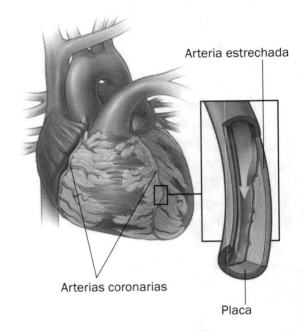

La placa es una acumulación de grasa y otras sustancias que pueden bloquear las arterias.

Cómo evitar ataques al corazón

Para muchas personas con EAC, su mayor miedo es un ataque al corazón. Para evitarlo, y vivir mejor y por más tiempo, usted necesita tomar medidas para mejorar su salud. Las buenas noticias es que usted tiene el control.

Éstas son algunas cosas que puede hacer para ponerse saludable y permanecer así:

◆ Si fuma, deje de hacerlo. Vea la página 304.

◆ Coma alimentos saludables. Coma más fibra y reduzca el colesterol, la grasa saturada y la sal. Vea la página 304.

◆ Haga algo de ejercicio casi todos los días de la semana. Empiece con caminatas cortas o alguna otra actividad que disfrute. Vea la página 305.

◆ Tome cualquier medicamento que le recete su médico.

Usted puede no sentirse enfermo para nada hasta que la enfermedad del corazón se ponga mucho peor. Algunas personas tienen EAC por años sin tener dolor de pecho ni ningún otro síntoma. Esto puede hacer que sea difícil sentir la necesidad de poner atención al problema.

Pero trate de no pasar por alto el hecho de que usted tiene una enfermedad del corazón, aunque por ahora se sienta bien. El objetivo es seguir sintiéndose bien por mucho tiempo. Usted tendrá más posibilidades de hacerlo si empieza a vivir en forma más sana hoy mismo. Lo que usted haga puede ser muy importante.

¿Una aspirina al día?

Tomar una aspirina al día puede ayudarlo a evitar un ataque al corazón o un ataque cerebral. Si usted no ha hablado de esto con su médico, en su siguiente consulta pregúntele para cerciorarse de que sea seguro para usted.

Manejo de la angina

Muchas personas con EAC no manifiestan síntomas. Pero otras pueden sentir dolor u opresión en el pecho cuando hacen cosas que ponen a trabajar más fuerte a su corazón. Este tipo de dolor de pecho se llama angina.

La angina es una señal de que el corazón no está recibiendo suficiente oxígeno. Por lo general, el dolor al principio es ligero y empeora en cosa de minutos. Puede difundirse hacia el vientre, la espalda superior, los hombros, el cuello, las mandíbulas y los brazos.

Si usted ha tenido angina desde hace tiempo, quizá puede prever casi con exactitud cuánta actividad le causará dolor. Usted sabe qué cosas le causan angina, sabe qué esperar y qué hacer cuando sucede. Esto se llama angina estable.

Observe si hay cambios en su angina. Si es peor o dura más de lo acostumbrado, o si empieza a sentirla con más frecuencia, puede significar que su enfermedad del corazón está empeorando. Llame a su médico de inmediato. Quizá necesite una revisión o exámenes, o su médico necesite cambiarle el tratamiento.

Qué hacer cuando tenga dolor de pecho

◆ Deje de hacer lo que esté haciendo. Siéntese y descanse.

◆ Si su médico le ha recetado algún medicamento, como nitroglicerina, tome una dosis.

◆ Si no se siente mejor en cinco minutos, **llame al 911**.

Si toma nitroglicerina

La nitroglicerina es un medicamento que abre los vasos sanguíneos para mejorar el flujo sanguíneo. Esto alivia el dolor de pecho y reduce la carga de trabajo del corazón.

Su médico le indicará cuándo tomar la nitroglicerina. Puede necesitar tomarla:

◆ Para aliviar una angina repentina.

◆ Antes de actividades estresantes que puedan causar angina, como el ejercicio y las relaciones sexuales.

Si está tomando nitroglicerina, no tome medicamentos para provocar la erección, como Viagra, Levitra y Cialis. Es muy peligroso tomar cualquiera de ellos con nitroglicerina. Si usted tiene dolor de pecho y ha tomado algún medicamento para producir la erección, dígaselo a su médico para que no le dé nitroglicerina u otro medicamento similar.

Siga una dieta saludable para el corazón

La mayoría de los expertos coinciden en que la mejor dieta para el corazón es rica en fibras y baja en colesterol, grasas saturadas y sal.

Las recomendaciones de la siguiente tabla le ayudarán a iniciarla. (Vea más información sobre comidas saludables en la página 332.)

Su médico quizá le recomiende que siga la dieta DASH (Medidas dietéticas para parar la hipertensión) o alguna similar. Para saber lo que es esta dieta y cómo puede ayudarlo, vaya al sitio Web indicado en la contraportada y escriba **s362** en el cuadro de búsqueda.

Vaya a la Web

Más ▶

Cómo seguir una dieta saludable para el corazón	
En lugar de:	**Pruebe esto:**
Freír los alimentos	Hornee, ase, cueza al vapor, escalfe o prepare a la parrilla los alimentos.
Consumir alimentos preparados (sopas enlatadas, comidas congeladas, pizza congelada)	Coma pescado fresco, pollo sin piel, frutas y verduras.
Usar mantequilla o aceites ricos en grasas saturadas	Use productos bajos en grasas saturadas, como aceite de oliva, aceite vegetal, aceite de canola o caldo de pollo.
Usar sal, salsa de soya o salsa de barbacoa	Use especias sin sal.
Comer todo el producto de la carne	Quite la grasa de la carne y la piel del pollo.
Comer yemas de huevo	Coma claras de huevo o sustitutos de huevo.

Deje de fumar

Dejar de fumar es una de las mejores cosas que puede hacer si no quiere morir de una enfermedad del corazón. Su riesgo de morir de un ataque al corazón o de un ataque cerebral empezará a reducirse muy pronto, una vez que deje de fumar. Dentro de varios años, su riesgo no será mayor que el de una persona que jamás haya fumado.

Si a usted le hicieron una angioplastia o una cirugía de derivación coronaria (*bypass*) para arreglarle arterias bloqueadas, es menos probable que dichas arterias vuelvan a bloquearse si usted deja de fumar.

También se sentirá mejor cuando deje de fumar. Su angina puede mejorar. Tendrá más energía y respirará con más facilidad. Y se sentirá con más esperanzas para el futuro y tendrá menos miedo de enfermarse o de morir súbitamente de un ataque al corazón.

Fumar es malo para cualquiera, pero es aún peor para personas con enfermedades de las arterias coronarias.

◆ También hace que sea más probable que las células de la sangre formen coágulos. Esto puede causar un ataque al corazón o un ataque cerebral.

◆ Puede causar espasmos en las arterias coronarias, lo cual reduce la circulación de la sangre hacia el corazón.

◆ Puede hacer que el corazón lata fuera de ritmo.

◆ Reduce el colesterol "bueno" y permite que el colesterol "malo" se acumule más fácilmente en las arterias.

◆ Reduce la cantidad de oxígeno que la sangre puede transportar. Esto significa que el corazón (y el resto del cuerpo) puede no recibir suficiente oxígeno.

No es fácil dejar de fumar. Mucha gente lo intenta varias veces hasta que lo deja definitivamente. Pero lo importante es que finalmente lo logra. Y con la ayuda adecuada, usted también podrá.

Vea Cómo dejar de fumar en la página 344 para saber cómo empezar.

Ejercite su corazón

Si en este momento usted no tiene una vida activa, empezar a hacer ejercicio puede parecer difícil. Pero vale la pena. No tiene que hacer mucho para que se note la diferencia.

Ser más activo puede:

◆ Ayudarle a controlar su peso, presión sanguínea y colesterol.

◆ Fortalecer su corazón y reducir síntomas como el dolor de pecho.

◆ Ayudarlo a evitar un ataque al corazón y un ataque cerebral y a vivir más tiempo.

◆ Reducir el estrés y darle más energía.

Caminar es una forma excelente de hacer ejercicio. Si su médico le dice que es seguro, empiece con caminatas cortas. Alargue poco a poco las caminatas un poco más largas cada vez, hasta que esté caminando de 20 a 30 minutos por vez.

Si no le gusta caminar, puede probar nadar, andar en bicicleta o hacer ejercicios aeróbicos en el agua. Su médico puede ayudarlo a preparar un plan.

Lo importante es tratar de hacer algo de ejercicio varios días a la semana. Incluso un poco de ejercicio sería provechoso si usted no ha estado activo para nada. Si desea algunas ideas que le puedan funcionar, vaya al sitio Web indicado en la contraportada y escriba **f338** en el cuadro de búsqueda.

También podría preguntarle a su médico sobre la posibilidad de participar en un programa de rehabilitación cardiaca. Mucha gente con enfermedades del corazón encuentra útil este tipo de programas. Para saber si la rehabilitación cardiaca sería indicada para usted, vaya al sitio Web indicado en la contraportada y escriba **t484** en el cuadro de búsqueda.

Sea prudente al hacer ejercicio

Consulte a su médico antes de empezar a hacer ejercicio. Quizá quiera hacerle un examen para ver cuánta actividad puede soportar su corazón.

Si su médico le ha recetado nitroglicerina, asegúrese de llevarla consigo siempre que haga ejercicio. Deje de hacer lo que está haciendo de inmediato en cuanto tenga dolor de pecho o empiece a sentirse mal.

Más ▶

¿Qué es la angioplastia?

La angioplastia es una manera de ampliar una arteria estrecha o bloqueada y mejorar la circulación de la sangre hacia el corazón sin necesidad de cirugía. Por lo general se usa durante un ataque al corazón o poco después de éste. También puede ayudar a evitar ataques al corazón en algunas personas con enfermedades de las arterias coronarias.

En la angioplastia, el médico hace pasar un tubo diminuto, llamado catéter, por la arteria bloqueada o estrecha. En el extremo del catéter hay un pequeño globo. El médico infla el globo dentro de la arteria para abrir el área bloqueada.

El médico puede colocar una endoprótesis vascular (*stent*) en la arteria. La endoprótesis es un pequeño tubo de malla que se expande y empuja las paredes de la arteria para mantenerla abierta. Algunas endoprótesis también liberan un medicamento que ayuda a mantener abierta la arteria.

Que usted necesite angioplastia depende de cuántas arterias bloqueadas tenga, cuán bloqueadas estén, otros problemas que pueda tener y otros factores.

Cuándo llamar al médico

Llame al 911 si:

◆ Tiene dolor u opresión en el pecho, junto con otros signos de ataque al corazón. Éstos pueden ser:

 ❖ Sudoración.

 ❖ Falta de aire.

 ❖ Náusea o vómito.

 ❖ Dolor en la parte alta de la espalda, en el vientre, el cuello, las mandíbulas o brazos.

 ❖ Sentirse mareado o aturdido.

 ❖ Un ritmo cardiaco rápido o irregular.

 Después de llamar al 911, mastique una aspirina para adulto (a menos que sea alérgico a la aspirina). No trate de conducir usted mismo al hospital.

◆ Se le ha diagnosticado angina, y tiene dolor u opresión en el pecho que no se van con descanso o en cinco minutos después de haber tomado nitroglicerina.

◆ Se desmaya.

Llame a su médico si:

◆ Tiene dolor de pecho (angina) con más frecuencia de la normal, o si el dolor es más fuerte o diferente de lo acostumbrado.

◆ Ha tenido cualquier dolor de pecho, aun cuando ya haya desaparecido.

◆ Tiene cualquier problema con los medicamentos.

Cómo vivir mejor con la depresión

Si usted cree que está deprimido pero no ha visitado a un médico para discutirlo, vea ¿Está usted deprimido? en la página 168.

La depresión es un problema médico, no un defecto o debilidad del carácter. Mucha gente no busca ayuda porque le da vergüenza o porque piensa que puede superar la depresión por su cuenta.

Si usted está deprimido, no hay razón para que sufra. El tratamiento le funciona bien a la mayoría de las personas. Con asesoramiento, medicamentos, buenos cuidados personales y un poco de tiempo, usted se puede sentir mucho mejor. El tratamiento también puede ayudarle a evitar futuros problemas con la depresión.

El asesoramiento puede ayudarle

Las palabras "asesoramiento" o "consejería" quizá le hagan pensar en recostarse en un sofá de cuero y hablar de su niñez. Pero el tipo más común de asesoramiento no busca los sentimientos o recuerdos ocultos. Más bien, maneja la forma en que usted ve las cosas y cómo actúa cada día. Le ayuda a reemplazar los pensamientos y las conductas que le hagan sentirse mal por otros que le hagan sentirse mejor. Con el tiempo, estos cambios se convierten en hábitos.

Para tratar la depresión, usted podría necesitar ver a un consejero periódicamente durante varios meses o más tiempo. Siga yendo a las citas aunque parezca que no lo están ayudando. En ocasiones se necesitan varias reuniones para que empiece a sentirse mejor.

Cómo elegir a un consejero

Su consejero puede ser un psiquiatra (doctor en medicina), un psicólogo o un consejero autorizado. Cuando elija a un consejero:

◆ Asegúrese de que la persona tenga experiencia y capacitación en tratar la depresión. También asegúrese de que tenga licencia para ejercer en su estado. En algunos estados hay reglas estrictas sobre quiénes pueden trabajar como consejeros.

Más

¿Y la hierba de San Juan?

La hierba de San Juan (*St. John's Wort*) es un complemento herbal que se vende en tiendas de alimentos naturales y farmacias. En Europa se ha usado desde hace siglos para tratar la depresión. Pero en los Estados Unidos aún está en fase de prueba.

Una hierba de San Juan de buena calidad podría ayudarlo con una depresión leve o moderada. Después de hablar con su médico al respecto, usted querrá ver si le funciona.

Vaya a la Web Vaya al sitio Web indicado en la contraportada y escriba **w531** en el cuadro de búsqueda para saber más.

No tome la hierba de San Juan con antidepresivos o cualquier otro medicamento, a menos que su médico le haya dicho que es seguro. Puede provocar reacciones peligrosas cuando la toma con otros medicamentos.

Tenga en cuenta que los complementos herbales no están regulados como lo están los medicamentos. Siempre dígale a su médico si está tomando algún producto herbal. Podría tener graves efectos secundarios.

◆ Elija a alguien que le caiga bien y en quien confíe. Para que funcione el asesoramiento, usted debe hablar honestamente de sus sentimientos. Tener un consejero con el que se sienta cómodo facilita las cosas. Si usted se reúne con alguien y no se siente bien, pruebe con otra persona.

Medicamentos antidepresivos

Los medicamentos antidepresivos ayudan a sentirse mejor a mucha gente con depresión. Ayudan a conservar el equilibrio de las sustancias químicas del cerebro. No modifican la personalidad.

Hay muchos medicamentos que pueden ayudar, pero no hay evidencias de que alguno funcione mejor que otro. Pero sí tienen diferentes efectos secundarios.

Su médico tomará en cuenta muchas cosas para decidir qué medicamento darle.

◆ ¿Cómo respondió a los medicamentos tomados en el pasado?

◆ ¿Está tomando medicamentos para otros problemas de salud? Su médico no le dará ningún medicamento que reaccione mal con algún otro que esté tomando.

◆ ¿El medicamento hará que otra enfermedad que tenga empeore o sea más difícil de tratar?

◆ ¿Qué edad tiene? ¿Cómo está su salud en general? Los adultos mayores pueden necesitar dosis más bajas.

◆ ¿Qué probabilidad hay de que lo molesten los efectos secundarios?

Usted podría necesitar tomar antidepresivos hasta por dos meses para sentirse completamente bien. Pero podría empezar a sentirse mejor en dos o tres semanas.

◆ La mayoría de los antidepresivos tardan de cuatro a ocho semanas para empezar a hacer efecto.

◆ En muchos casos, el primer medicamento que receta el médico funciona muy bien. Si no, hay otras opciones. Quizá necesite probar varios antes de encontrar el que le funcione mejor.

◆ El medicamento puede tener efectos secundarios. Muchos de ellos son temporales y desaparecen cuando usted se acostumbra al medicamento. Si persisten o si molestan demasiado, consulte con su médico. Quizá necesite un medicamento diferente.

◆ Asegúrese de decirle al médico si está tomando otros medicamentos o productos herbales. Dígale a su médico de cualquier otro problema de salud que tenga.

◆ Una vez que empiece a sentirse mejor, necesitará seguir tomando el medicamento durante seis meses o más, para evitar una recaída. Siga tomando sus medicamentos como se los receten, aun después de que hayan desaparecido los síntomas.

No deje de tomar el medicamento por su cuenta, a menos que tenga dolor de pecho, urticaria, problemas para respirar o tragar, o se le hinchen los labios. Llame a su médico de inmediato si presenta alguno de estos graves efectos secundarios.

Mientras se recupera

Su ánimo va a mejorar, pero necesita tiempo. Entretanto:

◆ Tome sus medicamentos como se los hayan recetado y asista a sus sesiones de asesoramiento. Pueden pasar varias semanas antes de que usted note algún cambio.

◆ Cuide bien de sí mismo. Coma alimentos saludables. Duerma lo suficiente. Si tiene problemas para dormir, vea las recomendaciones a partir de la página 266. No tome pastillas para dormir.

◆ Manténgase activo. Salga a dar caminatas. Vaya al cine, a conciertos, a juegos de pelota.

◆ Pase tiempo con amigos y familiares. Participe en eventos sociales o de su iglesia.

Trastorno emocional de temporada

Algunas personas se sienten más deprimidas durante los meses de invierno, cuando hay menos luz solar. Esto a veces se llama trastorno afectivo estacional.

Puede ayudarle:

◆ Salir al sol con tanta frecuencia como pueda. (Recuerde protegerse la piel.)

◆ Hacer ejercicio con regularidad, ya sea en exteriores o en interiores, cerca de una ventana soleada.

◆ Preguntarle a su médico sobre la terapia de luz. Ésta implica sentarse o trabajar frente a luces especiales hasta por varias horas al día.

Al igual que en otras formas de depresión, el medicamento y el asesoramiento también pueden ayudar.

◆ No beba alcohol ni consuma drogas ilegales. Y no tome medicamentos que no le hayan sido recetados.

◆ Separe las tareas grandes en partes pequeñas que usted pueda manejar. Haga lo que pueda hacer.

◆ De ser posible, aplace decisiones importantes, como el matrimonio, divorcio o cambio de empleo, hasta que se sienta mejor. Hable de los cambios grandes con sus amigos y sus seres queridos, que le podrán ofrecer otros punto de vista.

◆ Si usted tiene otra enfermedad, como diabetes o una enfermedad del corazón, siga tratándola.

Pida ayuda si la necesita. Y si alguna vez tiene la idea de lastimarse a sí mismo, pida ayuda de inmediato. Puede llamar al 911 o a la línea nacional de ayuda para prevención del suicidio al 1-800-784-2433.

¿Se siente mejor?

Si usted se siente mejor, quizá piense que no hay problema en dejar de ir al asesoramiento o de suspender el medicamento.

¡Espere! Hable con su médico antes de hacerlo. Para evitar que regrese la depresión, usted quizá necesite tratamiento durante seis meses, o más, antes de que se sienta mejor. Algunas personas necesitan tomar medicamentos durante años.

Para decidir si los medicamentos siguen siendo adecuados para usted, vaya al sitio Web indicado en la contraportada y escriba **L159** en el cuadro de búsqueda.

Más

¿Deprimida y embarazada?

Algunas mujeres se deprimen durante el embarazo. Es más probable que se deprima si ya antes ha sufrido de depresión. Su embarazo puede hacer que regresen sus síntomas (recaída).

Manejar su depresión es importante para su propia salud. También le ayudará a tener un bebé saludable. Colabore con su médico para encontrar un tratamiento con el que usted se sienta cómoda.

◆ Si su depresión es leve, su médico quizá le aconseje que busque asesoramiento antes de tomar medicamentos.

◆ Si su depresión es grave o el asesoramiento no le ayuda lo necesario, podría necesitar medicamento. También podría necesitar medicamento si ya antes había estado deprimida y tuvo una recaída cuando dejó de tomarlo.

Quizá le preocupe tomar medicamentos estando embarazada. Pero no tratar su depresión también es peligroso para su bebé. Si está deprimida podría no cuidar bien de sí misma. Después del parto podría no sentirse unida a su bebé. Y podría no comer o no dormir bien.

Si necesita antidepresivos, su médico le puede recetar uno que sea seguro para usted y su bebé.

Cómo evitar una recaída

◆ No deje de tomar su medicamento demasiado pronto. Le podrá ayudar si sigue tomándolo por seis a doce meses después de que se sienta mejor (o más tiempo, en algunos casos). Algunas personas necesitar tomar el medicamento por el resto de su vida para conservarse sanas.

◆ No deje de tomar su medicamento repentinamente. Si quiere dejar de tomarlo, pregúntele a su médico si es seguro para usted y cuál es la mejor forma de hacerlo.

◆ Siga viendo a su asesor después de suspender el medicamento. Esto ayuda a algunas personas a evitar una recaída sin el medicamento.

◆ Siga una dieta saludable y haga ejercicio con regularidad. Apéguese a un horario de sueño regular.

◆ Evite el alcohol y las drogas ilegales.

◆ Consulte a su médico de inmediato si tiene nuevos síntomas o se siente peor.

Cuándo llamar al médico

◆ Se siente desesperanzado y no pude dejar de pensar en lastimarse a sí mismo o a otra persona. **Llame al 911 o a la línea nacional de prevención del suicidio al 1-800-784-2433.**

◆ Escucha voces.

◆ Piensa que está deprimido y no ha hablado con su médico al respecto.

◆ Su depresión empeora aun con el tratamiento.

◆ Tiene cualquier problema con el medicamento.

◆ Está tomando antidepresivos y piensa que está embarazada.

Cómo vivir mejor con diabetes

Si usted tiene diabetes, su organismo no produce la cantidad necesaria de una hormona llamada **insulina** o quizá no pueda utilizarla en forma adecuada. La insulina le ayuda al organismo a utilizar el azúcar de la sangre como energía o a almacenarla para usarla después. Cuando esto no ocurre, queda demasiada azúcar en la sangre.

Con el tiempo, el exceso de azúcar en la sangre puede provocar problemas graves.

◆ Puede dañarle los ojos, los nervios y los riñones.

◆ Puede dañar también los vasos sanguíneos, causando enfermedades del corazón y ataques cerebrales.

◆ Puede reducir la circulación de la sangre a ciertas partes del cuerpo, en especial los pies. Esto puede causar dolor y una lenta recuperación.

¿Cómo puede evitar estos problemas? Lo más importante es mantener bajo control el azúcar en la sangre, con estas medidas:

◆ Tome su insulina u otro medicamento.

◆ Revise con frecuencia el azúcar en su sangre.

◆ Coma alimentos y bocadillos saludables y balanceados.

◆ Haga ejercicio prácticamente todos los días de la semana.

◆ Visite a su médico para revisiones y exámenes con un programa regular.

◆ Si tiene presión arterial alta o colesterol alto, tome medicamentos para controlar el problema.

Vivir con diabetes día a día puede ser toda una batalla. Cuidar lo que come, revisarse el azúcar en la sangre, tomar los medicamentos a tiempo —habrá ocasiones en que simplemente no haga todo esto. No sea demasiado duro consigo mismo. Tan sólo trate de volver a encarrilarse.

Y si ya está haciendo todo lo que necesita hacer, ¡manténgase así!

Medicamentos para la diabetes

Algunas personas con diabetes tipo 2 necesitan medicamento para que su organismo produzca más insulina o para que la use correctamente. Las pastillas para la diabetes tipo 2 también pueden reducir la velocidad a la que el cuerpo absorbe el azúcar. Esto puede ayudar a mantener el azúcar de la sangre en un nivel seguro.

Usted puede necesitar tomar una o más pastillas más de una vez al día. Algunas personas necesitan el medicamento por corto tiempo. Otras lo tienen que tomar el resto de su vida. Lo que usted necesite depende de cuán bien el azúcar de la sangre se mantiene dentro de un rango seguro.

Las personas con diabetes tipo 1 tienen que tomar insulina para controlar el azúcar en la sangre. Si usted tiene diabetes tipo 2, quizá pueda evitar o aplazar la necesidad de insulina cuidando su comida, ejercitándose en forma regular y tomando correctamente otros medicamentos para la diabetes. Muchas personas con diabetes tipo 2 acaban necesitando tomar insulina en determinado momento.

Recomendaciones sobre el costo de los medicamentos

El medicamento para la diabetes le ayuda a conservarse sano y a evitar problemas graves y costosos. Si bien el costo de los medicamentos puede elevarse, puede haber formas de conseguirlos por menos dinero.

Puede comprar la mayoría de los medicamentos para diabetes por su marca o como medicamentos genéricos. (Por ejemplo, muchas personas con diabetes toman un medicamento llamado metformina. Quizá

Más ▶

usted la conozca por su nombre comercial, Glucophage.) Puede haber una gran diferencia de costo entre una y otra. Si usted está tomando un medicamento de marca, pregúntele a su médico si el genérico sería igualmente efectivo para usted.

Vea en la página 3 otras sugerencias para ahorrar dinero, como comprarlas a granel o en farmacias en línea.

¿Y los carbohidratos y el azúcar?

Si usted tiene diabetes, tiene que cuidar cuántos carbohidratos consume en una misma comida. Si come demasiados a la vez, el azúcar de la sangre se eleva rápidamente (y después puede bajar súbitamente).

Los carbohidratos son un nutriente importante que obtenemos de los alimentos. Son una excelente fuente de energía para el cuerpo y ayudan al cerebro y al sistema nervioso a funcionar a su máxima capacidad.

Vienen en dos formas:

◆ Almidón (carbohidratos compuestos). El almidón se encuentra en alimentos como el pan, los cereales, los granos, las pastas, el arroz, la harina, los frijoles y las verduras.

◆ Azúcar (carbohidratos simples). El azúcar se encuentra en alimentos tales como las frutas, los jugos, la leche, la miel, los postres y los dulces.

Todas las formas de carbohidratos elevan el azúcar de la sangre, dependiendo de la cantidad que contengan los alimentos.

El objetivo es mantener estable el azúcar en la sangre y evitar que se eleve después de las comidas. Puede ayudarse a sí mismo si reparte sus carbohidratos a lo largo del día, en lugar de comer muchos de una sola vez. Esto también le ayudará a evitar sentir demasiada hambre. Vea Planeación de alimentos: ¿Cómo se ve su plato? en la página 313 para saber más al respecto.

Cinco cosas para hacer hoy

1. Tome una aspirina (si ha hablado al respecto con su médico). Tomar una aspirina al día puede ayudarlo a evitar un ataque al corazón o un ataque cerebral. Si usted no ha hablado de esto con su médico, en su siguiente consulta pregúntele para cerciorarse de que sea seguro para usted.

2. Encargue, en línea o en su famarcia, una pulsera o collar de alerta médica. Si usted tiene una emergencia médica y no puede hablar, esta identificación le hará saber al personal médico que usted tiene diabetes. Esto es aún más importante si toma insulina o suele tener problemas con las bajas de azúcar en la sangre.

3. Revise si en los pies tiene pequeños cortes, llagas o problemas en las uñas. Los problemas pequeños pueden volverse grandes si no los nota y los atiende. Para aprender a cuidarse los pies, vaya al sitio Web indicado en la contraportada y escriba **g053** en el cuadro de búsqueda.

4. Camine. El ejercicio regular le puede ayudar a controlar el azúcar en la sangre y a reducir la necesidad de medicamentos. Asegúrese de usar zapatos firmes.

5. Llame al hospital y pregunte si hay algún grupo de apoyo o programa educativo para personas con diabetes. O visite el sitio Web de la Asociación Americana de Diabetes, en www.diabetes.org. Ahí encontrará recetas, recomendaciones para el ejercicio y todo tipo de información que le ayudará.

A diferencia de lo que quizá haya oído, si tiene diabetes usted puede comer alimentos que tengan azúcar. Pero si gran parte de su dieta está constituida por alimentos ricos en azúcar, es probable que no coma lo suficiente de otros alimentos más saludables. Y el nivel de azúcar en su sangre puede ser muy inestable.

Planeación de alimentos: ¿Cómo se ve su plato?

Comer bien le ayudará a mantener el azúcar de su sangre en un rango seguro. Para algunas personas, una comida sana y el ejercicio regular son suficientes para mantener su diabetes bajo control sin medicamentos. Si toma medicamentos, comer bien ayudará al medicamento a funcionar mejor.

La planeación de los alimentos para la diabetes significa comer ciertas cantidades de alimentos en comidas regulares y bocadillos. Quizá haya escuchado de la necesidad de contar los gramos de carbohidratos y de seguir tablas de intercambio y guías de alimentación para diabéticos. Esto puede parecer abrumador.

Pero hay una forma sencilla de empezar: El **formato del plato**. El formato del plato es una excelente manera de aprender a planear las comidas y acostumbrarse a medir lo que come.

Usar el formato del plato le permite imaginar cómo debe verse la comida y cuanto espacio debe ocupar cada alimento en el plato. Esto le puede ayudar a tomar comidas balanceadas. Y también podrá evitar que coma demasiados carbohidratos a la vez.

Un plato saludable de almuerzo o cena debe contener:

◆ Pan, alimentos de almidón o granos en una cuarta parte del plato.

◆ Carne u otra forma de proteína (como frijoles o huevo) en una cuarta parte del plato.

◆ Verduras en la mitad del plato.

◆ Un pedazo pequeño de fruta fuera del plato.

◆ Una taza de leche o yogurt o ½ taza de budín o helado fuera del plato.

8 onzas de leche (lácteos, fuera del plato)

Pera pequeña (fruta, fuera del plato)

Pan tostado (grano, una cuarta parte del plato)

Huevo (proteína, una cuarta parte del plato)

Ejemplo de plato de desayuno

8 onzas de leche (lácteos, fuera del plato)

½ taza de duraznos (fruta, fuera del plato)

Arroz integral (cereales, una cuarta parte del plato)

Zanahorias, espárragos, hongos (verduras, medio plato)

Salmón (proteína, una cuarta parte del plato)

Ejemplo de plato de cena

Más ▶

Cómo vivir mejor con diabetes

Coloque una muestra del formato del plato en su refrigerador hasta que se acostumbre al aspecto de un plato saludable. Una vez que pueda imaginar su plato, podrá seguir el método en cualquier parte, aun cuando coma fuera.

 Para aprender a usar el formato del plato en todas sus comidas y bocadillos, vaya al sitio Web indicado en la contraportada y escriba **c636** en el cuadro de búsqueda. Y cuando esté dispuesto a aprender más sobre la planeación de alimentos, hable con un nutriólogo titulado o con un instructor sobre diabetes sobre otros métodos.

Revise el azúcar en la sangre

Quizá a usted no le guste revisarse el azúcar en la sangre todos los días ni llevar el registro de los resultados a lo largo del tiempo. Pero esto le puede ayudar mucho a controlar su diabetes.

◆ Saber cómo sube o baja el azúcar en la sangre en reacción a ciertos alimentos, al ejercicio y otras cosas podrá ayudarle a reducir los síntomas y a evitar las emergencias de azúcar en la sangre.

◆ Tener un registro del azúcar en la sangre a lo largo del tiempo le ayudará a usted y a su médico a saber si el tratamiento le está funcionando o si necesita hacerle cambios.

En pocas palabras, usted tiene más posibilidades de mantener al azúcar en la sangre dentro de un rango seguro si sabe cómo está día tras día. Controlar el azúcar en la sangre le ayudará a sentirse mejor y frenará los daños de largo plazo en ojos, riñones y corazón, que pueden producirse cuando no se controla el azúcar en la sangre.

Si usted tiene prediabetes

La prediabetes (tolerancia reducida a la glucosa) es una señal de advertencia de la diabetes tipo 2. Considérela una voz de alarma. Muchas personas que tienen diabetes tipo 2 primero tienen prediabetes.

Si usted tiene prediabetes, quizá pueda evitar o retrasar la diabetes tipo 2 (y los problemas que ésta causa) haciendo algunos cambios en su estilo de vida.

◆ Siga una dieta balanceada y saludable. Trate de comer una cantidad equilibrada de carbohidratos a lo largo del día. Esto puede ayudarle a evitar alzas repentinas en el azúcar en la sangre.

◆ Haga por lo menos 30 minutos de ejercicio la mayoría de los días de la semana. El ejercicio le ayuda a controlar el azúcar de la sangre. También le ayuda a controlar su peso. Caminar es una buena opción para muchas personas. También podría probar la natación, el ciclismo y otras actividades. Vea la página 338.

◆ Trate de conservarse en un peso saludable. Si necesita bajar de peso, tome en cuenta que incluso una pequeña pérdida de cinco a diez libras puede ayudar. Vea la página 326.

◆ Deje de fumar. Fumar puede empeorar la prediabetes. Si necesita ayuda para dejar de fumar, vea la página 344.

Mucha gente es capaz de llevar bien el registro del azúcar de la sangre una vez que se acostumbra. Esto ayuda a:

◆ Saber cómo y cuándo revisar el azúcar de la sangre.

◆ Tener los suministros adecuados y saber usarlos.

◆ Tener una forma fácil de llevar el registro de sus resultados.

Si desea ayuda para establecer una rutina que le funcione, vaya al sitio Web indicado en la contraportada y escriba **k543** en el cuadro de búsqueda.

Vaya a la Web

Si su hijo tiene diabetes

Si su hijo tiene diabetes, puede necesitar ayuda para sentirse mejor, evitar emergencias y problemas de largo plazo.

Comer sanamente y hacer ejercicio seguro son vitales para controlar el azúcar en la sangre de su hijo. Algunos niños también necesitan tomar insulina u otro medicamento para la diabetes. Hay muchas formas en que usted puede ayudar:

◆ Elabore un plan para darle los medicamentos a tiempo y en las cantidades adecuadas cada día. Su médico puede ayudar en esto.

◆ Ofrézcale opciones de alimentos y bocadillos saludables. Un dietista puede ayudarle a diseñar un plan de comidas que se ajuste a las necesidades de su hijo. Si su hijo toma el almuerzo de la escuela, averigüe qué tipos de alimentos se ofrecen ahí.

◆ Reduzca el consumo de la comida chatarra, en especial los refrescos o bebidas gaseosas. Los refrescos o bebidas gaseosas tienen mucha azúcar y calorías y no son de ningún provecho para la salud.

◆ Dé caminatas o paseos en bicicleta con su hijo. Ayude a su hijo a encontrar formas de ser más activo. (Consulte con su médico si no está seguro de que alguna actividad sea segura para su hijo.)

◆ Establezca límites para la televisión y los juegos de video y computadora, y hágalos cumplir.

◆ Asegúrese de que en la escuela de su hijo sepan que tiene diabetes. Reúnase con los profesores de su hijo (también con el de gimnasia) para hablar de lo que ocurre cuando a su hijo le baja el azúcar en la sangre. También le convendría darle a la enfermera de la escuela instrucciones especiales para tratar las alzas y bajas del azúcar en la sangre.

◆ Dé un buen ejemplo. Su hijo tendrá más éxito si toda la familia elige los mismos alimentos saludables y hábitos de ejercicio.

◆ Asegúrese de que su hijo siempre lleve consigo una identificación que indique que tiene diabetes.

También necesitará ayuda a revisar y registrar el azúcar en la sangre de su hijo. Muchos niños mayores y adolescentes lo pueden hacer por sí mismos, pero siguen necesitando apoyo.

Hable con su médico sobre lo que debe ser el azúcar en la sangre de su hijo. Y pregúntele cómo detectar las señales de que el azúcar está demasiado baja o alta antes de que se convierta en una emergencia.

Más ▶

Ejercicio seguro

El ejercicio le ayuda a controlar el azúcar en la sangre. También le ayuda a mantenerse en un peso saludable, reducir el colesterol "malo", elevar el colesterol "bueno" y bajar la presión de la sangre. Estos beneficios ayudan a evitar enfermedades del corazón, la causa principal de muerte entre personas con diabetes.

Propóngase hacer por lo menos 30 minutos de ejercicio la mayoría de los días. Quizá necesite llegar poco a poco a ese tiempo si no está acostumbrado a ser activo. Incluso cantidades pequeñas de ejercicio lo pueden ayudar.

Caminar, correr, montar en bicicleta y nadar son excelentes ejercicios para gente con diabetes. Pero algunas actividades podrían no ser seguras. Por ejemplo, si usted tiene enfermedad de los ojos por diabetes (retinopatía) puede no ser seguro levantar pesas. Si tiene enfermedad de los nervios (neuropatía), correr podría causarle problemas en los pies.

Antes de empezar con un programa de ejercicios, consulte con su médico para saber qué actividades son las mejores para usted.

Éstas son otras recomendaciones de seguridad:

◆ Revise el azúcar en la sangre antes de hacer ejercicio y tenga cuidado con lo que come. Esto vale especialmente si está tomando insulina u otro medicamento para la diabetes. No haga ejercicio cuando el azúcar en la sangre esté demasiado baja (menos de 60 mg/dL).

◆ Trate de hacer ejercicio por más o menos la misma cantidad de tiempo cada día, para mantener estable el nivel de azúcar. Si desea hacer más ejercicio, aumente poco a poco la intensidad o la duración.

◆ Pida a alguien que lo acompañe mientras hace ejercicio, o haga ejercicio en un gimnasio. Puede necesitar ayuda si el azúcar en la sangre baja demasiado.

Cuándo llamar al médico

Llame al 911 si:

◆ El azúcar en la sangre está por debajo de 60 mg/dL después de tratar la baja de azúcar, o usted se siente con más sueño o confundido.

◆ El azúcar en la sangre está muy alta, usted está menos alerta y su respiración es rápida y profunda.

◆ Tiene dolor u opresión en el pecho, especialmente si ocurre junto con otros signos de ataque al corazón. Vea la página 15.

Llame a su médico si:

◆ Tiene problemas frecuentes con que el azúcar en la sangre sea demasiado alta o baja. Su médico quizá necesite cambiarle el medicamento.

◆ Sienta ardor, hormigueo, entumecimiento o hinchazón en pies o manos.

◆ Tiene cambios de visión o dolor en los ojos.

◆ Una herida se ve infectada o no se cura.

◆ Tiene a menudo inflamación, eructos, constipación, náusea y vómito, o dolor de estómago después de comer.

◆ Tiene dificultades para saber cuándo tiene baja el azúcar en la sangre.

◆ Lleve consigo un alimento con azúcar para subir rápido el nivel de glugosa. Usted puede presentar síntomas de baja de azúcar durante el ejercicio o hasta 24 horas después.

◆ Ponga atención a su cuerpo. Si está acostumbrado a hacer ejercicio y no puede hacer tanto como acostumbraba, hable con su médico.

Exámenes que lo pueden ayudar

Ver a su médico y hacerse ciertos exámenes con regularidad le ayudan a cuidarse y a evitar muchos de los problemas causados por la diabetes. La diabetes puede dañar muchas partes de su cuerpo, pero usted puede no sentir ningún síntoma hasta que sea demasiado tarde para hacer algo al respecto. Los exámenes le dan a usted y a su médico la oportunidad de detectar los problemas temprano, cuando son más fáciles de tratar.

La siguiente tabla muestra algunas de las pruebas que puede necesitar una persona típica con diabetes. Pregúntele a su médico qué calendario de exámenes le conviene a usted.

Programa de exámenes y pruebas

Examen	Por qué lo necesita	Con qué frecuencia hacerlos
Sangre de hemoglobina A1c	Controla el promedio de azúcar en la sangre en los últimos tres meses; es la mejor forma de ver cuán bien están funcionando el tratamiento y los cuidados personales	Cada tres a seis meses
Examen de presión sanguínea	Necesidad de monitorear la presión de la sangre; la presión alta de la sangre eleva el riesgo de daños en los vasos sanguíneos y los nervios	Cada tres a seis meses
Examen de sensibilidad en pies	La reducción de la sensibilidad en los pies puede ser una señal de daño nervioso (neuropatía)	Por lo menos cada año
Examen de la vista con un oftalmólogo	La diabetes puede dañar la vista (retinopatía); no produce síntomas hasta que es grave	Cada año. (Su médico principal quizá también le revise los ojos en cada consulta.)
Examen de colesterol en ayunas	La diabetes lo pone en peligro de tener colesterol alto y enfermedades del corazón	Cada año (más seguido si usted toma medicamentos para el colesterol alto)
Examen de proteínas en orina	Las proteínas en la orina pueden ser la única señal de los primeros daños al riñón (nefropatía)	Cada año
Examen y limpieza dental	La diabetes incrementa el riesgo de problemas e infección en las encías	Cada seis meses

Cómo vivir mejor con insuficiencia cardiaca

Cuando usted tiene insuficiencia cardiaca, su corazón no bombea tanta sangre como su cuerpo necesita. La insuficiencia no significa que el corazón haya dejado de bombear. Significa que no lo hace tan bien como debería.

El organismo tiene una sorprendente capacidad para compensar la insuficiencia cardiaca. Al principio puede hacerlo tan bien que quizá usted no sienta que tiene una enfermedad.

Pero en algún momento, el cuerpo no podrá mantener el ritmo. Entonces empezarán a acumularse líquidos en el cuerpo, causando síntomas como debilidad y falta de aire. Esta acumulación de líquidos se llama congestión.

Qué puede hacer usted

La insuficiencia cardiaca por lo general empeora con el tiempo. Pero hay varios pasos que usted puede dar para sentirse mejor y conservarse sano por más tiempo. Éstos son los más importantes:

◆ Tome sus medicamentos como se los hayan recetado. Así les dará la mejor oportunidad de ayudarlo. Vea Tome sus medicamentos en esta página.

◆ Limite la sal (sodio). Esto ayuda a evitar que se acumulen los líquidos y le facilita bombear al corazón. Vea la página 319.

◆ Esté atento a las señales de que está empeorando, para que su médico pueda ayudarlo. Pesarse todos los días es una de las mejores formas de hacer esto. Subir de peso puede ser una señal de que su cuerpo está reteniendo demasiados líquidos. Vea la página 319.

◆ Trate de hacer ejercicio prácticamente todos los días de la semana. El ejercicio le fortalece el corazón y le ayuda a evitar los síntomas. Vea la página 320.

◆ Averigüe cuáles son sus factores desencadenantes y aprenda a evitarlos. Los factores desencadenantes son las cosas que empeoran su insuficiencia cardiaca, por lo general en forma repentina. Un factor desencadenante puede ser comer demasiada sal, omitir una dosis de medicamento o hacer ejercicio demasiado fuerte.

Hay otras cosas que puede hacer, como comer adecuadamente, no fumar, no beber mucho alcohol, controlar la presión sanguínea y conservarse en un peso saludable. Estas cosas hacen que sea más fácil que su corazón siga bombeando. También reducen el riesgo de ataque al corazón y ataque cerebral.

Tome sus medicamentos

Probablemente necesitará tomar varios medicamentos para la insuficiencia cardiaca. También puede necesitar un medicamento para tratar el problema que haya causado la insuficiencia cardiaca, como la presión alta, una enfermedad del corazón o un ataque al corazón.

◆ Tome sus medicamentos exactamente como su médico se lo indique. Si no puede hacerlo, o si piensa que necesita dejar o cambiar su medicamento, hable con su médico al respecto.

◆ Si usted tiene cualquier problema con los medicamentos, dígaselo a su médico. Pregúntele qué efectos secundarios podría sentir usted y qué problemas debe observar.

◆ Consulte a su médico periódicamente para que pueda controlar si su medicamento está funcionando o si necesita cambiarlo.

◆ Siempre pregúntele a su médico antes de tomar cualquier medicamento nuevo, incluso aquellos que se pueden comprar sin receta. Algunos medicamentos pueden empeorar la insuficiencia cardiaca.

Para obtener los mejores resultados de los medicamentos, asegúrese de tomarlos correctamente. Esto puede ser difícil cuando usted tenga que tomar más de uno. Si quiere recomendaciones que le podrán ayudar, vaya al sitio Web indicado en la contraportada y escriba **y561** en el cuadro de búsqueda.

Recomendaciones sobre el costo de los medicamentos

Usted necesitará medicamentos el resto de su vida para controlar la insuficiencia cardiaca. Esto puede volverse muy costoso. Pero hay formas en que usted puede reducir los costos; por ejemplo, tomar medicamentos genéricos y no de marca, y buscar los mejores precios. Si desea ayuda para limitar los costos, vea la página 3.

Reduzca la sal

Comer menos sal (sodio) le ayudará a sentirse mejor y a mantenerse lejos del hospital. La sal hace que el cuerpo retenga el agua, que se hinchen las piernas y dificulta que bombee el corazón.

Su médico quizá le pida que coma menos de 2,000 mg (2 g) de sal al día. Eso es menos de una cucharadita. Puede permanecer debajo de esta cifra si limita la sal que coma en casa y buscando sodio "escondido" cuando coma fuera o compre alimentos.

Escriba todo lo que come y cuánta sal contiene. De ese modo, usted sabrá cuando esté cerca (o por encima) del límite.

Cinco formas de reducir la sal

◆ Lea las etiquetas de los alimentos antes de comprarlos. Compre alimentos marcados "sin sal" (que no se usó sal en su procesamiento), "sin sodio" (menos de 5 mg por porción) o "bajo en sodio" (menos de 140 mg por porción).

Cómo vivir mejor con insuficiencia cardiaca

◆ Coma muchas frutas y verduras, frescas o congeladas. Tienen muy poca sal y son muy buenas para usted.

◆ Si usted usa verduras o frijoles enlatados, enjuáguelos antes de guisar con ellos. Son muy ricos en sal, a menos que compre las variedades sin sodio o bajas en sodio.

◆ Sazone sus alimentos con ajo, jugo de limón, cebolla, vinagre, aceites saludables (de oliva, de nuez), hierbas y especias en lugar de sal. No use salsa de soya, salsa de carne, sal de cebolla, sal de ajo, mostaza o ketchup en sus alimentos. Todos tienen mucha sal.

◆ Coma menos alimentos procesados. Esto se refiere a todo aquello que no sea fresco, como alimentos enlatados, carnes de almuerzo empacadas y *hot dogs*, salsas embotelladas, comidas congeladas en caja, papas fritas, *pretzels* y *pizza*. Coma menos en restaurantes, en especial los de comida rápida.

Comer menos sal puede ser difícil, pero tiene una gran recompensa: sentirse mejor y mantenerse lejos del hospital. Las recomendaciones anteriores le ayudarán a empezar. Si usted está listo para otras ideas —o desea conocer una forma sencilla de registrar lo que come— vaya al sitio Web indicado en la contraportada y escriba **m648** en el cuadro de búsqueda.

Revise su peso todos los días

Adopte la costumbre de pesarse todos los días y anotar su peso. Subir de peso repentinamente puede significar que se están acumulando líquidos en su cuerpo y que está empeorando su insuficiencia cardiaca.

◆ Pésese a la misma hora todos los días, con la misma pesa, en una superficie dura y plana. La mejor hora es en la mañana, después de que vaya al baño y antes de comer o beber nada.

Más ➤

◆ Use siempre la misma ropa al pesarse o no use nada. No use zapatos.

◆ Tenga un calendario junto a la pesa. Escriba ahí su peso cada día, y llévelo consigo cuando vaya a ver al médico.

◆ Lleve notas de cómo se siente cada día. ¿Ha empeorado su falta de aire? ¿Se le han hinchado las piernas y los tobillos? ¿Se le ven hinchadas las piernas?

Llame a su médico si sube más de dos o tres libras (entre un kilo y un kilo y medio, aproximadamente) en el curso de dos días. También dígale a su médico si está subiendo de peso lentamente.

Ejercite su corazón

Si en este momento usted no tiene una vida activa, empezar a hacer ejercicio puede parecer difícil. Pero vale la pena. El ejercicio regular:

◆ Fortalece su corazón.

◆ Le facilita respirar.

◆ Le ayuda a sentirse mejor y a tener más energía.

◆ Le ayuda a controlar su peso, presión sanguínea y colesterol.

Consulte a su médico antes de empezar a hacer ejercicio. Quizá quiera hacerle un examen para determinar cuánta actividad puede tolerar su corazón para no presionarlo demasiado.

Caminar es una forma excelente de hacer ejercicio. Si su médico le dice que es seguro, empiece a caminar unos cuantos minutos por vez. Alargue poco a poco las caminatas hasta que esté caminando de 20 a 30 minutos por vez. La natación, el ciclismo y ejercicios aeróbicos acuáticos también son buenas opciones. Su médico puede ayudarlo a preparar un plan.

Lo importante es ejercitarse regularmente (de tres a cinco veces por semana) y no exagerar. Hay muchas formas en que puede hacer ejercicio en forma segura con insuficiencia cardiaca. Si desea algunas ideas que le puedan funcionar, vaya al sitio Web indicado en la contraportada y escriba **L703** en el cuadro de búsqueda.

¿Y la rehabilitación cardiaca?

Usted podría preguntarle a su médico acerca de participar en un programa de rehabilitación cardiaca. En este tipo de programas, un equipo de personas, por ejemplo, un médico, una enfermera especializada, un dietista y un terapeuta físico, trabaja con usted para ayudarlo a que aprenda a conservarse sano y sentirse mejor.

Para mucha gente con insuficiencia cardiaca, la rehabilitación cardiaca es provechosa. Para decidir si esto puede ser bueno para usted, vaya al sitio Web indicado en la contraportada y escriba **t484** en el cuadro de búsqueda.

Si usted tiene que limitar los líquidos

Su médico puede mandarle unas pastillas llamadas diuréticos, para ayudar a que los líquidos salgan del cuerpo. Para muchas personas, tomar estas pastillas y reducir la sal es suficiente.

Si usted tiene insuficiencia cardiaca avanzada, quizá necesite limitar la cantidad de líquidos que beba. Esto le puede reducir los síntomas y mantenerlo lejos del hospital.

Su médico le dirá cuánto líquido puede beber cada día. Por lo general, fluctúa de cuatro a ocho tazas (de 32 a 64 onzas líquidas), que equivalen a alrededor de uno a dos litros. Usted debe llevar el control de sus líquidos para no tomar más de los que pueda manejar su cuerpo.

◆ Encuentre un método que le funcione. Podría simplemente anotar cuánto bebe cada vez. Algunas personas tienen un recipiente (como una jarra o una botella de plástico grande) llena con la cantidad de líquido que puede tomar durante el día. Si beben de otro lado que no sea el recipiente, entonces vacían de éste la misma cantidad. Una vez que el recipiente está vacío, dejan de beber.

◆ Mida cuánto líquido contienen los vasos que usa normalmente para beber. Una vez que lo sepa, no tendrá que medirlos cada vez.

◆ Cuente cualquier alimento que se derrita o que tenga mucho líquido como parte de la cantidad diaria de líquidos. Eso significa que tiene que medir y contar los helados, la gelatina, el hielo, las frutas jugosas y la sopa.

◆ Si tiene sed, pruebe la goma de mascar o chupar caramelos, mentas o uvas o bayas congeladas. Si siente secos los labios, póngase crema para labios.

Cuándo llamar al médico

Llame al 911 si:

◆ Tiene un dolor u opresión en el pecho que no se va con descanso o cinco minutos después de haber tomado una dosis de nitroglicerina, especialmente si el dolor se presenta junto con falta de aire, sudoración y náusea.

◆ Tiene señales de ataque cerebral (vea la página 16). Éstas pueden ser:

  ❖ Repentino hormigueo, entumecimiento o debilidad en un costado del cuerpo.

  ❖ Dolor de cabeza fuerte y repentino.

  ❖ Cambios súbitos en la visión o el habla.

  ❖ Torpeza o aturdimiento.

◆ Tiene graves dificultades para respirar.

◆ Tose con moco espumoso y rosado.

◆ El corazón de pronto empieza a latir muy rápido o fuera de ritmo y usted se siente mareado, con náusea o punto de desmayarse.

Llame a su médico si tiene signos de que está empeorando su insuficiencia cardiaca. Por ejemplo:

◆ Sube más de dos a tres libras (entre un kilo y un kilo y medio, aproximadamente) en el curso de dos días.

◆ Tiene una hinchazón nueva o peor en los pies, tobillos o piernas.

◆ Su respiración empeora. Las actividades que antes no le hacían perder el aire, ahora son difíciles para usted.

◆ Su respiración al estar acostado es peor de lo normal, o despierta en la noche tratando de tomar aire.

Planeación del futuro

Aunque ahora usted se sienta bien, es buena idea prepararse para cuando su salud pudiera empeorar. Puede ser difícil pensar y hablar de estos temas. Pero planear el futuro cuando usted aún está activo y es capaz de comunicarse puede:

◆ Darle tranquilidad de ánimo.

◆ Asegurarle que sus deseos se cumplirán posteriormente.

◆ Ahorrarle a sus seres queridos el estrés de tomar decisiones difíciles por usted.

Instrucciones médicas por anticipado

La mejor forma de asegurarse de que se sigan sus deseos es ponerlos por escrito. Un plan escrito para su atención médica se llama plan anticipado de atención o **instrucciones médicas por anticipado**. Se usa sólo si usted se pone tan enfermo que no pueda tomar decisiones por sí mismo.

Hay dos tipos principales de instrucciones médicas por anticipado.

◆ El **testamento vital** indica qué trato desea usted al final de su vida. Por ejemplo, indica cuándo quisiera o no estar conectado a un respirador mecánico o ser alimentado por tubo.

◆ Una **carta-poder duradera** le permite elegir ahora a una persona que pueda tomar las decisiones de atención médica por usted, cuando llegara un momento en que usted no pudiera tomarlas por sí mismo. Esta persona se llama su agente o delegado de atención médica.

No suponga que su médico o su familia sabrán lo que usted desea si no tiene un plan por escrito. Sin él, las decisiones sobre su atención médica podrían ser tomadas por un médico que no lo conociera a usted, o por los tribunales. En algunos estados, el personal del hospital debe mantenerlo vivo lo más posible, si no conoce sus deseos. Esto puede no ser lo que usted quisiera.

Cómo escribir las instrucciones médicas por anticipado

1. Consiga formularios para testamento vital y carta-poder duradera válidos en su estado. Por lo general los puede conseguir en consultorios, hospitales, oficinas de abogados o centros para personas de edad. También puede encontrarlos en línea en www.caringinfo.org.

2. Elija a alguien para que sea su agente de atención médica, la persona que hablará por usted cuando usted no pueda hacerlo por sí mismo.

3. Llene los formularios. Si no los entiende, pida que lo ayude un médico, una enfermera, un abogado o un familiar. Hágalos validar por un notario o atestiguar si se requiere en su estado (en muchos estados no es necesario).

4. Asegúrese de que su médico, su familia y su agente de atención médica tengan copias.

Si necesita ayuda para redactar las instrucciones médicas por anticipado, vaya al sitio Web indicado en la contraportada y escriba **c431** en el cuadro de búsqueda.

Decisiones sobre tratamiento de auxilio vital

Cuando usted crea instrucciones por médicas anticipado, puede responder a preguntas tales como:

◆ ¿Quiere reanimación cardiopulmonar (RCP) si se le para el corazón?

◆ ¿Quiere que se le den líquidos y alimentos vía intravenosa (IV) o mediante una sonda estomacal si usted ya no puede comer o beber?

◆ ¿Quiere que se le ponga un tubo en la tráquea y usar un respirador mecánico (ventilador) si ya no puede respirar por sí mismo?

◆ ¿Quiere diálisis de los riñones si éstos dejan de funcionar?

Piense en lo que querría, según cuán tan enfermo o herido estuviera, cuántas posibilidades tendría de recuperarse, y cómo sería su vida si eligiera el tratamiento para mantenerse vivo.

Si usted tiene un enfermedad incurable, llegará el momento en que decida no someterse a un tratamiento que podría mantenerlo vivo. Puede ser una decisión difícil. Pero si usted está muy enfermo, podría ser la decisión adecuada para usted y su familia. En ocasiones, someterse a tratamiento para mantenerse vivo puede causar sufrimientos innecesarios.

Estas son opciones difíciles para muchas personas. Si necesita ayuda para reflexionar

al respecto, vaya al sitio Web indicado en la contraportada y escriba **k362** en el cuadro de búsqueda.

No espere a que su médico saque el tema de las instrucciones médicas por anticipado. Aunque ahora usted esté sano, hable con su médico sobre los tratamientos que quiera y los que no quiera. Trate de hacerse una idea clara de sus deseos e implique en esto a sus familiares, para que sepan lo que usted quiere.

Planeación de la herencia

Junto con la planeación sobre las decisiones futuras de salud, es buena idea poner en orden sus negocios y asuntos personales.

◆ Escriba o actualice su testamento. Si usted no deja testamento, las leyes del estado podrían decidir qué hacer con su dinero y sus propiedades (su "herencia") cuando usted muera. Piense en nombrar a una persona que supervise su herencia cuando usted muera. Esta persona se llama albacea.

◆ Designe a alguien que tome decisiones financieras por usted, en caso de que llegue un momento en que usted no pueda tomarlas por sí mismo.

◆ Si usted tiene hijos pequeños (o alguien de quien cuidar), elija a alguien que se haga cargo de ellos. Esta persona se llama tutor.

◆ Procure que su testamento y otros registros (pólizas de seguro de vida, registros de cuentas de pensión y retiro, escrituras de bienes raíces, acciones) estén en un lugar seguro. Sus familiares cercanos, el albacea de su herencia y su abogado deben poder tener acceso a esos registros en caso de que algo le ocurriera a usted.

Un abogado puede aconsejarle la mejor forma de organizar su herencia, para que su familia pueda manejar sus asuntos después de su muerte. Un planeador financiero o un trabajador social también pueden ayudar. Estos recursos pueden estar disponibles en su comunidad o a través de un hospital o un programa de hospicios.

Más ▶

Si empeora su salud

Cuidado paliativo

El cuidado paliativo es un tipo de atención para personas con enfermedades que no se van y que por lo general empeoran con el tiempo. Es diferente de la atención para curar una enfermedad. Esta se concentra en mejorar la calidad de vida; no sólo del cuerpo, sino también de la mente y el espíritu.

El cuidado paliativo no es sólo para las personas que están por morir. Usted puede recibirla al mismo tiempo que recibe tratamiento para un problema de salud.

El cuidado paliativo ayuda a reducir el dolor o los efectos secundarios del tratamiento. Los médicos, enfermeras y otros miembros del equipo de cuidado paliativa le ayudan a usted y a sus seres queridos a hablar más abiertamente de sus sentimientos y a hacer planes para el futuro. También se aseguran de que el resto del equipo de atención médica, así como sus familiares y amigos, conozcan sus metas.

A mucha gente le gusta la atención paliativa porque se centra en lo que es más importante para ella. Si usted cree que podría ayudarlo, hable con su médico.

Cuidado de hospicio

El hospicio proporciona atención médica, ayuda emocional y apoyo espiritual al acercarnos al final de la vida. También ayuda a familiares y amigos a cuidar de usted y a manejar su pena.

Usted puede recibir cuidado de hospicio cuando el médico le diga que le queda un tiempo limitado de vida. Medicare paga la cuidado de hospicio cuando a una persona le quedan seis meses o menos por vivir, si la enfermedad sigue su curso natural. (En ocasiones, las personas que reciben cuidado de hospicio acaban viviendo mucho más de los seis meses.)

Le podría convenir elegir la cuidado de hospicio si:

◆ El tratamiento de su enfermedad se ha vuelto más una carga que un beneficio.

◆ Usted quiere decidir dónde pasar el tiempo que le queda (por ejemplo, en su casa).

◆ Quiere que sus familiares y amigos se involucren en sus cuidados.

El objetivo de los hospicios es mantenerlo cómodo y ayudarlo a aprovechar la vida lo más posible en el tiempo que le quede.

◆ El hospicio se concentra en aliviar el dolor y otros síntomas. No trata de curar su enfermedad.

◆ No acelera ni prolonga la vida.

◆ El hospicio cuenta con asesoramiento para usted y sus seres queridos; servicios de relevo, que le dan cierto tiempo libre a quienes cuidan de usted; y ayudan con cosas como comidas y diligencias.

◆ Los programas de hospicio pueden ayudar las 24 horas del día, los siete días de la semana, en su propia casa o en un centro de hospicio. Algunos hospicios también van a centros para la tercera edad y hospitales.

No espere a que su médico o familia saque el tema de su atención al final de la vida. En ocasiones, para un médico es difícil admitir que su paciente se está acercando a la etapa final de su enfermedad. Y para usted y su familia puede ser difícil aceptarlo.

Si desea ayuda con sus decisiones sobre la atención al final de la vida, vaya al sitio Web indicado en la contraportada y escriba **n670** en el cuadro de búsqueda.

Vaya a la Web

Cómo mantenerse saludable

Cómo lograr un peso saludable

Un peso saludable es aquel que le hace sentirse bien consigo mismo y con el cual tiene la energía suficiente para trabajar y divertirse. También es aquel que no representa riesgos de problemas relacionados con el peso como enfermedades cardiacas, diabetes, ataques cerebrales, artritis y cáncer.

Muchas personas no tienen un peso saludable pero desean lograrlo. ¿Es éste su caso? Si su respuesta es afirmativa, hay cosas que puede hacer hoy para avanzar hacia su objetivo.

A continuación le presentamos las ideas más importantes que debe considerar como punto de partida:

◆ Ponga la salud como prioridad.

◆ Seleccione alimentos más sanos.

◆ Tenga cuidado con las cantidades que come.

◆ Sea más activo.

◆ Decídase a no subir de peso.

◆ Cuando esté listo, trate de perder peso.

Concéntrese en su salud primero

Una alimentación más sana así como una mayor actividad probablemente le ayuden a perder peso. Aun cuando no pierda mucho peso, estos cambios pueden ayudarle a sentirse mejor, tener más energía y evitar las enfermedades.

Concéntrese en estos cambios en la salud por encima de la pérdida de peso. La pérdida de peso es algo muy difícil para la mayoría de las personas. Sin embargo, puede seguir estos pasos para comenzar a vivir de manera más saludable y tener éxito ahora mismo.

Coma alimentos más sanos

El tipo de alimentos que come tiene un gran impacto tanto en su peso como en su salud. Alcanzar y conservar un peso sano no es tan solo seguir una dieta. Es seleccionar alimentos más sanos a diario y cambiar su dieta para siempre.

En las páginas 332 a 338 encontrará información que puede ayudarle a seleccionar alimentos más sanos en casa y cuando come fuera. En general las frutas y verduras, los granos enteros, las fuentes de proteínas sin grasa (carne magra, pescado, frijoles) así como los lácteos bajos en grasa deben representar su principal dieta.

Sin embargo, hay espacio para unos pocos alimentos con azúcar y ricos en grasa en la dieta de la mayoría de las personas. La mayoría de los alimentos pueden ser parte de una dieta sana siempre que no se ingieran en exceso.

Vigile cuánto come

Muchas personas comen más de los que sus cuerpos necesitan. Una parte del control de su peso significa aprender cuánto alimento en realidad necesita a diario y en no comer más de esa cantidad. Incluso con alimentos sanos, comer demasiado puede llevar a un aumento de peso.

◆ Ponga atención en la cantidad de alimentos en su plato.

◆ Lea las etiquetas de los alimentos y aprenda cuál es el tamaño de una porción.

◆ No repita platos.

◆ Si sale a comer fuera con frecuencia, recuerde que la mayoría de los restaurantes sirven porciones mucho mayores a las que las personas necesitan.

Con el tiempo se acostumbrará a comer menos.

Comience con cambios pequeños en su dieta

Cambiar su dieta es un gran paso. Sin embargo, lo puede dividir en un gran número de pasos pequeños como éstos.

◆ Consuma un desayuno saludable a diario. Pruebe con cereales integrales, leche y fruta o pan tostado de trigo integral con un huevo y un vaso pequeño de jugo.

◆ Use platos más pequeños.

◆ Evite las comidas tipo *buffet*. Si asiste a un *buffet*, trate de servirse una sola vez. Olvídese de "aprovechar al máximo su dinero".

◆ Prepárese un almuerzo saludable en vez de salir a comer fuera.

◆ Ahorre dinero y calorías cuando sale a comer fuera. Comparta con alguien las porciones servidas o pida que le envuelvan la mitad de la porción para llevar. Ordene una porción de almuerzo en vez de una de cena.

◆ Lleve algún refrigerio sano a su trabajo: fruta, zanahoria o tallos de apio con algún aditamiento bajo en grasa, o galletitas de trigo integral con queso. Un refrigerio sano puede ayudarle a no comer en exceso después.

◆ Tome agua o leche descremada con la cena en vez de refrescos.

Con el tiempo estos pequeños cambios se volverán rutinarios. Considere cada paso que toma como un logro.

Sea más activo

Cuando las personas piensan en perder peso, con frecuencia piensan en alimentos o dietas. Sin embargo, una parte importante del control del peso es el ejercicio. Cuando cambia lo que come *y* hace ejercicio, aumentan sus probabilidades de tener éxito.

El ejercicio le ayudará de tres maneras:

1. Quema calorías. Esto ayuda a perder peso y a evitar que vuelva. Para saber cuántas calorías pueden quemarse cuando hace ejercicio, vaya al sitio Web indicado en la contraportada y escriba **v999** en la celda de búsqueda.

2. El ejercicio reduce el riesgo de problemas con la salud como por ejemplo enfermedades cardiacas, hipertensión, ataques cerebrales y diabetes.

3. Le da más energía, le permite tener más fuerza y hacer más con un menor esfuerzo. La mayoría de las personas se sienten mejor cuando son más activas.

En las páginas 338 a 343 se presentan muchas opciones para ser más activo. Para aquellos que no se imaginan "haciendo ejercicio", hay varios consejos acerca de cómo ser más activo sin tener que hacer ejercicios tradicionales. También encontrará ideas de cómo evitar los obstáculos para mantenerse activo: estar muy ocupado, sentirse fuera de forma o no saber cómo empezar.

Estar un poco más activo puede hacer la diferencia. Usted puede lograrlo. Muchas personas ya lo han hecho.

Más ▶

¿Cuál es la mejor dieta?

Por sí mismas las "dietas" formales normalmente no son suficientes para perder peso y debe evitarse su uso a largo plazo. La clave es seleccionar alimentos más sanos, no consumir más de lo que se requiere y hacer ejercicio de manera regular. Si conserva este enfoque la mayor parte del tiempo, tendrá más posibilidades de lograr un peso sano y mantenerlo.

Las dietas formales pueden ayudar inicialmente a algunas personas. Si piensa que esto podría ayudarle, asegúrese de seleccionar una dieta saludable y sensata. Trate de encontrar dietas en las que:

◆ Se usen alimentos normales y cotidianos. Si tiene que tomar alimentos especiales mientras sigue una dieta, será más difícil mantener su peso una vez que regrese a los alimentos regulares.

◆ No elimine completamente ninguno de los grupos de alimentos. La mayoría de los alimentos pueden y deben ser parte de un plan de alimentación sana, incluso cuando está tratando de perder peso.

◆ Trate de cambiar sus hábitos de alimentación para siempre.

◆ Concéntrese en perder peso de manera lenta aunque continua. Una pérdida de peso extrema y rápida no es buena para su cuerpo. Además, la mayoría de las personas no puede mantener su peso después de este tipo de reducción.

Para asegurarse de que sigue el camino correcto para perder peso, visite la página Web de la contraportada y escriba **d941** en la celda de búsqueda.

Vaya a la Web

Evite subir de peso

Es posible que no esté listo para tratar de perder peso. Sin embargo, si usted es como la mayoría de las personas, puede dar un gran paso inicial hacia una mejor salud cuando se asegure que mantendrá su peso.

A diferencia de perder peso, la mayoría de las personas puede subir de peso sin siquiera darse cuenta.

◆ Con frecuencia esto ocurre tan lentamente que no lo detectan.

◆ La mayoría de las personas tiende a subir de peso con el paso del tiempo a menos que tenga mucho cuidado. Junto con el aumento de peso también aumentan los riesgos de problemas en la salud.

¿Cómo puede evitarse esto? Comience por pesarse hoy. Use el valor resultante como su límite de peso y asegúrese de mantenerse en el rango de unas pocas libras o kilos por sobre ese número.

Si comienza a subir de peso, reduzca la cantidad de calorías o haga un poco más de ejercicio de modo de volver a su rango o límite de peso.

(Evite pesarse diariamente. El peso puede subir o bajar un poco cada día sin que esto signifique que usted esté ganando o perdiendo peso.)

Trate de perder peso

La pérdida de peso puede parecer algo simple. Queme más calorías de las que ingiere y perderá peso. Sin embargo, para la mayoría de las personas no resulta nada sencillo.

Sin embargo, hay buenas noticias:

◆ No necesita alcanzar un peso "ideal" para estar más sano.

La pérdida de un 5 al 10 por ciento de su peso puede marcar la diferencia. Para una persona que pesa 200 libras (unos 90 kilos), esto representa únicamente de 10 a 20 libras (entre 4.5 y 9 kilos).

Es posible que usted quiera o necesite perder más que eso. Pero para la mayoría de las personas, el establecer pequeñas metas y tener éxito es mucho más sencillo que tratar de alcanzar una meta impresionante. Siéntase bien con sus esfuerzos, grandes o pequeños, para lograr cuidarse más.

Planee para tener éxito

1. Piense en los obstáculos y trate de encontrar soluciones. ¿Siente que es muy difícil hacer ejercicio o cocinar alimentos más sanos? ¿Tiene miedo de estar fuera de condición y que se sentirá ridículo o que se hará daño? ¿Recibe el apoyo que requiere? Hay maneras de superar estas barreras.

2. Comience con cambios pequeños. Para la mayoría de las personas es más fácil comenzar con una serie de cambios pequeños en vez de uno o dos grandes. Los éxitos pequeños se van sumando. Además si se fracasa en un cambio pequeño la desilusión también será pequeña y esto facilitará que vuelva a intentarlo.

3. Sea específico. Tan sólo planear hacer más ejercicio y comer mejor es demasiado general y difícil de seguir. En vez de esto debe establecer metas específicas que puedan medirse (y alcanzarse). Al final del día, semana o mes, deberá ser capaz de afirmar "Sí, logré mi meta" o "No, no alcancé mi meta". Por ejemplo:

- Haga un plan de caminar dos días a la semana durante 20 minutos en cada ocasión.

- Cambie el refresco diario del almuerzo por agua o una bebida baja en calorías.

- Dos veces a la semana lleve un almuerzo sano al trabajo en vez de salir a comer fuera.

- Consuma una fruta en lugar de su postre regular 3 noches por semana.

Establezca metas como las anteriores adecuadas para usted. Una vez que lo logre podrá fijarse otras metas.

4. Déle seguimiento a su progreso. Puede ayudarle escribir los alimentos que toma y el ejercicio que hace, al menos en un principio. Esto le ayuda en dos aspectos: le hace sentirse bien por la meta alcanzada y le permite saber cuándo ha cometido o no un error. Asegúrese de recompensarse cuando logre una meta, por ejemplo comprándose ropa nueva o equipo para ejercicios.

Más ▶

Por qué el peso no es lo único que importa

El peso es sólo una medida más de su salud.

- Es posible tener un sobrepeso ligero y seguir estando sano si es que se come adecuadamente y se mantiene activo.

- Si no come adecuadamente o no hace ejercicio, es posible que no se encuentre sano, sin importar cuánto pese.

Un cuerpo sano puede tener cualquier talla y dimensión. Todos podemos lograr estar más sanos comiendo mejor y siendo más activos. La mayoría de nosotros jamás pareceremos modelos o atletas de primer rango. Sin embargo cuando trate bien a su cuerpo—con alimentación sana y manteniéndolo ágil—se sentirá mejor.

5. Haga que los hábitos recién adquiridos se vuelvan cotidianos. Programe sus horarios de ejercicio en su calendario. Trate de que su familia consuma los mismos alimentos sanos. Será más sencillo cumplir con su plan de ejercicio y de alimentación sana cuando lo considere parte de su día normal en vez de algo especial.

El control de su peso exige un esfuerzo diario. Es posible que algunos días no se sienta con deseos de hacer sus ejercicios. En otros puede antojársele una hamburguesa y no pavo sin grasa en pan de trigo integral. Esto es normal. Simplemente trate de evitar que estos días se repitan mucho.

¿Tiene un peso sano?

Existen dos medidas que le pueden decir si tiene un peso saludable. Ninguna es perfecta pero le pueden servir de referencia para saber si su peso lo coloca en riesgo de tener una enfermedad. Éstas son:

◆ Su IMC (índice de masa corporal).

◆ La medida de su cintura (circunferencia).

IMC

El IMC es una medida de su peso en comparación con su altura. Su riesgo de enfermedades relacionadas con el peso es mayor si se encuentra por encima o debajo del rango de un IMC sano. Para los adultos, el rango sano es de 18.5 a 24.9.

Use la tabla de la siguiente página para que con su peso y altura conozca su IMC.

El IMC no siempre es una cifra precisa de los riesgos para su salud. Por ejemplo, los atletas con una masa muscular alta pueden tener un IMC elevado pero seguir con un peso muy saludable. Una persona frágil puede tener un IMC bajo y sin embargo tener demasiada grasa corporal.

Sin embargo para el promedio de las personas, el IMC es una buena guía, en especial cuando se considera junto con la medida de la cintura.

Medida de la cintura: ¿Manzana o pera?

El lugar donde se acumula la grasa en su cuerpo marca la diferencia.

◆ Algunas personas almacenan la mayor parte de su grasa en sus caderas: a estas personas se las puede describir como "con forma de pera".

◆ Otras almacenan la grasa alrededor del vientre: a estas se les denomina "con forma de manzana".

De estas dos formas, las "manzanas" son las que tienen más probabilidad de tener enfermedades relacionadas con el peso.

Una forma de saber si su grasa corporal le pone en riesgo es medir el tamaño de su cintura. Coloque una cinta métrica alrededor de su cuerpo, justo encima del hueso de la cadera. Esto es en general al nivel del ombligo.

Usted tiene un mayor riesgo de enfermedades si es:

◆ Un hombre con cintura mayor de 40 pulgadas (100 centímetros).

◆ Una mujer con cintura mayor de 35 pulgadas (90 centímetros).

Cómo deben usarse estos resultados

◆ Si su IMC está dentro del rango de 18.5 a 24.9 y la medida de su cintura es menor al valor máximo (40 para el hombre y 35 para la mujer) es probable que su peso sea saludable. Coma adecuadamente y haga ejercicio para mantener su peso dentro del rango saludable.

◆ Si su IMC es mayor de 25 o si la medida de su cintura es mayor al valor límite, necesita perder algo de peso. Incluso una reducción pequeña en su peso puede ayudarle.

También deberá hablar con su médico acerca de cualquier otro factor de riesgo de enfermedades, como por ejemplo el hábito de fumar, la hipertensión y el colesterol alto. Si tiene estas características además del sobrepeso, usted tiene un riesgo mayor.

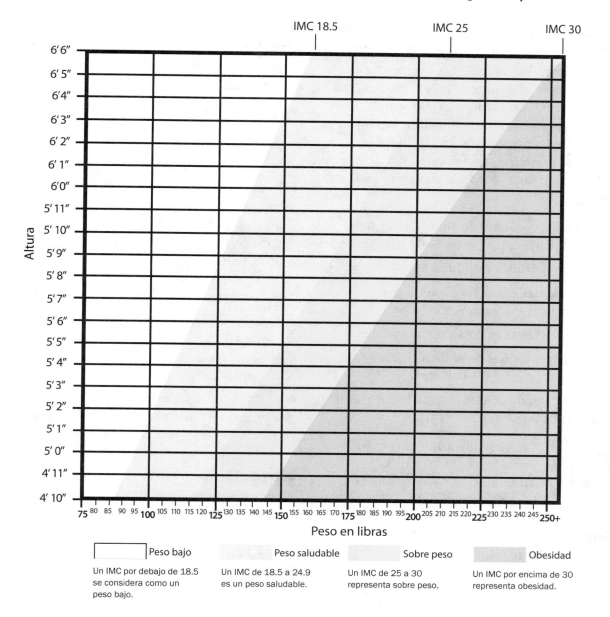

Altura (eje vertical): 4' 10", 4' 11", 5' 0", 5' 1", 5' 2", 5' 3", 5' 4", 5' 5", 5' 6", 5' 7", 5' 8", 5' 9", 5' 10", 5' 11", 6'0", 6' 1", 6' 2", 6' 3", 6'4", 6' 5", 6' 6"

IMC 18.5   IMC 25   IMC 30

Peso en libras (eje horizontal): 75 80 85 90 95 100 105 110 115 120 125 130 135 140 145 150 155 160 165 170 175 180 185 190 195 200 205 210 215 220 225 230 235 240 245 250+

Peso bajo	Peso saludable	Sobre peso	Obesidad
Un IMC por debajo de 18.5 se considera como un peso bajo.	Un IMC de 18.5 a 24.9 es un peso saludable.	Un IMC de 25 a 30 representa sobre peso.	Un IMC por encima de 30 representa obesidad.

Cómo alimentarse de manera sana

Una alimentación sana significa comer toda la variedad de alimentos de los grupos básicos y en las cantidades razonables. No se trata de "iniciar una dieta". Los alimentos son uno de los grandes placeres de la vida. Todos los alimentos pueden ser parte de un plan de alimentación sana cuando se comen en las porciones apropiadas.

Existen muchas formas de alimentación más sana. Comience con algunas de las básicas:

◆ Coma más frutas y verduras.

◆ Aprenda cuáles son las grasas que le benefician y cuáles deben evitarse.

◆ Agregue granos enteros y fibras a su dieta.

◆ Seleccione fuentes de proteína bajas en grasa.

◆ Tenga cuidado con las cantidades de azúcar que consume.

 Cuando quiera aprender más, vaya a la página Web de la contraportada y escriba **s593** en la celda de búsqueda.

Coma más frutas y verduras

Una dieta sana incluye una gran cantidad de frutas y verduras. Prácticamente todos pueden beneficiarse de consumir más frutas y verduras. Contienen una gran cantidad de vitaminas, minerales y fibra; además la mayoría tienen valores bajos de grasas y calorías. Asimismo, contienen sustancias que pueden ayudar a prevenir enfermedades cardiacas, la hipertensión y algunos tipos de cáncer.

Formas sencillas de incluir más frutas y verduras en su dieta

◆ Agregue bayas frescas o congeladas, además de rebanadas de plátano a su cereal o yogurt en el desayuno. Agregue manzana rebanada en la avena.

◆ Tómese un vaso de jugo en el desayuno. Una porción apropiada es un vaso de 6 onzas. (Sin embargo, no debe depender exclusivamente del jugo para consumir fruta. La mayoría de los jugos tienen un mayor contenido de azúcar y calorías que las frutas frescas.)

◆ Agregue lechuga, tomate, pepino y pimiento a los emparedados. Consuma *pizza* de verduras, por ejemplo champiñón, pimiento, espinaca o brócoli.

◆ Agregue verduras a la sopa, estofados y alimentos fritos. Puede usar la licuadora o el procesador de alimentos si esto le facilita su uso.

◆ Tenga a la mano zanahoria, apio y otras verduras como bocadillos. Cómprelos ya rebanados y listos para consumir si esto le facilita su consumo.

◆ Tome una ensalada con la cena todas las noches. Asegúrese de que la ensalada contenga más verduras que queso, trocitos de pan frito y aderezo.

◆ Coma fruta como postre. Si una fruta no le convence como postre, trate de hornear manzanas o peras con canela en polvo o agregue algunas bayas frescas o melón a un yogurt de vainilla.

◆ Prepare un licuado de frutas. Mezcle plátano, bayas o naranjas con yogurt o leche descremada o baja en grasa.

Formas saludables de cocinar

La forma de cocinar afecta la alimentación. Para muchas personas "cocinar" es equivalente a freír. Con frecuencia, esto significa usar manteca de cerdo, manteca vegetal, mantequilla o grandes cantidades de aceite para lograr que los alimentos tengan buen sabor. Sin embargo existen métodos más sanos que pueden usarse y seguir obteniendo alimentos con buen sabor.

A continuación se presentan algunas formas de cocinar con poca grasa.

Pruebe alguna de ellas en su siguiente comida.

◆ Hornee con papel aluminio. De esa manera los alimentos se conservan jugosos y con su sabor. Envuelva la carne o el pescado en papel aluminio y agregue hierbas para sazonar el alimento e incluso algo de vino o caldo. También puede agregar algunas verduras.

◆ Escalfar. Coloque pollo o pescado en una capa dentro de una olla. Cúbralo con agua o caldo, agregue hierbas o un poco de vino para darle sabor. Permita que el líquido comience a hervir. Después reduzca la llama y cocine a fuego lento por 10 a 12 minutos hasta que el alimento se cueza.

◆ Sofrito. Corte la carne, el pollo o verduras en trozos pequeños para que se cocinen más rápido. Use una sartén de teflón o wok y cocine a fuego medio a alto. Agregue los alimentos y revuelva constantemente para que los alimentos se den vuelta. Si el alimento se pega, agregue un poco de aceite de canola, oliva o sésamo, aceite para cocina en aerosol, agua, vino o caldo.

◆ Intente el uso de yogurt sin grasa o bajo en grasa, o crema ácida o queso cottage bajos en grasa o sin grasa.

◆ Antes de comer pollo o carne, quite la grasa. Si consume carnes rojas, seleccione los cortes con menos grasas. Los cortes menos grasos en general se indican con la palabra "loin" (solomillo) o "round" (medallón).

Más

Entienda las grasas

Tipos de grasas	¿En qué alimentos se encuentran?
Grasas saludables: monoinsaturadas, poliinsaturadas	Pescado (salmón, caballa) La mayor parte de las nueces y semillas Aceites vegetales de semilla (canola, oliva, cacahuate o maní, maíz, cártamo, girasol, nuez, linaza) Aguacate o palta, aceitunas
Grasas no saludables: grasas saturadas, grasas trans, colesterol	**Grasas saturadas y colesterol:** Leche entera, queso de leche entera, yogurt de leche entera Mantequilla, margarina, manteca vegetal y de cerdo (y los alimentos cocinados con éstos) Carne roja (de res, por ejemplo), la piel de pollo **Grasas trans:** Galletas envasadas, saladitas y papas fritas Alimentos procesados Sustitutos de crema y crema batida

Entienda las grasas

Excepto algunas frutas y verduras, casi todos los alimentos tienen algún tipo de grasa. Su organismo necesita algunos tipos de grasa para funcionar adecuadamente.

Sin embargo, hay tipos de grasas saludables o "buenas" y grasas no saludables o "malas". Para muchas personas, los tipos de grasa menos saludables, las grasas saturadas y trans, son parte importante de su dieta.

Un plan de alimentación sana puede y debe incluir grasas buenas en cantidades razonables. Son ricas en calorías, pero pueden ayudarle a reducir su nivel de colesterol y ayudarle a reducir su riesgo de algunas enfermedades.

En cuanto a las grasas no saludables, es mejor evitarlas en la medida de lo posible. No sólo son ricas en calorías, sino que también elevan su colesterol y aumentan su riesgo de enfermedades cardiacas.

Use la tabla **de esta página** para aprender cuáles grasas puede disfrutar y cuáles debería evitar.

¿Cuánta grasa debería consumir? Si consume una dieta promedio de 2,000 calorías diarias:

◆ Tenga una meta de no más de 60 gramos de grasa al día. La mayor parte de ésta debe ser grasa monoinsaturada y poliinsaturada.

◆ Consuma menos de 20 gramos de grasa saturada al día.

◆ Consuma la menor cantidad posible de grasas trans. Revise las etiquetas de los alimentos para saber si contienen grasas trans.

Consuma más granos enteros

Los productos elaborados con **granos enteros** como el trigo, avena y arroz son ricos en vitaminas B, minerales y fibra, además de ser una excelente fuente de energía. Los productos elaborados con **granos refinados**, como las harinas blancas y la pasta, contienen menos vitaminas y minerales. No sacian tanto el apetito porque no contienen mucha fibra.

¿Cómo puede saber si se trata de granos enteros?

◆ Lea la etiqueta del producto. El primer ingrediente debe ser trigo entero, grano entero o avena entera. La "harina de trigo enriquecida" es de grano refinado y no de uno entero o integral. El pan y las galletas de granos múltiples (multi granos) no siempre contienen granos enteros.

◆ No se guíe únicamente por el color. Un pan negro no siempre es de trigo o harina integral.

Puede agregar cereales integrales a su dieta seleccionando el pan de trigo integral en vez de pan blanco, galletas y cereales de granos integrales, avena, arroz integral en lugar de arroz blanco y pasta de trigo integral. No dude en probar otros granos enteros como por ejemplo bulgur (trigo chancado), cebada y quinua.

Agregue fibra a su dieta

La fibra es la parte de las frutas, verduras y granos que su cuerpo no puede digerir. Se encuentra únicamente en las plantas. Los alimentos de origen animal (carnes, leche, productos lácteos y huevo) no contienen fibra.

El consumo de una cantidad importante de fibra ayuda a mantener sano su sistema digestivo. Si con frecuencia sufre de estreñimiento, ingerir fibra le ayudará. Las personas que consumen una cantidad apreciable de fibra tienen menos problemas con el colon (el intestino grueso).

Alimentos con alto contenido de fibra	
Tipo de alimento	**Ejemplos**
Pan y productos de granos (especialmente los alimentos integrales)	Hojuelas (hojuelas de avena, hojuelas de trigo)
	Avena
	Pan, tortillas y cereales de trigo entero
	Arroz integral
	Cebada, bulgur y harina de mijo (millet)
Verduras	Frijoles y chícharos o arvejas
	Col, colecitas de bruselas
	Brócoli, coliflor
	Betabel, nabo, zanahoria
	Cáscara de papa horneada
Frutas	Frutas con cáscara o semillas comestibles (manzanas, peras, fresas, kiwi, higos, arándano)
	Naranjas, toronja

Más

Cómo alimentarse de manera sana

Una dieta elevada en fibras también puede ayudar a conservar su nivel de azúcar en la sangre, reducir el colesterol y reducir asimismo la probabilidad de tener enfermedades cardiacas.

Cómo consumir más fibra

La mayor parte de las personas necesita diariamente de 20 a 35 gramos de fibra. Para alcanzar esa cantidad:

◆ Seleccione pan y cereal integral que contengan al menos 2 gramos de fibra en cada porción. Lea la etiqueta del paquete.

◆ Compre pan de trigo entero, trigo molido por piedra (*stone-ground*) o trigo quebrado (*cracked wheat*) en la lista de ingredientes.

◆ Consuma arroz integral, bulgur o mijo en vez de arroz blanco.

◆ Consuma a diario más frutas frescas. Vea en la página 335 la lista de las frutas con alto contenido en fibra.

◆ Consuma diariamente más verduras crudas o ligeramente cocidas.

◆ Consuma en ocasiones frijoles cocidos, garbanzo y lentejas en lugar de carne.

Seleccione fuentes de proteínas bajas en grasa

Las proteínas son esenciales para su salud. Le ayudan a conservar sanos los músculos, huesos, piel, cabello, la sangre y los órganos internos. Sin embargo, algunas formas de

Uso de Mi Pirámide de la USDA

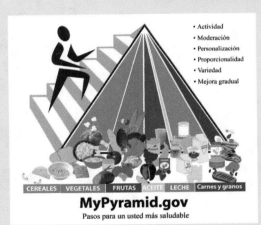

MyPyramid.gov
Pasos para un usted más saludable

El gráfico Mi Pirámide de la USDA le ayuda a seleccionar alimentos más sanos y estar activo todos los días. Esta guía se basa en la idea de que sus necesidades de calorías y nutrientes dependen de su edad, sexo y nivel de actividad.

Por ejemplo, una mujer de 40 años con una actividad física de más de 60 minutos la mayoría de los días necesitará

aproximadamente 2,200 calorías diarias. Una mujer de 40 años que realiza menos de 30 minutos diarios de ejercicio podría necesitar únicamente una cantidad aproximada de 1,800 calorías al día. Ambas mujeres requieren consumir una determinada variedad de alimentos sanos de todos los grupos: granos, verduras, frutas, leche, carne y frijoles, además de grasas sanas. Sin embargo no necesitan las mismas cantidades de estos alimentos.

¿Desea saber qué es adecuado para usted? Visite la dirección en Internet www.MyPyramid.gov. En ella podrá:

◆ Saber qué tipos de alimentos y en qué cantidades debe consumir a diario.

◆ Obtener ayuda con sus planes de alimentación y las porciones que deben servirse.

◆ Darle seguimiento en su progreso hacia una alimentación más sana.

las proteínas tienden a contener demasiado colesterol y grasas no saludables. De modo que es mejor seleccionar fuentes de proteína bajas en grasas, como por ejemplo:

◆ Pescado, pollo sin piel y únicamente los cortes de carne más magros.

◆ Frijoles, chícharos o arvejas y lentejas.

◆ Tofu y otros productos de soya.

◆ Productos lácteos bajos en grasa o sin grasa.

◆ Huevo (con moderación).

La mayoría de los adultos en Norteamérica obtiene todas las proteínas que requiere a partir de su dieta. Si usted consume productos animales, es probable que su dieta abunde en proteínas. Si usted es vegetariano, asegúrese de obtener proteínas de fuentes alternas como por ejemplo frijoles, granos y soya.

No consuma azúcar en exceso

Está bien el consumo de un poco de azúcar. Tiene buen sabor y no es dañina para la mayoría de las personas. Sin embargo la mayoría de los dulces contienen una gran cantidad de calorías "vacías", es decir que tienen niveles altos de calorías pero no le permiten saciar su apetito y no tienen un valor nutricional significativo. Si muchas de las calorías que consume provienen del azúcar, no está consumiendo los suficientes alimentos sanos que requiere. (Además es posible que aumente de peso.)

Muchas personas necesitan bajar su consumo de azúcar. A continuación se presentan algunos consejos que pueden marcar la diferencia:

◆ Consuma menos bebidas endulzadas con azúcar, como por ejemplo refrescos, limonada y jugos de fruta. Estas son las principales fuentes de azúcar para algunas personas, en especial los niños. En su lugar trate de beber agua mineral o refrescos sin azúcar. También puede intentar el agua simple y leche.

◆ Trate de hacerse el hábito de consumir fruta en vez de postres azucarados y bocadillos la mayor parte del tiempo. Cómase un tazón de fresas en vez de uno de helado. Agarre una manzana en vez de un dulce.

◆ Revise las etiquetas de los empaques de alimentos antes de comprar los productos. El yogurt, cereal y las frutas en lata con frecuencia contienen azúcar. Busque cereales que tengan 6 gramos o menos de azúcar en cada porción. Tenga cuidado con las frutas secas: contienen demasiada azúcar.

Nutrición para su familia

Los hábitos de una alimentación sana son buenos para toda la familia. Si trata de alimentarse de manera más sana, se le facilitará si el resto de su familia también lo hace. Los mismos alimentos que son buenos para los adultos también pueden aprovecharlos los niños. Una dieta sana puede ayudar a que sus hijos se sientan bien, conserven un peso saludable y tengan una gran cantidad de energía para aplicarse en la escuela y jugar.

Comience por establecer un programa regular de comidas y bocadillos. Debe esperarse que todos vengan a la mesa a comer. Ofrezca a su hijos alimentos sanos, pero permita que su hijo decida cuánto quiere comer. Esto les permite a sus hijos decidir si tienen o no apetito. La hora de la comida es importante para aprender a consumir nuevos alimentos y cómo comportarse en la mesa. Trate de hacer que este tiempo sea agradable.

La niñez es un excelente momento para aprender los hábitos de una alimentación sana, los cuales pueden perdurar toda la vida. Los niños aprenden mediante el ejemplo: aprenderán a comer los alimentos que ven que usted come, y aprenderán cómo es una alimentación sana conforme a lo que usted les sirva.

Más ▶

337

¿Debe consumir suplementos dietéticos?

Para la mayoría de las personas la mejor manera de obtener todos los nutrientes que necesita es mediante el consumo de una dieta sana y equilibrada que incluya una gran variedad de alimentos.

Los suplementos no pueden compensar una dieta pobre. Sin embargo, pueden ayudar a cubrir los huecos en la nutrición para personas con necesidades especiales. Por ejemplo, los adultos mayores tienden a tener problemas en la absorción de una cantidad suficiente de vitamina D y calcio a partir de sus dietas, de modo que es posible que requieran de un complemento. Algunas mujeres necesitan consumir calcio o ácido fólico.

Consulte con su médico o dietista si requiere tomar complementos de vitaminas o minerales. Si la respuesta es afirmativa:

◆ A menos que su médico le recomiende una vitamina o mineral específico, seleccione un complemento multivitamínico-mineral que se acerque al 100 por ciento de los Valores Diarios (DVs, por sus siglas en inglés).

◆ No consuma un oligomineral (trace mineral) específico a menos que su médico se lo recomiende. El consumo de algunos oligominerales como suplemento puede afectar la forma en que su cuerpo absorbe otros minerales.

Ejercicio y salud

Ser más activo es una de las mejores metas que puede fijarse para mejorar su salud y calidad de vida. El ejercicio le ayuda a:

◆ Sentirse más fuerte y tener más energía. (¡Además de que mejorará su apariencia!)

◆ Reducir el riesgo de enfermedades cardiacas, ataques cerebrales, determinados tipos de cáncer, diabetes y presión arterial alta.

◆ Lograr y mantener un peso sano.

◆ Mantener sanos sus huesos y fuertes sus músculos y articulaciones, además de aliviar el dolor de la artritis.

◆ Permitirle manejar el estrés y la ansiedad.

◆ Facilitarle sus tareas diarias, como ir de un lado a otro, cargar las bolsas del supermercado, subir escaleras o cuidar a sus hijos.

◆ Permitirle mantener su lucidez mental a medida que envejece.

Si ya tiene una buena salud, el ejercicio regular le ayudará a conservarla. Sin embargo, cuando su salud no es buena o si tiene problemas de salud crónicos, un poco de ejercicio diario podrán marcar la diferencia.

Nunca es demasiado tarde para volverse más activo. Además nunca es demasiado tarde para alcanzar los beneficios que le otorga la práctica del ejercicio. Sin importar cuál sea su edad, cual sea su condición física o que problemas de salud tenga, existe una forma de ejercicio que le servirá. Sólo tiene que encontrarla.

Su actitud es lo que cuenta

Iniciar o cambiar una rutina de ejercicio no tiene que ser una tarea pesada. Muchas personas encuentran formas de ser más activas que funcionan para ellos. El éxito comienza con una actitud correcta.

¿Qué pasa si tengo un problema de salud crónico?

Usted puede pensar que debido a que tiene algún problema de salud, como por ejemplo presión arterial alta, artritis o diabetes no es posible hacer ejercicio. Sin embargo, el ejercicio puede ayudar a casi todos. Es posible que incluso sea parte del tratamiento para su problema de salud.

Es posible que no pueda realizar cierto tipos de ejercicio. Sin embargo existen docenas de formas de ser más activo. Lo único que necesita es encontrar algunas de ellas. Hable con su médico acerca de qué ejercicios son seguros para usted y cuánto ejercicio debe realizar.

"Sé que puedo darme un tiempo para hacer más ejercicio".

Incluso las personas más ocupadas pueden darse un tiempo para hacer ejercicio. Si está preocupado por no tener el tiempo suficiente:

◆ Enfóquese en ser más activo. No es necesario que realice un "ejercicio" formal para mejorar su condición física. Puede ser tan sencillo como moverse más.

◆ Reparta su rutina de ejercicio a lo largo del día. No es necesario que realice todo el ejercicio a la vez. Por ejemplo, puede caminar durante 10 minutos tres veces al día.

◆ Levántese temprano para caminar, haga ejercicios con ayuda de un video o asista a una clase en su club deportivo local. Al principio puede parecer difícil, pero pronto se acostumbrará. Incluso podría llegar a agradarle.

◆ Trate de encontrar la forma de ser más activo en su vida cotidiana. Use las escaleras en vez del elevador. Estaciónese más lejos cuando vaya a su trabajo o al supermercado. Muévase más rápido al realizar las tareas domésticas, como por ejemplo la limpieza, en el jardín y pasar la aspiradora. Puede lograr una buena rutina de ejercicio al realizar las tareas cotidianas a un ritmo que mantenga su corazón latiendo y haciendo que respire más.

◆ Sea creativo. En vez de enviar correos electrónicos o llamar por teléfono a un vecino o compañero de trabajo, vaya directamente adonde se encuentre. Cuando se reúna con alguien, sugiérale dar un paseo en vez de permanecer dentro de una oficina.

"Tendré más energía si hago ejercicio".

Al principio el ejercicio puede hacer que se sienta cansado, por la falta de costumbre. Comience haciendo un poco más cada vez y nunca reduzca la cantidad. Se sorprenderá de cuánta energía comenzará a sentir.

"El ejercicio no tiene por qué doler".

Incluso los ejercicios más suaves pueden ayudarle a mejorar su salud. Si apenas comienza con el ejercicio, al principio podrán dolerle sus músculos y sus pulmones pueden molestarle un poco cuando comienza a respirar más fuerte. Comience lentamente, y su cuerpo se adaptará. Hable con su médico si siente dolor en el pecho o en las articulaciones.

"El ejercicio también es para los grandes".

No importa cuál sea su talla, el ejercicio le hará sentirse más sano y feliz. Al principio puede cansarse rápidamente y podría no ser capaz de moverse o estirarse bien si tiene sobrepeso. Puede que se sienta muy pendiente del funcionamiento de su cuerpo. Simplemente recuerde dar un paso pequeño a la vez. Estos pasos rápidamente comenzarán a acumularse.

Más ▶

"El ejercicio no tiene por qué ser costoso".

No necesita gastar mucho para mantenerse en forma.

◆ Comience por caminar. Es gratuito.

◆ Obtenga videos de ejercicios de la biblioteca o cómprelos usados.

◆ Solicite una membresía a bajo costo en su sede local de la YMCA.

◆ Compre equipamiento para hacer ejercicio de segunda mano a través de los anuncios clasificados del periódico o en ventas de remate. Asegúrese de que el equipamiento se encuentre en buenas condiciones.

"Nunca es tarde para ejercitarse".

El ejercicio ayuda a cualquier edad. De hecho, el ser una persona activa le ayudará a evitar algunos de los problemas que surgen a medida que uno va envejeciendo. Hable con su médico acerca de los tipos de actividad que mejor se adapten a sus necesidades.

"El ejercicio me ayuda a evitar ataques cardiacos".

Si tiene algún problema con el corazón, es posible que se preocupe de tener un ataque cardiaco o un ataque cerebral mientras se ejercita. Es más probable que tenga uno si no se hace ejercicio. Existen algunos límites acerca de lo que puede hacer, pero los ejercicios regulares y seguros fortalecerán su corazón, vasos sanguíneos y pulmones. Consulte a su médico antes de iniciar una rutina de ejercicios.

"¡El ejercicio puede ser divertido!"

◆ Trate de encontrar algo que disfrute. Intente cosas nuevas hasta encontrar algo que le agrade. Si disfruta de lo que hace, es más probable que esto se transforme en un hábito. Montar en bicicleta. Tomar clases de baile. Hacer excursiones.

◆ No haga lo mismo todos los días. La variedad puede ayudarle a mantenerse motivado, además de que es bueno para su cuerpo. Nade un día y camine al siguiente. Pruebe una clase de yoga.

◆ Consiga compañía o únase a un grupo o clase. Para muchas personas, el aspecto social hace más divertido el ejercicio.

"Nada se pierde con intentar".

No tema equivocarse, sin importar cuál haya sido su experiencia en el pasado con el ejercicio. Vaya lentamente y establezca metas a corto plazo. Una vez que las logre, podrá fijarse otras metas. Además, si no cumple con una de las metas, piense acerca de qué puede ayudarle a triunfar e inténtelo de nuevo.

Fortalezca su corazón

Cuando el ejercicio hace que aumente su frecuencia cardiaca y le obliga a respirar más fuerte, está ayudando a que su corazón se fortalezca. Ya sea que le llame ejercicio aeróbico, ejercicio cardiaco o simplemente "ejercitar su corazón", todo esto significa lo mismo. Además un aumento pequeño cada día puede reducir el riesgo de ataques cardiacos, ataques cerebrales y otros problemas.

¿Qué tipos de programas de ejercicios físicos son buenos para su corazón? Cualquiera que eleve su frecuencia cardiaca y la mantenga así por cierto tiempo.

◆ Caminar, ir de excursión y correr

◆ Montar en bicicleta (fija o en exteriores)

◆ Nadar y ejercicios aeróbicos en el agua

◆ Bailar

◆ Hacer las tareas domésticas o del jardín a un ritmo rápido

◆ Subir escaleras

Una forma simple de saber si está ejercitando su corazón es hacer la prueba de "hablar o cantar". Si su respiración no le permite hablar mientras realiza sus ejercicios, es posible que éstos sean muy duros. Si puede cantar mientras realiza sus ejercicios, es posible que pueda aumentar los beneficios para su corazón si aumenta un poco la carga de los ejercicios. Si se encuentra en el rango de "poder hablar", su corazón está alcanzando una buena condición, sin importar lo que se encuentre haciendo.

Comenzar puede ser tan simple como hacer una caminata algunas veces durante la semana. Si desea más ayuda para planificar una rutina de ejercicios, vaya a la página Web de la contraportada y escriba **r633** en la celda de búsqueda.

Fortalezca su cuerpo

No es necesario que levante pesas grandes o desarrolle grandes esfuerzos para volverse más fuerte. Realizar unos cuantos simples ejercicios de fuerza dos veces a la semana puede marcar la diferencia.

◆ Puede hacer planchas o abdominales, usando pesas o con máquinas. Incluso puede hacer ejercicios de fuerza con un pedazo de tubo de hule. Para una guía acerca de algunos de los ejercicios básicos, vaya a la página Web de la contraportada y escriba **r633** en la celda de búsqueda.

Caminar funciona

¿Desea iniciar hoy el proceso para fortalecer su corazón? Camine. La caminata es una de las formas más sencillas de ser más activo y mejorar su salud.

◆ Comience con metas pequeñas y a corto plazo que pueda alcanzar. Por ejemplo, si no ha estado activo durante un tiempo largo, comience con caminatas de 15 minutos tres veces a la semana. En las siguientes semanas puede aumentar la duración de las caminatas a 20 minutos.

◆ Comience cada caminata con un precalentamiento. Aumente el ritmo en medio de la caminata y vaya bajándolo al llegar a la meta.

◆ Camine lo suficientemente rápido como para elevar su frecuencia cardiaca y hacer que su respiración sea más rápida. Sin embargo, no debe caminar tan rápido que le impida hablar.

◆ Use calzado cómodo con un soporte adecuado para el arco.

Existen tres consejos que han ayudado a miles de personas a hacer un hábito de sus rutinas de ejercicios. Estos también podrían ayudarle.

◆ Encuentre con quién caminar, puede ser un amigo, familiar o compañero de trabajo. Será menos probable que abandone la caminata debido a que siempre habrá alguien esperándolo.

◆ Consígase un podómetro, un dispositivo pequeño que le ayude a contar sus pasos. Fíjese una meta diaria y lleve consigo siempre su dispositivo de medición. Se sorprenderá del número de pasos que se suman al estacionar su auto un poco más lejos, de usar las escaleras en vez del elevador o de caminar a la tienda en lugar de ir manejando.

◆ Consígase un perro. A los perros les encanta caminar y llevar a su perro a caminar una o dos veces al día es una excelente forma de incorporar la caminata a su vida.

◆ Haga ejercicios que incluyan todos los diferentes grupos de músculos: del pecho, brazos, estómago, espalda y piernas.

◆ Dé a sus músculos al menos un día completo de descanso entre las rutinas de fuerza.

Su meta puede ser fortalecer sus rodillas o espalda o mejorar en general su capacidad de movimiento. También es posible que desee reducir la grasa corporal y mantenerse delgado. O es posible que quiera proteger sus huesos a medida que envejece. El entrenamiento de fuerza le ayuda a todas estas metas.

Estiramiento

El estiramiento mantiene la flexibilidad y le ayuda con los músculos adoloridos o tensos. Mejora su equilibrio y postura, además de que también puede ser una excelente forma de relajarse. Además, este tipo de ejercicio es gratuito.

Existen muchas formas de incorporar a su vida los estiramientos.

◆ Puede hacer ejercicios de estiramiento al levantarse en la mañana o antes de dormirse (o en ambas ocasiones). Si necesita ayuda consiga un video que pueda seguir o busque un buen libro o revista de acondicionamiento físico que le explique algunos estiramientos.

◆ Tome algunas clases de estiramiento en su club o gimnasio.

◆ Intente la práctica del yoga o tai chi. Estas son algunas formas de mantenerse flexible y reducir el estrés.

Los estiramientos básicos son fáciles de aprender. Las imágenes de la siguiente página le muestran algunos estiramientos simples que puede hacer usted solo. El área sombreada en cada imagen muestra en dónde debe sentir el estiramiento. A continuación, presentamos algunos consejos acerca de cómo puede comenzar:

◆ Relájese en cada estiramiento. El estiramiento no se trata de rapidez o de movimientos repentinos.

◆ Sostenga cada estiramiento al menos durante 20 a 30 segundos. Debe sentir un tirón en el área que está estirando, pero no debe sentir un dolor agudo.

◆ No sostenga la respiración durante un estiramiento.

¿Debo consultar al médico antes de comenzar?

Consulte a su médico antes de comenzar un programa de ejercicio en los siguientes casos:

◆ Cuando tenga un problema cardiaco, una presión o dolor frecuente en el pecho o presión arterial alta.

◆ Cuando se sienta frecuentemente mareado o con desmayos.

◆ Cuando tenga artritis u otros problemas con los huesos o articulaciones.

◆ Cuando tenga diabetes (es posible que necesite ajustar sus medicamentos).

◆ Si es mayor de 60 años y no suele realizar ejercicio.

◆ Cuando tenga dos o más factores de riesgo de enfermedades cardiacas. Esto incluye los niveles altos de colesterol, la presión arterial alta, el hábito de fumar, la obesidad, una vida sedentaria y un historial familiar de enfermedades cardiacas antes de los 50 años.

Estiramiento del cuadríceps

Estiramiento del tríceps

Estiramiento de la pantorrilla

Estiramiento del dorsal ancho

Estiramiento de la ingle

Estiramientos de cadera, glúteos y tendón de la corva

Dejar de fumar

Millones de personas han dejado de fumar. Algunos lo dejaron por sí solos. Otros lo han hecho con la ayuda de los programas para dejar de fumar o con los grupos de apoyo. Algunos han recurrido al uso de productos para el reemplazo de nicotina.

El punto es que las personas pueden encontrar formas para dejar de fumar para siempre. Usted también puede lograrlo.

Sin embargo, debe estar listo. Vencer al tabaco es un gran cambio y el proceso de decidir abandonar su uso puede llevar tiempo. Si no está seguro de estar listo, vaya a la página Web de la contraportada y escriba **a417** en la celda de búsqueda. El cuestionario que se presenta puede ayudarle a imaginarse que se encuentra dentro de ese proceso.

¿Piensa dejar de fumar?

Si piensa en dejar de fumar, ello de por sí ya es un avance. Es posible que le ayude saber que no tiene que dejar de fumar únicamente a través de su fuerza de voluntad. Existen:

◆ Tratamientos que pueden ayudarle con los efectos físicos de abandonar el hábito de fumar y la nicotina.

◆ Hay recursos que pueden ayudarle con el lado emocional del abandono del tabaco.

Estos procedimientos han ayudado a muchas personas a dejar de fumar para siempre. También podrían ayudarle a usted.

Medicamentos y reemplazo de nicotina

Cuando intenta dejar de fumar, es posible que tenga problemas para dormir, un deseo imperioso de nicotina o puede sentirse enfadado, deprimido o cansado. Estos síntomas de abstinencia empeoran durante los primeros dos días después de abandonar el hábito pero pueden incluso durar unas cuantas semanas. El ansia por la nicotina puede durar incluso mucho más.

El tratamiento puede reducir los síntomas de abstinencia y ayudarle con la adicción a la nicotina de su cuerpo. Usted puede probar:

◆ Productos de reemplazo de la nicotina, por ejemplo goma de mascar, parches, inhaladores, aerosoles y pastillas. Estos productos le ayudan a su cuerpo a abandonar lentamente el uso de nicotina hasta que finalmente ya no la necesite. Puede comprar estos productos sin necesidad de receta.

◆ Con la ayuda de medicamentos, como por ejemplo el bupropión (Zyban). Este medicamento no contiene nicotina pero puede ayudarle con el ansia y los cambios de temperamento. Su médico puede recetárselo.

 Para ayuda en decidir si prueba estos enfoques, vaya a la página Web de la contraportada y escriba **k325** en la celda de búsqueda.

Nunca es demasiado tarde

Todo fumador tiene buenos motivos para dejar de fumar, incluso si ha fumado por décadas. Sin importar cuánto tiempo haya fumado, su riesgo de ataques cardiacos y otros problemas en su salud comenzarán a reducirse en cuanto abandone el hábito de fumar. Comenzará a sentirse mejor y a respirar más fácilmente.

Puede resultar muy difícil abandonar un hábito de larga data. Sin embargo puede lograrlo, como miles de fumadores que han abandonado este hábito.

No es sólo la nicotina

Si usted es como la mayoría de los fumadores, este hábito es parte de su rutina diaria. Lo disfruta. Es un hábito que le relaja. Cuando deja de fumar, tendrá que renunciar a todo ello (o al menos conseguir algo que lo reemplace).

La buena noticia es que no tiene que hacerlo solo. Muchos ex fumadores han encontrado apoyo en:

◆ Los programas para dejar de fumar. Llame a su plan de salud, su hospital local o la American Lung Association para enterarse de qué programas se ofrecen en su área.

Más ➤

10 razones para dejar de fumar

1. Viva más y mejor. En promedio, las personas que fuman mueren casi siete años antes que las personas que no fuman. Pero no es tan simple como morir un poco más joven. Fumar puede afectar también su calidad de vida. Tener de enfermedades crónicas de los pulmones no es sencillo ni es una forma placentera de vivir ni morir.

2. Respire mejor y tosa menos. Tendrá más energía y potencia después de dejar de fumar.

3. Reduzca su riesgo de problemas de erección. Fumar puede dañar sus vasos sanguíneos, incluyendo aquellos que riegan de sangre al pene.

4. Reduzca a la mitad el riesgo de ataques cardiacos en un año. Después de cinco años después de abandonar el hábito de fumar su riesgo será aproximadamente el mismo que para las personas que nunca fumaron.

5. Reduzca su riesgo de cáncer de pulmón, boca y garganta, enfermedades de las encías y problemas dentales.

6. Tenga una menor cantidad de resfriados y reduzca la probabilidad de tener gripe o neumonía. Si tiene asma, tendrá menos ataques de asma y éstos serán menos severos.

7. Dé un buen ejemplo. Los hijos cuyos padres no fuman tienen menos probabilidad de usar tabaco que aquellos con padres fumadores.

8. Deje de buscar sitios en su trabajo en dónde fumar o en sitios públicos y exponer a los demás a ser fumadores pasivos.

9. Podrá tener una sonrisa más brillante, un mejor sentido del gusto y olfato, además de menos arrugas.

10. Ahorre dinero al no comprar cigarrillos. (Asimismo, como no fumador, pagará menos por su seguro de servicios médicos.)

- Las "líneas directas de ayuda para dejar de fumar" como por ejemplo 1-800-QUITNOW (1-800-784-8669). Estas líneas le ponen en contacto con consejeros capacitados para ayudarle a elaborar un plan para dejar de fumar.

- Grupos en línea para dejar de fumar. Al igual que las líneas telefónicas para dejar de fumar, estos recursos son convenientes para miles de personas dado que pueden obtener esta ayuda desde el hogar y prácticamente a cualquier hora.

- Grupos de apoyo, como por ejemplo Fumadores Anónimos.

- A través del consejo de los médicos, enfermeras o terapeutas.

Este tipo de apoyo puede ayudarle en su cambio de hábitos. Piense si alguna de estas opciones le atrae e inténtelo. Si no es para usted, intente con alguna otra.

Una vez que ha decidido dejar de fumar

No hay un mecanismo único que sirva para todos los fumadores, pero a muchas personas les ayuda:

- **Establecer una fecha para dejar de fumar.** Elija una fecha en el siguiente mes. Dése el tiempo necesario para estar listo (pero que no sea demasiado tiempo).

- **Elabore un plan.** ¿Asistirá a un grupo de apoyo o usará reemplazos de nicotina? Asegúrese de tener a la mano bocadillos bajos en calorías. Limpie su ropa, manteles, mobiliario y automóvil para quitar el olor a tabaco. Si sabe que tiende a fumar en determinadas situaciones, elabore un plan para evitarlas.

- **¡Deje de fumar!** Cumpla con la fecha establecida para dejar de fumar. Ese día, deshágase de cigarrillos, ceniceros y encendedores.

Para conocer más consejos y técnicas que pueden ayudarle a prepararse para dejar de fumar y hacerlo para siempre, vaya a la página Web de la contraportada y escriba **d920** en la celda de búsqueda.

¿Comenzó a fumar nuevamente?

Usted no está solo. Muchas personas que dejan de fumar tienen que intentarlo varias veces antes de poder abandonar definitivamente el hábito de fumar. La buena noticia es que cada vez que trata de dejar de fumar, sin importar si es su segundo o décimo intento, usted se encuentra más cerca del éxito.

Piense en por qué comenzó a fumar de nuevo. ¿Se debió al estrés? ¿Estaba usted con un determinado grupo de personas o en una situación específica? ¿Qué motivó que volviera a fumar? Aprenda de las cosas que le ayudaron y de las que no.

Saber qué cosa salió mal puede ayudarle cuando esté listo de nuevo para dejar de fumar. Lo importante es seguir intentando.

Para controlar el estrés

Un poco de estrés es normal e incluso sano. El estrés libera hormonas que aceleran su ritmo cardiaco, hace que respire más rápidamente, y le da un arranque de energía. Esto puede ser útil cuando necesita enfocarse o actuar rápidamente. Puede ayudarle a ganar una carrera, a terminar un trabajo grande o llegar a tiempo al aeropuerto.

Sin embargo, demasiado estrés o estar con estrés por periodos prolongados no es bueno para usted.

◆ Puede volverlo de humor cambiante, ansioso y deprimido. Puede resultarle difícil concentrarse y puede perder el control más fácilmente.

◆ Puede provocarle dolores de cabeza, dolor en la espalda o tensión muscular.

◆ Puede empeorar determinados problemas de salud, como por ejemplo las enfermedades cardiacas, diabetes y asma.

◆ Puede dañar sus relaciones. Puede no irle tan bien en el trabajo o en la escuela.

Es posible que estos problemas no se presenten de inmediato. Muchas personas pueden pasar por periodos cortos de estrés sin presentar efectos a largo plazo. Sin embargo, con el tiempo un estado de estrés prolongado le ocasionará consecuencias.

La buena noticia es que puede aprender varias técnicas para reducir y controlar el estrés, las cuales le ayudarán a evitar los problemas de salud relacionados con el estrés.

Formas para reducir el estrés

1. Decida qué es más importante y qué puede esperar. (Es posible que haya cosas que no necesite en absoluto.) En el trabajo, pida a su jefe que le ayude si no está seguro de cuáles son las prioridades.

2. Aprenda a decir no. No se comprometa con cosas que no le importan.

3. Haga una sola cosa a la vez. Cuando trate de hacer muchas tareas a la vez, cada una le tomará más tiempo que lo que tomaría hacerlas de a una por vez.

4. Organícese. Haga listas o use una agenda. Déle seguimiento a las fechas de vencimiento.

5. No aplace las cosas. Use una agenda de programación para el plan del día o la semana. Tan sólo ver sobre papel que hay tiempo para realizar cada una de las tareas le ayudará a hacer bien su trabajo. Divida un proyecto grande en partes pequeñas y establezca una fecha de vencimiento para cada una.

6. Aparte un tiempo para usted. Deje el trabajo en su oficina, incluso si la oficina es un cuarto en su casa. Si usa parte de su tiempo libre para hacer más trabajo, muy pronto pagará con los síntomas relacionados con el estrés. Si su empleador ofrece un programa de trabajo flexible, úselo para ajustarlo a su estilo de trabajo. Llegue más temprano, de ese modo tendrá más tiempo para almorzar o realizar su programa de ejercicios físicos.

7. Debe "desconectarse" cuando salga del trabajo. Guarde su teléfono celular o apáguelo. No revise el correo electrónico de su trabajo en casa.

8. Duerma lo suficiente. El estrés puede parecer peor que lo que es cuando usted se encuentra cansado la mayor parte del tiempo. Además, no es posible que haga mucho cuando está cansado.

Más ▶

Maneras saludables de bajar el estrés

Escuchar música

Hacer ejercicio

Salir a pasear

Jugar con una mascota

Reír o llorar

Pasar un rato con algún ser amado

Escribir, dibujar o pintar

Rezar o ir a la iglesia

Tomar un baño o una ducha

Trabajar en el jardín o hacer reparaciones en el hogar

Practicar yoga, meditación o relajación muscular

Maneras no saludables de bajar el estrés

Manejar rápido

Comer poco o demasiado

Morderse las uñas

Beber demasiado café

Criticarse a uno mismo

Evitar a las personas

Gritarle a su pareja, hijos o amigos

Fumar

Beber alcohol

Usar drogas

Ponerse violento o agresivo

Cómo sobrellevar mejor el estrés

Para la mayor parte de las personas, no existe una forma única de evitar totalmente el estrés. El estrés es parte de la vida. Sin embargo, puede controlar cómo reacciona ante el estrés.

Las personas no siempre se dan cuenta de que se sienten mal debido al estrés. Los síntomas típicos del estrés incluyen el dolor de cabeza, tensión en el cuello o dolor de espalda persistente. Es posible que pierda el control con más frecuencia. Puede sentirse agotado o cansado la mayor parte del tiempo.

Con sólo saber porqué se siente así puede ayudarle a sobrellevar el problema. Para conocer una herramienta que podría ayudarle a determinar su nivel de estrés ahora o en cualquier momento, vaya a la página Web de la contraportada y escriba **x674** en la celda de búsqueda.

¿Es usted resistente al estrés?

Algunas personas parecen recuperarse más rápido del estado de estrés o de mejor manera que otras. Se adaptan al cambio más fácilmente. Son personas "resistentes al estrés".

¿Cuán resistente al estrés es usted? Hay un pequeño cuestionario que puede decírselo. Vaya a la página Web de la contraportada y escriba **w622** en la celda de búsqueda.

Si desea ser más resistente al estrés, a continuación presentamos algunos consejos que pueden ayudarle:

◆ Debe darse cuenta de qué es lo más importante para usted, se trate de su familia, su trabajo o algo más. Cuando se encuentra sometido a mucho estrés, puede ayudarle recordar qué es lo que más le importa.

◆ Trate de tener el control sobre su vida. No es posible que controle cada detalle de su vida, pero trate de encontrar las áreas que pueden marcar la diferencia. No todo está fuera de su alcance.

◆ Trate de ver el cambio como un reto u oportunidad en vez de considerarlo como una amenaza.

◆ Haga cosas que le permitan ser creativo y dejarle ser usted mismo. Algunas personas pueden hacer esto en su trabajo. Sin embargo, en ocasiones las actividades fuera del trabajo, como por ejemplo sus aficiones, deportes, grupos sociales, trabajo voluntario o viajar son las mejores oportunidades para "ser usted mismo".

◆ Manténgase en contacto con sus amigos y familiares. Saber que no está solo en el mundo hace más fácil sobrellevar el estrés.

Aprenda a relajarse

Hay muchas técnicas que puede aprender para ayudarle a relajarse. La relajación gradual de los músculos y la respuesta de relajación son dos técnicas que parecen funcionar bien.

Para aprender estas habilidades, practíquelas en un horario y sitio en donde nada le interrumpa. Hágalo una o dos veces al día hasta que pueda reproducirlo fácilmente.

Relajación progresiva de los músculos

La relajación de sus músculos puede reducir la ansiedad y tensión. Esta técnica puede ayudarle a reducir los problemas de salud relacionados con el estrés y con frecuencia ayuda a que las personas duerman mejor.

Puede comprar una cinta o disco compacto que le lleve por todos los grupos musculares o puede hacerlo sin esa ayuda, tensando y relajando cada grupo muscular.

◆ Seleccione un lugar donde pueda descansar sobre su espalda y hacer estiramientos.

◆ Tense cada grupo muscular (de manera firme, pero no hasta el punto de acalambrarse) por 4 a 10 segundos. Después deje pasar 10 a 20 segundos para que se liberen y relajen.

◆ En varios puntos revise los grupos musculares que ya ha trabajado y trate de relajarlos un poco más cada vez.

Grupos musculares

Recuerde relajarse entre cada grupo muscular.

Manos: apriételas.

Muñeca y antebrazos: extiéndalas y doble las manos hacia atrás en las muñecas.

Bíceps y parte superior de los brazos: apriete las manos en un puño, doble los brazos por los codos y flexione sus bíceps (los músculos en la parte superior de los brazos).

Hombros: encójalos. Revise la tensión en sus brazos y hombros.

Frente: frunza el ceño.

Alrededor de los ojos y en el puente de la nariz: cierre sus ojos lo más fuerte que pueda (quítese los lentes de contacto antes de hacerlo).

Mejillas y quijada: sonría lo más ampliamente que pueda.

Alrededor de la boca: oprima juntos los labios lo más fuerte que pueda. (Revise la tensión de su cara.)

Parte posterior del cuello: presione la parte posterior de su cabeza contra el piso.

Parte anterior del cuello: toque su pecho con la barbilla. (Revise la tensión de su cuello y cabeza.)

Pecho: respire profundamente y mantenga el aire. Después deje que salga.

Más ➤

Espalda: arquee su espalda hacia arriba para separarla del suelo.

Vientre: métalo hacia adentro. (Revise la tensión de su pecho y estómago.)

Caderas y glúteos: comprima ambos glúteos lo más fuerte que pueda.

Muslos: apriételos.

Parte baja de las piernas: apunte con los dedos de los pies hacia su cara, como si tratara de tocar con ellos sus empeines. Después dirija los dedos del pie hacia el frente para luego plegarlos hacia abajo. (Revise la tensión en el área debajo de la cintura.)

Cuando haya terminado, regrese al estado de alerta contando del 5 al 1.

Respuesta a la relajación

La respuesta a la relajación es lo opuesto a la respuesta ante el estrés. Con ella, se reduce su frecuencia cardiaca y respiración, se reduce la presión sanguínea y esto ayuda a aliviar la tensión muscular.

1. Recuéstese en un sitio en donde pueda estirarse. Cierre los ojos.

2. Comience con una relajación progresiva de los músculos. Vea la página 349.

3. Concéntrese en su respiración durante 10 a 20 minutos. Concéntrese en respirar desde el vientre y no desde el pecho. Cada vez que expele el aire, diga la palabra "uno" (o cualquier otra palabra) en silencio o con voz normal. O, en lugar de decir una palabra fije la mirada en un objeto de la habitación. A medida que entren pensamientos en su mente, no se detenga ante ellos. Deje que escapen.

4. Quédese quieto por algunos minutos, hasta que se encuentre listo para abrir los ojos.

5. Note la diferencia en su pulso y respiración.

No se preocupe acerca de tratar de relajarse más profundamente. La clave para realizar este ejercicio es mantenerse pasivo y dejar que se vayan los pensamientos que le distraen, sin pensar en ellos.

(Técnica adaptada del Dr. Herbert Benson)

Relaciones sexuales seguras

Las relaciones sexuales seguras tratan de evitar las enfermedades de transmisión sexual, también conocidas como ETS. Las ETS pueden provocar muchos problemas en su organismo. Algunas de ellas pueden incluso provocar la muerte. Es su responsabilidad protegerse y proteger a su pareja de ellas. La buena noticis es que esto es posible.

Vea la página 144 para aprender más acerca de los síntomas de las ETS y qué hacer en caso de tener una.

¿Quién puede contagiarse las ETS?

Cualquier persona que tenga relaciones sexuales con una persona portadora de la ETS. No importa la edad, si es hombre o mujer, la raza o si se es homosexual, heterosexual o bisexual.

Usted puede contagiarse una ETS a través de contactos sexuales de cualquier tipo y no sólo a través de una penetración. Las ETS pueden transmitirse por contacto de piel a piel de los genitales y a través del contacto con los fluidos corporales, como por ejemplo el semen, fluidos vaginales y la sangre (incluyendo la sangre menstrual). Esto significa que puede contagiarse de una ETS a través de:

◆ Sexo vaginal.

◆ Sexo anal.

◆ Sexo oral.

Cómo mantenerse más seguro

Sólo hay dos maneras de evitar completamente el riesgo de las ETS y de una infección por VIH:

1. No tener ningún tipo de relación sexual (abstinencia). Esto significa no practicar relaciones sexuales vaginales, anales u orales.

2. La monogamia total entre dos personas no infectadas. Esto significa que usted y su pareja sólo tienen relaciones íntimas mutuas y ambos están absolutamente seguros que ninguno tiene una enfermedad.

Si no elige una de estas dos opciones aun puede reducir enormemente el riesgo si sigue las pautas presentadas a continuación.

◆ Protéjase cada vez que tenga relaciones sexuales. Esto significa hacer un uso correcto del condón en cada ocasión. Use condones de látex del comienzo al final de cualquier contacto sexual. Los condones "naturales" o de piel de oveja no le protegen contra de la infección por VIH ni de otras ETS.

◆ No confíe en los espermicidas o en el diafragma para protegerse de las ETS. Si un espermicida irrita su área genital, esto aumenta el riesgo de una infección.

◆ Antes de tener relaciones sexuales con una nueva pareja, pregúntele acerca de su actividad sexual. Tenga presente que una persona puede estar infectada de VIH o de una ETS y no saberlo.

◆ No tenga relaciones sin condón con personas que presenten síntomas de tener una ETS o con personas cuyo comportamiento les pone en riesgo de tener una infección por VIH u una ETS.

◆ Acuerde con su pareja no tener relaciones con otras personas.

◆ No tenga relaciones si usted o su pareja presenta los síntomas de una ETS, como por ejemplo erupciones en los genitales o en la boca.

◆ No tenga relaciones con su pareja si alguno está recibiendo tratamiento para una ETS.

◆ Si usted o su pareja tienen herpes genital, no tenga relaciones si alguno presenta erupciones o marcas abiertas, si siente ardor o comezón en el área genital. Estos pueden ser los síntomas iniciales. En otras ocasiones, use condones de látex. Es posible contagiarse de herpes incluso cuando no hay erupciones presentes.

Cómo se usa el condón

Los condones funcionan mejor si se siguen los siguientes consejos:

◆ Use un condón nuevo cada vez que tiene relaciones sexuales.

◆ Cuando abra la envoltura tenga cuidado de no hacerle orificios al condón con sus uñas, dientes u otros objetos filosos.

◆ Póngase el condón tan pronto como su pene alcance la erección y antes de cualquier contacto sexual.

◆ Antes de ponerse el condón, sostenga su punta y saque el aire para permitir que haya espacio libre para el semen.

◆ Si no está circuncidado, haga descender la piel de la cabeza del pene antes de colocarse el condón.

◆ Mientras sostiene con una mano la punta, desenrolle el condón hasta llegar a la base del pene.

Más ▶

◆ Si desea usar un lubricante, nunca use gelatina de petróleo (como por ejemplo la vaselina), grasas, loción de manos, aceite para bebés u otro tipo de aceite. El aceite o petróleo puede hacer que el condón se rompa. En vez de esto, use un lubricante personal como por ejemplo Astroglide o K-Y Jelly.

◆ Después de la eyaculación, sostenga el condón por la base del pene y sepárese de su pareja mientras su pene continúe erecto. Esto evita que el semen salga del condón.

◆ Lávese las manos después de haber sostenido un condón usado.

Compre condones de látex fabricados en los Estados Unidos. Estos condones cumplen con estándares de seguridad muy estrictos y por ello es menos probable que se rompan o tengan orificios.

Guarde el condón nuevo en su empaque original hasta que vaya a usarlo. Consérvelos en un sitio templado y seco, fuera de la luz del sol. No debe colocarlos en la billetera, el auto u otros sitios calientes por mucho tiempo. El calor debilita el látex.

¿Es alérgico al látex?

Algunas personas son alérgicas al látex. Si su piel reacciona después de usar condones de látex, piense si hay algún otro motivo que haya provocado el problema (el lubricante, el espermicida). Si está seguro que fue el látex, no vuelva a usar condones de ese material. En vez de éstos use condones de poliuretano.

Es posible que los condones de poliuretano no prevengan las ETS de manera tan efectiva como los condones de látex. Sin embargo es mucho más seguro usarlos que no usar ningún condón.

Vacúnese

Las vacunas ayudan a proteger el cuerpo de las enfermedades. Cuando se vacuna, su cuerpo aprende a encontrar y atacar los virus y bacterias que provocan las enfermedades antes de que éstas causen problemas.

La vacunación salva vidas. Ayuda a prevenir enfermedades serias tanto en niños como en adultos. Las vacunas cuestan menos que el tratamiento de las enfermedades de las cuales nos protegen. Además, el riesgo de efectos colaterales de seriedad para las vacunas es mucho menor que el riesgo de tener enfermedades de seriedad si no se vacunara.

Asegúrese de que sus hijos (y usted mismo) sean vacunados. Si necesita más información que la mostrada aquí, vaya a la página Web de la contraportada y escriba **e409** en la celda de búsqueda.

Mantenga buenos registros. Necesitará mostrar comprobantes de vacunación cuando inscriba a sus hijos en la escuela o guardería. También los necesitará cuando viaje.

Vacunación para los niños

La tabla de la página 354 es una guía básica de las vacunas que necesitan los niños y a qué edad deben aplicarse. Hable con su médico acerca del mejor programa de vacunación para sus hijos.

◆ Si su hijo tiene un riesgo elevado de enfermedades a largo plazo (crónicas), un sistema inmune debilitado o debido al sitio en que vive o al que viaja, es posible que se requiera un programa diferente.

◆ Si su hijo no ha recibido una de las vacunas, se necesitará un programa para ponerse al día.

◆ Si hay un brote de una enfermedad (como por ejemplo el sarampión) y su hijo aún no ha sido vacunado, consulte con su médico si debe vacunarlo antes de lo programado.

◆ Corrija los cambios en el programa básico de cuando en cuando. Asegúrese de tener la información más reciente.

No debe demorar la vacunación debido a que su hijo tiene gripe u otra enfermedad menor. Si tiene dudas, consulte a su médico.

Reacciones a las vacunas

Las reacciones cortas y moderadas son comunes.

◆ Si su hijo presenta una fiebre ligera, puede ayudarle la administración de acetaminofén (Tylenol) o ibuprofeno (Advil, Motrin). No le dé aspirina a sus hijos. Vea también la sección Fiebre de la página 171.

◆ El área alrededor de la vacuna puede inflamarse y doler un poco. Ponga hielo o una compresa fría sobre el área durante 10 a 15 minutos.

◆ Puede aparecer un salpullido ligero en la piel una o dos semanas después de recibir la vacuna contra la varicela o la MMR. El salpullido no necesita tratamiento y debería desaparecer después de unos días.

Llame a su médico de inmediato si su hijo presenta más que una reacción moderada.

Vacunación para adolescentes y adultos

La necesidad de la vacunación no termina con la infancia.

◆ Miles de adultos son hospitalizados e incluso algunos mueren debido a la gripe y otras enfermedades que las vacunas pueden prevenir.

◆ Las enfermedades como la varicela y el sarampión pueden ser graves si se contraen de adolescente o adulto. Son enfermedades especialmente peligrosas para las mujeres embarazadas.

◆ Tener rubéola o varicela durante el embarazo aumenta el riesgo de abortos, nacimientos sin vida y defectos de nacimiento severos.

◆ La hepatitis B puede generar enfermedades severas en el hígado que en ocasiones resultan fatales.

Si usted está en alguno de los grupos para los que se recomienda la vacunación, asegúrese de vacunarse. Use la tabla de la página 355 como guía y después consulte a su médico. Las recomendaciones pueden cambiar con el tiempo.

Otras vacunaciones

Si está en contacto cercano con personas que tienen enfermedades contagiosas o planea viajar a un sitio en donde son comunes enfermedades como la malaria, la fiebre tifoidea, el cólera, la fiebre amarilla u otras, llame al departamento de salud local. Es posible que necesite otras inyecciones.

Más

Vacunación para los niños

Vacunación	Quién debe recibirla	Comentarios
Vacuna contra la difteria, el tétano, la tos ferina (DTaP)	Todos los niños	5 inyecciones: la primera a los dos meses, la última a los 4–6 años Aplique una dosis de refuerzo para el tétano y la difteria (Td) cada 10 años, comenzando a la edad de 11–12 años. Los adolescentes de 11–18 años deben recibir una dosis de refuerzo de Tdap en lugar de la Td.
Vacuna contra el rotavirus	Todos los niños	3 inyecciones: se aplican a los 2, 4 y 6 meses
Vacuna contra la poliomielitis (IPV)	Todos los niños	4 inyecciones: la primera a la edad de dos meses, la última a los 4–6 años
Vacuna contra neumococos (PCV)	Todos los niños menores de 2 años	4 inyecciones: la primera a la edad de dos meses, la última a los 12–15 meses
Vacuna para la *haemophilus influenzae* tipo b (Hib)	Todos los niños	3 ó 4 inyecciones: la primera a la edad de dos meses, la última a los 12–15 meses
Vacuna contra el sarampión, paperas, y rubéola (MMR)	Todos los niños	2 inyecciones: la primera a la edad de 12–15 meses, la segunda a los 4–6 años
Vacuna para la hepatitis B (HBV)	Todos los niños	3 inyecciones: la primera al nacer, la última a los 6 meses
Vacuna contra la gripe	Todos los niños de 6 meses hasta los 5 años	Una inyección al año; no puede administrarse antes de los 6 meses de edad
Vacuna para la varicela	Todos los niños de 12 meses y mayores que no hayan tenido varicela	2 inyecciones: la primera a los 12–15 meses, la segunda a los 4 a 6 años
Vacuna para la hepatitis A (HAV)	Todos los niños a los 12 meses y mayores	2 inyecciones: la primera a la edad de 12 meses, la segunda y última 6 meses después
Vacuna para el meningococo	Todos los niños a los 11–12 años	Una inyección a los 11–12 años
Vacuna contra el virus del papiloma humano (VPH)	Niñas de 11-12 años; también se recomienda para adolescentes de 13-18 años	Aprobada para mujeres de 9–26 años de edad. 3 inyecciones en 6 meses (es más efectiva cuando se aplica antes de que inicie la actividad sexual)

Vacunación para adolescentes y adultos

Inmunización	Quién debe recibirla (si aún no se ha inmunizado)
Vacuna contra el virus del papiloma humano (VPH)	◆ Todas las mujeres de 13–26 años de edad que no la recibieron cuando eran más jóvenes
Inyecciones para gripe (una vez al año)	◆ Todos los adultos de 50 años o mayores ◆ Mujeres embarazadas ◆ Personas con enfermedades crónicas (asma, problemas cardiacos o de los pulmones, sistema inmunológico debilitado) ◆ Cuidadores de niños de 0 hasta los 5 años ◆ Cualquiera que viva o trabaje con personas con riesgo elevado
Vacuna contra la varicela	◆ Todos los adolescentes y adultos que no han tenido varicela (las mujeres embarazadas no pueden ser vacunadas)
Vacuna para el meningococo	◆ Todos los jóvenes a los 18 años (se aconseja a los 11–12) ◆ Todos los estudiantes que vivan en residencias universitarias ◆ Personas que viven o viajan hacia áreas donde es común esta enfermedad ◆ Personas con sistemas inmunológicos debilitados (VIH, bazo dañado o ausente)
Vacuna para la hepatitis A (HAV)	◆ Cualquier persona que viva o viaje hacia las áreas en donde se han presentado casos (incluye algunos sitios dentro de los Estados Unidos) ◆ Las personas que se inyectan drogas ilegales ◆ Hombres que tienen relaciones sexuales con otros hombres ◆ Personas con enfermedades crónicas en el hígado ◆ Personas con problemas de coagulación sanguínea
Vacuna para la hepatitis B (HBV)	◆ Cualquier persona de 18 años o menor que aún no haya sido vacunada ◆ Adultos cuyo trabajo o viajes los pone en riesgo ◆ Trabajadores de servicios públicos de seguridad y los de salud ◆ Las personas que se inyectan drogas ilegales ◆ Hombres que tienen relaciones sexuales con otros hombres ◆ Personas que han tenido más de una pareja sexual en los últimos 6 meses o que tengan un historial de enfermedades de transmisión sexual ◆ Contactos en casa o con parejas sexuales portadores de la hepatitis B ◆ Personas con enfermedades del hígado crónicas ◆ Reclusos en prisiones

Más

Vacunación para adolescentes y adultos

Inmunización	Quién debe recibirla (si aún no se ha inmunizado)
Vacuna contra el sarampión, paperas y rubéola (MMR)	◆ Trabajadores de atención de la salud, estudiantes universitarios y viajeros internacionales ◆ Adultos que nacieron después de 1956 ◆ Mujeres en edad reproductiva
Vacuna para el neumococo (PPV)	◆ Todos los adultos de más de 65 años ◆ Cualquier persona menor de 65 años con alguna enfermedad crónica (como por ejemplo enfermedades cardiacas y pulmonares) o con el bazo dañado o ausenten
Vacuna contra la poliomielitis (IPV)	◆ Personas cuyo trabajo o viajes los pone en riesgo
Vacuna contra el tétano y la difteria (Td)	◆ Todos los adultos de 19–64 años de edad, incluyendo las mujeres embarazadas, cada 10 años ◆ Cualquier persona que haya sufrido de una cortadura profunda en condiciones no higiénicas y que no haya recibido un refuerzo en los últimos 5 años
Vacuna contra el tétano, la difteria y la tos ferina (Tdap), una dosis de refuerzo	◆ Todos los adolescentes y adultos, de 11–64 años de edad, deben aplicarse una dosis de refuerzo en lugar de la inyección contra el tétano y la difteria (Td) ◆ Cualquier adulto de 19–64 años de edad que no se haya aplicado un refuerzo de Td en los últimos 2 años y que planee tener contacto con infantes menores de 12 meses

Exámenes del estado de salud y pruebas de detección de las enfermedades

Una forma de proteger su salud es vigilar los cambios en su cuerpo y detectar de manera temprana los problemas, cuando son más sencillos de tratar.

El cuidado preventivo de la salud puede ayudarle a lograr esta meta. Este tipo de atención incluye:

◆ Exámenes del estado de salud. Estos son revisiones que se realiza cuando está sano. Se concentran en su salud en general.

◆ Pruebas de detección. Son pruebas de detección que buscan signos de enfermedades antes de que se presenten los síntomas. Las pruebas de Papanicolaou, mamogramas y antígeno específico de la próstata (PSA, por sus siglas en inglés) son algunos ejemplos de pruebas de detección de cáncer.

◆ Vacunaciones. Vea la página 352.

Las recomendaciones para los exámenes de estado de salud y de las pruebas de detección que se presentan aquí son para la mayoría de las personas sanas con un riesgo promedio de presentar problemas de salud. Algunas de las cosas que afectan su nivel de riesgo incluyen su estado general de salud, su historial familiar (si sus familiares cercanos tienen una enfermedad determinada), además de factores relacionados con su estilo de vida, como por ejemplo el uso del tabaco, si hace ejercicio, además de su historial de actividad sexual.

Los niños y adultos que tienen enfermedades crónicas u otros problemas podrían necesitar exámenes y pruebas con mayor frecuencia. Consulte a su médico para decidir cuál es el mejor programa para usted.

Para los niños

Hasta los 2 años:

◆ Exámenes de salud para bebés: un buen programa para realizar estas consultas es a las 2 semanas de edad y luego 2, 4, 6, 9, 12, 15, 18 y 24 meses. Su médico podría sugerirle un programa ligeramente distinto. Lo importante es que los bebés necesitan revisiones periódicas durante sus primeros 2 años.

◆ Pruebas de audición: todos los bebés deben someterse a pruebas para la detección de problemas de audición a la edad de 3 meses.

Niños mayores de 2 años:

◆ Exámenes de salud para niños: hable con su pediatra acerca de la frecuencia de las revisiones. Es importante vigilar la altura, peso, presión sanguínea y otras mediciones de la salud y crecimiento de su hijo.

◆ Exámenes de la vista: su hijo debe revisarse la vista entre los 3 y 4 años de edad.

¡No olvide las vacunaciones! Vea la página 353. Esto puede hacerse en los exámenes y consultas de rutina.

Para los adultos

El programa correcto de exámenes médicos generales y pruebas de detección es el que se acuerda con su médico, conforme a la edad, sus factores de riesgo ante las enfermedades, cuál es su estado de salud, además de reconocer qué tan importante es para usted el cuidado preventivo.

Más

Ejemplo de programa de pruebas de detección de enfermedades

Detección	Quién debe recibirla	¿Con qué frecuencia?
Presión sanguínea	Todos los adultos	Cada 1 a 2 años. Con más frecuencia si tiene riesgos de hipertensión. Vea la página 235.
Colesterol	Todos los adultos	Cada 5 años o como lo acuerde con su médico. Con más frecuencia si tiene riesgos de enfermedades cardiacas. Vea la página 120.
Problemas de la vista, especialmente glaucoma (vea la página 180)	Todos los adultos	Consulte a su médico. La necesidad de realizarse exámenes aumenta con la edad.
Cáncer colorrectal (colonoscopia, sigmoidoscopia flexible, prueba de sangre oculta en una muestra fecal o enema de bario)	Todos los adultos a partir de los 50 años. Antes si se encuentra dentro del grupo de riesgo alto.	Dependerá de las pruebas que se realice. Vea en la página 111 la información sobre el cáncer colorrectal.
Cáncer del seno (mamogramas y examen clínico del seno)	Todas las mujeres a partir de los 40 años. Antes si se encuentra dentro del grupo de riesgo alto.	**Mamograma** A partir de los 50 años: cada 1 a 2 años Entre los 40 y 49 años: consulte a su médico **Examen clínico del seno** A partir de los 40 años: cada año
Prueba de Papanicolaou para detectar el cáncer del cuello uterino	Todas las mujeres a partir de los 21 años o cuando inicie su actividad sexual, lo que ocurra primero	Cada 1 a 3 años para las mujeres con un riesgo promedio. Vea la página 359.
Clamidia (vea la página 146)	Todas las mujeres sexualmente activas de 25 años y menores Todas las mujeres mayores de 25 años que se encuentren en el grupo de riesgo	Siempre que se realice un examen de la pelvis y una prueba de Papanicolaou. Vea la página 359.

Ejemplo de programa de pruebas de detección de enfermedades		
Cáncer de próstata (prueba del antígeno prostático específico (PSA, por sus siglas en inglés) o examen rectal digital)	Algunos hombres. Vea ¿Debe realizarse la prueba? en la página 115.	Consulte a su médico.
Otros aspectos que usted y su médico deben atender: altura y peso; capacidad auditiva; nivel de azúcar en la sangre; nivel de la tiroides; estado del VIH (si se encuentra dentro del grupo de riesgo); además de cambios en la piel que podrían ser tumores cancerosos.		

En el programa de la página 358 y de esta página se enumeran algunas de las pruebas de detección más comunes. La mayoría de los adultos necesitan algunas o todas estas pruebas y exámenes.

Para las mujeres: exámenes de la pelvis y pruebas de Papanicolaou

Un examen pélvico detecta los signos iniciales de problemas en los órganos reproductores. El examen normalmente incluye:

◆ Un examen de los genitales externos. El médico busca en el área genital cambios en la piel, erupciones u otros problemas.

◆ Un examen manual. El médico inserta dos dedos cubiertos con guante dentro de la vagina y presiona sobre el bajo vientre con la otra mano para revisar la forma y tamaño de los ovarios y del útero.

◆ Una prueba de Papanicolaou.

Pruebas de Papanicolaou

La prueba de Papanicolaou es una prueba de detección para el cáncer del cuello del útero, que es la parte baja del útero que se abre hacia la vagina. La prueba busca cambios tempranos en las células que podrían generar un cáncer. Cuando se practica de manera regular, la prueba de Papanicolaou puede detectar la mayoría de los cánceres del cuello del útero.

Para realizar la prueba, el médico inserta un instrumento denominado espéculo dentro de la vagina para separar sus paredes. El médico recolecta muestras de células del cuello del útero con un dispositivo de madera o plástico con el cual retira con delicadeza algunas células de la superficie. Las muestras de células se envían al laboratorio.

Su médico debe darle a conocer los resultados de su prueba de Papanicolaou cuando vuelven del laboratorio. Si sus resultados son anormales, es posible que necesite realizarse más pruebas. Necesitará otra prueba de Papanicolaou o es posible que necesite otra prueba llamada colposcopia, que ofrece una vista más completa del cuello del útero.

Los resultados anormales de la prueba de Papanicolaou pueden significar muchas cosas. La mayoría de ellas no se refieren al cáncer.

Las mujeres deben realizarse su primer examen de Papanicolaou después de 3 años de iniciar su actividad sexual o a los 21 años, lo que ocurra primero. Después se recomienda repetir la prueba de Papanicolaou cada 1 a 3 años, dependiendo de su riesgo para el cáncer del cuello del útero.

Más ➤

Exámenes del estado de salud y pruebas de detección de las enfermedades

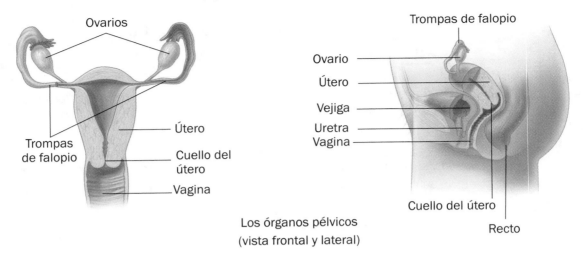

Ovarios

Trompas de falopio

Ovario

Útero

Vejiga

Uretra

Vagina

Útero

Trompas de falopio

Cuello del útero

Vagina

Cuello del útero

Recto

Los órganos pélvicos
(vista frontal y lateral)

No necesitará pruebas de Papanicolaou anuales en los siguientes casos:

◆ Ha presentado resultados normales en la prueba de Papanicolaou al menos durante 3 años consecutivos.

◆ Tiene una sola pareja sexual.

◆ No fuma.

◆ No tiene un historial de pruebas de Papanicolaou con resultados anormales, cáncer del cuello del útero, enfermedades de transmisión sexual, como por ejemplo herpes genital, una infección por VIH o de exposición al fármaco dietilestilbestrol (DES).

◆ Ha tenido una histerectomía por un motivo distinto al cáncer.

◆ Tiene más de 65 años y resultados normales en las pruebas de Papanicolaou en los últimos 10 años.

Hable con su médico acerca del mejor programa para usted.

Programe las pruebas 1 a 2 semanas después de que ha finalizado su periodo. No se haga duchas vaginales, tenga relaciones sexuales ni use productos de higiene femenina por al menos 24 horas antes de la prueba de Papanicolaou, debido a que esto afecta los resultados de la prueba.

Para las mujeres: Mamogramas y exámenes clínicos de senos

El cáncer de seno con frecuencia es curable si se detecta a tiempo. Existen dos formas de detectar tempranamente el cáncer de seno: los mamogramas y los exámenes clínicos del seno.

Un **mamograma** es una placa de rayos X que puede encontrar tumores que son demasiado pequeños como para ser detectados en un examen manual de seno.

Los mamogramas salvan vidas. Si no tiene un riesgo alto de tener cáncer de seno y:

◆ Tiene 50 años o más, deberá realizarse un mamograma cada 1 a 2 años.

◆ Tiene 40 a 49 años, deberá realizarse un mamograma cada 1 a 2 años o acordar un programa distinto con su médico.

◆ Es menor de 40 años, es probable que no necesite mamogramas como medio de detección de rutina.

Si su madre, una hermana o un familiar cercano ha tenido cáncer antes de la menopausia, necesitará iniciar las pruebas con mamogramas más temprano y con mayor frecuencia. Consulte a su médico. Las mujeres que ya han tenido cáncer de seno deben realizarse mamogramas cada año.

Preparación para la prueba de mamograma:

- ◆ Programe la prueba 1 a 2 semanas después de que ha finalizado su periodo (será menos dolorosa en ese momento).

- ◆ No use desodorante, perfumes, talco o loción. Estos productos pueden afectar la calidad de la placa de rayos X.

- ◆ Use ropa que le permita desvestirse fácilmente de la cintura hacia arriba.

- ◆ Si su último mamograma lo tuvo en un sitio diferente, envíe una copia antes de realizarse una nueva prueba, o lleve la copia consigo.

Durante un **examen clínico del seno**, un médico o enfermera revisará sus senos y los palpará con suavidad para detectar abultamientos u otros cambios. Se recomienda un examen clínico de seno cada año después de cumplir los 40 años (o en cualquier momento que tenga problemas con sus senos).

Sin importar su edad, consulte con su médico si detecta un abultamiento o cualquier otro problema en sus senos. Vea Problemas en los senos en la página 252. Es posible que necesite un examen de seno o un mamograma para ayudarle a encontrar la causa.

¿Qué hay acerca del autoexamen del seno?

Los autoexámenes de seno son una buena forma de aprender cómo se ven y se sienten normalmente sus senos. Una vez que reconozca cuál es la condición normal para usted, podrá notar mejor los cambios y reconocer cuándo solicitar ayuda temprana en vez de esperar a su siguiente revisión. Un autoexamen no sustituye a los mamogramas o un examen clínico de seno.

Un autoexamen de seno es fácil de realizar. Esto incluye la búsqueda de cambios en la forma de los senos o pezones mientras se encuentra de pie al frente del espejo y mueve

sus brazos en diferentes direcciones. Para la segunda parte de la prueba, debe usar sus manos para examinar todas las áreas de cada seno, pezón y axilas.

Si no sabe cómo realizar un autoexamen de seno, pregúntele a su médico o enfermera para que le ayude. La oficina de su médico puede tener las instrucciones impresas en una hoja o tarjeta que puede solicitarle.

Autoexámenes

La vigilancia de los cambios en su propio cuerpo es una forma sencilla para detectar problemas de manera temprana. Los autoexámenes le ayudan a entender su propio cuerpo y lo que es normal para usted.

Algunos de los autoexámenes que usted puede realizar son:

- ◆ El autoexamen del seno para las mujeres. Vea la de esta página.

- ◆ El autoexamen de los testículos para los hombres. Vea la página 257.

- ◆ El autoexamen de la piel. Aproximadamente cada mes, revise si hay cambios en los lunares (cambio de color, tamaño o forma), llagas que no sanan o cualquier otro cambio en la piel que pudiesen ser signos tempranos de cáncer en la piel. Vea la página 113.

En general, trate de ser un buen observador de su propio cuerpo. Si usted nota un cambio fuera de lo normal para usted y dicho cambio no desaparece, podría ser una buena idea hablar con su médico acerca de esto.

Más

Examen dental

Las visitas regulares al dentista son una parte importante de las medidas preventivas.

◆ La mayoría de los expertos recomiendan que sus hijos acudan al dentista a la edad de un año o alrededor de los seis meses después de la salida del primer diente.

◆ Los niños y los adultos deben ver al dentista dos veces al año. Durante una revisión:

❖ El dentista examinará sus dientes y encías para detectar cavidades, caries y enfermedades en las encías.

❖ Es posible que necesite realizarse una placa de rayos X de su dentadura (normalmente una vez al año).

❖ Un dentista o técnico en limpieza dental retirará la placa dental (sarro) con una herramienta metálica, pasará hilo dental entre los dientes, además de limpiarlos y pulirlos.

Para las personas que acuden de forma regular al dentista y cuidan bien su dentadura, esta limpieza en general no es dolorosa. Si no ha acudido al dentista por mucho tiempo o si tiene problemas con sus dientes o encías, estas limpiezas pueden causar alguna molestia.

Prueba cutánea para la tuberculina

Se realiza una prueba de tuberculina para detectar si está infectado con la bacteria causante de la tuberculosis (TB). La TB es una infección de los pulmones que se contagia fácilmente entre las personas. Puede ser muy grave en los niños y las personas con sistemas inmunológicos débiles.

Si necesita realizarse la prueba, o no, dependerá de cuán común sea la TB dentro de su área y de la probabilidad de que usted tenga contacto con la bacteria de la TB. Si piensa que ha estado expuesto a la TB y desea someterse a la prueba consulte a su médico o a la clínica de salud local.

Siga las normas de prevención

Diez pasos para lograr un hogar más seguro

1. Instale detectores de humo. Revise las baterías una vez al mes y cámbielas cada año.

2. Tenga a la mano en su casa un extintor de incendios en buen estado. Asegúrese de que todos en su hogar sepan en dónde se encuentra y cómo usarlo.

3. Elabore un plan de emergencia que deberá seguirse en caso de presentarse un incendio. Incluya la forma en que todos saldrán de la casa y en dónde se reunirán fuera de ella. Practique el plan con su familia. No olvide a sus mascotas.

4. Ajuste su calentador de agua a una temperatura de 120°F (49°C) o menos para evitar quemaduras. Cuando cocine, voltee los mangos de los sartenes hacia la parte trasera de la cocina o estufa. Nunca fume en la cama.

5. Mantenga alejados los electrodomésticos del agua. Apague o desconecte los electrodomésticos cuando no los utilice. Cambie los cordones eléctricos desgastados. Desenchufe los electrodomésticos (incluyendo las computadoras) cuando necesite limpiarlos o repararlos. Corte el suministro eléctrico en el interruptor del circuito si necesita trabajar en la instalación eléctrica en un muro o en el techo.

6. Si tiene niños, coloque protectores de plástico sobre los contactos eléctricos. Mantenga los cordones eléctricos fuera del alcance de los niños y mascotas.

7. Revise al menos una vez al año su sistema de calefacción y enfriamiento. Mantenga los quemadores y hornos en buenas condiciones de funcionamiento. Piense si es necesaria la instalación de detectores de monóxido de carbono.

8. Guarde las armas de fuego descargadas y con el seguro activado, en un sitio seguro y bajo llave. Guarde bajo llave las municiones en un sitio aparte.

9. Guarde los medicamentos, productos de limpieza, fertilizantes para plantas y otros productos venenosos (vea la página 31) fuera del alcance de los niños y las mascotas. Conserve los productos en sus empaques originales. Nunca almacene productos venenosos en recipientes de alimentos. Use cerraduras que los niños no puedan abrir en sus gabinetes.

10. Haga que su hogar sea a prueba de caídas. Use una buena iluminación interior y exterior. Mantenga despejados los corredores y las escaleras de cordones eléctricos y objetos fuera de su lugar. Asegúrese que las alfombras se encuentren unidas con firmeza en el piso. Retire de inmediato el hielo y la nieve de las aceras y lugares de paso.

Prevención de lesiones de seriedad

◆ Use los cinturones de seguridad cada vez que use su automóvil. Enseñe a sus hijos a hacer lo mismo. Los niños menores de 13 años deben viajar en el asiento trasero. Use asientos especiales para los bebés y niños pequeños (vea las páginas 364 a 365).

◆ Nunca beba y maneje, y nunca aborde un automóvil cuando el conductor haya consumido alcohol. Nunca maneje si está tomando medicamentos que le dejan somnoliento.

◆ Use un casco y cualquier otra accesorio de seguridad siempre que use una bicicleta, motocicleta, patines, kayak, cuando monte a caballo, esquí, patineta de nieve o al escalar.

◆ Si tiene un arma de fuego en su hogar:

❖ Asegúrese de saber cómo se maneja de manera apropiada su arma de fuego. Tome un curso de seguridad.

❖ Si hay niños viviendo en su hogar, guarde las armas de fuego descargadas, con el seguro puesto y bajo llave en un sitio seguro. No guarde las municiones junto con el arma de fuego.

◆ Nunca se zambulla en aguas profundas o desconocidas.

◆ No permita que sus hijos jueguen cerca del agua sin la vigilancia de una persona responsable.

◆ Use lentes de seguridad siempre que corte el pasto, use herramientas eléctricas o trabaje con productos químicos. Siga al pie de la letra las instrucciones de las etiquetas cuando trabaje con pesticidas, fertilizantes, productos de limpieza fuertes y con otros productos químicos. Si la etiqueta indica el uso de máscara y guantes, póngaselos.

◆ Use escaleras o bancos con patas firmes cuando quiera alcanzar objetos localizados en lo alto. Nunca use sillas o las cubiertas de los muebles. Además, debe tener mucho más cuidado cuando se mueva en lo alto de una escalera o en el techo. No corra riesgos.

Más

Use asientos de seguridad para bebés y niños

Los asientos de seguridad para bebés y niños salvan vidas. Los niños que no están sentados en asientos de seguridad pueden lastimarse o incluso morir durante los choques o cuando hay un frenado repentino a bajas velocidades.

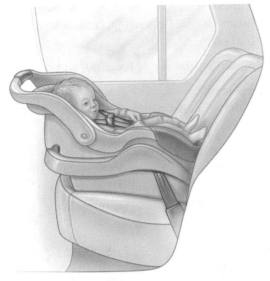

Un asiento para bebés orientado hacia atrás

Un asiento para niños orientado
hacia el frente

En la mayoría de los estados se requieren asientos de seguridad para los niños menores de cuatro años y cuando pesen menos de 40 libras (18 kg). Revise cuáles son las leyes aplicables en donde vive. Las siguientes pautas son buenas reglas generales:

◆ Bebés con un peso menor de 20 libras, independientemente de su edad: use un asiento para niños reclinable y orientado hacia atrás.

◆ Para los bebés de menos de un año, independientemente de su peso: use un asiento para niños reclinable y orientado hacia atrás.

◆ Para los niños de más de 20 libras y más de un año: use un asiento tipo andadera orientado hacia el frente del automóvil y que contenga un escudo o arnés. Algunos asientos para bebés pueden convertirse en asientos tipo andadera.

◆ Para los niños de más de 40 libras (18 kg) y más de 4 años: use un asiento elevado que coloque al niño al mismo nivel del resto de los pasajeros para que pueda usar de manera apropiada el cinturón de seguridad. Ajuste el cinturón de seguridad de modo que pase de manera apropiada por el hombro y no por el cuello. Use el asiento elevado hasta que su niño crezca lo suficiente para poder usar de manera apropiada el cinturón de seguridad.

◆ Los niños menores de 13 años deben viajar en el asiento trasero del automóvil si el auto tiene bolsas de aire laterales para el pasajero que no puedan desactivarse.

Un asiento elevado

Para lograr el uso más seguro del asiento de seguridad para bebés y niños, siga las recomendaciones del fabricante. Estas deben incluir las pautas con respecto al peso, además de cómo instalar el asiento y asegurar al niño en él.

Esté preparado para emergencias

Los desastres naturales, los derrames de productos químicos y las epidemias son algunos de los peligros de la vida moderna. Pueden afectar la calidad del aire, causar interrupciones en el suministro de agua y alimentos, además del acceso a los servicios de electricidad, gas, teléfono y otros. Los miembros de la familia podrían tener que separarse. Los hospitales y clínicas podrían no ser capaces de manejar el número de personas que necesitan ayuda.

Aunque puede dar miedo pensar en estos eventos, esto es lo que usted deberá hacer para estar mejor preparado:

◆ Elabore un plan de emergencia para usted y su familia. Esto puede ayudar en casi cualquier tipo de desastre.

◆ Tenga a la mano un paquete de emergencia con agua, alimentos, artículos para primeros auxilios y otros productos esenciales. También es una buena idea conocer cómo se puede purificar el agua (vea las páginas 367).

◆ Aprenda qué debe hacer si se expone a productos químicos (vea la páginas 47) o a otros peligros.

◆ Siga siempre las recomendaciones de las autoridades locales y a los oficiales del servicio público de salud.

❖ Durante una emergencia, sintonice una estación de radio o un canal de televisión local. No trate de hacer llamadas para recibir instrucciones. Las líneas telefónicas pueden estar saturadas o con el servicio interrumpido.

❖ Si se le pide que evacúe su hogar, obedezca de inmediato. Siga el plan y la ruta establecida para su área.

❖ Si hay un brote de alguna enfermedad contagiosa dentro de su área, no abandone su comunidad a menos que así lo señalen las autoridades. Si ya está infectado, podría diseminar la enfermedad o no recibir el tratamiento que necesita.

❖ Para las grandes crisis de salud pública, deberá apoyarse en la información de los Centros para el Control y la Prevención de Enfermedades (www.cdc.gov) y la Organización Mundial de la Salud (www.who.int/es).

Más ▶

Siga las normas de prevención

Su plan de emergencia

Es fácil armar un plan de emergencia.

◆ Seleccione a una persona de contacto a la cual deberán llamar todos los miembros de la familia o enviar correos electrónicos en el caso en que se encuentren separados. Lo mejor es designar a un amigo o familiar que viva fuera del estado. Asegúrese de que todos tengan el número telefónico y la dirección de correo electrónico de su contacto.

◆ Seleccione un lugar de reunión fuera del vecindario en caso de que no pueda regresar a su casa. Asegúrese de que todos tengan la dirección y el número telefónico.

◆ Seleccione un sitio de reunión fuera pero cerca de su hogar, como por ejemplo el jardín de un vecino, en caso de un incendio en su casa.

◆ Escriba en dónde y cómo se pueden desactivar los servicios de agua, gas y electricidad. Asegúrese de tener las herramientas que se requieren.

◆ Comente qué se debe hacer en caso de que se deba salir del hogar. Incluya en sus planes a sus mascotas. Los refugios y las instalaciones sanitarias podrían no recibir a sus mascotas.

Es posible que haya otras cosas que quiera incluir en su plan, especialmente si tiene niños en la escuela o si alguien en su casa tiene necesidades especiales.

Revise su plan una vez al año. Asegúrese de que los números telefónicos, direcciones de correo electrónico y el resto de los elementos continúen siendo válidos.

Su paquete para casos de emergencia

Necesitará los mismos productos básicos, sin importar cuál sea la situación:

◆ Agua. Almacene un galón (aproximadamente 4 litros) por persona para cada día. La mayoría de las personas necesita beber aproximadamente 2 litros al día. Calcule otros 2 litros para cocinar y la higiene personal.

Ejemplo: Una familia con cuatro miembros que quiera almacenar un suministro de agua para 3 días necesitará 12 galones (aproximadamente 45 litros y medio). Es decir, 4 galones (15 litros) al día (1 galón para cada persona) por 3 días. El suministro de siete días para esas cuatro personas será de 28 galones (106 litros).

◆ Alimentos que no requieran cocinarse o mantenerse refrigerados, como por ejemplo alimentos enlatados, mantequilla de cacahuate, galletas, barras de granola, leche en polvo, además de azúcar, sal y pimienta. (No olvide un abrelatas manual o una navaja suiza.)

◆ Productos y medicamentos para primeros auxilios

◆ Mantas y ropa

◆ Jabón, papel de baño y otros productos para la higiene personal

◆ Productos especiales (por ejemplo alimentos para el bebé, pañales o artículos para sus lentes de contacto)

◆ Ciertas herramientas y artículos para el hogar, como por ejemplo un radio a pilas, una lámpara, pilas de repuesto, cerillos o fósforos y las herramientas necesarias para cortar el suministro de agua, electricidad o gas.

◆ Dinero en efectivo o cheques de viajero. Es posible que los cajeros automáticos no funcionen.

Visite www.redcross.org para revisar una lista completa que le ayude a armar su propio paquete para emergencias.

Almacene todo en un solo sitio. De preferencia un sitio fresco y oscuro. Es posible que también quiera tener a la mano una variante más pequeña de su paquete de emergencia en el caso en que deba abandonar su hogar.

Una vez que forme su paquete, recuerde revisarlo de cuando en cuando. Cambie el agua, los alimentos, las baterías, las medicinas que hayan caducado, la ropa que ya no sea de

la talla apropiada y el resto de artículos que sea necesario. Incluso el agua embotellada y los alimentos "no perecederos" necesitan cambiarse después de un tiempo.

También debe saber dónde se encuentran sus documentos importantes de modo que pueda reunirlos rápidamente cuando los necesite. En esta categoría se pueden incluir los pasaportes, las tarjetas de seguridad social, testamentos, pólizas de seguro, información de sus cuentas de banco y tarjetas de crédito, además de sus registros médicos.

Agua potable segura

Puede serle útil saber cómo purificar el agua en los siguientes casos:

◆ Cuando su suministro normal de agua se vuelve inseguro. Nunca ignore la "orden de hervir el agua" emitida por las autoridades locales.

◆ Cuando se encuentra en un sitio en donde no hay agua limpia.

◆ Cuando se ha agotado el agua limpia que había almacenado para una emergencia.

La purificación del agua puede reducir enormemente la probabilidad de que se enferme debido a la calidad del agua disponible. Puede purificar el agua usando uno de los siguientes métodos:

◆ Hervir el agua por 3 a 5 minutos. Este método es el que funciona mejor, pero podría no ser una solución práctica si requiere una gran cantidad de agua. Este método requiere asimismo de una cocina o estufa, una llama u otra fuente de calor, que podría no tener.

◆ Use un gotero para agregar 16 gotas de blanqueador líquido a un galón de agua (3.78 litros). Agite y deje reposar durante 30 minutos. Si el agua no presenta un ligero olor a blanqueador (cloro) después de 30 minutos, agregue otras 16 gotas de blanqueador de cloro y deje reposar durante 15 minutos más. El agua debe tener un ligero olor a blanqueador.

◆ Use gotas o tabletas de cloro o yodo. Puede comprar estos productos en las tiendas que venden equipo para campamentos y en algunas farmacias. Use los productos conforme a lo señalado en las etiquetas. Este tipo de tabletas o gotas no tienen tan buenos resultados como el hervir el agua o usar el blanqueador, pero ayudan a eliminar algunos tipos de organismos.

◆ Use un filtro de agua. Los filtros pueden eliminar algunos elementos dañinos presentes en el agua, además de que pueden mejorar su sabor. Algunos filtros funcionan mejor que otros.

Índice

B

Q

Testículos, problemas en los (Testicle problems)–continuación